Erfgenamen van Ravenscar

BARBARA TAYLOR BRADFORD

Erfgenamen van Ravenscar

SIJTHOFF

ISBN 978 90 245 6052 3
NUR 343

www.boekenwereld.com

Voor Bob: vanwege zijn liefdevolle steun en ruimhartigheid,
en omdat hij me nooit afvalt.

DEEL EEN

De familie Deravenel

Gevaarlijke driehoek

Edward was een edel mens en had een optimistische instelling. Toch kon hij, wanneer hij een boos gezicht moest opzetten, heel angstwekkend op zijn omgeving overkomen. Voor zijn vrienden en anderen was hij gemakkelijk toegankelijk, zelfs voor wie het laagst in aanzien stond.
Dominic Mancini

Toen de familie Plantagenet elkaar ging uitmoorden, was dat het begin van het einde van de dynastie.
London citizen: 15de eeuw

Wee mij, ik zie de ondergang van mijn huis!
Nu heeft de tijger de slanke ree gepakt,
En dra vergrijpt verwaten tirannie
Zich aan de onnozele, eerbiedloze troon:
Welkom verdelging, bloedvergieten, slachting!
Ik zie, als op een kaart, de grenslijn reeds!
William Shakespeare:
Richard III,
Akte II, Scène I

Een

Yorkshire 1918

Het was dwangmatig, zoals hij elke keer dat hij naar Ravenscar terugkeerde naar dit stukje strand kwam.

Echt dwangmatig, maar ook uit de allesoverheersende behoefte om het zich allemaal weer voor de geest te halen: hun gezichten... hun gezichten toen die nog niet koud en verstard waren door de dood, maar nog warm. Neville, zijn mentor en kompaan in talloze plannen en avonturen; Johnny, de geliefde metgezel uit zijn jeugd. Hij had ze diep en oprecht liefgehad, deze gebroeders Watkins, deze twee neven die ook zijn bondgenoten waren geweest.

Althans, tot een combinatie van gekwetstheid, tomeloze ambitie, oplaaiende emoties en gevaarlijke elementen tussen hen was gekomen en hen uit elkaar had gedreven. Ze waren, tot Edwards grote teleurstelling, gezworen vijanden geworden – een pijn die tot op de dag van vandaag aan hem knaagde. En nu waren Johnny en Neville dood.

Edward keek omhoog naar de helderblauwe hemel, wolkeloos, een hemel die op deze ijskoude zaterdagmorgen in december zo zomers en vriendelijk leek. Zijn ogen voelden vochtig aan; hij knipperde onverwacht opwellende tranen weg en schudde zijn hoofd van verbijstering, omdat hij hun noodlottige einde, hier op dit stuk kiezelstrand aan de rand van de hardvochtige Noordzee, nog altijd niet kon geloven.

Hoe volslagen onverwacht en abrupt was dat einde gekomen. Hun auto was van de gevaarlijke, slingerende weg over de rotsen gestort, had een duikeling van bijna tweehonderd meter langs de afgrond gemaakt, waarna het voertuig beneden op de rotsen te pletter was geslagen.

9

Neville en Johnny werden uit de auto op de kiezels geslingerd en waren op slag dood geweest.

Het was een afschuwelijk en onnodig ongeluk geweest, waarvan Edward wist dat het was veroorzaakt door Nevilles verwoestende woede, frustratie en humeurigheid. Zijn neef was woedend op hém geweest en had veel te snel gereden, voortgedreven door gierende emoties die hij niet altijd in de hand kon houden.

Was Neville maar op een normale manier met de Daimler omgesprongen, dan zouden hij en Johnny vandaag nog in leven zijn geweest en dan hadden ze misschien hun conflicten kunnen bijleggen, een eind aan hun geruzie kunnen maken en op een of andere manier tot een wederzijdse toenadering zijn gekomen.

In een plotselinge heldere geheugenflits zag Edward Johnny voor zich staan.... Die ernstige Johnny, net zo oprecht, wijs en briljant als de hele familie Watkins. Vervolgens zag hij de zorgeloze Johnny, vrolijk en onbekommerd, met een stralende lach op zijn knappe gezicht en de pure levensvreugde die hij uitstraalde. Edward kneep zijn ogen dicht bij de herinnering aan al die dingen uit het verleden. Herinneringen die hem bestookten en opnieuw op hem af kwamen, overweldigend in hun realiteit.

Na een paar minuten deed Edward zijn ogen weer open en legde een hand op zijn borst. Door de lagen dikke winterkleren heen kon hij het medaillon niet voelen, maar het was er wel degelijk, dicht tegen zijn huid... Johnny's medaillon.

Veertien jaar geleden, in 1904, had Edward een medaillon naar zijn eigen ontwerp cadeau gedaan aan de mannen die hem hadden geholpen in zijn strijd om het zakenimperium van zijn familie terug te winnen en over te nemen. Het medaillon was in zekere zin een insigne, als markeerpunt voor hun succes. Het was van goud en het familiewapen van de Deravenels stond erop: op de ene kant een geëmailleerde witte roos en op de andere kant de stralende zon, met onder de geëmailleerde witte roos het motto gegraveerd van de Deravenels: *Trouw tot in eeuwigheid*. Kennelijk was Johnny, ondanks de geschillen die tussen hen waren gerezen, het medaillon blijven dragen. Daardoor was Edward ervan overtuigd dat Johnny Watkins tot het bittere einde zijn trouwe vriend was gebleven en duidelijk werd verscheurd door loyaliteit aan diverse familieleden – tussen zijn invloedrijke oudere broer Neville en Edward, zijn favoriete neef.

Zijn broer Richard was degene geweest die het medaillon om Johnny's hals had ontdekt toen hij na het auto-ongeluk, terwijl de jongen op het strand lag en het leven uit hem sijpelde, de kraag van zijn neef losmaakte.

Omdat hij zich van de toestand van Johnny moest overtuigen, had hij zijn das losgemaakt, zijn overhemd opengetrokken en onmiddellijk de fonkeling van goud bij zijn hals opgemerkt.

De avond van het ongeval had Richard het medaillon voor Edward meegenomen, die naderhand zijn eigen identieke medaillon had afgedaan en dat van Johnny om zijn hals had vastgemaakt. Hij had het sindsdien altijd omgehouden en dat zou hij tot zijn dood blijven doen.

De volgende morgen had Edward zijn eigen medaillon aan Richard gegeven, als blijk van zijn liefde en respect voor zijn jongste broer. Richard was ontroerd toen hij het kreeg, omdat hij begreep hoeveel het betekende.

Paaszaterdag 1914. Dat was hun sterfdag. Er was sindsdien zoveel gebeurd... De oorlog was een paar maanden daarna uitgebroken, in augustus... Vrienden en collega's waren gesneuveld op de met bloed doordrenkte akkers van Frankrijk en Vlaanderen... Hij en Elizabeth hadden er kinderen bij gekregen... Er hadden sterfgevallen, geboorten, huwelijken plaatsgevonden... Richard was in stilte getrouwd met Anne... De eeuwige kringloop die zich herhaalde.

Vier jaar geleden waren op dit strand, waar hij nu stond, twee mannen overleden die hij had bewonderd en van wie hij had gehouden. Toch kwam het hem voor alsof het pas een paar uur geleden was gebeurd. Hij kon die noodlottige dag niet vergeten of uit zijn gedachten wissen.

Het geluid van dreunende paardenhoeven onderbrak Edwards melancholische gemijmer, en toen hij omkeek, zag hij zijn jongste broer in vliegende galop over het strand rijden.

Met een opgestoken, in een handschoen gehulde hand zwaaide Edward, liep vervolgens naar Hercules, zijn witte hengst, slingerde zich lenig en behendig in het zadel en reed in galop op zijn broer af.

Terwijl de twee mannen elkaar naderden en hun rijdier beteugelden, wist Edward, nog voor Richard een woord had gezegd, dat er iets gruwelijk mis was.

'Wat is er? Wat is er gebeurd?' vroeg hij met een vorsende blik, waarbij zijn helderblauwe ogen over het gezicht van de jongere man heen schoten.

Richard zei, met een stem die gespannen was van bezorgdheid: 'Het is Edward junior. Er is iets niet in orde met hem, Ned en...'

'Niet in orde? Is hij ziek, bedoel je?' viel Edward hem onverbiddelijk in de rede, ogenblikkelijk bezorgd om zijn zoontje.

Richard knikte. 'Elizabeth denkt dat het influenza is en heeft me erop uitgestuurd om je te komen halen. Moeder heeft dokter Leighton al opgebeld. Ze heeft zijn butler gesproken. Kennelijk zijn hij en zijn vrouw te gast bij de Dunbars. Hij logeert dit weekend in The Lodge, en hij is al onderweg. Hij kan er elk moment zijn.' Toen hij was uitgesproken, zag Richard dat zijn broer doodsbleek was geworden.

'Mijn god, de Spaanse griep,' mompelde Edward. 'Die is dodelijk, dat weet je. Een paar van mijn mannen bij Deravenel zijn erdoor geveld. Het is zeker een geluk dat Leighton in de buurt is.' Er verscheen paniek in zijn ogen en hij schudde zijn hoofd. 'Kom op!' Hij reed in een halsbrekende galop weg over het strand, in de richting van Ravenscar.

Richard ging ijlings achter hem aan, waarna hij hem inhaalde om naast zijn broer te rijden, nooit ver uit de buurt van de door hem verafgode Ned wanneer die hem nodig had.

Twee

Ravenscar stond op de kliffen hoog boven de zee, die als gepolitoerd staal lag te schitteren in het late morgenlicht.

Het huis, opgetrokken uit rond afgesleten steen waar een gouden gloed overheen lag, dateerde uit de zestiende eeuw en de Tudor-periode. Een onvervalst elizabethaans huis, met een vloeiend verlopende symmetrie en perfect van proporties, dat al eeuwenlang onderdak bood aan het geslacht Deravenel.

Aan het huis, dat in 1578 door Edwards voorvaderen was gebouwd ter vervanging van de vervallen vesting die nog steeds beneden op de klip stond, was Edward al van kleins af aan verknocht. Hij kon intens van de schoonheid van het gebouw genieten en was eraan gehecht vanwege de betekenis die het had gehad voor de Deravenels die in het verleden waren heengegaan en voor hen die nog zouden volgen nadat hijzelf deze aarde al had verlaten.

Nu hij, op weg naar de stallen, om het ronde voorplein reed, besteedde hij geen aandacht aan de grandeur en pracht van dit statige bouwwerk en had zelfs geen oog voor de talrijke ramen die schitterden in de winterse zonnestralen of voor de pui van honingkleurige steentjes die glansden in het voor deze noordelijke streken zo karakteristieke verblindende licht. Hij had maar één gedachte in zijn hoofd: zijn zoon. Zijn erfgenaam. Edward, naar hem vernoemd, van wie hij hield met heel zijn hart.

Edward móést hem zien. Alleen al de gedachte dat zijn zoon was getroffen door Spaanse griep vervulde hem met doodsangst. De ziekte was een kwaadaardige moordenaar en was, sinds die in het begin van de zomer was uitgebroken, van een epidemie overgegaan in een pandemie. Mensen in Europa, Engeland, Amerika en vele andere landen ter wereld waren erdoor getroffen en duizenden waren eraan overleden.

Nadat hij in draf over de klinkers de binnenplaats achter het huis in was gereden, sprong Edward van zijn hengst, al om zich heen kijkend of hij de stalknechten ergens zag. Die waren nergens te bekennen. 'Ernie! Jim!' riep hij. 'Ik ben terug.'

Richard was achter hem aan de binnenplaats op gereden en terwijl hij afsteeg, zei hij: 'Laat de paarden maar aan mij over, Ned. Ga alsjeblieft naar binnen, ik weet hoe ongerust je bent.'

Edward knikte en liep zonder verder iets te zeggen haastig weg.

Richard keek zijn broer na, die met een van angst vertrokken gezicht met grote stappen op de achterdeur af liep. Iedereen dacht dat Edward Deravenel alles had wat zijn hartje begeerde, en misschien was dat ook zo. In elk geval had hij alles wat een man van drieëndertig zich zou kunnen wensen. Maar op dit moment, wist Richard, was zijn broer uitermate kwetsbaar en dodelijk ongerust om zijn zoon. Ondanks al zijn succes, zijn immense rijkdom en onmiskenbare macht had hij het herstel van de jongen niet in de hand. Dat had alleen God, en een goede arts. In stilte bad Richard dat zijn neefje het zou halen. Hij hield van hem als was het zijn eigen kind, net zoals hij hield van alle kinderen van zijn broer, vooral van zijn nichtje Bess.

Hij pakte de teugels van de paarden en leidde ze over de binnenplaats naar de stallen, net toen Ernie, een van de stalknechten, opeens met een bezorgd gezicht opdook.

'Ik neem ze wel van u over, Mr. Richard,' zei de knaap, waarna hij er verontschuldigend aan toevoegde: 'Sorry dat ik niet buiten was toen u terugkwam. Dat kwam door Minnie, Mr. Richard, dat veulentje daar. Ze is erg schichtig.'

Richard knikte ten teken dat hij het begreep, terwijl hij hem de teugels aanreikte. 'Ze is inmiddels wel wat gekalmeerd, hè?'

'Jawel,' zei de knaap, 'Maar kunt u even naar haar kijken, sir? Misschien is er iets heel erg mís. Weet u, ik denk dat het haar voorvoet is. Misschien zit het hoefijzer los. Misschien gaat ze weer heel erg lastig worden.'

'Goed, ik zal even naar haar voet kijken, Ernie, maar dan moet ik het wel snel doen.'

'Eén minuutje maar, Mr. Richard, één minuutje.'

Zodra Edward het huis binnen was, was hem de verpletterende stilte opgevallen, en nadat hij zijn jasje over een bak in de wapenkamer had geworpen, liep hij met een frons op zijn voorhoofd haastig de gang door. Meestal was dit deel van het huis voortdurend vol geluiden, vertrouwde geluiden... het gekletter van potten en pannen dat uit de keuken kwam, maar ook vrolijk gelach en de gebiedende stem van de kokkin als ze bevelen uitdeelde aan de keukenmeisjes. Maar omdat er op dat moment ineens geen enkel geluid klonk, stond Edward voor een raadsel omdat het absoluut niet normaal was.

Bij de grote hal aangekomen bleef hij staan, verwonderd over de afwezigheid van Jessup. Gewoonlijk hield de butler zich altijd in dit deel op, altijd bereid om van dienst te zijn, maar hij was nergens te bekennen.

Edward haalde zijn schouders op en liep net naar de trap, toen Jessup haastig uit het butlerverblijf kwam en direct vroeg: 'Kan ik iets voor u doen, Mr. Deravenel?'

'Nee, maar toch bedankt, Jessup. Ik ben op weg naar boven om bij Master Edward te gaan kijken. Heb jij hem vanmorgen nog gezien?'

'Jazeker, sir. Hij voelt zich niet zo lekker, het arme schaap. Maar het is een kranig ventje, nietwaar, meneer?'

'Dat is hij zeker. Jessup, breng de dokter alsjeblieft meteen naar boven als hij komt, wil je?'

'Jazeker, meneer, zodra hij er is.'

Met een vaag knikje liep Edward weg en ging met treden tegelijk de trap op, op weg naar de verdieping waar de kinderen meestal te vinden waren. Toen hij in allerijl de gang doorliep en het tot hem doordrong dat hij zijn vijfjarige zoon al kon horen hoesten voor hij de slaapkamer had bereikt, kreeg hij het benauwd. Even bleef hij, plotseling bevangen door een voorgevoel, bij de deur staan en haalde diep adem om zich te beheersen voor hij naar binnen ging.

Elizabeth stond over hun zoon gebogen en keek om toen Ned haastig op het bed af liep. 'Hij heeft koorts,' fluisterde ze, terwijl ze het rossig goudblonde haar van het jongetje van zijn klamme voorhoofd streek, 'en is uitgeput door dat afschuwelijke gehoest.'

Edward kwam dichterbij en kneep in haar schouder omdat hij haar wilde geruststellen. Toen hij zich op zijn beurt over de jongen heen boog, schrok hij, verontrust door hoe zijn zoon erbij lag. Het kind gloeide van de koorts en zijn ogen stonden glazig. Zweetdruppels stonden op zijn gezicht en Edward raakte vreselijk in paniek toen hij besefte dat zijn zoon hem niet eens herkende.

Hij keek zijn vrouw aan en vroeg met zachte stem: 'Hebben we helemaal geen hoestdrank in huis? Er is toch wel íéts? Ergens?'

'Die hebben we hem al gegeven, Ned, maar ik was bang om hem te veel te geven, dat hij een overdosis zou krijgen. Het is nogal een sterke siroop. Toen herinnerde je moeder zich het frambozenazijndrankje dat ze vroeger voor jou en je broer maakte. Ze is naar beneden gegaan om de kokkin uit te leggen hoe ze het moest klaarmaken. Ze zei dat ze het jullie als kind altijd gaf.'

'Dat is zo. Het wordt gemaakt van frambozenazijn, boter en suiker, samen aan de kook gebracht, en zoals een heleboel van die ouderwetse middeltjes uit het verleden schijnt het heel goed te werken.'

'Dat hoop ik dan maar.'

Met een blik op het bed merkte Edward met gedempte stem op: 'Volgens mij zou hij zich met wat kussens in zijn rug beter voelen dan plat op zijn rug. Misschien raakt hij dan de verstopping in zijn borst gemakkelijker kwijt, als hij rechtop zit.'

Zonder haar reactie af te wachten tilde hij het kind wat dichter naar zich toe, met zijn armen om hem heen, en zei tegen zijn vrouw: 'Wil je de kussens weghalen, Elizabeth, en ze rechtop tegen het hoofdeinde zetten?'

Dat deed ze zonder iets te zeggen; hij legde de jongen ertegenaan, gaf hem een kus op zijn voorhoofd en trok het beddengoed recht.

Edward keek naar de deur toen die openging en zijn moeder met een dienblad in haar handen binnenkwam. 'Wat een opluchting dat je er bent, Ned,' riep Cecily Deravenel uit en zette op hetzelfde moment het blad op de ladekast neer. 'Ik ga proberen of ik hem deze stroop kan laten innemen. Ook heb ik beneden een ander medicijn gevonden dat eveneens uitkomst kan bieden. Dat Creopine-mengsel, om te inhaleren. Ik heb het kortgeleden in Londen gekocht.'

'Is Creopine volgens u beter dan Friar's Balsam, moeder?'

'Geen idee, Ned. We zullen het aan de dokter vragen als hij hier is,' antwoordde Cecily en wijdde zich vervolgens aan haar kleinzoon, die ze een lepel met het frambozenmengsel toediende.

Even later legde Edward een hand op Elizabeths arm en fluisterde: 'Laten we even naar buiten gaan, lieveling.' Terwijl hij haar bij de arm pakte, leidde hij haar naar de deur. Toen ze alleen op de gang waren, trok hij haar in zijn armen en drukte haar tegen zich aan, waarna hij haar over haar haar streelde. Met zijn mond tegen haar wang zei hij: 'Probeer je niet bezorgd te maken. We zullen ervoor zorgen dat hij beter wordt, Elizabeth, dat beloof ik.'

'Beloof je me dat, Ned?'

'Ja, Elizabeth, ik beloof je echt dat hij gauw weer kerngezond zal zijn.'

Elizabeth leunde tegen hem aan en ontspande zich, getroost door zijn aanwezigheid en zijn liefde. Als het aankwam op het welzijn van zijn kinderen, vertrouwde ze hem onvoorwaardelijk. Bovendien gaven Neds zelfverzekerdheid, zijn vertrouwen in zichzelf en zijn geloof dat hij meester was over alles en iedereen haar altijd een veilig gevoel. Er waren mensen die van mening waren dat die eigenschappen een afspiegeling waren van zijn arrogantie. Zij wist wel beter; en niemand kende hem beter dan zij.

Drie

'Het is de wens van Mr. Deravenel dat ik u onmiddellijk naar boven breng, sir,' legde Jessup aan de dokter uit, nadat hij diens hoed en jas in de gangkast had weggeborgen. 'Deze kant op, alstublieft.'

'Dank je, Jessup,' zei Peter Leighton, en snel liep hij achter de butler aan door de grote hal naar de brede trap.

Voor ze de verdieping met de kinderkamers hadden bereikt, stond Edward, die hun stemmen al had gehoord, boven aan de trap ongeduldig op hen te wachten.

'Goedemorgen, dokter Leighton,' riep hij uit toen hij de dokter zag, waarna hij eraan toevoegde: 'Dankjewel, Jessup.' Met een kort knikje stuurde hij de butler weg, die haastig de trap afdaalde.

Toen de dokter de overloop op liep, stak hij zijn hand uit en schudde Edward de hand. 'Goedemorgen, Mr. Deravenel. Zo, het gaat niet zo goed met Edward junior, hè?'

'Nee. Mijn vrouw denkt dat het de Spaanse griep is. Hij heeft koorts en een blaffende hoest. Zo-even waren er bloedvlekken in zijn zakdoek, vertelde mijn vrouw. Zoals u zich kunt voorstellen, maken we ons ernstig zorgen. Daar kan ik alleen aan toevoegen dat we dolblij zijn dat u dit weekend toevallig bij de Dunbars logeert, zo dicht bij ons in de buurt.'

'Dat komt inderdaad heel gelukkig uit,' antwoordde dokter Leighton, waarna hij vroeg: 'Hoe gaat het met de andere kinderen? Vertonen zij ook verschijnselen van besmetting?'

'Nee, dat niet, maar ik zou graag willen dat u even naar hen keek nadat u bij Edward junior bent geweest.'

'Natuurlijk, natuurlijk, dat spreekt vanzelf, Mr. Deravenel.' Dokter Leighton schonk Edward een bemoedigende glimlach en sprak verder: 'Ik vrees dat de Spaanse griep uiterst heftig is, zoals u ongetwijfeld uit de kranten en van de radio weet, maar hij heeft geen kinderen of bejaarden geveld, zoals griep gewoonlijk doet. Deze nieuwe vorm schijnt voornamelijk jonge volwassenen te besmetten. Vooral jongemannen tussen de twintig en de dertig. Toen ik mijn rijtuig bij de stallen neerzette, zag ik uw broer, en ik moet erop wijzen dat juist hij een kandidaat zou kunnen zijn voor dit uitzonderlijke virus. Ik denk dat ik even naar hem moet kijken voor ik wegga.' Waarna de dokter, bijna onhoorbaar, eindigde met: 'Helaas schijnt er voor de Spaanse griep geen remedie te zijn. Niemand weet hoe je hem moet behandelen.'

Toen hij de bezorgde uitdrukking op Edwards gezicht zag, pakte de dokter hem bij de arm en zei: 'Moet u luisteren, het heeft geen nut als ik eromheen draai, Mr. Deravenel, u moet de feiten weten. Maar laten we hopen dat uw arme zoontje die vreselijke ziekte niet te pakken heeft en dat hij ernstig heeft kougevat of bronchitis heeft. Dat is allebei al erg genoeg, ik weet het, maar het is tenminste te behandelen. *En te genezen.*'

'Ik begrijp het, en u hoeft zich echt niet te verontschuldigen omdat u me de waarheid vertelt. Hoe onverkwikkelijk die ook moge zijn, ik hoor liever het ergste, zodat ik weet waarmee ik te maken heb. Ik heb een hekel aan verrassingen. Zullen we dan maar naar de kamer van Edward junior gaan? Dan kunt u hem onderzoeken en daarna naar de rest van het kroost kijken.'

Toen ze even later de slaapkamer binnen kwamen, draaiden Elizabeth en Cecily zich om, begroetten de dokter beleefd en liepen vervolgens weg bij het bed.

'Ik ga wel bij de andere kinderen kijken,' kondigde Cecily aan. 'Om u wat ruimte te geven, dokter Leighton.'

De dokter knikte en schonk haar een gulle glimlach, terwijl Cecily de deur uit glipte; Elizabeth schoof dichter naar haar echtgenoot toe, die bij de slaapkamerdeur stond, pakte hem bij de arm en drukte zich tegen hem aan.

'De hoest lijkt minder te zijn geworden, dokter Leighton,' legde Elizabeth de dokter uit, 'sinds het mijn schoonmoeder is gelukt hem een frambozenazijnbrouwsel toe te dienen.'

Peter Leighton keek haar even aan en knikte. 'Vaak zijn het die ouderwetse middeltjes die het beste werken, weet u.' Onder het praten haalde hij een stethoscoop uit zijn dokterstas en boog zich over Edward junior heen, terwijl hij direct constateerde dat de jongen koorts had en een glazige blik in zijn ogen had. Hij luisterde naar zijn borst, waarna hij een thermometer in zijn mond stopte, die hij daar een paar minuten liet zitten.

Nadat hij de thermometer had afgelezen, zei hij: 'Zijn temperatuur is inderdaad aan de hoge kant, maar dat was te verwachten. Ik ga hem omdraaien, Mrs. Deravenel. Ik wil even zijn longen onderzoeken.'

'Hebt u hulp nodig, dokter?' vroeg ze, zonder dat haar ogen de dokter loslieten, met een bezorgde uitdrukking op haar gezicht.

'Nee, nee, het gaat best.' Dokter Leighton legde het jongetje op zijn zij, stroopte zijn pyjamajasje omhoog en zette de stethoscoop op zijn rug, waarna hij aandachtig luisterde. Even later legde hij het kind weer in zijn oorspronkelijke houding en dekte het toe. Nadat hij voorzichtig zijn mond had opengedaan, gebruikte dokter Leighton een houten tongspatel, terwijl hij Edward junior in de keel keek.

Toen hij zich daarna weer oprichtte en zich tot Edward en Elizabeth wendde, zei hij met enige opluchting: 'Hij heeft bronchitis. Het is geen Spaanse griep.'

Elizabeth bracht een trillende hand naar haar mond en slikte een snik weg. Ze keek op naar Edward, en opeens glinsterden er tranen van opluchting op haar blonde wimpers terwijl ze een vergeefse poging deed om naar hem te glimlachen.

'Weet u het zeker?' vroeg Edward zacht.

'Jawel, Mr. Deravenel. Hij heeft alle symptomen. Laat het me uitleggen. Bronchitis veroorzaakt verstopping in de luchttoevoer naar en uit de longen en blokkeert de uitwisseling van zuurstof tussen de longen en het bloed, vandaar die blaffende hoest. Ik zal de apotheek in Scarborough opbellen en een uitmuntende hoestdrank voorschrijven, plus een slijmoplosser en een poeder tegen koorts waarmee de verhoging minder zal worden. De apotheker zal zijn zoon met de medicijnen naar Ravenscar sturen. In de tussentijd kunt u, tot u de hoestsiroop hebt, doorgaan met hem het frambozen-azijnbrouwsel te geven.'

'Dank u, dokter Leighton. Wat kunnen we nog meer voor hem doen?' vroeg Elizabeth.

'Hou hem warm, maar niet heet. Probeer een constante temperatuur te bereiken en laat hem veel rusten. Geef hem overvloedig te drinken, vooral runder- en kippenbouillon – warme vloeistoffen zijn het beste,' legde de dokter uit.

Edward schraapte zijn keel, keek de dokter aan en zei: 'En qua voedsel? Wat moeten we hem te eten geven?'

'Ik denk niet dat hij veel honger zal hebben, Mr. Deravenel, maar mocht dat zo zijn, geeft u hem dan heel lichte dingen... jam, rijstpudding, blanc-manger, custardpudding, kalfsaspic, zachtgekookte eieren of roerei, dus licht verteerbaar voedsel. En dat gemakkelijk door te slikken is natuurlijk, omdat zijn keel enigszins is ontstoken.' Nadat hij nog een blik op Edward junior had geworpen, pakte de dokter zijn tas en ging de Deravenels voor, de kamer uit.

'Ik denk dat er iemand bij de jongen moet blijven om te zien of hij wat nodig heeft,' drukte dokter Leighton hun ondertussen op het hart. 'Ik weet dat u zelf graag bij hem zou willen zijn, Mrs. Deravenel, maar eerlijk gezegd, u ziet uiterst bleek en maakt op mij een oververmoeide indruk. U moet rusten, hoor, we kunnen niet hebben dat u ziek wordt. Wat denkt u van Ada, die jongedame die Nanny assisteert? Ze maakte op mij altijd een efficiënte indruk.'

'Niet dat Ada niet goed is, maar Nanny kan het zelf wel af. Daar ben ik zeker van.' Voor het eerst die dag glimlachte Elizabeth toen ze eraan toevoegde: 'Bovendien is Bess met haar negen jaar de laatste tijd zo ongeveer de moederkloek geworden, dus zij kan een beetje op haar zusjes letten. En de baker is er nog om de nieuwe baby te verzorgen. We zijn goed bemand, dokter Leighton.'

'Uitstekend. Zullen we nu dan naar de kinderkamer gaan, zodat ik de andere kinderen kan onderzoeken?'

Vier

Cecily Watkins Deravenel zat alleen in de bibliotheek. Ze had zich op een van de enorme, comfortabele diepe banken bij de haard geïnstalleerd en genoot van een kop koffie terwijl ze aan haar kleinzoontje dacht. Iedereen noemde hem Edward junior, om hem van zijn vader te onderscheiden, maar voor haar zou hij altijd Neddie blijven. Zo had ze sinds zijn geboorte altijd aan hem gedacht. Hij leek als twee druppels water op zijn vader, toen Ned nog een jongetje was.

Het was zo'n prachtig kind, die kleine Neddie van haar... een engeltje van Botticelli, met zijn rossig gouden krullen en blauwe ogen – zo helder en sprankelend en altijd lachend. Hij was een vrolijke kleine boef, maar hij had behoorlijk lang op zich laten wachten, hun erfgenaam van het Deravenel-imperium, het vierde kind na zijn drie zusjes Bess, Mary en Cecily (die naar haar was vernoemd).

Hij was pas vijf jaar en had begin november zijn verjaardag gevierd, maar soms drukte hij zich al zo goed uit dat ze vaak dacht dat ze met een veel ouder kind sprak.

Cecily was enorm opgelucht dat hij niet aan die vermaledijde Spaanse griep leed. Bronchitis was al erg genoeg; aan de andere kant, ze had nog nooit gehoord dat iemand aan die ziekte was overleden. Toch stierven mensen over de hele wereld als ratten zodra ze door deze nieuwe variant van het griepvirus werden getroffen. In de krant stond nu dat er meer mensen aan de griep stierven dan er in de oorlog waren omgekomen.

Op dit moment was de dokter boven de andere kinderen aan het onderzoeken, maar ze was ervan overtuigd dat die geen van allen ziek waren. Ze was net de afgelopen twintig minuten bij hen in de speelkamer geweest, en ze waren erg druk en vrolijk lachend met hun speelgoed in de weer. Ja, ze waren allemaal kerngezond, ook

Richard, die twee jaar was, en Anne, de baby die een paar maanden geleden was geboren. De laatste boreling.

Haar zoon mocht dan in Elizabeth niet zijn ware zielsverwant hebben gevonden, of zelfs maar een gezellige kameraad – God weet dat hij zo min mogelijk tijd met haar doorbracht – maar fysiek voelde hij zich kennelijk nog altijd tot haar aangetrokken. Naar het scheen had Elizabeth hem, waar het de echtelijke sponde betrof, onweerstaanbare verlokkingen te bieden. Zes kinderen al, en Cecily was er zeker van dat er in de nabije toekomst nog wel meer zouden volgen.

Al had Cecily Deravenel haar schoondochter nooit gemogen, ze had altijd oog gehad voor haar immense schoonheid. Volgens sommigen was Elizabeth de mooiste vrouw van heel Engeland, met haar zilverblonde haar dat tot op haar middel over haar rug viel, haar glasheldere lichtblauwe ogen en die unieke rozig blanke teint waarop geen smetje te bekennen viel.

Elizabeth was nu achtendertig, maar toch was haar leeftijd haar niet aan te zien: er was geen sprake van een onderkin, geen rimpels, geen kraaienpootjes rond haar ogen. Verder had ze nog altijd een volmaakt figuur, dat in de elf jaar dat ze met Edward was getrouwd nauwelijks was veranderd. Iedereen vroeg zich af hoe ze dat klaarspeelde, ook Cecily zelf.

Het lastige met Elizabeth Wyland Deravenel was haar karakter. Van begin af aan was het Cecily duidelijk geweest dat haar schoondochter ambities had, wat betreft zichzelf en haar gezin – en dat het er legio waren, zoals Cecily maar al te goed wist. Ze was arrogant en ze was een snob. Cecily was zich er ten volle van bewust dat haar oudste zoon wist dat ze altijd van mening was geweest dat Elizabeth niet goed genoeg voor hem was. Zoals Richard ooit met bijtend sarcasme had gezegd: 'Ze is niet eens goed genoeg om Edwards laarzen te likken, moeder.' Richard was veel te intelligent voor iemand als Elizabeth. Hij had van begin af aan recht door haar heen gekeken en onmiddellijk doorgehad hoe jaloers ze op hem was. Richard wist dat ze een diepe afkeer had van zijn band met zijn oudste broer en niet kon verkroppen dat hij Edwards lieveling en vertrouwdste bondgenoot was.

Het was waar, haar schoondochter had een bovenmatig jaloers karakter en bestookte Edward voortdurend met behoorlijk kwaadaardige, platvloerse roddelpraatjes die over hem de ronde deden, waarbij ze beweerde dat ze alles afwist van zijn affaires met andere vrouwen.

Cecily zuchtte stilletjes. Omdat ze nu eenmaal niet gek was, had ze lang geleden onderkend dat haar zoon verzot was op vrouwen. Tegelijkertijd was hij niet de onverbeterlijke rokkenjager waarvoor zijn vrouw hem uitmaakte. Tegenwoordig niet meer, althans. In feite hield Edward voor zover Cecily wist – en ze werd door iedereen in de familie goed op de hoogte gehouden – er op het moment maar één vriendin op na. Dat was Jane Shaw, een gescheiden vrouw, die al heel lang in zijn leven was. Naar Cecily begreep, was Edward het soort man dat niet buiten de kameraadschap van een vrouw kon, en die vond hij bij Jane.

Will Hasling, Edwards beste vriend en iemand die haar bijzondere voorkeur genoot, kende Jane goed en hij had zich tegen Cecily altijd vriendelijk over haar uitgelaten en haar ervan overtuigd dat Jane niet ambitieus of op een huwelijk met Edward uit was, en dik tevreden was met zijn vriendschap. En kennelijk wáren ze vrienden, die genoten van een gezamenlijke liefde voor muziek, toneel en beeldende kunst.

Was Elizabeth slimmer geweest, dan zou ze haar mond houden en niet langer afgeven op zijn niet-bestaande affaires, bedacht Cecily ineens. Voor zover zij de mannen kende, werd een man die ten onrechte werd beschuldigd, over het algemeen juist in de armen gedreven van de eerste de beste vrouw die beschikbaar was. Ze is zo'n dwaas...

Terwijl ze haar gedachten de vrije loop liet, keek Cecily om toen ze voetstappen hoorde en ze stond op toen Peter Leighton, gevolgd door Edward en Richard, de bibliotheek binnen kwam.

'Ik neem aan dat al mijn andere kleinkinderen kerngezond zijn,' riep Cecily uit, terwijl ze de jonge arts glimlachend aankeek.

'Dat zijn ze zeker, Mrs. Deravenel. Ik zou zelfs zo ver willen gaan te beweren dat ze blaken van gezondheid. En, moet ik erbij zeggen, ze zijn de mooiste kinderen die ik ooit heb gezien.'

'Dank u, dokter,' luidde haar reactie.

Richard deed een stap naar voren, liep toen haastig op zijn moeder af en zei: 'Dokter Leighton zegt dat ik helemaal fit ben en in goede gezondheid verkeer.'

'Ik ben blij dat te horen,' antwoordde Cecily hartelijk.

Edward mompelde: 'Elizabeth komt niet naar beneden om te lunchen, moeder. Ze heeft te veel van zichzelf gevergd, voornamelijk door zich zorgen te maken, volgens mij. In elk geval stond dokter Leighton erop dat ze naar bed ging.'

'Ik begrijp het volkomen, Ned.' Met een blik op de klok op de schoorsteenmantel wendde Cecily zich tot Peter Leighton. 'Ik neem aan dat ik u niet kan verleiden om te blijven lunchen, aangezien ik weet dat u te gast bent bij de familie Dunbar. Maar misschien wilt u iets drinken – koffie of thee? Sherry misschien?'

'U bent vreselijk vriendelijk, Mrs. Deravenel, maar nee, dank u hartelijk. Ik moet eens gaan. De wegen waren vanmorgen glad, en over een rit die gewoonlijk een kwartier duurt, heb ik veertig minuten gedaan. Dus ik ben ervan overtuigd dat u er alle begrip voor hebt dat ik ervandoor moet, wil ik voor de lunch bij de Lodge aankomen.'

'Zeker, dokter Leighton, en ik dank u hartelijk dat u zo snel bent gekomen.'

'Ik kom morgen terug, om naar Edward junior te kijken. Intussen is Thomas Sloane, de apotheker in Scarborough, al bezig de medicijnen klaar te maken en ik zei net tegen Mr. Deravenel dat u die wel spoedig zult krijgen. Hij stuurt zijn zoon Albert met de bestelwagen. Maar gebruikt u gerust het frambozenazijnbrouwsel, mocht de jongen hevig gaan hoesten.'

'Dat zal ik doen, en nogmaals dank, dokter Leighton.'

Cecily gaf hem een hand, evenals Richard, en daarna liep Edward met hem mee naar de ontvangsthal.

Richard ging tegenover zijn moeder zitten en vertelde: 'Dokter Leighton heeft me alleen maar onderzocht omdat hij vreesde...'

'Ik vind anders dat je er heel gezond uitziet, Richard,' viel Cecily hem met gefronst voorhoofd in de rede.

'Ja, dat weet ik, en ik bén ook kerngezond. Naar het schijnt lopen jongemannen tussen de twintig en de dertig de meeste kans om de Spaanse griep te krijgen. Hij dacht dat ik vanwege mijn leeftijd wel eens een gemakkelijke kandidaat zou kunnen zijn, dat was het enige waar het om ging.'

Cecily keek Richard scherp aan. 'Je hebt toch geen symptomen?'

'Welnee. De dokter was alleen maar efficiënt, zoals altijd.'

'Ik begrijp het. Ik mag Peter Leighton erg graag en ik was dolblij toen hij de praktijk van dokter Ryan overnam. Hij is jong, intelligent en betrokken. Zijn handelwijze is ultramodern, en hij is helemaal op de hoogte van de laatste ontwikkelingen. Ik ben het eens met zijn benadering.'

Edward stapte binnen met een brede glimlach op zijn gezicht. 'Ik was ontzettend blij dat ik net het geratel van potten en pannen in de keuken hoorde. Toen ik vanmorgen terugkwam van mijn rit was het hier net een spookhuis, doodstil, en die totale stilte was nogal spookachtig. Jessup vertelde me zelfs dat de kokkin behoorlijk overstuur was vanwege Edward junior, vandaar de sombere sfeer in haar domein. Volgens Jessup mocht niemand van het overige personeel een woord zeggen.'

'Ik weet dat ze nogal bazig kan zijn,' mompelde Cecily.

Edward liep naar het dienblad met drank dat op een ladekast stond en schonk een glaasje lichte amontillado voor zichzelf in. Toen ging hij bij de terrasdeuren staan en staarde, in gedachten verdiept, over de landerijen en de zee.

'Ned?' zei zijn moeder.

'Ja, moeder, wat is er?' Hij draaide zich om en keek haar aan, zijn blonde wenkbrauwen opgetrokken.

'Het is vandaag 14 december. Nog maar tien dagen voor Kerstmis. Ik vind werkelijk dat we erover moeten denken de feestelijkheden die we gepland hebben af te zeggen. Bronchitis duurt een paar weken, langer zelfs...'

'Ik hoef er niet over na te denken om ze af te zeggen. Ik heb al besloten om dat te doen. Onmíddellijk. Het moet vandaag nog gebeuren. Dan krijgen de gasten die we verwachtten de tijd om andere plannen te maken... enfin, dat is te hopen. Na de lunch zal ik Will opbellen, en ook Vicky en Stephen. Ze zijn bijna familie en ze zullen het begrijpen. Ik kan ook beter even met George gaan praten.'

'George!' riep Richard uit, waarna hij zijn broer met open mond aankeek. Hij was perplex. 'Je hebt me niet verteld dat je George had uitgenodigd, Ned. Hoe kón je?'

'Dat heb ík niet gedaan. George nodigde zichzelf uit, en je weet hoe onze broer is. En hij zei ook dat hij Isabel en de kinderen zou meenemen.'

'Waarom heb je niet tegen hem gezegd dat hij niet met Kerstmis mocht komen?' riep Richard beschuldigend uit, met een onverwachte blos op zijn bleke gezicht.

Edward zweeg als het graf.

'Je weet hoe kwaad ik me op hem heb gemaakt, net als Anne. De manier waarop hij haar behandelde en onze verloving heeft gedwarsboomd was weerzinwekkend!' Richard schudde zijn hoofd. 'Ik wil hem niet zien. En ook Isabel niet. Zij speelt met hem onder één hoedje.'

'Ze is slap,' mompelde Ned. 'Ze durft hem in niets tegen te spreken.'

'Het was mijn idee,' kwam Cecily zachtjes tussenbeide, terwijl ze Richard strak aankeek.

'Waaróm?' vroeg Richard, terwijl hij zijn stem verhief. 'In godsnaam, waaróm? George heeft me de afgelopen jaren honds behandeld.'

'Ik hoopte dat jullie het dit jaar met de kerst zouden bijleggen,
weer vrienden zouden worden, liefhebbende broers, zoals het vroeger was.'

Met een holle lach kaatste Richard terug: 'Ik zou hem voor geen
cent meer vertrouwen, moeder.'

'Hij is je broer,' antwoordde ze.

'Dat moet u tegen hém zeggen!'

Toen ze bleef zwijgen, sprak Richard op boze toon verder: 'U
nam het altijd voor hem op, al toen hij nog klein was. Echt een moe-
derskindje! Altijd zielig aan uw rokken hangen, zich aan u vastklampen en zich achter uw rokken verschuilen wanneer hij een ge-
mene streek had geleverd. U nam hem toen ook in bescherming en
ik zal nooit begrijpen waarom.'

Cecily schudde haar hoofd en haar stem brak enigszins toen ze
het probeerde uit te leggen. 'Er was iets aan hem waardoor ik het
gevoel had dat híj bescherming nodig had. Op een eigenaardige manier was ik altijd een beetje ongerust over hem; hij leek altijd zo
kwetsbaar...' Haar stem stierf weg.

'Kwetsbaar! Laat me niet lachen.' Richard richtte zich nu tot Edward en keek hem strak aan. 'George heeft jou verráden, Ned. Niet
één keer, maar vele keren. Hij koos de kant van Neville toen Neville en jij ruzie hadden gehad. Hij raakte verstrikt in Nevilles plannen met Louis Charpentier mee te gaan en een bod op Deravenel
uit te brengen. En hij bezweek voor Nevilles idee om hem op jouw
plek te zetten. George dacht dat hij jou eruit zou kunnen werken.
Zijn bróér. Vervolgens trouwde hij met Isabel, terwijl hij wist dat
jij ertegen was. Als dat geen verraad is, weet ik niet wat dat woord
betekent.'

'Het is allemaal mijn schuld, werkelijk waar, Richard,' zei Cecily langzaam, omdat ze het wilde sussen. 'Wees niet boos op Ned.
Ik ben degene die Ned heeft gesmeekt George zijn misstappen te
vergeven, omdat ik de familie in ere wilde herstellen en weer tot één
geheel wilde maken. Ik wilde iedereen een gesloten front tonen. We
zijn een vooraanstaande familie, mijn waarde Richard. Wij zijn de
Deravenels! Ik wilde ons niet blootstellen aan lelijke roddel, geklets
op straat.'

'Deed ík er dan niet toe?' vroeg Richard verwonderd, terwijl hij
zijn moeder aanstaarde. 'Met mijn gevoelens hoefde zeker geen re-

kening gehouden te worden?' Hij keek van zijn moeder naar Ned. 'Je weet dat hij je had verraden en dat ik, wat er ook gebeurde, altijd aan jouw kant heb gestaan. Uit loyaliteit ben ik dat verplicht. En toch heb je toegelaten dat George mijn huwelijk met Anne dwarsboomde, wat ons veel pijn heeft gedaan.'

Edward haastte zich daarop te reageren, op een sussende toon. 'Omdat jullie allebei nog zo jong waren, meende ik dat ik de tijd had om het allemaal met George op te lossen. Hij heeft voor heel wat problemen gezorgd, ernstiger dan je ooit zult weten. Luister, om tot de kern te komen: hij wilde het hele kapitaal van Neville hebben omdat Isabel de oudste dochter was. Hij wilde niet dat Anne daarin zou delen, vandaar dat hij het huwelijk wilde dwarsbomen – omdat hij wist dat jij voor Annes rechten zou vechten.'

'Het gaat bij George altijd om geld en macht, is het niet, Ned?'

'Dat is maar al te waar. Maar omdat jij bereid was te wachten, heb ik er wel een regeling met George uit kunnen slepen, een regeling die jij acceptabel zou vinden. Laten we niet vergeten dat ik ervoor heb gezorgd dat Anne haar rechtmatige deel van Nevilles bezit kreeg, Richard.'

'Het was een waterdicht testament, als ik het me goed herinner,' kaatste Richard terug. 'Neville Watkins liet nooit iets aan het toeval over. Hij maakte nooit zomaar een fout! En ik weet toevallig ook dat het hele bezit eigenlijk aan Nan Watkins is nagelaten. Neville wilde dat zijn vrouw alles zou krijgen, en dat de meisjes pas na haar dood hun deel zouden krijgen.'

'Dat weet ik, Richard,' antwoordde Ned, op diezelfde verzoenende toon. 'Ik heb Nans hulp moeten inroepen, al weet jij dat misschien niet. Ik heb ook een royale financiële schikking met George moeten treffen: een gigantisch bedrag, letterlijk uit mijn eigen zak, om het probleem eindelijk op te lossen.'

'Zo zo.' Richard leunde achterover, nog steeds met een boos gezicht.

'En je bent wel met Anne getrouwd,' stelde Cecily op kalme toon vast.

'Vrijwel in het geheim, hier op Ravenscar. Een bescheiden trouwceremonie zonder gasten, behalve de directe familie,' luidde Richards grimmige reactie, waarna hij zijn hoofd schudde. 'Ik begrijp gewoon niet waarom iedereen zich de hele tijd naar George moet schikken. Dat begrijp ik werkelijk niet. En persoonlijk geloof ik dat hij gestoord is. Laten we onze neef Henry Grant niet vergeten, die lange tijd in krankzinnigengestichten heeft gezeten...'

Ned gooide zijn hoofd in zijn nek en bulderde van het lachen. 'O, Richard, dat is een goeie! Wil jij suggereren dat de slechte genen van Henry Deravenel Grant van Lancaster heel goed aangeboren kunnen zijn bij de Deravenels van Yorkshire, de werkelijke nazaten van Guy de Ravenel? De échte Deravenels, zoals we onszelf noemen?'

Mocht Edward gehoopt hebben dat Richard daar de grap van inzag, dan vergiste hij zich. Zijn jongste broer schudde zijn hoofd, met een grimmige uitdrukking op zijn gezicht. 'Ik denk dat George geschift is. Denk maar eens aan de idiote dingen die hij soms uithaalt... dan begrijp je wat ik bedoel.'

'Richard, kom nou, dat vind ik niet aardig tegenover George. Hij kan heel lief zijn, en hij bedoelt het goed,' zei Cecily.

Dat is niet waar, dacht Richard, maar hij zei: 'Als u het zegt, moeder. Zullen we de discussie over George dan maar sluiten?'

'Ik ga de feestelijkheden met kerst afzeggen, Dick,' zei Ned. 'Maar als jij en Anne met de kerst willen komen, weet je hoe fijn we dat zullen vinden, is het niet, moeder?'

'Natuurlijk. Ik heb mijn kleinzoon in geen eeuwen gezien. Misschien wil Nan Watkins ook wel komen, in plaats van alleen in Ripon te blijven.'

'Dat betwijfel ik zeer, moeder,' zei Richard zacht. 'Ze wil niet meer op Ravenscar komen, heb ik begrepen. Dat herinnert haar aan haar tragische verlies. Uiteindelijk hebben haar geliefde man en haar lievelingszwager Johnny hier de dood gevonden.'

Vijf

Londen

'Vertel hem eens over het huis, Ned. Hij zou echt het ware verhaal moeten horen, het hele verhaal.'

Edward Deravenel leunde achterover in zijn stoel en keek zijn beste vriend Will Hasling eens aan. Hij en Will waren al vele jaren de beste maatjes en sinds veertien jaar collega's bij Deravenel, sinds de dag dat Edward er directeur was geworden. Bovendien vertrouwde hij Will als geen ander, afgezien van zijn broer Richard.

Loyauté me lie, trouw tot in de eeuwigheid. Dat was het motto dat Richard had overgenomen en daar hield hij zich altijd trouw aan.

Richard was degene over wie ze het die morgen hadden, tegenover elkaar gezeten aan Edwards bureau in zijn kantoor bij Deravenel.

'Ik heb eigenlijk nooit in detail willen treden over het huis,' legde Edward uit. 'Denk je niet dat dat raar zou hebben geleken? Ik bedoel: vind je niet dat het de indruk zou wekken dat ik me dan op de borst klop over alles wat ik al die jaren voor hem heb gedaan? Met de bedoeling dat hij verplichtingen tegenover me heeft, misschien?'

'Dat zou hij best kunnen denken, maar eerlijk gezegd betwijfel ik dat,' zei Will, terwijl hij meevoelend zijn hoofd schudde. 'Nee, nee, die indruk zou het helemaal niet wekken. De gedachte alleen al is belachelijk, Ned. Bovendien zou hij het móéten weten. En als hij het allemaal eenmaal begrijpt, zal hij niet langer wrok koesteren en denken dat je George boven hem stelt... áls hij dat al denkt.'

'Eigenlijk heb je helemaal gelijk, Will. Ik zal eerlijk tegen hem zijn.'

'Zou je willen dat ík uitleg hoe het zit?'

Onwillekeurig moest Edward lachen. 'Daar heb ik inderdaad aan gedacht, maar dat idee heb ik al snel afgeschreven als ietwat onnozel, want ik heb niets verkeerds gedaan, eerder integendeel zelfs.'

Terwijl hij in zichzelf nog wat nagrinnikte, stond Edward Deravenel op en liep naar de hoge ramen, waar hij, terwijl hij over de Strand uitkeek, bedacht dat er tegenwoordig wel veel verkeersopstoppingen waren. Maar ja, het was de woensdag voor kerst, en drukker dan ooit in Londen. Dit was de eerste feestelijke kerst in vier jaar, nu de oorlog eindelijk was afgelopen. Mensen waren vastbesloten er een feest van te maken, zich te amuseren, vanwege het heuglijke feit dat eindelijk de vrede was aangebroken.

Kerstmis op Ravenscar beloofde voor zijn familie uitzonderlijk rustig te worden, maar dat vond hij niet erg. Hij vond het best prettig, als hij het eerlijk mocht zeggen. Hij had alle uitnodigingen ingetrokken die hij aan vrienden had verstuurd en iedereen had begrip gehad voor zijn dilemma: dat hij Edward junior wilde beschermen. En ook hen. Alleen George had harteloos gereageerd, zoals altijd. Ronduit vilein zelfs.

Edward draaide zich om en slenterde terug naar het midden van het vertrek, waar hij een paar seconden bleef staan, terwijl er een peinzende uitdrukking op zijn knappe gezicht verscheen.

Uiteindelijk, met een blik op Will, zei hij bijna binnensmonds: 'De opschudding van het afgelopen weekend was eigenlijk de schuld van mijn moeder, Will, in zekere zin. Door haar verlangen de familie te herenigen, lijkt het wel of haar gewoonlijk gezonde verstand wordt vertroebeld. Ze kan zich er gewoon niet bij neerleggen dat Richard George niet meer kan uitstaan, of dat Elizabeth niets van hem moet hebben omdat het de schuld was van hem en Neville Watkins dat haar vader en haar broer geruïneerd zijn. Ze zou George liever in de hel zien branden dan hem op Ravenscar te ontvangen. Helaas schijnt mijn moeder alles opzij te schuiven en blijft ze zaniken over vergeven en vergeten, en dat je het verleden moet laten rusten.' Hij schudde treurig zijn hoofd en besloot in Cockneydialect: '*That ain't the way it is, me old mate, now is it?*' (Maar zo zit dat niet, hè, ouwe makker?)

'Nee. Bovendien is George sinds jullie trouwdag Elizabeths vijand geweest. Hij vindt haar even verachtelijk als zij hem...' Wills stem stierf weg. Het had geen zin om Edward eraan te herinneren dat iedereen een hekel aan zijn vrouw had. Ze mocht dan beeldschoon zijn, ze was niet bepaald een aardige vrouw. Haar ambitie wat betreft haar familie kende geen grenzen. Ze had Edward bewerkt om haar broers op diverse posten bij Deravenel te zetten en Anthony Wyland, haar lievelingsbroer, speelde tegenwoordig een belangrijke rol in het bedrijf. Maar hij was gesteld op deze broer en wist dat het een fatsoenlijk mens was, die talent had en respect verdiende.

Na de korte stilte die tussen hen was gevallen veranderde Edward van onderwerp en merkte op luchthartige toon op: 'Jarvis Merson heeft gisteren contact met me opgenomen. Gisteravond. Hij wil dat we weer in Perzië beginnen. Met olieboren. In Zuid-Perzië om precies te zijn. Hij wil dat we nog een vergunning van de sjah kopen. Omdat wij het zo goed doen in Louisiana, vindt hij dat we moeten uitbreiden, nu de oorlog voorbij is.'

Terwijl hij achter zijn bureau ging zitten, vervolgde Edward: 'Het is niet het juiste moment, dat weet ik, Will. Ik heb echter besloten een bedrijf op te richten, zodat we, als alles weer goed gaat in de wereld, klaar zijn voor een volgende stap, zodra we allemaal zijn bijgekomen van deze verschrikkelijke Spaanse-griepepidemie en de oorlog weer te boven zijn...'

'Ik ben het met je eens dat het te vroeg is om over olie in Perzië te denken,' viel Will hem in de rede, terwijl hij geïnteresseerd voorover leunde. 'Er is nog zo veel onrust overal. We kunnen dit jaar beter even afwachten. Laten we eerst 1919 maar zien door te komen, en daarna pas serieus overwegen of we medio 1920 op olie gaan boren. Ik denk dat dát voor ons het moment is om de sprong te wagen. Niet eerder. Ik weet dat je altijd een ongerijmd, behoorlijk onwankelbaar geloof in Jarvis hebt gehad, net als ik, eigenlijk. Hij heeft zichzelf duizendvoudig bewezen met de ontginning van de olievelden in Louisiana, dus ik twijfel er niet aan dat hij waarschijnlijk gelijk heeft over Zuid-Perzië. Aan de andere kant, Ned, heb ik kortgeleden gehoord dat sommige hoge heren bij Standard Oil, en ook Henri Deterding van Shell, absoluut niets in Zuid-Perzië zien en niet geloven dat daar überhaupt iets te halen valt. Ik heb werkelijk vertrouwen in het oordeel van Deterding – hij is een grote in olie.'

'Ik heb dezelfde verhalen gehoord. Toch vertrouw ik op Jarvis' fijne neus voor olie. Hij en zijn nieuwe partner, Herb Lipson, zijn naar mijn mening een onoverwinnelijk team. Enfin, zoals ik net al zei, het is mijn bedoeling om een nieuw bedrijf te beginnen. Ik wil er klaar voor zijn. Ik denk erover om het Deravco te noemen. Hoe vind jij dat klinken?'

Will grinnikte. 'Dat klinkt me in de oren als een oliemaatschappij. En het is kort. En laten we hopen aantrekkelijk.'

Er werd plotseling hard op de deur geklopt; Edward wierp een blik door de kamer en riep: 'Binnen.' Hij sprong onmiddellijk op, terwijl er een brede glimlach over zijn gezicht flitste toen hij zijn broer in de deuropening zag.

'Hé, Richard, daar ben je!' riep hij enthousiast uit. Terwijl hij Richard bij de schouders greep, drukte hij hem bijna plat in een omhelzing. 'Heb je de boodschap ontvangen over de lunch?'

'Jazeker. Vandaar dat ik naar je kantoor ben gekomen, om te horen hoe laat je wenst te vertrekken,' antwoordde Richard.

'Kom me maar om kwart voor één halen, dan gaan we lopend naar het Savoy Hotel,' zei Ned.

Toen Richard en Will zijn kantoor uit waren, bleef Edward een paar minuten zitten om de papieren op zijn bureau door te nemen. Nadat hij ze grondig had bestudeerd, waarbij hij aantekeningen op een blocnote maakte, leunde hij achterover en staarde de kamer in.

Toen zijn gedachten afdwaalden naar de oliemaatschappij in Zuid-Perzië, voelde hij even een onvervalste opwinding in zich oplaaien. Hij had er altijd al in geloofd dat olie de handel van de toekomst was; hij wilde dat de Deravenels meer in bezit kregen dan hun investering in Louisiana, en Merson was de aangewezen man om zijn droom te verwezenlijken. Hij had in Jarvis geloofd vanaf de dag waarop hij die intelligente, zij het nogal praatzieke jongeman had ontmoet. En zijn inschatting bleek juist te zijn.

Toen hij de vorige dag een bespreking had met Alfredo Oliveri over de marmergroeven in Italië, had Oliveri geopperd om verder te kijken en bijvoorbeeld in de groeven in Turkije te investeren.

Edward draaide rond op zijn stoel en bekeek de landkaart die achter hem aan de muur hing. De wereldkaart van zijn vader, waar alle nummertjes zo keurig op geschreven stonden. Daar, pal naast Turkije, lag Perzië. Misschien konden ze twee vliegen in één klap slaan. Hij en Oliveri zouden naar Turkije kunnen gaan om naar marmer te kijken, en daarna naar Perzië voor olie.

Nu nog niet, natuurlijk. Alfredo was daar heel duidelijk in geweest. In Europa was het nog steeds roerig en chaotisch, en het idee om Turkse marmergroeven te kopen was pas mogelijk als reizen veel gemakkelijker werd. En, zoals hij en Will zojuist waren overeengekomen, dezelfde redenering was van toepassing op olie.

Alleen al bij het vooruitzicht op die reizen raakte hij opgewonden en verdween de ergernis over zijn broer George enigszins naar de achtergrond.

Nadat hij zijn agenda had opengeslagen, bekeek Edward de aantekeningen die hij de afgelopen week had gemaakt. Nauwgezet als altijd schreef hij zijn lunchafspraak met Richard op, en fronste toen zijn wenkbrauwen. Hij had vanavond een afspraak met Jane. Om samen te eten. En hij moest nog steeds een cadeau voor haar kopen.

Vandaag was het de achttiende, op de kop af een week voor eerste kerstdag, en vrijdagmiddag zou hij de trein terug naar York nemen en daarna met de auto naar Ravenscar rijden. Morgen gaf hij een besloten lunch voor zijn beste vrienden in het bedrijf, aan de overkant bij Rules, zoals altijd. Morgenavond at hij bij Vicky en Steven Firth. Hun kerstcadeaus had hij al gekocht, ook voor Grace Rose.

Zijn beeldschone Grace Rose, die meer dan ooit op hem begon te lijken en al bijna achttien was. *Achttien*, mompelde hij nauwelijks hoorbaar en hij vroeg zich af waar al die jaren waren gebleven.

Vanwege zijn plannen voor de rest van de week, zat er niets anders op dan vandaag op zoek te gaan naar een cadeau voor Jane. Na zijn lunch met Richard zou hij naar een van de betere juweliers gaan. Ze was dol op smaragden, en die zou hij haar geven... oorbellen, of een broche met smaragden.

Terwijl hij door zijn agenda bladerde, bedacht Edward enigszins spijtig dat hij bijna tien dagen in Yorkshire zou blijven. *Tien dagen.* Een behoorlijk lange tijd om met Elizabeth opgesloten te zitten. Misschien bestond er een manier om dat bij te stellen. Net zoals dat hem was gelukt met het probleem-George en de besloten lunch van morgen. Hij had hem er helemaal niet bij willen hebben. Toen hij eenmaal de uitnodiging aan George en zijn gezin had ingetrokken om met Kerstmis op Ravenscar te komen, vanwege de ziekte van Edward junior, had George zich op zijn gebruikelijke verwende manier gedragen. Hij was in woede ontstoken. Om George tot bedaren te brengen, hem te sussen, had hij geopperd dat zijn broer maar naar Schotland moest gaan om hem te vertegenwoordigen bij een zakenbespreking.

Edward had inwendig geglimlacht, een glimlach die ook een spoor van zelfingenomenheid vertoonde. De truc had gewerkt. George had de gelegenheid om met de Schotse magnaat Ian Mac-Donald te onderhandelen met beide handen aangegrepen. Van hem zijn we verlost, bedacht hij, tamelijk tevreden met zichzelf. Hij stond op en liep naar de kast aan de andere kant van het vertrek. Hij trok de dubbele deuren open, stapte naar binnen en draaide net zolang aan het cijferslot van de kluis tot hij met een klik openging. Nadat hij er een smalle map met papieren uit had gehaald, deed hij de kluis weer dicht en draaide hem op slot.

Volgend jaar een schone lei, zei hij tegen zichzelf. Ik wil volgend jaar een schone lei. Ik moet heel wat veranderingen aanbrengen.

Richard en Edward zaten tegenover elkaar in de fraai ingerichte Grill Room van het Savoy Hotel. Nadat ze met hun glazen Krug champagne op elkaar hadden geproost, bekeken ze het menu en bestelden.

Ze namen allebei oesters uit Colchester, gevolgd door een *steak-and-kidney pie*, omdat ze qua eten, net als in andere zaken, dezelfde smaak hadden. Ze hielden allebei van mooie kleren, al was Richard veel behoudender dan zijn broer.

Ze praatten graag over boeken, de Britse politiek en de verslagen in de kranten van wat er in de wereld gebeurde. Ze waren het over bijna alles eens, omdat Edward Richard had opgevoed, nadat hun vader in Italië was vermoord, en de jongen een voorliefde voor rechtvaardigheid en eerlijkheid had bijgebracht.

Net als Edward was Richard een man met compassie, die begrip had voor de pijn en het leed van anderen en zich hun benarde positie kon invoelen. Ned had Richard van jongs af aan gestimuleerd, hem het gevoel gegeven dat hij bijzonder was en hem op alle mogelijke manieren in bescherming genomen. Vandaar dat hij vanzelfsprekend Edwards loyale bondgenoot was, en hem waar nodig verdedigde. Richard bewonderde Ned, adoreerde hem.

De twee broers leunden achterover in hun stoelen en nipten van die hoogst verfijnde en allerduurste Franse champagne. Na een paar seconden van stilte boog Edward zich weer voorover. 'Luister eens, Dick, ik moet je iets vertellen...'

Snel onderbrak Richard hem en riep uit: 'Voor je iets zegt, moet ik mijn excuses aanbieden, Ned. Ik had ongelijk door afgelopen zaterdag met je te kibbelen over George. Ik heb er geen enkel ander excuus voor dan te zeggen dat ik me heb laten leiden door mijn gekwetstheid. Het spijt me verschrikkelijk.'

'Je hoeft je nergens voor te verontschuldigen, Visje,' zei Edward zacht, terwijl de genegenheid van zijn gezicht straalde.

Bij het horen van die koosnaam uit zijn jeugd moest Richard glimlachen, en plotseling begon hij te lachen. 'Vind je niet dat ik een beetje te oud ben om Visje genoemd te worden, Ned?'

Zijn broer lachte met hem mee, waarna hij antwoordde: 'Nee, want je bent pas tweeëntwintig, jochie. Maar heus, het was mijn schuld. Ik had mijn been stijf moeten houden toen moeder vroeg of ik het goed vond dat hij kwam, nadat hij zichzelf nota bene had uitgenodigd. Ik liet me meeslepen door haar behoefte om harmonie in de familie te brengen.'

'Ik weet het. En ik beloof dat ik morgen bij de lunch muisstil zal zijn... Ik zal geen woord zeggen.'

'George komt niet naar de lunch.'

'Waarom niet?' Richard klonk en keek verbaasd.

'Hij gaat vanmiddag weg. Op dit moment stapt hij zelfs in de trein. Hij is op weg naar Schotland.'

'Waarom?'

'Ik heb gevraagd of hij mij wil vertegenwoordigen bij de bespreking in Edinburgh die ik voor aanstaande vrijdag had georganiseerd. Met Ian MacDonald, over zijn drankimperium. Zoals je weet heeft Ian geen erfgenamen, en een tijdje geleden benaderde hij me over een overname. Ik had eigenlijk al een sluitende afspraak met hem gemaakt, maar die heb ik twee dagen geleden afgezegd, op maandag. Ik heb de ziekte van Edward junior als excuus gebruikt, dat ik hem niet alleen wilde laten, et cetera, et cetera. Ik heb George als mijn waarnemer voorgesteld. Aanvankelijk was Ian enigszins teleurgesteld, maar uiteindelijk ging hij ermee akkoord. Uiteindelijk is George een Deravenel.'

Daar gedraagt hij zich anders niet altijd naar, dacht Richard, al zei hij dat niet hardop en bleef hij zwijgen, terwijl hij aandachtig naar Edward luisterde.

'Ik heb daarna met George gepraat...' sprak Edward verder.

'En hij ging ermee akkoord? Zonder meer?' viel Richard hem in de rede, terwijl hij zijn vingers tegen elkaar zette en zijn broer een blik vol twijfel toewierp.

'Ja,' antwoordde Edward. 'Omdat ik hem van een motivatie voorzag die hem zeer aanlokkelijk leek. Het was in feite een aanbieding die hij echt niet kon afslaan.'

'En wat hield die in?'

'Geld! Georges liefste goed. Ik zei dat hij een vette bonus van het bedrijf kon verdienen als het hem zou lukken de transactie met Ian MacDonald rond te krijgen, een transactie die in het voordeel van Deravenel moet werken.'

'Dus je bent echt op het drankimperium van MacDonald uit?'
Richard ging achterover zitten.

Edward haalde zijn schouders op, en er viel een korte stilte voor
hij antwoordde: 'Nou ja, dat denk ik wel.'

'George zou het namelijk gemakkelijk kunnen verpesten als hij
de situatie verkeerd aanpakt. Hij kan bij onderhandelingen uiterst
vaag zijn.'

'Dat weet ik, en als hij het verpest, dan zij het zo. Wat mij betreft, kan het met de transactie alle kanten op, en daar zal ik niet
minder om slapen. Ook niet over het uiteindelijke resultaat. Het
voornaamste is dat ik de rest van de week niet door George word
lastiggevallen, ook niet met Kerstmis.'

'Wat bedoel je, met Kerstmis?' vroeg Richard, en hij klonk verward.

'Ian had me voor de kerst in Schotland uitgenodigd. Hij wilde
dat ik met het gezin naar zijn buitenverblijf kwam voor de feestdagen. Ik heb beleefd geweigerd, omdat ik een aantal mensen bij ons
op Ravenscar had uitgenodigd. Naderhand, toen ik Ian maandag
sprak, heb ik hem gevraagd of hij George en zijn gezin zou willen
uitnodigen, omdat ik de kerstfestiviteiten had moeten afzeggen vanwege de ziekte van Edward junior.'

'En daar had MacDonald wel oren naar?'

'Absoluut. Hij is weduwnaar, en zijn enige kind, zijn dochter,
heeft drie dochtertjes... Ik denk dat hij, toen hij ons met z'n allen
uitnodigde, hoopte een vrolijke sfeer te scheppen in zijn huis in de
Lammermuir Hills. Dus ja, het idee van George en zijn gezin kwam
hem goed uit. Ik kan heel overtuigend zijn.'

'Dat weten we allemaal, Ned.' Richard aarzelde, hij deed zijn
mond open om iets te zeggen, maar zag er toen plotseling van af.

Edward keek hem gealarmeerd aan en vroeg: 'Wat is er?'

'Ik wilde nog een keer zeggen dat je de transactie ontzettend in
gevaar brengt.'

'Daar ben ik me volkomen van bewust.' Een glimlach verspreidde zich op Edwards gezicht toen hij eraan toevoegde: 'Die transactie is nou niet bepaald cruciaal voor Deravenel, Dick. Ik zou het
niet erg vinden om Ians drankimperium te verwerven omdat het
prachtig samenvloeit met onze wijnhandel. Maar de voornaamste
overweging was George voorlopig weg te krijgen.'

Richard knikte en staarde een seconde in de verte voordat hij zei:
'George is niet zo blij naar Schotland vertrokken louter omdat jij
hem een vette bonus hebt beloofd. Hij wil niets liever dan macht,

en daar heb je hem een grote portie van beloofd... door hem als je waarnemer aan te stellen.'

'Goed bedacht, Richard. Maar zullen we verdergaan? Zoals ik al eerder zei: ik heb je iets te vertellen – dat zou ik achter de rug willen hebben voordat de lunch wordt opgediend, als je het niet erg vindt.'

Richard knikte slechts, terwijl hij zich afvroeg wat er zou volgen.

'Twee jaar geleden, nadat jij en Anne waren getrouwd, heeft Nan Watkins je iets cadeau gedaan. Heb ik het juist?'

'Je hebt het over de akte van Nevilles huis in Chelsea, is het niet?'

'Het is nooit Nevilles huis geweest, Richard. Het is altijd het huis van Nan geweest. O, zeker, hij heeft het gekocht, en wel degelijk met zijn eigen geld, maar hij heeft het in feite voor Nan gekocht. Hij heeft het meteen aan haar overgedragen, en de akte staat op haar naam en niet de zijne.' Toen Richard niets zei, voegde Ned eraan toe: 'Tja, dat is zo, want dat heb ik met eigen ogen gezien. Nan heeft me de papieren laten zien.'

Richard zuchtte. 'Nan heeft de akte aan Anne gegeven, en die keek ze alleen maar even in en liet mij de brief van Nan zien. Daarna heeft ze de akte weggeborgen.'

'Dus die heb je nooit gezien?'

'Nee. Hoezo? Maakt dat iets uit? Uiteindelijk heeft Nan het huis aan ons geschonken.'

'Nee, Richard. Ik heb jullie het huis geschonken.'

Geschrokken riep Richard uit: 'Wat bedoel je?'

'Vlak voordat jullie trouwden, een paar maanden daarvoor om precies te zijn, ben ik met Nan Watkins gaan praten. Ik zei tegen haar dat ik het huis in Chelsea van haar wilde kopen omdat ik het aan jou en Anne wilde schenken. Aanvankelijk wilde ze het niet verkopen. Ze had eigenlijk hetzelfde idee gehad en was van plan het als huwelijkscadeau aan jullie tweeën te schenken. Ik heb haar echter één ding uitgelegd, en dat was het volgende: dat George, omdat hij nu eenmaal zo is – vreselijk hebberig – bezwaar zou kunnen maken als zij het huis aan jou en Anne zou schenken. Ik suggereerde dat hij misschien zelfs zou proberen het jullie afhandig te maken, door haar eraan te herinneren dat Isabel en Anne na haar dood de gezamenlijke erfgenamen zijn van Nevilles bezit. En dat Isabel dus gedeeltelijk de rechtmatige eigenares was.'

'Dat had je goed gezien, Ned! Dat had hij kunnen doen! Daar is hij zeker toe in staat, want hij is gewiekst genoeg. En inhalig, zoals je al zei. Hoe heb je haar dan zo ver gekregen om het aan jóú te

38

verkopen?' vroeg Richard. Hij was reuze benieuwd.

'Ik heb Nan weten te overtuigen. Zoals ik haar hielp herinneren, ken ik George veel beter dan wie dan ook op deze hele wereld. Ik heb ook uitgelegd dat ik het huis voor jou en Anne wilde kopen zodat George er nooit aanspraak op zou kunnen maken, en dat ze het nog altijd aan jullie kon geven alsof het haar geschenk aan jullie tweeën was.'

'Dat was een mooi gebaar, Ned, en daar is ze kennelijk mee akkoord gegaan. Alleen vraag ik me af waarom. Waarom heeft ze ons toen niet gewoon de waarheid verteld? Dat zou toch eerlijker zijn geweest?'

'Ik vrees dat dat wederom mijn schuld is. Ik heb haar op het hart gedrukt dat zíj jullie het huis cadeau deed en jullie de akte moest overhandigen die Neville haar jaren geleden had gegeven, zodat het voor jullie volkomen normaal zou lijken. En ook voor George natuurlijk. Om George helemáál voor te zijn, voor het geval hij het jou en Anne later moeilijk zou willen maken, heb ik de notarissen van Anne en mij aanvullende documenten laten opstellen – een verkoopakte, nieuwe aktes op mijn naam en een derde rechtsgeldig document waarin het huis onherroepelijk aan jullie wordt geschonken.'

'Bedoel je dat je het aan óns hebt geschonken, aan Anne en mij, of alleen aan mij?'

'Alleen aan jou, Richard. Ik kon geen enkel risico nemen. Ik wilde Annes naam niet op een gerechtelijk stuk. Met andere woorden: ik heb het huis van Nan Watkins gekocht en vervolgens als de nieuwe rechtmatige eigenaar aan een derde partij geschonken. Alles volledig volgens de wet. Wat ik in feite heb gedaan is Anne en Isabel uitsluiten, omdat ik het heb gekocht van hun moeder, die geheel in haar recht stond om te verkopen, omdat het van háár was en geen deel uitmaakte van Nevilles bezit.'

Even bleef Richard muisstil zitten, met een ietwat verbijsterde blik in zijn ogen.

Met een glimlach haalde Edward de smalle map tevoorschijn die hij uit de kluis had gehaald en gaf die aan Richard. 'Hier zijn de aktes van je huis. Ze zouden bij mij altijd veilig zijn geweest, maar ik heb besloten dat jij ze hoort te hebben. Uiteindelijk is het huis van jou.'

'Je hebt ze me zeker niet eerder gegeven omdat je Nan in bescherming nam?'

'Dat zal wel... Ik wilde haar de eer niet ontnemen. In zekere zin

39

was ze niet meer dan de onschuldige omstander, en ze had je het huis toch al willen geven.'

Richard had de map aangepakt en hield hem even in zijn handen geklemd, terwijl hij ernaar keek. Hij sloeg hem niet open. Hij legde hem naast zijn stoel op de grond om vervolgens, verlegen om woorden, zijn broer aan te gapen. Uiteindelijk zei hij zacht: 'Dankjewel, Ned. Je bent de beste broer die een man kan hebben.'

'En jij ook, Visje: je geniet mijn volle vertrouwen, en ik hou zielsveel van je.'

Zes

Jane Shaw zat aan haar kaptafel in de slaapkamer van haar riante huis in Hyde Park Gardens.

Voorovergebogen tuurde ze naar zichzelf in de antieke victoriaanse spiegel, bracht een hand naar haar gezicht en betastte met één vinger de fijne rimpeltjes rond haar ogen. Kraaienpootjes, werden ze genoemd. Wat een lelijke benaming, dacht ze met een zucht. Er zaten ook kleine lijntjes boven haar bovenlip, nauwelijks zichtbaar, maar ze waren er wél, tot haar grote ontzetting. Bovendien vloeide het lippenrood soms in die lijntjes uit, begon ze te merken. Haar kaaklijn was ook al niet meer zo strak als hij was geweest, en ze wist dat haar hals aan het verslappen was, een beetje maar, maar toch: het was wél te zien.

Toen ze weer achterover ging zitten en probeerde zich te ontspannen en nogmaals objectief naar zichzelf keek, was ze meteen gerustgesteld: ze was nog altijd een mooie vrouw. Een mooie vrouw die ouder werd – heel simpel.

Tien jaar.

Niet véél jaren... eigenlijk niet. In 1907 had tien jaar helemaal niet zo veel geleken. Zelfs in 1910 was dat in haar ogen nog zo goed als niets. Maar nu, in december 1918, hadden die tien jaar opeens gigantische proporties aangenomen.

Ze was nu drieënveertig.

Edward Deravenel was drieëndertig.

Ze was tien jaar ouder dan hij en terwijl dat voordien geen groot leeftijdsverschil tussen hen had geleken, was dat nu wel het geval... omdat het zichtbaar begon te worden.

Nu ze over hun leeftijden nadacht, kwam het Jane voor alsof Edward helemaal niet was veranderd. Hij zag er nog precies hetzelfde uit, net zo knap als altijd. Zijn haar had nog altijd die prachtige rood-gouden kleur, glanzend en zelfs op de grauwste zonloze winterse dagen een en al licht. Zijn ogen, die een bijzondere korenblauwe tint hadden, schitterden nog steeds vol energie en hij was een indrukwekkende man van bijna twee meter die veel jonger leek dan hij was. Hij had zijn atletische gestalte behouden en was niets aangekomen; er zat geen grammetje vet aan hem.

Jane stond op en liep naar de passpiegel in de hoek en trok haar peignoir uit. Ze ging naakt voor de spiegel staan en bekeek haar lichaam goedkeurend.

Haar borsten stonden nog steeds recht overeind, stevig, de borsten van een jonge vrouw, en ze had slanke heupen en een platte buik. Ze was blij dat haar figuur niet erg was veranderd; omdat ze niet zo groot was, had ze altijd goed uitgekeken met wat ze at. Als gevolg daarvan had ze een slank lichaam en een jeugdige uitstraling. Toch had ze vandaag plotseling last van het leeftijdverschil tussen hen.

Hoofdschuddend keerde ze zich van de spiegel af terwijl ze om haar eigen dwaasheid probeerde te lachen. Toen ze weer in de peignoir van witte chiffon gleed, bedacht Jane dat geen enkele man genereuzer, liefdevoller en attenter kon zijn dan Edward.

De roddelpraatjes die ze van tijd tot tijd over hem opving, vond ze eigenlijk wel amusant, omdat die roddels over hen en hun lange vriendschap gingen, en niet over hem en andere vrouwen. De crux ervan was, wonder boven wonder, dat hij haar trouw was.

Ze ging weer zitten en begon met het aanbrengen van haar gebruikelijke avondmake-up. Een dun laagje lichte gezichtspoeder, een vleug roze rouge op haar hoge jukbeenderen en rode lippenstift op haar sensuele mond. Ze streek een beetje donkere mascara op haar blonde wimpers, werkte haar wenkbrauwen bij met een bruin potlood en pakte daarna de kam, die ze door haar golvende blonde haar haalde. Het was korter dan het in jaren was geweest: golvende laagjes om haar hoofd en oren. Deze kortere coupe was de laatste mode en die stond haar goed en maakte haar nog jonger.

Nadat ze zijden kousen en ondergoed had aangetrokken ging Jane naar de kleerkast en haalde er een op maat gemaakte donkerblauwe zijden jurk uit. Hij had een v-hals en wijdvallende mouwen. Als *finishing touch* zocht ze er diverse lange parelsnoeren, paarlen oorbellen en een saffieren ring met bijpassende armband bij.

Nadat ze haar voeten in donkerblauwe pumps had laten glijden, verliet ze haastig de slaapkamer en ging de trap af naar de salon.

Als geboren perfectioniste wilde Jane zich ervan overtuigen dat alles in orde was voordat Ned kwam om de avond bij haar door te brengen. Ze maakte zich zorgen om hem vanwege de ziekte van Edward junior. Omdat Ned zich zorgen maakte om zijn zoontje, zijn erfgenaam, had hij de neiging hem nogal te betuttelen. Maar ze begreep volkomen waarom dat zo was. Jane wist dat Edward een goede vader was die al zijn kinderen, waarvan er met grote regelmaat een bij leek te komen, aanbad.

Ze duwde de mahoniehouten deur van de salon open en glimlachte in zichzelf. Ze had een paar vriendinnen die uiterst nieuwsgierig waren en haar het hemd van haar lijf vroegen over hun relatie. Ze deinsden er niet voor terug om haar de idiootste persoonlijke vragen te stellen, vooral over Edwards vrouw. Ze zeiden dat Elizabeth vals en egoïstisch was, maar Jane sloeg er geen acht op.

Ze lachte hen gewoonweg in hun gezicht uit en vertelde hun niets. Wat kon het haar schelen dat hij af en toe met Elizabeth naar bed ging? Ze was zich er terdege van bewust dat de meeste getrouwde mannen die een maîtresse hadden ook seksuele betrekkingen met hun vrouw bleven hebben. Meestal omdat ze geen keus hadden.

Pragmatisch als ze van nature was, deed Jane haar best zich zaken waaraan ze niets kon veranderen niet al te erg aan te trekken. Dat was zonde van haar kostbare tijd. En zeker over Edward Deravenel had ze niets te vertellen, noch over wat hij uitspookte wanneer hij niet bij haar was. Ze wist dat hij van haar hield, hij kwam haar diverse keren per week opzoeken, zelfs steeds vaker wanneer hij in Londen was, en ze wist hoe graag hij in haar gezelschap was. Hij genoot van haar snelle geest en, natuurlijk, haar kennis van kunst.

Zij was degene aan wie hij zijn uitzonderlijke collectie impressionistische en postimpressionistische schilderijen te danken had. Ze had er jarenlang over gedaan om het beste voor hem uit te zoeken, waaronder werken van Renoir, Manet, Monet, Gauguin en Van Gogh.

Haar ogen flitsten de kamer rond. Het deed haar genoegen te zien dat alles op zijn plaats stond. Het vuur brandde helder, de schemerlampen waren aan, kussens waren opgeschud en de kasbloemen die Ned haar vooruit had gestuurd vulden het vertrek met de indringende geur van de zomer. Toen ze naar de tafel in de verste hoek keek, merkte ze op dat de fles champagne klaarstond in de zilveren koeler, met op een dienblad ernaast twee kristallen glazen.

Goed gedaan, Vane, zei ze tegen zichzelf, denkend aan het voormalige dienstmeisje dat ze tot assistent-huishoudster had gepromoveerd. De jonge vrouw deed het uitermate goed en dat deed haar genoegen.

Edward Deravenel voelde altijd een enorme opluchting wanneer hij bij het huis van Jane aankwam. Hij wist dat, zodra hij binnenstapte, de dagelijkse beslommeringen in een oogwenk in lucht zouden opgaan en hij zich zou ontspannen en volkomen tot zichzelf zou komen. Zo was het al sinds hij haar voor het eerst had ontmoet.

Ze waren in elk opzicht uitermate aan elkaar gewaagd. Ze schonk hem genot in bed en bracht hem daarbuiten in verrukking. Ze was intelligent, onderhoudend, en had een uitgebreide kennis van allerlei zaken. Tevens beschikte ze over een unieke eigenschap: er ging een zalige rust van haar uit. Niet alleen dat, maar ook de vredige sfeer en het goed georganiseerde huishouden konden zijn goedkeuring wegdragen. Edward had een hekel aan chaos en stond erop dat in zijn huizen in Londen, Kent en Yorkshire alles op rolletjes liep.

Ook al had hij een sleutel van de voordeur, hij belde altijd aan voordat hij de sleutel in het slot omdraaide en naar binnen ging. Meestal was het Mrs. Longden, de huishoudster, die hem begroette, maar ze was nergens te bekennen. Het was Jane die vanavond op een holletje naar de voordeur kwam, met een blijde glimlach op haar gezicht.

'Ned, lieveling!' riep ze uit, terwijl ze haar gezicht ophief om hem een kus op zijn wang te geven. 'Lieve hemel, wat is je gezicht koud. Het is zeker frisjes geworden.'

Hij zette zijn aktetas op een bank in de vestibule, trok haar in zijn armen en drukte haar een ogenblik tegen zich aan. 'Er staat ineens een ijskoude wind,' zei hij terwijl hij haar losliet om zich uit zijn jas en sjaal te wurmen.

'Heeft Broadbent je niet met de auto gebracht?' vroeg ze, terwijl ze naar hem opkeek.

'Jawel, maar er was vreselijk veel verkeer vanavond en ik ben op de hoek uitgestapt. Het was gemakkelijker om een paar meter over het plein te lopen dan dat hij zich door die heksenketel heen moest werken. Ik heb hem weggestuurd om te gaan eten, en hij komt over een paar uur terug. Tegen die tijd zal het verkeer wel zijn afgenomen.'

Onder het praten borg hij zijn jas, zijn sjaal en zijn aktetas in de garderobekast op, waarna ze samen door de hal naar de salon liepen.

'Mrs. Longden heeft vrij vanavond. Haar zuster viert haar vijftigste verjaardag, wat ik bijna was vergeten.'

'O Jane, waarom heb je me dat niet eerder verteld? Dan had ik je mee uit eten kunnen nemen.'

'Dat zou leuk geweest zijn, Ned, maar ik weet hoe graag je hier eet en, eerlijk gezegd, ik ook. Vane kan ons bedienen en de kokkin heeft je lievelingskostjes gemaakt – geroosterde kip, een *cottage pie* en ze heeft bij Fortnum and Mason een uitstekende gerookte zalm weten te halen. Hoe vind je dat klinken?'

'Je doet me het water in de mond lopen,' zei hij lachend, terwijl hij achter haar aan de salon binnen stapte.

Edward vond de salon de gezelligste kamer van het huis – knus en uitnodigend, en gestoffeerd in diverse blauwtinten, met overal felgele accenten. Door de jaren heen had Jane prachtige decoratieve voorwerpen verzameld, en die waren allemaal met flair uitgestald, maar het was de kunst die de aandacht gevangen hield. Jane had een uitstekend oog, en de schilderijen die ze had gekocht of van Edward had gekregen waren schitterend. Ze gaven de salon allure en maakten hem nog fraaier.

Jane liep haastig de kamer door naar de ronde tafel in de hoek en pakte de fles champagne. 'Zou je zin hebben in een glas van je geliefde Krug?' vroeg ze, waarbij ze zich omdraaide en hem glimlachend aankeek. 'Ik wel, denk ik.'

'Uitstekend idee,' luidde zijn reactie, en hij ging voor de haard staan om zich te warmen, zonder dat zijn ogen haar loslieten terwijl ze de champagne inschonk.

Het volgende moment, toen ze dichterbijkwam, dacht hij ineens aan Lily. Vanaf het moment dat hij Jane had ontmoet, deed ze hem denken aan Lily Overton, die op zo'n tragische wijze was omgekomen. Zijn lieve Lily. Een fractie van een seconde werden zijn glanzende blauwe ogen verduisterd door een wolk van droefenis.

Jane, die wat betreft Edward Deravenel bijzonder opmerkzaam was, zag de plotselinge schaduw op zijn gezicht, en terwijl ze hem het glas champagne aanreikte, vroeg ze zacht: 'Het gaat toch wel goed met Edward junior, Ned?'

'O ja, het gaat al wat beter met hem. Veel beter. Voor ik van kantoor wegging, heb ik de dokter gesproken, omdat de jongen nog afschuwelijk hoest, en Leighton vertelde me dat dat niet abnormaal is bij bronchitis. Dat moet blijkbaar slijten. En Edward junior eet al beter. Bovendien is hij volgens mijn moeder eindelijk die nogal verontrustende glazige blik kwijt.'

'Ik ben zo blij voor je, lieveling. Hij is duidelijk aan de beterende hand, de hemel zij dank.' Jane ging haar eigen glas champagne halen en keerde terug bij het haardvuur. Zij en Edward klonken en namen een teug, waarna ze op de bank bij de haard ging zitten.

Terwijl hij in een stoel tegenover haar neerzonk, merkte Edward op: 'Ik heb vanavond met Vicky gesproken, voor ik bij Deravenel wegging, en het deed me ongelooflijk veel plezier te horen dat je uiteindelijk haar uitnodiging voor morgenavond hebt aanvaard.'

'Aanvankelijk heb ik geaarzeld, omdat ik geen inbreuk wil maken...'

'Hoe kun je nou zoiets zeggen?' viel Edward haar verbaasd in de rede. 'Waarom zou je moeten denken dat je inbreuk maakt? Je bent een van mijn oudste vrienden... We kennen elkaar al tien jaar.' Hij keek haar grijnzend aan. 'Of was je vergeten hoe lang het was?'

'Natuurlijk niet. Alleen... nou ja, jij en Will en Vicky kennen elkaar al eeuwen...' Jane maakte haar zin niet af en schudde haar hoofd. 'Ik heb je altijd gezegd dat ik je nooit in verlegenheid wil brengen of in de weg wil zitten, en jij weet waarom.'

'Natuurlijk,' antwoordde hij, terwijl er een geamuseerde glimlach om zijn mond speelde. 'Ik ben een getrouwde man en jij bent mijn maîtresse. Maar je moet bedenken, schat van me, dat Will en zijn zus tot mijn beste vrienden behoren. Het zijn geen vrienden van mijn vrouw. Dat zijn ze nooit geweest. Ze behoren zogezegd tot mijn kliek, niet de hare. Jíj bent degene om wie het hen gaat, Jane, niet Elizabeth. Maar laten we het nu niet over al die wrok hebben. Laten we tot het onderwerp terugkeren – ik ben blij dat we morgenavond samen zijn.'

Jane knikte. 'Ik ook. Maar...'

'Waarom stopte je? Zeg wat je wilde zeggen.'

'Vicky vertelde me dat Grace Rose er zal zijn.'

'Dat weet ik.' Hij barstte in lachen uit toen hij de bezorgde uitdrukking in Janes ogen zag en schudde zijn hoofd. 'Lieveling, denk je dat zij niet weet dat je mijn maîtresse bent? Goeie God, natuurlijk weet ze dat. Ze is achttien en heel slim, en in alles mijn dochter... heel ruimdenkend en absoluut niet naïef. Weet je, Vicky en Stephen zijn geweldige ouders voor haar geweest. Ze hebben haar tot een lady opgevoed en ze heeft een uitmuntende opleiding genoten. Ze zoog de kennis als een spons in zich op en zal een uitstekende historica worden. Ik ben verschrikkelijk trots op haar. Maak jij je nou maar geen zorgen om Grace, lieverd. Zíj staat aan mijn kant, en dat is altijd zo geweest.'

'Inderdaad, ik stel me een beetje aan, hè?' Jane nam een slokje van haar champagne en begon te lachen. 'Dat doe ik nou al de hele dag. Me aanstellen.'

'Wat bedoel je?'

'Ik bekeek mezelf vanavond in de spiegel en kwam ineens tot de conclusie dat ik er oud uitzag. En toen begon ik na te denken over ons verschil in leeftijd. Per slot van rekening ben ik wél tien jaar ouder dan jij, Ned.'

'Dat is je niet aan te zien. Hoe dan ook, je weet dat ik altijd een voorliefde heb gehad voor oudere vrouwen. En iedereen weet dat ik het meest van blondines hou, vooral van blonde weduwes.' Hij grinnikte. 'Of gescheiden vrouwen. Tien jaar is helemaal niet zo veel, hoor.'

Jane begreep dat ze dit onderwerp beter kon laten varen en glimlachte toen ze zei: 'Ik heb een verrassing voor je.' Ze zette haar glas champagne neer, ging naar haar schrijftafel en kwam bij de haard terug met een envelop die ze aan Edward gaf.

'Wat is dit?' vroeg hij nieuwsgierig.

'Iets wat ik voor je heb gevonden, mocht je het willen kopen.'

'Aha! Een schilderij, Janelief! Dat is het toch, hè?'

Ze knikte en ging weer zitten, waarna ze hem verwachtingsvol aankeek.

Edward haalde de foto uit de envelop en tuurde ernaar. Zijn adem stokte toen hij de unieke schoonheid van de Renoir in zich opnam. Het was schitterend: een schilderij van twee jonge meisjes van een jaar of zestien. Ze droegen identieke, met zwart afgezette oranje jurken met zwarte befjes en ze zaten in een vensterbank, met op de achtergrond een blauwe hemel. Ze hadden allebei glanzende koperblonde haren die boven op hun hoofd waren vastgespeld. Hun blik was gericht op een boek dat ze zaten te lezen.

'Het is gewoonweg schitterend!' riep hij uit, terwijl hij Jane aankeek. 'Méésterlijk. En die meisjes doen me denken aan Grace Rose en Bess. Behalve dat deze twee jongedames zo te zien van dezelfde leeftijd zijn.'

'Het heet *Les deux soeurs*. Renoir heeft het in 1889 geschilderd. En je hebt helemaal gelijk, vind ik. Moet je die huidtinten zien, Ned, de schoonheid van hun gezichtjes. Het is een onvergelijkbaar schilderij. Ik werd er verliefd op zodra ik het zag.'

'Welke galerie heeft het?'

'Het is in privébezit. Het is hier naar Londen gebracht toen de oorlog uitbrak. Uit veiligheidsoverwegingen, neem ik aan.'

'En nu wil de eigenaar het verkopen?'

'Blijkbaar. Mocht je er echt interesse in hebben, dan kan ik je er vrijdag heen brengen om het te bekijken.'

47

Edward fronste zijn wenkbrauwen. 'Ik was van plan om die ochtend naar Ravenscar te gaan. Maar weet je wat ik doe? Ik neem gewoon aan het eind van de middag de trein. Dan kunnen we hopelijk 's morgens het schilderij zien en gaan daarna lunchen. Hoe vind je dat klinken?'

'Dat is helemaal in orde. Dus je wilt het wel hebben?'

'Natuurlijk. Het is prachtig. Wat kost het?'

'Ik wist dat je er geen weerstand aan zou kunnen bieden,' zei ze, terwijl ze glimlachend knikte. 'Ik wíst dat het je aan je eigen roodharige meisjes zou doen denken.'

'Dat doet het zeker, en zoals altijd heeft je intuïtie je niet bedrogen. Je had me helemaal door. Dankjewel, lieveling. En nu heb ik een verrassing voor jóú.' Hij stond op, liep haastig de kamer uit, pakte zijn aktetas, knipte hem open en haalde er een pakje uit.

Hij hield het achter zijn rug toen hij terug kwam en overhandigde het haar met enige zwier zodra hij voor haar stond.

'Wat is het?' vroeg ze, terwijl ze van het in donkerblauw cadeaupapier verpakte pakje naar hem keek.

'Maak maar open.'

Nadat ze het papier er had afgescheurd, hield Jane een donkerblauwe kartonnen doos in haar hand. Toen ze het deksel optilde, zag ze dat er in de doos een juwelenkistje van zwartblauw fluweel zat. Met het kistje in haar hand keek ze hem opnieuw aan en schudde haar hoofd. 'Zo te zien ben je weer heel buitensporig geweest. O Ned, wat verwen je me toch.'

'Welnee. Maak open.'

Dat deed ze. Haar lichte ogen sperden zich open toen ze de ragfijne ketting zag van aquamarijnen en diamanten. Even was ze verbijsterd en keek ze hem sprakeloos aan. Op het laatst zei ze zacht: 'Lieveling, hij is gewoonweg... beeldschoon.'

'Net als jij. Ik was van plan voor je op zoek te gaan naar een broche of oorbellen met smaragden, maar toen ik dit zag, dacht ik meteen aan je ogen... Ze hebben dezelfde kleur.' Hij pakte het halssieraad en hield het haar voor, zodat het licht erop viel. 'Kijk, Jane, je ogen hebben exact deze kleur.'

Edward liet de ketting in zijn zak glijden, pakte haar hand en trok haar overeind. 'Ik wil dat je hem omdoet. Ogenblikkelijk. Nu meteen. Met deze jurk zal hij geen effect hebben, dus kom, lieveling, laten we naar boven gaan. Ik wil hem op je lijf zien.'

Ze maakte geen tegenwerpingen. Haastig leidde hij haar de kamer uit, de trap op en de slaapkamer binnen, waarna hij er geen

gras over liet groeien. 'Trek je jurk uit, Jane. Ik wil dat je dit omdoet.' Al pratend haalde hij het collier uit zijn zak. 'Voortmaken, ik
kan niet wachten om te zien hoe het je staat.'

Lachend deed ze wat hij zei, en een seconde later stond ze in haar
ondergoed voor hem.

Edward liep om haar heen en kwam achter haar staan, legde het
collier om haar hals, maakte het vast en troonde haar mee naar de
kaptafel, waar hij haar op de stoel neer duwde. 'Kijk nou eens naar
jezelf, kijk eens hoe de stenen de kleur van je ogen weerspiegelen.'
Ze boog zich voorover om zichzelf in de spiegel te bekijken, waarna hij zich over haar schouders boog en haar spiegelbeeld bekeek.

'Het collier is van een perfecte schoonheid, net als jij.'

Ze draaide haar hoofd om hem aan te kijken, waarna er tranen
in haar ogen verschenen. 'Dankjewel, dankjewel voor dit beeld- en
beeldschone cadeau. Ik zal het eeuwig koesteren, Ned.'

'Zoals ik jou eeuwig zal koesteren, Jane. Denk daar alsjeblieft
aan, vooral wanneer je eigenaardige ideeën krijgt en gaat denken
dat je te oud voor me bent.'

Met een paar passen liep hij de slaapkamer door. Hij deed de
deur op slot, trok zijn jasje uit en gooide die over een chaise longue, en terwijl hij zich naar haar omdraaide en op haar toe liep, begon hij zijn overhemd open te knopen. 'Ik ga je nu bewijzen dat je
níét te oud bent en dat ik je nog altijd begeer.'

Jane kwam hem halverwege de kamer tegemoet, haar ogen ontmoetten de zijne. 'Wil jij het collier even losmaken?'

'Nee, dat wil ik niet,' fluisterde hij, waarna hij haar in zijn armen nam en haar tegen zich aan trok, zodat haar wang tegen zijn
blote borst rustte. 'Ik wil dat je het vanavond draagt. De hele nacht.
Maar dit zal ik losmaken,' voegde hij eraan toe, terwijl zijn handen
aan de haakjes van haar beha peuterden. 'Laten we ons bed opzoeken,' zei hij met zijn lippen in haar haar. 'Het is nogal dringend.'

Nu zag Jane dat hij inderdaad een sterkte behoefte aan haar had,
dat hij haar begeerde. Ze deed de rest van haar kleren uit en volgde zijn voorbeeld. Hij kleedde zich net zo snel uit als zij had gedaan. Een seconde later nam hij haar in zijn armen en drukte haar
tegen zich aan. Zijn mond vond de hare toen hij haar heftig kuste,
vurig, met zijn tong op de hare, en zijn handen gleden naar haar
borsten. Toen ze hun lange kus afbraken, leidde hij haar naar de
rand van het bed.

Ze gingen samen liggen, terwijl ze op adem kwamen. Uiteindelijk richtte Edward zich op een elleboog op en keek neer op haar

gezicht. 'Jane, mijn mooie, prachtige Jane, wat ben je toch een dwaas meisje.' Hij boog zijn gezicht naar haar toe en voegde eraan toe: 'Je zult nooit te oud voor me zijn...' Hij maakte zijn zin niet af, maar kuste haar opnieuw.

Edward kwam boven op haar liggen, liet zijn handen onder haar billen glijden om haar dichter bij zich te brengen en ging bij haar naar binnen. Zo was het bij hen nou eenmaal altijd. Begeerte en een allesoverheersende lust. Passie. Heftige hartstocht. Snel kwamen ze in hun vertrouwde ritme, ineengestrengeld, elkaar opzwepend, overspoeld door extase vanwege het pure genot van hun samenzijn, om elkaar zo volledig en ongeremd te bezitten.

Op een gegeven moment hield Edward plotseling op en richtte zich op om op Jane neer te kijken.

Ze staarde hem met een stomverbaasde uitdrukking op haar gezicht aan.

Met een zelfingenomen glimlachje zei hij: 'De aquamarijnen hebben werkelijk de kleur van je ogen, vooral op een moment als dit.'

Hij liet zich opnieuw boven op haar zakken, met zijn gezicht tegen haar hals. 'O, wat hou ik van je. Ik hou van jóú, Jane. Ik ben van jou. Net zoals jij van mij bent. Kom nu, ga met me mee. *Nu*.'

En dat deed ze, onder het roepen van zijn naam. Hij was haar echo en slaakte een kreet, waarna hij zich met een zucht tegen haar borsten aan vlijde. 'O, Jane, oh, Jane.'

Ze bleven een paar minuten in elkaar gestrengeld liggen. Edward was degene die het eerst in beweging kwam. Hij pakte een kussen en legde het tegen Janes borst. 'Het collier is een beetje scherp op mijn huid,' verduidelijkte hij. 'Zo, dat is beter... met het kussen tussen ons in.'

'Ik kan het wel af doen, lieveling.'

'Nee, ik wil dat je het vanavond om houdt. Ik weet dat je vast wel een jurk zult vinden met het juiste decolleté.'

'Reken maar.'

Er viel een lange stilte, een zalige rust tussen hen die een poosje aanhield. Jane was degene die de stilte uiteindelijk verbrak, toen ze opeens vroeg: 'Wat heb je met de hond gedaan?'

'Hond?' vroeg Edward verwonderd.

'Weet je niet meer dat ik voorstelde dat je een hond voor Edward junior zou kopen? Hij heeft er altijd een gewild, dat zei je tenminste, al toen hij nog heel klein was. Ik zei nog tegen je dat het een enig kerstcadeau zou zijn.'

'O, mijn god! De hond! Die was ik helemaal vergeten. Ik had er in Schotland een voor hem willen kopen... een West Highland terriër. Hij is verzot op dat ras. Allemachtig!'

'Je kunt er nog altijd een voor hem kopen, Ned. Bij Harrods. Daar verkopen ze honden.'

'Dan zou ik hem naar Yorkshire moeten meenemen. Dat is wat lastig.'

'Ik weet zeker dat ze hem zullen komen bezorgen. In een bestelwagen.'

'Wat een goed idee. Wat zou ik in godsnaam zonder jou moeten? Ik ga er morgenochtend naartoe om er een uit te zoeken en te regelen dat hij naar Ravenscar wordt gebracht. Heel goed, Jane, heel goed. Je hebt mijn hachje weer gered.' Hij hees zich overeind, boog zich over haar heen en drukte een kus op het puntje van haar neus. 'Dit collier is tóch een tikkeltje gevaarlijk,' mompelde hij, terwijl hij er met zijn vinger overheen streek en toen in lachen uitbarstte. 'Het verbaast me dat ik mijn borst niet heb opengehaald.'

'Ik heb nog aangeboden om het af te doen.'

'Dat weet ik, maar dat wilde ik niet... Weet je... ik vrij graag met vrouwen die alléén maar juwelen dragen en niets anders.'

'Vrouwen!' riep ze uit. 'Met welke andere vrouwen die enkel juwelen dragen vrij je dan wel, Edward Deravenel? Dat moet je me toch eens vertellen.'

'Alleen met jou, mijn schat, alleen met jou,' haastte hij zich te antwoorden, waarmee hij haar de waarheid vertelde.

Jane was zo wijs zich van verder commentaar te onthouden, ook al geloofde ze hem. Ze wist heel goed dat hij haar trouw was. Dat wist de hele wereld, ook zijn vrouw. Ze vroeg zich af of dat Elizabeth verontrustte. Vormde één andere vrouw in het leven van een getrouwde man niet een bedreiging? Terwijl vele vrouwen in het leven van een getrouwde man gemakkelijk aan de dijk gezet konden worden. Ze liet die gedachten van zich af glijden en vroeg: 'Tussen haakjes, waarom heb je George naar Schotland gestuurd? Dat heb je me nog niet verteld.'

'Ik wilde hem kwijt. Hij had zichzelf met Kerstmis op Ravenscar uitgenodigd en om mijn moeder een plezier te doen, had ik me daarin geschikt. Maar toen ik onze kerstviering afzei en de gasten liet weten dat ze niet konden komen, maakte hij een hoop heibel. Omdat Edward junior ziek was, besloot ik mijn reis naar Schotland te annuleren. Toen schoot me te binnen dat ik van George af zou zijn door hem naar Edinburgh te sturen om over de transactie met Ian Mac-

Donald te onderhandelen. De onderhandelingen in verband met zijn drankenhandel. Daarmee sloeg ik in feite twee vliegen in één klap.'

'Is dat niet een beetje riskant?' vroeg ze, terwijl ze zich in de kussens overeind hees. 'Hem als de spreekbuis van Deravenel te laten optreden?'

Edward keek haar aandachtig aan. 'Hij kan wat wispelturig zijn, dat weet ik, zelfs bij zakelijke besprekingen. Maar ik heb hem een vette bonus beloofd als hij het naar mijn tevredenheid afhandelt. Hij zal heus wel uitkijken hoe hij zich gedraagt, met geld in het vooruitzicht.'

'Ik hoop dat hij er geen potje van maakt,' mompelde ze, hardop denkend.

'Het rare is, Jane, dat Richard eerder vandaag hetzelfde tegen me zei,' zei Ned. 'Weet je, als het niets wordt, zal het me weinig kunnen schelen. George is soms inderdaad wat eigenaardig, maar eerder een lastpak dat wat anders, vind ik.'

'Nee, hij is geen lastpak, Ned. Hij is een bedreiging.'

'Waarom zeg je dat?' vroeg hij, terwijl hij zijn voorhoofd fronste. Will Hasling had de afgelopen weken diverse keren eenzelfde opmerking gemaakt.

Jane antwoordde op bedachtzame toon: 'Ik denk dat hij met je concurreert. Ik ben altijd van mening geweest dat George zo'n beetje... nou ja, nogal wegloopt met zichzelf, denkt dat hij jou kan vervangen, dat hij net zo goed is als jij – net zo intelligent – en dat is hij niet. Iedereen weet hoe briljant jij bent.'

'Neville was degene die hem die ideeën heeft ingeprent, lang geleden. Kennelijk hebben ze postgevat. Nu de oorlog voorbij is, kan ik George misschien ergens anders heen sturen. Naar Amerika misschien.'

Jane moest lachen. 'Voorgoed, natuurlijk. Zou je dat geen goed idee vinden?'

'Ja. Ik heb zelfs nog een beter idee,' mompelde hij, terwijl hij zich naar haar toe boog om haar vol op de mond te kussen en nog dichter naar haar toe schoof. 'Ik wil nog een keer met je vrijen voordat we naar beneden gaan voor het eten.'

'En het collier dan...'

'Kan mij dat collier schelen,' onderbrak hij haar, terwijl hij haar glimlachend aankeek. 'Een paar schrammetjes laten me koud zolang ik jou in mijn armen mag houden. Jij, Jane, bent mijn ware liefde.'

'O Ned...'

Hij kapte de rest van de zin af door zijn mond stevig op de hare te drukken.

Zeven

Amos Finnister zat in zijn kantoor bij Deravenel op de Strand, een en al oor voor Will Hasling. Zijn gezicht stond zorgelijk terwijl hij naar de andere man luisterde.

'En dus,' sprak Will verder, 'zou ik het op prijs stellen als je wat zou willen rondsnuffelen, Amos. Op de jou eigen discrete manier.'

Amos knikte en vroeg: 'Denkt u dat Mr. George met slechte mensen omgaat, Mr. Hasling?'

'Ja. En ook nog gevaarlijke lui. Het drinken en hoerenlopen zijn al erg genoeg – nou ja, dat is Georges aard, vrees ik; hij is altijd al een losbol geweest. Maar ik maak me zorgen over de verdovende middelen en het gokken. Hij verliest regelmatig een heleboel geld, héél veel geld zelfs. Heel zorgwekkend.'

'Als ik vragen mag, hoe bent u dit te weten gekomen?' Amos keek Will recht aan.

'Iemand is me komen waarschuwen.' Will knikte en mompelde: 'Godzijdank.'

'Ik neem aan dat het iemand was die u vertrouwt, Mr. H.?'

'Inderdaad, Amos, en er is geen enkele reden waarom jij het niet zou mogen weten. Het is van een van mijn broers – Howard. Tijdens zijn tijd in Eton werd hij heel dikke maatjes met een jongen die Kim Rowe-Leggett heet en, zoals dat bij voormalige Eton-studenten vaak het geval is, zijn ze door de jaren heen zeer goede vrienden gebleven. Rowe-Leggett is tegenwoordig effectenmakelaar in de City, zeer bekend en heel succesvol. In elk geval: hij waagt wel eens een gokje op de paarden en gaat soms, op bescheiden schaal, gokken in een van die nieuwere Londense gokpaleizen. Hij is lid van Stark, het etablissement van Julian Stark, eveneens een voormalig Eton-student. Om een lang verhaal kort te maken, mijn broer vertelde me dat de roddel over George volgens Rowe-Leggett als een lopend vuurtje rondgaat. Natuurlijk ben ik verontrust. Niet alleen over zijn gokken, maar over de verdovende middelen.'

'Dat kan ik u niet kwalijk nemen.' Amos schudde zijn hoofd. 'Mr. George is een grote zorg voor Mr. Deravenel, zoals u maar al te goed weet. En de afgelopen weken heeft hij me meer dan eens gevraagd een oogje op hem te houden. U weet wel wat ik bedoel... Hij wil dat ik in de gaten houd wat zijn broer in zijn vrije tijd doet, maar op een... terloopse, laten we zeggen discrete manier.'

Will fronste zijn voorhoofd en veegde met zijn hand over zijn mond. 'Ik vraag me af of Mr. Edward iets van de roddel over Mr. George heeft gehoord. Heeft hij iets tegen je gezegd?'

'Niet echt. Wanneer hij zijn bezorgdheid uit, is dat op een... nu ja, gematigde manier. Hij windt zich niet op, of zoiets. En hij heeft niets gezegd over gokken of verdovende middelen.'

'Ooit moeten de praatjes hem ter ore komen, vooral als er betaling wordt geëist voor de gokschulden. Julian Stark zal, als hij geen genoegdoening krijgt van Mr. George, misschien wel op Mr. Deravenel afstappen.' Will zuchtte. 'Ik moet het hem vertellen, Amos. Echt waar. Hij en ik hebben in al die jaren dat we bij Deravenel samenwerkten nooit geheimen voor elkaar gehad, en ook niet daarvóór, toen we in Oxford studeerden.'

Amos leunde achterover in zijn bureaustoel en staarde in de verte, terwijl er een eigenaardige uitdrukking op zijn gezicht verscheen.

Will Hasling merkte dit onmiddellijk op en vroeg: 'Wat is er, Amos? Je kijkt zo raar.'

'Kunt u tot na Kerstmis wachten? Wat ik bedoel is: Mr. Edward maakt zich op dit moment, zoals u wel zult weten, wat bezorgd over zijn zoontje. Bovendien is het vakantietijd... De jaarlijkse lunch morgen en morgenavond het diner bij uw zuster.'

'Ik begrijp wat je bedoelt.' Will verzonk enkele ogenblikken in gepeins, terwijl hij de kansen overwoog, en antwoordde toen: 'Ik begrijp precies waarover je het hebt, maar we weten allemaal dat hij de pést heeft aan verrassingen. Als de roddel hem via iemand anders bereikt, zal hij woedend op me zijn omdat ik het hem niet heb verteld, om hem erop voor te bereiden.'

Amos rechtte zijn rug en riep uit: 'Dat is heel begrijpelijk. Ik veronderstel dat u een woordje met hem moet wisselen. Om wijlen mijn vader te citeren: "Een gewaarschuwd mens telt voor twee".' Terwijl hij voorover leunde, voegde hij er bedaard aan toe: 'Mr. Richard zei vorige week tegen me dat hij vond dat zijn broer George niet geschikt was voor Deravenel en dat hij geen macht binnen het bedrijf mocht krijgen. Dat hij een heel slecht beoordelingsvermogen had.'

Will was in het geheel niet verbaasd door deze vertrouwelijke mededeling. Hij had allang gemerkt dat het tussen de twee broers slecht boterde. Richard was Neds gezworen kameraad en zou zijn leven voor hem geven, maar hij verachtte George.

Will kende Richard al sinds zijn jeugd, hij was zeer op hem gesteld en bewonderde hem. Hij had lef; hij hechtte aan discipline en was recht door zee. Ook wist hij van aanpakken, had een neus voor zaken en Edward vond het vooral plezierig dat hij zich bij Deravenel zo op zijn plaats voelde. Will wist dat.

De laatste tijd stond Richard bijzonder kritisch tegenover George. Will wist dat Richard te lijden had gehad van George, die had geprobeerd zijn huwelijk met Anne Watkins op de wreedst mogelijke manier te verhinderen. Will onderdrukte een zucht. Hij had nooit helemaal begrepen waarom Ned niet eerder had ingegrepen, en verbetering in de situatie had gebracht, zodat die zich niet zo lang had kunnen voortslepen.

Will rukte zich los uit zijn gedachten toen hij zich ervan bewust werd dat Amos wachtte en vervolgde: 'Denk jij dat Richard van die kwalijke roddelpraat over George weet? Heeft hij je daar iets over gezegd?'

'Nee, maar hij zou best íéts gehoord kunnen hebben. Vorige week, zonder enige aanleiding, maakte hij een opmerking – hij zei dat zijn broer een stuk gif was.'

'Daarmee sloeg hij in elk geval de spijker op z'n kop.'

'Naar mijn mening is George Deravenel een door de wol geverfde herrieschopper.'

Will keek Amos een paar minuten aan en mompelde: 'Hij is ook... geváárlijk.'

'O, dat weet ik. Vanaf het moment dat hij zich al die jaren geleden inliet met Neville Watkins en diens praktijken heb ik hem gewantrouwd. Om u de waarheid te zeggen, vertrouw ik hem sinds die tijd niet meer.'

'En ik evenmin.' Will Hasling stond op en liep naar de deur, terwijl hij verklaarde: 'Ik moet weg, Amos. Mijn vrouw zit in het Savoy Hotel op me te wachten. We gaan vanavond naar het Savoy Theatre.'

'Ik begrijp het. Plezierige avond, Mr. H.'

Toen hij bij de deur was, draaide Will zich om en keek Amos doordringend aan. 'Ik zal inderdaad zo spoedig mogelijk met Mr.

Edward moeten praten. Ik moet hem van alles op de hoogte stellen om hem voor te bereiden. En wil jij alsjeblieft wat gaan rondneuzen? Wie weet wat je te weten komt.'

'U kunt op me vertrouwen. Als er iets te vinden valt, zál ik het ook vinden.'

Er hingen problemen in de lucht. Dat rook hij nu al. En tot in zijn botten wist hij het zeker. Zolang hij zich kon herinneren had Amos op zijn intuïtie vertrouwd, in combinatie met zijn mensenkennis. Ook had hij snel door wat iemand bezielde doordat hij hun motivatie doorzag. Al die gaven, want zo noemde Amos ze voor zichzelf, hadden hem geholpen toen hij als wijkagent zijn ronden deed in de straten van Whitechapel, Limehouse en andere buurten in het Londense Eastend.

Ook in de jaren die hij bij Neville Watkins in dienst was, hadden die gaven hun dienst bewezen; ze hadden hem evenmin in de steek gelaten toen hij bij Deravenel was komen werken om de afdeling Beveiliging te leiden. Een wrange glimlach speelde om zijn mond. Er was pas sprake van een afdeling beveiliging toen hij was aangenomen om 'mijn rug te dekken', zoals Edward Deravenel het destijds zo bondig had geformuleerd.

De laatste tijd was dat niet meer nodig. De meeste vijanden van Edward waren dood; sommigen woonden in het buitenland, maar waren buiten werking gesteld door Edward Deravenels succes als hoofd van het bedrijf. Deravenel was altijd een immens, wereldwijd opererend bedrijf geweest; hij had het gemaakt tot een firma die groter was dan ooit en meer winst opleverde dan in zijn hele geschiedenis.

Zijn naam was een begrip – niet alleen in Engeland, maar over de hele wereld – en hij werd tot de meest invloedrijke magnaten van de City gerekend. Sommige mensen zeiden dat hij nog belangrijker was dan wijlen zijn neef Neville Watkins, die óóit de grootste was.

Amos herinnerde zich nu dat hij ooit tegen Mr. Edward had gezegd dat hij met pensioen wilde gaan. Edward had bijna een beroerte gehad. Of iets wat daar in de buurt kwam. Hij was razend geworden. Dat was het enige juiste woord.

'Ik wil je hier, naast me – je hele verdere leven, en het mijne!' had Edward ziedend verkondigd. 'Ik wil dat gepraat over je pensioen niet meer hóren, punt uit. Begin er niet nog eens over, Amos. Bovendien: je moet altijd bedenken dat mannen die met pensioen gaan zonder uitzondering aftakelen en doodgaan.'

Indertijd was Amos enigszins verbijsterd geweest door die woorden, woorden die zo krachtig werden gesproken, maar toch was hij ook immens gevleid geweest. Hij had toen beseft dat hij een heel speciale plaats in het leven en het hart van Edward Deravenel innam, wat geheel wederzijds was.

Naast trouw, toegewijd, discreet en zorgzaam was Amos Finnister ook onder alle omstandigheden de rust zelve. En ook zó betrouwbaar, dat Edward Deravenel het nooit nodig had gevonden voor de voormalige privédetective, die bijna nooit van zijn zijde week, enig aspect van zijn uiterst gecompliceerde leven verborgen te houden.

Het was bij Deravenel algemeen bekend dat Amos Finnister en de directeur nauwe banden onderhielden, maar niemand wist in welke mate. Behalve Will Hasling, die nog dichter bij Ned stond omdat hij zijn oudste en beste vriend was.

Deze drie mannen werkten in harmonie samen, al jarenlang. Ze vertrouwden elkaar onvoorwaardelijk en ze waren volkomen discreet over elkaar, zonder iets aan collega's of familie prijs te geven. Op een keer had Edward, een beetje lacherig, gezegd dat ze net de drie musketiers waren, en in zekere zin was dat ook zo.

Hun onderlinge relatie werkte om een aantal redenen. Edward en Will, hoewel aristocraten, waren geen snobs; ze waren innemend, toegankelijk, spontaan en democratisch ingesteld. Amos Finnister wist dat hij de grens nooit moest overschrijden. Hij was zich zijn positie in de rangorde terdege bewust. En hij werd nooit te familiair. Hij wist hoe verkeerd dat zou zijn.

Deze drie mannen konden met elkaar lezen en schrijven, al heel lang. Na al die jaren in elkaars gezelschap te hebben verkeerd dachten ze hetzelfde en wanneer ze voor problemen kwamen te staan, handelden ze op dezelfde manier. Bovendien konden ze meestal elkaars gedachten lezen.

Amos stond op en liep een paar seconden het kantoor op en neer om zijn lange benen te strekken. En diep na te denken.

Will Hasling was veel ongeruster dan hij liet blijken, daarvan was Amos overtuigd. En hij wist ook zonder een greintje twijfel dat Will Edward de volgende morgen alles zou vertellen. En dat Edward dan zou willen dat hij de zaak onmiddellijk zou onderzoeken.

Amos liep naar het raam en keek naar buiten. Zo te zien was het een aangename avond met een heldere, donkere lucht, volkomen onbewolkt, vol sterren.

Nadat hij zijn bureau op slot had gedaan en zijn jas van de kapstok had gehaald, verliet Amos zijn kantoor en liep de trap af. Hij liep de indrukwekkende, hoge marmeren ontvangsthal van Deravenel door, waarvan hij zoals altijd de grandeur bewonderde, en stapte de Strand op.

De verkeersader was drukker dan hij in lange tijd had meegemaakt. Taxi's, automobielen en omnibussen reden bumper aan bumper over de straat en op de trottoirs verdrongen de voetgangers elkaar, bijna allemaal haastig op weg naar hun afspraak. Het was hem meteen duidelijk dat hij moest gaan lopen. Hij had geen andere keus, aangezien het in deze heksenketel niet zou meevallen om aan een taxi te komen.

Hij liep graag, trouwens; dat deed hem denken aan zijn tijd als wijkagent, vermoedde hij, en meestal kon hij beter nadenken wanneer zijn voeten in beweging waren. Terwijl hij zijn overjas dichtknoopte, zette hij er de pas in.

Die avond ging hij op weg naar het Ritz Hotel op Piccadilly. Zijn oude vriend Charlie Morgan verbleef daar, en ze zouden gaan dineren in het chique Ritz Restaurant, dat tot de beste van Londen behoorde. Hij had er een paar keer met Edward Deravenel gegeten en kende het vrij goed.

Het hotel was een vorstelijk paleis, met marmeren vloeren, dikke lopers, kristallen kroonluchters, fraai meubilair van donker hout, potpalmen en reusachtige bloemstukken. Het was vooral geliefd bij wie rijk en beroemd was en een ontmoetingsplaats voor de bekendste mensen in Londen: de adel, de beau monde, beroemde acteurs, actrices en schrijvers, parlementsleden, politici en staatshoofden, de crème de la crème van de wereld.

Terwijl hij naar Trafalgar Square liep, bleven Amos' gedachten gericht op Charlie. Hij had hem al ruim twee jaar niet gezien; de jongeman was aan het front in Frankrijk geweest, waar hij voor koning en vaderland had gestreden.

Toen in augustus 1914 de oorlog uitbrak, had Charlie ogenblikkelijk een plaats op een schip geboekt voor de overtocht van New York naar Southampton en was naar Engeland gereisd om in het leger te gaan. 'Ik ben vastbesloten om mijn plicht te doen,' had hij tegen Amos gezegd toen hij voor het eerst in Londen aankwam, waarna hij eraan had toegevoegd: 'Ik wil meedoen en meetellen, vechten voor de goede zaak en voor rechtvaardigheid. Hier ben ik dus en ik ben van plan me deze week bij het Britse leger te melden.' En hij had de daad bij het woord gevoegd.

Charlie was alleen naar Londen teruggekeerd; zijn zuster Maisie was het jaar daarvoor al uit Amerika vertrokken. In 1913 was ze in Ierland komen wonen met de man met wie ze net was getrouwd.

Amos was inmiddels heel trots op Charlie en Maisie en op het succes dat ze door de jaren heen hadden geboekt. Binnen een paar maanden nadat ze in New York waren aangekomen, waar, zoals Charlie koppig bleef volhouden de straten met goud waren geplaveid, hadden de twee volkskinderen uit Whitechapel werk gevonden in het theater. En uiteindelijk hadden ze zich ontpopt als sterren op Broadway, zoals ze altijd al hadden gewild. En waarom niet?

Afgezien van hun buitengewoon knappe uiterlijk konden ze zingen, dansen en acteren, en ze konden allebei goed imiteren. Talent en schoonheid. De beste combinatie. Het verbaasde Amos eigenlijk niets toen er al heel snel brieven van Charlie kwamen met berichten van hun voortdurende triomfen.

Ze waren in 1904 per boot uit Liverpool vertrokken; vervolgens had hun liefde voor Londen hen teruggelokt. De daaropvolgende jaren hadden ze talrijke bezoeken aan het thuisfront gebracht, en Amos was elke keer blij geweest als ze op zijn drempel verschenen.

Het was een geluksdag voor Amos toen de gedenkwaardige brief arriveerde, waarin Maisies huwelijk met haar jonge Ier werd aangekondigd, die de oudste zoon bleek te zijn van lord Dunleith, een Anglo-Ierse landeigenaar met een schitterend buitenhuis in de stijl van George V, Dunleith geheten, met daaromheen vele hectaren grond.

Al die gedachten buitelden door zijn hoofd toen Amos Trafalgar Square naderde. In deze buurt liepen flink wat mensen rond, vooral bij het standbeeld van Engelands grootste held, Horatio Nelson. Lolbroeken zongen en dansten, zwaaiend met de Union Jack. Sommigen schreeuwden: 'Wij zullen de barbaren verslaan!' Kennelijk vierden ze feest omdat de oorlog ten einde was en niet vanwege Kerstmis, wat pas over een week was.

Aan de overkant van Trafalgar Square stak iemand vuurwerk af, waardoor een regen van fonkelende lichtjes de avondlucht in schoot. Er begon steeds meer vuurwerk te knallen, wat een schitterend scala aan kleur en schittering teweegbracht en aanleiding was voor applaus, gelach en nog meer gezang.

Plotseling klonk boven de herrie uit een heldere sopraan. De vrouw zette *Land of hope and glory* in, en na de eerste strofe vielen andere mensen in, en algauw was iedereen aan het zingen. Ook Amos, die merkte dat hij een eigenaardige brok in zijn keel had. Hij voelde een enorme trots in zich opwellen en besefte dat hij net zo

59

sentimenteel en vaderlandslievend was als alle anderen.

Uiteindelijk liep hij verder, het plein over, in westelijke richting naar Piccadilly en het Ritz Hotel.

Goddank was de strijd ten einde, dacht hij. Voor het eerst in de geschiedenis had een oorlog de hele wereld op zijn grondvesten doen trillen en overspoeld, waardoor van de oude regelmaat niets meer over was. Hij besefte dat niets ooit weer hetzelfde zou zijn. Maar gelukkig heerste er die avond vrede op de wereld, na vier jaar van hel en de dood van miljoenen jongemannen, neergemaaid nog voor ze een kans hadden gekregen om te leven.

Acht

Bij Arlington Street, vlak achter Piccadilly, stak Amos over naar de ingang van het Ritz Hotel.

Met een knikje naar de in een donkerblauw uniform met een zwarte hoge hoed uitgedoste portier ging Amos de klapdeuren door en stapte de lobby binnen.

Na een blik op de grote klok aan de wand constateerde Amos tot zijn tevredenheid dat hij niet te laat was. Het was klokslag zeven uur. Nadat hij zijn jas bij de herengarderobe had afgegeven, begaf hij zich naar de lounge waar elke dag van de week een high tea werd geserveerd.

Toen hij bleef staan en om zich heen keek, zag hij vrijwel op hetzelfde moment Charlie zijn kant op lopen. Uiterst langzaam. Hij hinkte vreselijk en maakte gebruik van een wandelstok, waar hij zwaar op steunde. Na talrijke promoties had hij het geschopt tot commandant in het Britse leger en in zijn officiersuniform met legerkoppel zag hij er heel goed uit.

Amos stak zijn hand op om naar hem te zwaaien, en Charlie wuifde terug. In zijn haast om snel bij zijn oude vriend te zijn, struikelde Amos bijna. Maar hij herstelde zich snel, haalde diep adem en liep verder het pluchen tapijt over, in de hoop dat Charlie het niet had gemerkt.

Met een glimlach stak Amos, toen ze eindelijk tegenover elkaar stilstonden, zijn hand uit, die Charlie stevig beetpakte en een moment vasthield.

Amos voelde zijn hart krimpen en slikte moeizaam. De jonge acteur zou nooit meer acteren, niet met dat gehavende gezicht. De ene kant zat onder de littekens, de huid was vuurrood en rimpelig en zat strak over het bot gespannen. De littekens liepen van zijn haargrens naar zijn kaak en zagen er nog rauw uit.

Alsof hij Amos' gedachten had gelezen, zei Charlie afgemeten: 'Ik zal een ander beroep moeten kiezen, vrees ik, Amos. Maar ik heb het er tenminste levend van afgebracht. En je raadt het nooit: de artsen dachten dat ze mijn been zouden moeten amputeren, maar dat hebben ze niet gedaan. Op de een of andere manier is het hun gelukt me dat te besparen.' Zijn stem beefde licht toen hij eraan toevoegde: 'Ik behoor tot de mannen die geluk hebben gehad.'

Amos' keel zat dicht, maar even later beheerste hij zich, onder de indruk van Charlies moedige houding. 'Ik weet dat je door een hel bent gegaan, maar nu ben je thuis. En je bent in veiligheid.'

Charlie glimlachte flauwtjes. 'Jij bent werkelijk een streling voor het oog, mijn vriend. Kom, zullen we maar naar het restaurant gaan? Laten we iets drinken, op elkaar proosten, en herinneringen ophalen.'

'Een beter idee heb ik de laatste tijd niet gehoord. En hoe gaat het met je zusje Maisie?'

'Het gaat uitstekend met haar – ze is heel vrolijk en voelt zich beter nu Liam langzaam maar zeker vooruitgaat, elke dag een beetje. Hij was zo getraumatiseerd dat hij een hele tijd net een zombie was. Daarna ging hij enorm huilen en werd 's nachts voortdurend gillend wakker. En ik weet waarom... dat zijn de herinneringen... die weten niet van wijken.' Charlie schudde zijn hoofd. 'Er lopen te veel gewonde mannen rond die waarschijnlijk nooit beter zullen worden. De wandelende doden, noem ik ze. Je kunt net zo goed dood zijn, als je bedenkt wat voor leven hen te wachten staat. Enfin, hoor wie het zegt.' Hij deed zijn best om een opgewektere toon aan te slaan en sloot af met: 'Maisie is een wonder, en ze is ervan overtuigd dat Liam volledig zal herstellen. Ze laat je overigens de groeten doen.'

'Ik heb onlangs een kerstkaart van haar ontvangen, waarin ze zegt dat ze hoopt dat ik hen op Dunleith kom bezoeken. Ze stelde trouwens voor dat wij samen zouden komen.'

'Dat gaan we doen!' verkondigde Charlie, en hij knikte naar de gerant die hen was komen begroeten en wachtte tot hij hen kon voorgaan naar het restaurant.

'Goedenavond, kapitein Morran, heel prettig u vanavond te zien.' De man wierp een blik op Amos en glimlachte. 'Goedenavond, Mr. Finnister.'

Amos neeg zijn hoofd. 'Goedenavond,' antwoordde hij, er vast van overtuigd dat de man zich hem herinnerde van de keren dat hij hier met Edward Deravenel en Will Hasling was komen lunchen.

Ze liepen achter de gerant aan de zaal door. Die wees hun vervolgens een tafel aan het raam met uitzicht op Green Park.

'Ik ben blij dat ik hier een kamer heb kunnen krijgen,' merkte Charlie op, terwijl hij over de tafel heen naar Amos keek. 'Het schijnt erg druk te zijn in het hotel, hoogstwaarschijnlijk vanwege de viering van de wapenstilstand, en Kerstmis natuurlijk. Maar ik ben een oude klant en ze waren uitermate attent. Je herinnert je vast wel dat Maisie en ik, zodra we het konden betalen, hier altijd logeerden als we in Londen waren. Voornamelijk om jou te zien, Amos, dat weet je.' Zonder een reactie af te wachten, ratelde hij verder: 'Geloof me, het is hier een heel stuk beter dan in de loopgraven. Neem dat maar van me aan.'

'Dat doe ik zeker. Ik kan me niet voorstellen wat jullie daar hebben doorgemaakt. Dat kan niemand. De hel op aarde, daar ben ik van overtuigd, en ik twijfel er geen moment aan dat het vreselijk was...' Amos brak zijn zin af toen een kelner aan de tafel verscheen.

Charlie keek Amos aan en vroeg: 'Heb je zin in champagne? Of iets sterkers?'

'Ik neem wat jij neemt, Charlie.'

'Dan wordt het champagne.' Tegen de kelner zei Charlie: 'Ik zou graag een fles roze champagne willen, de beste van het huis.'

'Dat wordt dan Krug, sir. Ik kom het direct brengen.'

Toen ze weer alleen waren, boog Charlie zich dichter naar Amos toe en zei met gedempte stem: 'Aldoor die granaten, het mosterdgas, de man-tegen-mangevechten, het was ronduit verschrikkelijk. Maar waar we echt gek van werden, was die verrekte modder. Soms zakten we er tot onze knieën in weg, kan ik je vertellen. Een van mijn maten kwam op het idee om met behulp van onze rantsoenen een vaste bodem in de loopgraven aan te brengen.'

'Rantsoenen?' Amos' wenkbrauwen schoten vragend omhoog.

'Juist ja... blikken cornedbeef, ons dagelijkse rantsoen. Honderden blikken cornedbeef gingen onder onze laarzen en hielpen onze voeten droog te houden, en op ooghoogte, zodat we over de rand van de loopgraven konden kijken. Om de Duitsers te kunnen zien als die op ons af kwamen. Het was verschrikkelijk, het leek wel lijm, die modder, en dan had je die niet-aflatende regen, de bommen die ontploften, de mannen die overal om ons heen doodgingen...' Charlies brak zijn zin af. Hij perste zijn lippen op elkaar, vechtend om zijn emoties de baas te blijven, maar dat kostte hem moeite.

Toen Amos, die hem bezorgd observeerde, merkte dat Charlies donkere ogen plotseling vochtig waren, stak hij zijn hand uit en legde die zachtjes, liefdevol, op de arm van de jongere man. 'Toe, toe maar, jongen, rustig maar. Misschien moesten we hier maar niet over praten...'

'Het gaat wel, eerlijk,' viel Charlie hem prompt in de rede. 'Het is echt beter om erover te praten, vooral met een oude vriend als jij. Ik weet dat jij begrijpt hoe ik me voel, dat was altijd al zo.'

Amos zei niets, maar hij bedacht dat Charlie zoiets nog nooit had doorgemaakt – maar ja, wie wel? Het was een oorlog geweest met zo'n omvang, met zulke gruwelijkheden en zo gewelddadig, dat het elke beschrijving tartte.

Charlie kuchte plotseling achter zijn hand en slikte. Toen, voor hij het zichzelf kon beletten, sprak hij verder. 'Ik heb mijn mannen om me heen zien doodgaan, allemaal. Ik heb het hele bataljon verloren. Ik ben de enige overlevende.' Bij die woorden brak zijn stem, en hij haalde een zakdoek uit zijn zak, snoot zijn neus en ging beheerst achterover zitten, terwijl hij de herinnering aan zijn mannen van zich af zette.

Amos was zich ervan bewust dat Charlie zijn best deed zijn pijn onder controle te krijgen en wenkte een kelner. Toen die aan de tafel verscheen, zei Amos: 'Kunnen we alstublieft water krijgen? En de menu's... daar zitten we op te wachten. We zouden graag willen bestellen.'

Met een knikje liep de kelner haastig weg.

Na een minuut of twee keek Charlie Amos aan en trok een grimas. 'Neem me niet kwalijk, makker, het spijt me vreselijk. Meestal heb ik nergens last van en gaat het zelfs goed, maar dan raak ik plotseling van streek, wordt het me te veel of zo. Mijn excuses. Ik was niet van plan jou hiermee te belasten.'

'Dat doe je helemaal niet, doe niet zo mal,' antwoordde Amos en, toen hij zag dat er een schare kelners op hen af kwam, riep hij uit: 'Alles komt tegelijk.'

Binnen een paar minuten waren ze allemaal weer weg, en nadat ze hun glazen met champagne hieven, klonken ze met elkaar. 'Op de toekomst!' zei Charlie.

'De toekomst!' zei Amos hem na en nam een slok.

Er viel een stilte tussen hen, terwijl ze allebei het menu bestudeerden. Toen keek Charlie over zijn menukaart heen en zei met een glimlach: 'Genoeg lekkere dingen om uit te kiezen, en ik moet bekennen dat ik ze allemaal aanlokkelijk vind. Heel wat beter dan het voer dat ik in het legerhospitaal in Hull kreeg. Wat was dat smerig.'

Amos moest lachen, opgelucht toen hij zag dat de oude vrolijkheid weer in Charlie bovenkwam. 'Ik moet zeggen dat het inderdaad klinkt als koningsspijzen. Tja... Ik voel wel wat voor de oesters uit Colchester, of misschien de in Morecanbe Bay gekweekte garnalen, en daarna lamszadel met rodebessengelei, of rosbief met Yorkshire pudding.'

'*D'yer think they knows 'ow to mek Yorkshire pud 'ere? Me old muvver used ter say only the folks from up the Dales could do it proper, and that's right, innit? No, this ain't the place for it.*' (Denk je dat ze weten hoe ze hier Yorkshire pudding moeten maken? Mijn oude moeder zei altijd dat alleen mensen uit Dales dat goed konden, en dat klopt, hè? Nee, daarvoor moet je hier niet wezen.)

Amos barstte in lachen uit. 'Ik dacht dat je al je Cockney was vergeten, Charlie, zo beschaafd als ik je vanavond hoorde praten.'

Charlie lachte met hem mee en nam genietend een grote slok van zijn roze champagne. 'Niet alleen vanavond, maar eigenlijk de hele tijd. Had je nooit opgemerkt dat Maisie en ik, toen we voor de oorlog af en toe naar huis kwamen, anders spraken, zoals nu, zonder één keer in Cockney-dialect te vervallen?'

'Nu ik erover nadenk, inderdaad. Maar af en toe... hoe zal ik het zeggen, ontspóórden jullie nog wel eens.'

'Niet vaak. We hadden echter een heel goede reden waarom we besloten om na aankomst in New York netjes te gaan praten. En wel hierom... ze verstonden daar geen Cockney. Ik bedoel, welke Yank weet nou dat *apples and pears* "trap" betekent, en dat *rosy lea* een kop thee is?'

'Daar kan ik inkomen. Maar laten we wel wezen, heel wat Engelsen begrijpen dat evenmin,' merkte Amos op.

'Dat komt omdat je met het geluid van de klokken van Bow Church geboren moet zijn om Cockney te verstaan en het goed te kunnen spreken. En omdat die klokken eigenlijk in St. Mary-le-Bow Church hangen, maar dat hoef ik jou niet te vertellen. En hoor eens, onze moeder heeft me nog iets anders verteld: dat rijmende Cockney-dialect is uitgevonden opdat niemand het zou kunnen verstaan. Alleen Cockneys. Het was een manier om de klabakken te slim af te zijn, smerissen als jij, Amos, en alle anderen die een privégesprek wilden afluisteren.'

'Een geheime taal! Het is niet waar!' Amos grinnikte.

Evenals Charlie, die opmerkte: 'Het lukt je werkelijk om me op te vrolijken, echt waar. Het is voor het eerst sinds vele maanden dat ik heb gelachen.'

Voor Amos kon reageren, kwam de gerant naar de tafel om hun

bestelling op te nemen, maar zodra hij hen weer alleen had gelaten, boog Amos zich dichter naar zijn oude vriend toe. 'Ik wilde net iets gaan zeggen, en dat is het volgende. Ik ben hier om je te helpen, op welke manier je me maar nodig hebt. Als ik je ergens mee kan helpen, weet je dat ik klaarsta en zal doen wat ik kan. Ik geloof niet dat je geld nodig hebt, omdat je een succesvol acteur was, een ster, maar...'

'Nee, nee, geld heb ik niet nodig!' onderbrak Charlie hem. 'Ik heb een goede zakenmanager in New York, en hij heeft erg zijn best voor me gedaan door mijn geld in vier jaar tijd te verviervoudigen. En Maisies geld ook. Uiteraard heeft zij geen geld nodig. Nadat haar schoonvader vorig jaar overleed heeft Liam de titel en een aanzienlijk kapitaal geërfd. Hij was de enige zoon, begrijp je? Ik ben trots op haar, Amos, omdat zij, sinds ze met Liam is getrouwd, dat landgoed beheert. Omdat Lord Dunleith ziek was, en enigszins afgetakeld, heeft zij de leiding overgenomen omdat Liam aan het front was en lady Dunleith was overleden. Ze is heel bijzonder, vind ik, onze Maisie.'

'Dat ben ik met je eens,' mompelde Amos, en hij verjoeg gedachten uit het verleden en dingen waaraan hij niet wenste terug te denken. Om van onderwerp te veranderen, vroeg hij: 'Wat denk je dat je gaat doen, nu de oorlog voorbij is? Of ga je lekker niets doen?'

'Dat is niets voor mij, om niets te doen!' Charlie schudde zijn hoofd. 'Ik kan met dit gehavende gezicht niet meer acteren. Maar ik zou kunnen gaan regisseren of produceren, en misschien ga ik wel voor het theater schrijven. Er zal wel iets komen.'

'Dat weet ik zeker, je bent altijd erg ondernemend geweest. Maar kun je helemaal niets doen aan de littekens? Ik bedoel, als je gezicht eenmaal fatsoenlijk is geheeld.'

'Wie weet. Een van de artsen in het hospitaal in Hull vertelde me dat ze huid kunnen transplanteren; dat er bepaalde nieuwe methoden voor zijn en dat er gespecialiseerde behandelingen voor worden ontwikkeld. Ik zal alleen moeten wachten tot ik ben genezen. Misschien kan ik dan eens met iemand gaan praten.'

Op dat moment kwamen twee kelners met dienbladen met eten. Oesters uit Colchester voor Amos en paté voor Charlie, die ze meteen op hun bord schepten, waarna ze schalen met toast en bruin brood brachten.

'Ik ben blij dat we vanavond samen eten,' merkte Charlie op een gegeven moment op. 'Ik kon niet wachten om je te zien. Zolang ik je ken, heb je me altijd al ontzettend opgebeurd. Het is een hele troost om een echt goede vriend te hebben, iemand van wie je op aan kunt.'

'Zeg dat wel. En ik kan hetzelfde van jou zeggen, Charlie.'

Toen ze klaar waren met de hoofdmaaltijd van rosbief met Yorkshire pudding, van hun glas St. Emilion nipten en zaten bij te komen, ging Charlie met een ruk rechtop zitten.

'Wat is er?' vroeg Amos, die zijn blik volgde.

'Er komt net een vriend het restaurant binnen. Die officier daar, bij de ingang. Die met de krukken, met die twee vrouwen en nog een man. Zie je hem?'

Amos knikte.

'Hij is zijn been kwijtgeraakt nadat hij ernstig gewond raakte in de slag bij Ieper.'

'Was jij met hem in de loopgraven?' vroeg Amos.

'Nee. Toen kende ik hem nog niet. We hebben elkaar leren kennen in het militair hospitaal in Hull, en daarna zagen we elkaar weer in Leeds, toen ik problemen met mijn been had. Zoals je kunt zien hebben ze zijn been weggenomen, boven de knie geamputeerd. Ik heb veel meer geluk gehad; het mijne hebben ze behouden. Vind je het erg als ik hem even ga begroeten?'

'Nee, ga maar met hem praten, Charlie. Ik blijf hier wel zitten genieten van die goede claret die je hebt besteld.'

'Cedric is een fijne vent en hij is heel behulpzaam voor me geweest.'

Amos fronste zijn wenkbrauwen. 'Hoe zei je dat hij heette?'

'Cedric.'

'En zijn achternaam?'

'Die zei ik niet, maar het is Crawford. Hij is majoor Cedric Crawford. Waarom vraag je dat?'

'Ik was alleen maar nieuwsgierig, meer niet.'

Charlie excuseerde zich en liep het restaurant door, met het plan de man te spreken met wie hij in de twee hospitalen in Yorkshire zulke goede vrienden was geworden.

Amos staarde hem glazig na. Hij had het gevoel alsof hij zojuist met een baksteen in zijn maag was geramd. Kon het zijn dat de majoor op krukken niemand anders was dan dezelfde Cedric Crawford die had samengewoond met de moeder van Grace Rose, Tabitha James? En die Grace Rose aan haar lot had overgelaten? Die haar de straat op had gestuurd om het verder zelf maar uit te zoeken?

Hij wist het niet. Maar hij was vast van plan daar achter te komen.

Negen

Terwijl hij wachtte tot Charlie aan tafel terug zou komen, keek Amos het restaurant rond. Naarmate de avond vorderde, was het volgelopen en was het er een hels lawaai... stemmen, gelach, het gekletter van borden en flessen, het getinkel van ijs... Alle geluiden van een drukke zaak, in feite.

Er heerste die avond een heerlijk feestelijke sfeer en de andere aanwezigen die in het Ritz waren komen eten straalden uit dat ze iets te vieren hadden. Hij zag een paar officieren, van wie sommige gewond waren, met hun vrouw, hun ouders en gezinnen. Hij leefde met die mannen mee. Toen hij zijn ogen nog eens door de zaal liet glijden, bedacht hij dat ze verschrikkelijk boften; ze leefden nog, waren veilig thuis, en voor hen zou Kerstmis dit jaar gezegend zijn. Er heerste vrede op de wereld. Maar zovelen waren gedood. *Miljoenen*. De bloem van de Britse jeugd was vergaan, een generatie weggevaagd.

Een paar keer wierp hij een tersluikse blik op majoor Cedric Crawford, die geanimeerd met Charlie zat te praten. Ze leken blij elkaar te zien.

Amos besefte dat hij voorzichtig en tactvol met de situatie moest omgaan. Hij was zich er terdege van bewust dat mannen, die tijdens de oorlog vergelijkbare ervaringen hadden doorgemaakt en vriendschap hadden gesloten, elkaar altijd opzochten en in wezen bloedbroeders waren. Bovendien hadden Charlie en Crawford in de Grote Oorlog gruwelijke verwondingen opgelopen en samen in het ziekenhuis gelegen. Het kon niet anders of er was een enorme verbondenheid tussen hen; dat bleek zelfs overduidelijk uit de manier waarop ze elkaar enorm geestdriftig hadden begroet.

Amos wendde zijn ogen af, richtte zijn blik naar het raam en het uitzicht op Green Park, maar zag toen Charlie naar de tafel terug hinken.

'Zo te zien was je vriend verrukt om je te zien, Charlie,' merkte Amos op, terwijl de andere man ging zitten.

'Dat was hij ook, en ik was ook blij om hem te zien. Cedric is een fijne kerel en hij is altijd aardig voor me geweest, erg behulpzaam.'

'Daar ben ik blij om. Zeg, is een van die aantrekkelijke dames zijn vrouw?'

'Nee, dat zijn zijn twee zusters. Rowena, dat is de donkerharige, is zelfs Cedrics tweelingzus en ze is niet getrouwd. De blondine is de oudste zuster. Die heet Daphne. De andere man aan tafel is haar man, Sir Malcolm Holmes, een industrieel of zoiets.'

'Ik heb van hem gehoord. Dan komt Cedric dus uit een invloedrijke familie?'

'Zeker, Amos.' Terwijl hij zich vooroverboog vertrouwde Charlie hem met een enorme glimlach toe: 'Cedric wordt geëerd met het Victoria Cross. Moet je je voorstellen. Wat een eer... Zijn zus Rowena vertelde het me net. Ze is heel trots.'

'Nou, dat is zeker indrukwekkend. Het Victoria Cross is de hoogste onderscheiding voor verdiensten die iemand kan krijgen. Wist je dat?'

Charlie schudde zijn hoofd. 'Nee, maar hij heeft het verdomme wel verdiend, van wat ik heb gehoord over zijn daden tijdens de Slag om de Somme, vlak na Verdun. Hij heeft een groot aantal van zijn mannen gered en daarbij grote risico's genomen.'

'Dus hij heeft je over zijn heldendaden verteld?' Amos tastte met zijn ogen Charlies gezicht af. Hij vroeg zich tevens af of er soms twee Cedric Crawfords op de wereld rondliepen... Maar het was wel een ongewone naam. Niet bepaald waarschijnlijk dat er twee van zouden bestaan, al wist je het maar nooit. Het zou best kunnen. Nee, dacht hij. Cedric Crawford, die voor de oorlog gardeofficier en gokker was geweest, móést deze man zijn.

'Nee, nee,' riep Charlie uit. 'Hij zou nooit opscheppen over zijn moed, zo is hij niet. Nee, nee. Een chirurg in het hospitaal in Hull is degene geweest die me er op een dag over vertelde. Kennelijk had Cedric een grote heldenreputatie toen hij in het hospitaal belandde... Hij heeft onder zware bombardementen van de Duitsers zeven van zijn mannen uit een loopgraaf gehaald en in veiligheid gebracht, is vervolgens teruggegaan en heeft eerst een en daarna een tweede gewonde Tommy naar buiten gebracht. Dat was in 1916... de zomer dat generaal Haig Britse troepen zond om de Fransen te helpen. De eerste dag werden de Britse troepen zonder pardon neergemaaid... 20.000 doden, Amos, 20.000! En nog eens 40.000 gewond of vermist. Het was op de tweede dag dat Cedric zijn mannen te hulp schoot.'

Amos knikte zonder iets te zeggen, verbijsterd door de omvang van de verliezen. Het was bijna onmogelijk te bevatten... 60.000 mannen, dood of gewond. Hij ging rechter op zitten en keek naar Charlie, die nog steeds over Cedric praatte.

'Na die zomer van geweld ging hij in Ieper vechten. Het rare was, dat ik in Passchendaele was, net als hij, maar we kenden elkaar niet. Dat was in 1917... een ware slachting. Diegenen van ons die het er levend vanaf hebben gebracht, tja, die moeten echt een beschermengel hebben gehad.'

Amos kon alleen maar knikken, terwijl hij zich afvroeg hoe hij in vredesnaam het onderwerp Cedric Crawford zou kunnen aansnijden en zeggen dat hij de man was die een verhouding had gehad met Tabitha James. Hij kwam er niet uit – zo te horen ging het om twee verschillende mannen. Maar wat wist hij in feite wérkelijk van Cedric Crawford? Niet veel. Hij beschikte alleen over wat onsamenhangende informatie van Grace Rose, een klein meisje dat destijds vier jaar oud was, evenals een paar opmerkingen over een vrouw die volgens zeggen Tabitha's vriendin was geweest, maar die allerminst goed was geïnformeerd. En ze was ook niet zó bezorgd om Tabitha geweest dat ze moeite had gedaan om haar te redden.

'Je bent in gedachten verzonken, Amos. Het lijkt wel of je zit te piekeren. Wat is er?'

Amos staarde naar de jongeman voor wie hij altijd zo'n genegenheid had gevoeld en vroeg zich af waar hij moest beginnen. Hij schraapte zijn keel en vroeg langs zijn neus weg: 'Is jouw vriend beroepsmilitair?'

'Dat geloof ik niet, maar hij is ooit bij de garde geweest. Toen is hij eruit gegaan, hij zei niet waarom. Hij heeft een poos in Parijs gewoond en is daarna naar Amerika gegaan. Weet je, hij heeft me zelfs in een show op Broadway gezien en kon zich mij en Maisie nog herinneren, geloof het of niet. Het was een show van Billy Rose, een prachtige revue.'

'Houdt hij van een gokje?'

'Op paarden bedoel je? Of in een goktent?'

'Dat laatste. Nou?'

'Ik denk van wel, maar hoor eens even, wat is dit allemaal? Van waar al die vragen over Cedric, Amos?'

Ik weet dat ik hem kan vertrouwen, dacht Amos, en hij zei: 'Ik zou je vertrouwelijk willen spreken.'

'Je weet dat dat kan. Toe, vooruit, wat zit je dwars?'

'Ik denk dat je vriend Cedric Crawford Tabitha James heeft gekend, de echte moeder van Grace Rose, dat hij zelfs een relatie met haar heeft gehad.'

'Ga nou toch even, Amos, dat kun je niet menen.'

'Jawel. Ik weet dat het een beetje vergezocht klinkt, aan de fantasie ontsproten zelfs, maar vaststaat dat Tabitha een man heeft gekend die zo heet. Denk je dat er in Londen twee Cedric Crawfords rondlopen?'

'Geen idee, maar dat betwijfel ik zeer.' Charlie schudde zijn hoofd. 'Uiteindelijk is het niet een naam als John Smith, nietwaar?' Hij boog zich nog dichter naar Amos toe. 'Fris mijn geheugen eens even op... Ik weet dat je Grace Rose in Whitechapel heb gevonden, onder vreselijke omstandigheden.'

'Ze woonde in een handkar – waarschijnlijk een afgedankte kar van een straatventer, denk ik – in een doodlopende steeg, en ze was gekleed als een jongen.'

'Dat ís zo! Nu herinner ik het me weer, daar heb je me alles over verteld toen ik voor het eerst terug was met Maisie. Je bracht "hem" naar lady Fenella, naar Haddon House, en toen ze al dat vuil van hem hadden afgespoeld, bleek het niet een hem, maar een haar te zijn. Hoe gaat het met haar?'

'Je hebt een goed geheugen, Charlie, en het gaat wonder boven wonder goed met haar. Maar om op haar jeugd terug te komen: toen ik haar vond, vertelde ze dat haar moeder dood was, en daarna heeft een oude vriendin van haar moeder lady Fenella verteld dat Tabitha James met een man had samengewoond die Cedric Crawford heette – een gardeofficier en een gokker. En dat Tabitha, toen ze haar op een dag gingen opzoeken, was verdwenen. Ze waren allemaal verdwenen. Dat leek ze nogal een raadsel te vinden.'

Charlie fronste zijn wenkbrauwen en keek opeens zorgelijk. 'En nu wil jij hem vragen of hij dat was, is dat het?'

'Nou... ja. We weten namelijk niet waar Tabitha is begraven, en dat heeft me altijd dwarsgezeten, en lady Fenella ook. Weet je, toen Grace Rose vier was, zei ze dat haar moeder in Potters Field was begraven, maar niemand heeft dat ooit geloofd, want dat klonk zo ongeloofwaardig. En dat is ook niet waar; dat zijn we nagegaan. Het zou fijn zijn om de waarheid te weten, vooral voor Grace Rose... Dat is het enige, dat verzeker ik je, Charlie.'

'Denk je dat hij dat weet?'

'Het zou kunnen. Maar misschien ook niet. Het is mogelijk dat hij zijn biezen heeft gepakt, is vertrokken voordat Tabitha overleed.'

Charlie haalde diep adem, waarna hij de lucht weer uitblies. 'Ik zou niet willen dat je hem overstuur maakt, Amos. Hij heeft zo veel vreselijks doorgemaakt.'

'Dat begrijp ik, en ik zou nooit moeilijkheden willen maken. Ik wil alleen wel met hem praten, ja. Kun jij dat regelen?'

'Dat denk ik wel,' antwoordde Charlie, die er zo te horen weinig voor voelde.

'Maar wil je dat doen?'

Charlie knikte. 'Zolang je hem met zachte handschoenen aanpakt.'

'Dat zal ik doen. Op mijn erewoord. En zeg niet tegen hem waarom ik met hem wil praten. Laten we hem niet in paniek brengen en het idee geven dat ik hem de schuld wil geven van wat er met Tabitha is gebeurd. Want dat doe ik echt niet, dat verzeker ik je.'

'Ik kan hem wanneer we weggaan vragen of hij morgenavond met ons gaat eten...'

'Ik kan morgen niet, Charlie,' onderbrak Amos hem. 'Ik ga namelijk bij de Forths souperen, het echtpaar dat Grace Rose heeft opgevoed. Maar afgezien daarvan heb ik geen andere verplichtingen. Ik ben vrij.'

'Zal ik vrijdag voorstellen?'

'Dat komt me uitstekend uit.'

'En waar zullen we dan naartoe gaan? Hier weer? Of heb je een bepaalde voorkeur?'

'Waar je maar wilt, Charlie. Kies maar een etablissement dat je bevalt, zolang je begrijpt dat ik jullie uitnodig en ik betaal.'

Charlie grinnikte. 'Laten we hier gaan eten. Het is prettig en het ligt gunstig voor mij, en ook voor Cedric. Hij woont in Queen Street. Bij zijn zus Rowena.'

'Ik zal een tafel reserveren wanneer we vanavond weggaan. En denk erom: laten we dit soepel en rustig aanpakken, Charlie. Hij mag niet weten waarom.'

'Ik zwijg als het graf.'

Tien

'Ik weet altijd wanneer het gaat regenen,' zei Will Hasling tegen Alfredo Oliveri. 'Dan krijg ik op mijn donder van mijn schouder.'

'Bij mij is het hetzelfde: dan lijkt mijn arm in een bankschroef te zitten. Maar ja... liever pijnlijke wonden dan onder de groene zoden op een buitenlands kerkhof,' merkte Alfredo op.

Will grinnikte. 'Dat is maar al te waar.'

Ze hadden allebei in 1917 lichte verwondingen opgelopen bij de slag om de Somme en waren per hospitaalschip naar huis vervoerd, waarna ze in een militair hospitaal in Londen waren behandeld. Zodra ze konden, hadden ze hun werk bij Deravenel hervat, uitermate opgelucht dat ze veilig konden terugkeren in hun oude functie. Ze hadden met Edward samengewerkt sinds hij in 1904 het bedrijf had overgenomen en waren zijn belangrijkste bestuursleden.

Voor ze Edwards kantoor bereikten, bleef Alfredo even staan en legde zijn hand op Wills arm, terwijl hij hem doordringend aankeek. 'Hij zal niet blij zijn met wat je tegen hem gaat zeggen.'

'Dat hoef je mij niet te vertellen, dat weet ik, en ik zal voorstellen dat hij het probleem pas na Kerstmis aanpakt, wanneer George terug is in Londen. Zijn broer telefonisch een veeg uit de pan geven zal weinig effect hebben. Hij moet George persoonlijk onder handen nemen, vind je niet?'

'Ja,' antwoordde Alfredo met een zucht. 'Hij heeft de MacDonald-kwestie niet in detail met me besproken, maar ik vermoed dat die transactie hem vrij koud laat.'

'Je hebt gelijk, zoals altijd. Wat hem betreft is het een kwestie van graag of niet. Hij zou dat drankimperium best willen hebben, maar hij zal niet in huilen uitbarsten als hij het niet krijgt.'

'Ik bedacht zonet dat hij misschien een val heeft gezet voor zijn lastige broertje. Mocht George de drankfirma door zijn neus laten boren, dan zit hij in de nesten en wordt hij hoogstwaarschijnlijk gedegradeerd.'

Will moest lachen. 'Die Italiaanse kant van je is wel heel erg machiavellistisch, Oliveri. Dat moet ik in mijn oren knopen.'

Alfredo glimlachte slechts en liep de gang door. Bij Edwards kantoor bleef hij staan, klopte aan en stapte naar binnen, gevolgd door Will Hasling.

Edward legde de telefoon neer. 'Goedemorgen, mannen!' riep hij vrolijk toen hij hen zag, waarbij een hartelijke uitdrukking op zijn gezicht verscheen. Hij had tijdens de oorlog ontzettend in angst gezeten over die twee, vrezend voor hun veiligheid, en had gezworen dat hij hen hun hele verdere leven aan zijn borst zou drukken als ze zouden terugkeren.

'Ik weet dat je weg moet om met iemand over een hond te praten,' stak Will van wal, 'maar er is iets wat ik met je moet bespreken.'

Edward grinnikte. 'Ik moet inderdaad met iemand over een hond gaan praten. Althans, dat was ik van plan. Maar vanwege het werk dat hier vandaag op me ligt te wachten heb ik Mrs. Shaw gevraagd om naar Harrods te gaan om een Westie voor Edward junior uit te zoeken, en dat wilde ze graag doen.'

Alfredo barstte in lachen uit, omdat hem plotseling een oud en bekend gezegde te binnen schoot. 'Neem je de hond morgen mee naar Yorkshire?' vroeg hij. 'Je kunt hem ook laten bezorgen, hoor, dat is geen probleem.'

'Dat zei Mrs. Shaw ook al, en zo gaat hij ook op reis... in een bestelwagen, over de weg, een expressebestelling van Harrods voor Master Edward Deravenel. Dat zal hij geweldig vinden, want dan voelt hij zich een hele piet.' Terwijl hij voorover leunde, vroeg hij vervolgens: 'En, Will, wat kom je hier doen?' Hij wierp een blik op Alfredo. 'En jij, Oliveri? Jullie staan daar met zulke sombere gezichten dat ik vermoed dat je op het punt staat slecht nieuws te brengen.' Edward, die er in een donkerblauw maatpak van Saville Row en een korenblauw overhemd heel goed uitzag, leunde achterover in zijn stoel, zijn ogen gericht op zijn mededirecteuren. 'En ga in godsnaam zitten, jullie. Je kunt er net zo goed je gemak van nemen terwijl je me het verpletterende nieuws laat horen.'

'Je vermoeden is juist,' zei Will. 'Het gaat over George. Hij zit in moeilijkheden.'

'Voor de verandering,' zei Edward cynisch. 'Wat heeft hij nu weer uitgehaald? Ik weet dat hij mijn onderhandelingen met MacDonald niet om zeep geholpen kan hebben, want die afspraak is pas morgen.'

'Dat is zo,' stemde Will in. 'Je kunt elk moment worden opgezadeld met zijn speelschulden, maar daarover kan Amos je meer vertellen dan ik. Maar de roddel doet als een lopend vuurtje de ronde, door de hele stad, hoorde ik van Howard.'

'Speelschulden! Waarom zou ík er in 's hemelsnaam mee opgezadeld worden? Hij kan verdorie toch zijn eigen speelschulden wel betalen?' riep Edward uit, waarbij hij van woede zijn stem verhief.

'Laat me bij het begin beginnen,' zei Will. 'Een paar dagen geleden vertelde mijn broer dat er op straat werd geroddeld over Georges gokpraktijken, dat hij naar de hoeren gaat en over zijn gebruik van verdovende middelen...'

'Gebruikt hij verdovende middelen?' brulde Edward, terwijl zijn gezicht rood aanliep van oplaaiende woede. Hoewel hij was gezegend met een vreedzame inborst en meestentijds kalm bleef, beschikte Edward over een beruchte opvliegendheid die een ieder angst inboezemde. 'Ik zal hem het hart uit zijn lijf rukken,' ging hij tekeer, terwijl hij overmand door drift opsprong. 'En waarom heeft hij in godsnaam schulden? Ik ga hem levend villen, de stumper! Onze naam zo in diskrediet te brengen! Een héér zorgt dat hij zelf aan zijn verplichtingen voldoet, en dat weet hij heel goed.'

'Je weet hoe George is,' prevelde Oliveri. 'En als ik iets mag voorstellen...' Oliveri wachtte even, terwijl hij Edward vorsend aankeek.

'Ga je gang, vertel op,' snauwde Edward, waarop hij onmiddellijk zijn hoofd schudde. 'Neem me niet kwalijk, Oliveri, ik ben niet kwaad op jou. Neem me alsjeblieft niet kwalijk.' Hij ging zitten.

'Dat hoef je niet uit te leggen, ik begrijp het. Om op de slechterik terug te komen, ik denk dat we hem een paar keer op reis moeten sturen, om hem uit Londen weg te krijgen en weg van de vleselijke verleidingen, et cetera.' Alfredo leunde achterover, terwijl hij Edward ernstig aankeek.

'Waar kunnen we hem dan naartoe sturen?' vroeg Will fronsend en met een snelle blik op Alfredo.

'Allereerst, als de transactie met Ian MacDonald doorgaat, kan hij daar de leiding nemen, en dan zal hij een hele poos tussen Edinburgh en Londen moeten pendelen. Anders kan hij naar Spanje gaan, dat tijdens de oorlog neutraal was: daar is reizen nog relatief gemakkelijk. Hij zou de situatie bij Jimenez kunnen bekijken. Zij willen hun sherryhandel verkopen, weet je nog?' Met nog steeds zijn blik op Will gevestigd, besloot Alfredo: 'Ze maken de beste sherry ter wereld, laten we dat niet vergeten.'

'Dat zal George zeker niet doen,' bracht Edward te berde. 'Volgens mij zou hij een dergelijke baan met beide handen aangrijpen. Maar het is een goed idee, hem steeds op reis sturen, bedoel ik. Maar hoe zit dat met verdovende middelen? En wat gebruikt hij?'

'Dat wist Howard niet, maar hij heeft beloofd dat hij dat voor me zou uitzoeken. Ik denk dat het cocaïne is, of dat hij anders die opiumkitten in Chinatown bezoekt, bij Limehouse.'

'De sukkel!' Edward schudde zijn hoofd, stond weer op en ijsbeerde enkele ogenblikken, waarna hij zich tot Will richtte. 'Je zei dat Amos dit allemaal heeft onderzocht, dat hij meer weet.'

'Dat is waar. Ik heb hem zo-even gesproken. Ik vroeg of hij gisteren wat voor me wilde rondneuzen, en gisteravond had hij een paar dingen achterhaald. Ik zei dat hij rond halftien hier moest zijn...' Will hield op toen er hard op de deur werd geklopt. 'Ik weet zeker dat hij het is.'

'Ongetwijfeld,' stemde Edward in, waarna hij riep: 'Binnen!'

'Goedemorgen,' zei Amos tegen alle aanwezigen, die hem terug groetten. Hij stapte haastig op het bureau af, waar hij bleef wachten tot Edward erachter plaatsnam voordat hij op de onbezette stoel ertegenover ging zitten.

'Wat heb je kunnen achterhalen?' vroeg Edward.

'De promessen zijn uitgevaardigd door drie clubs. Door Starks, The Rosemont en de Gentleman's Club. Starks heeft het meeste geld te goed en Julian Stark vaardigt persoonlijk de promessen uit. Ik heb gisteravond van een van mijn contacten gehoord dat hij zelf met u komt praten om betaling te eisen.'

'Zo, zo. Nou, dan moeten we hem voor zijn. Hij is een aartsroddelaar. Weet je hoeveel mijn broer Stark schuldig is?'

Amos knikte. 'Jazeker. Dertigduizend pond.'

Edward was met stomheid geslagen en trok wit weg. 'Wat is het toch een sukkel!' riep hij uit, terwijl zijn woede opnieuw oplaaide.

'Word nou niet weer driftig,' zei Will sussend. 'Dat is hij niet waard, Ned. Bovendien is het maar geld.'

Zichzelf tot kalmte dwingend, mopperde Edward: 'Het gaat om het principe.' Vervolgens wendde hij zich tot Alfredo. 'Ik zal persoonlijk een cheque voor dat bedrag uitschrijven, een kascheque, en ik zou graag willen dat jij en Finnister daarmee na de lunch naar Julian Stark gaan. Ik neem aan dat jullie dat wel willen doen? En zorg dat jullie die promessen krijgen.'

'Dat is geen probleem; we kunnen dit soort zaken in een paar minuten afhandelen.' Oliveri wisselde een blik met Finnister. 'Nietwaar?'

Amos knikte, waarna hij Edward aankeek. 'Die andere twee gokclubs houden elk een promesse ter waarde van vijfduizend pond.'

'Aha.' Edward was ziedend, wat op zijn gezicht te lezen stond. Bijna alle kleur was eruit weggetrokken en hij was nog nooit zo bleek geweest. 'Dan zal ik ook die twee cheques uitschrijven, en die kunnen jullie dan ook bezorgen, goed, Amos? Oliveri?'

'Ja, en ik zorg dat ik de promessen krijg,' antwoordde Amos, waarop Oliveri knikte.

Er viel plotseling een stilte in het kantoor. Will bedacht dat het vallen van een speld zou klinken alsof er een bom ontplofte, en hij hield zich muisstil, in afwachting van een volgende uitbarsting van Ned. Maar die zei niets. Net zomin als iemand anders een woord zei.

Veertigduizend pond was een fortuin, bedacht Will, terwijl hij het bedrag probeerde te visualiseren. Hoe had George Deravenel zo veel geld kunnen verliezen? Drank? Verdovende middelen? Totale stommiteit? Nou, stom was hij natuurlijk. Dat had Will altijd al geweten. Een mooie jongen, verwend door zijn moeder en zuster Meg, voor die trouwde en in Frankrijk was gaan wonen. George. Met dat zijdezachte blonde haar, die bijzondere turkooisblauwe ogen. Maar wel domme ogen... ja, mooi en dom. Kippig, kon op de keuring de proef niet doorstaan om in het leger te gaan. Hij dacht dat hij Ned was, of, beter gezegd, dacht dat hij aan zijn grote broer kon típpen. Dat was onmogelijk. Edward was geniaal; hij kon niet in zijn schaduw staan. George was zijn eigen ergste vijand, dat besefte Will. Hij koerste altijd af op moeilijkheden die hij aan zichzelf te wijten had.

Will keek Amos aan, terwijl Edward zei: 'Vertel eens, wat ben je over de verdovende middelen te weten gekomen, Amos?'

'Ik heb gisteravond een heleboel clubs bezocht, en ik denk dat het gebruik van verdovende middelen is overdreven,' verklaarde Amos. 'Misschien heeft hij een paar keer een *reefer* geprobeerd, en ook cocaïne, maar ik geloof niet dat het problematisch is. Drank wel. Hij drinkt veel. Hij is hard op weg om alcoholist te worden.'

'Net wat ik dacht.' Edward knikte. 'Dank je, Amos, voor het rondneuzen. Ik ga later beslissen wat ik aan master George ga doen, wanneer hij terug is in Londen.' Hij lachte de drie mannen hartelijk toe. 'Maar ik ben niet van plan Kerstmis door hem te laten bederven. Lunch bij Rules om één uur, en alstublieft, heren, ik wil geen discussie over deze kwestie in bijzijn van Richard.'

Elf

Grace Rose wikkelde haar laatste kerstcadeau in goudpapier, waarna ze het dunne gouden lint tot een zwierige strik bond. Nadat ze er een takje goudgeverfde hulst met een trosje goudkleurige klokjes op had geplakt zette ze het op z'n kant op de tafel. Vervolgens schreef ze heel netjes op het piepkleine kaartje: *Voor mijn liefste Bess, met veel liefs van Grace Rose.* Toen ze het kaartje aan het lint had vastgemaakt, leunde ze achterover om haar handenarbeid te bekijken.

Er lagen negen cadeautjes, allemaal mooi ingepakt en klaar om naar Ravenscar te worden verzonden. Zes ervan waren voor haar stiefzusjes en broers en drie voor haar volwassen familieleden, tante Cecily, tante Elizabeth en oom Ned.

Oom Ned. Haar vader. Van hem hield ze het meest, op haar ouders Vicky en Stephen Forth na. Die hadden haar geadopteerd en sinds haar vierde opgevoed... veertien jaar vol liefde en toewijding die ze haar hadden geschonken, en ze hadden haar een bestaan gegeven, een bestaan dat echt heerlijk was en dat ze zonder hen nooit zou hebben gehad.

Grace Roze associeerde Vicky en Stephen in haar gedachten met liefde, want die had ze van hen ontvangen en ontving ze nog steeds. Ze hadden nooit iets terug verlangd, maar ze had hun op haar beurt de uiterste toewijding, liefde en gehoorzaamheid geschonken.

Binnen een paar weken na haar komst in dit huis waren ze met z'n drieën al net zo hecht als ouders en kinderen maar konden zijn. En vanaf het allereerste begin had ze zich hun gewoonten eigen gemaakt, zich soepel aangepast aan hun manier van leven en zich thuis gevoeld in hun wereld waarin belang werd gehecht aan hoffelijkheid, goede omgangsvormen en gezelligheid, waarin welgesteldheid en voorrechten vanzelfsprekend waren.

Er waren momenten, zoals nu, dat ze dacht aan de moed die ze hadden getoond. Het was zo ontzettend moedig van hen geweest om haar als hun dochter in huis te nemen.

Zij, een verschoppelingetje dat in Whitechapel op straat leefde en in een oude handkar woonde, alleen, in doodsangst en met een eeuwig hongerige maag. Een verschoppelingetje, gekleed in versleten jongenskleren die veel te groot waren en stijf stonden van het vuil. Een klein meisje dat zonder enige bedenking was weggegooid, tot Amos Finnister haar vond en haar meenam naar lady Fenella en Vicky North in Haddon House. Die drie mensen, en ook Stephen, hadden haar leven gered. Ze moest er niet aan denken wat er van haar was geworden als Amos die ene nacht die steeg niet was ingedoken om zijn vleespasteitjes op te eten. En haar toen vond. Dan had ze het einde van dat jaar misschien niet eens gehaald.

Grace stond op en liep naar de spiegel die boven de haard in de salon hing en bekeek zichzelf aandachtig. Wat ze zag beviel haar heel goed, al vond ze zichzelf geen schoonheid; op dat moment vond ze dat ze er aantrekkelijk uitzag. Wat haar vooral beviel was haar rossig gouden haar, dat ze als haar grootste aanwinst beschouwde. Het viel in krullen en golven op haar schouders en werd voortdurend door een ieder bewonderd. Haar ogen waren bijzonder – heel intens blauw – en ze wist, iedereen wist, dat ze het evenbeeld was van Edward Deravenel. Zelfs haar smalle neus, afgeronde kin en brede voorhoofd had ze van hem geërfd.

Grace Rose had hem veertien jaar geleden voor het eerst ontmoet, in dit huis, toen hij in de bibliotheek haastig op zoek was naar Amos en Neville Watkins. Zodra ze hem zag, had haar hart een sprongetje gemaakt en voelde ze een heerlijke golf van gelukzaligheid door zich heen stromen. Híj was het. Haar vader, die er net zo uitzag als haar moeder haar had beschreven. Tabitha had haar verteld dat hij zo groot en sterk was als een boom in het bos, met ogen zo blauw als de hemel boven haar hoofd en haar dat de kleur van herfstbladeren had. Ze had hem herkend.

Toen ze naar hem glimlachte en hij had teruggeglimlacht, wist ze diep vanbinnen dat ze van hem was, en hij van haar, en dat er altijd iets speciaals en unieks tussen hen zou zijn. En dat was ook zo geweest.

Haar gedachten dwaalden af naar Tabitha... haar eerste moeder. Er ontsnapte haar een lichte zucht. Ze was nog altijd stomverbaasd over het noodlot van haar moeder; Tabitha was op een dag vertrokken en nooit meer teruggekomen, en zijzelf was de straat opgerend, zo snel als haar beentjes haar konden dragen. Haar behoefte om aan dat krot van een huis te ontsnappen had haar er zo ver mogelijk vandaan gedreven.

Inmiddels wist ze net zoveel over Tabitha James als Vicky en de anderen. Haar eerste moeder was geboren als lady Tabitha Brockhaven, de dochter van een graaf. Ze was verliefd geworden op haar muziekleraar Toby James en er samen met hem vandoorgegaan. Maar met hem had ze nooit kinderen gekregen. Zij was later gekomen, verwekt door Edward Deravenel toen hij nog maar een jongen was, waarna haar moeder was verhuisd en Edward Deravenel uit het oog had verloren.

Vicky, haar adoptiemoeder, had haar over haar verleden verteld, met alle feiten die er voorhanden waren, toen ze veertien was en Vicky van mening was dat ze toen oud genoeg was om alles te moeten weten. Maar zelfs Vicky had nogal spijtig toegegeven dat het niet veel was.

'Het geeft niet, moeder,' was destijds de reactie van Grace Rose geweest. 'Ik ben blij dat ik weet wie Tabitha James werkelijk was, maar u en Stephen zijn mijn ouders en dat is voor mij meer dan genoeg. En oom Ned heeft altijd onderkend dat hij mijn biologische vader is.'

Grace Rose ging met haar rug naar de haard staan om zich een paar minuten te warmen, denkend aan Edward Deravenel. Hij was altijd eerlijk en direct tegen haar geweest. Hij had haar in de loop der jaren zoveel geleerd, haar eergevoel en eerlijkheid bijgebracht, haar over rechtvaardigheid verteld en haar geleerd dat ze in alles integer moest zijn. 'En er is nog iets anders,' had hij kortgeleden gezegd. 'Volg je eigen dromen. Zet ze voor niets en niemand opzij. Want soms werken mensen en gebeurtenissen toch... bedrieglijk. Wees jezelf, Grace Rose, volg je eigen pad en wees altijd eerlijk tegen jezelf.' Die dag, afgelopen zomer, had ze hem beloofd dat ze zijn advies zou volgen.

Vanavond kwam hij eten, en ze was heel blij dat hij een van de gasten zou zijn. Hij nam Mrs. Shaw mee. Ze macht Jane Shaw graag. Ze was mooi, charmant en vriendelijk. En ze begreep heel goed waarom deze vrouw oom Neds maîtresse was. Hij wilde dat een vrouw lief voor hem was. Ze had, als ze 's zomers op vakantie op Ravenscar was, vaak gemerkt dat tante Elizabeth gemeen tegen hem deed, ronduit onaardig. En ze schreeuwde tegen hem, waarvan de jongere kinderen schrokken. Iets anders wat ze had gemerkt, was dat tante Elizabeth meer aandacht aan de twee jongens besteedde dan aan de meisjes. Bess, haar heel dierbare vriendin, had haar toevertrouwd dat haar moeder eigenlijk alleen in de twee jongens was geïnteresseerd omdat zij de erfgenamen waren op wie alle hoop was gevestigd. Er waren momenten dat Grace het idee had dat Bess niet bepaald aan haar moeder was gehecht, en dat maakte haar verdrietig. Een liefdevolle moeder was het allermooiste dat je kon hebben.

Plotseling besefte ze dat Elizabeth Deravenel niet erg geliefd was in haar gezin; zeker tante Cecily had een hekel aan haar – dat had ze eeuwen geleden opgevangen, toen ze veel kleiner was. Grace Rose was dol op Cecily Deravenel, haar grootmoeder, al werd ze niet als zodanig erkend.

'Ah, daar ben je, Grace Rose,' riep Vicky uit, terwijl ze de deur van de salon openduwde. Na een blik op de tafel knikte ze goedkeurend. 'Ik zie dat je een heleboel cadeautjes hebt ingepakt, lieve schat. Mooi zo.'

Grace Rose keek Vicky glunderend aan. 'Ja, moeder, alle cadeautjes die u naar Ravenscar wilt sturen. Gaat Fuller ze morgen naar het postkantoor brengen?'

'Nee, uiteindelijk niet. Oom Ned belde net over iets op en toen heb ik hem meteen gevraagd of hij ze wilde meenemen, als we ze in een kleine doos willen verpakken natuurlijk, en hij zei dat hij dat graag wilde doen. Dat werkje kunnen we wel na de lunch doen. Intussen heb ik heel goed nieuws voor je.' Vicky zwaaide met de brief in haar hand en vervolgde: 'Mijn vriendin Millicent Hanson heeft teruggeschreven dat ze het enig zou vinden als je de komende lente en zomer bij haar komt logeren. Dan zou je een paar lessen op Oxford kunnen volgen.'

'O, wat geweldig! Dank u, moeder, dat u haar hebt geschreven. Ik ben ontzettend blij.'

Edward was in een slecht humeur, en hij wist precies waarom. Hij was razend op George, en om een of andere reden merkte hij dat hij die woede moeilijk van zich af kon zetten. Meestal kon hij de dingen van zich afschudden, vooral dingen die te maken hadden met Georges wangedrag. Deze knoeiboel met speelschulden was heel iets anders.

Op de eerste plaats was daar de kwestie van eer. George was fatsoenlijk opgevoed, als een gentleman, en hoorde beter te weten dan dergelijke schulden onbetaald te laten. Het was een ramp voor zijn reputatie en ook schadelijk voor de familienaam.

Terwijl hij achterover leunde in zijn stoel en zijn ogen dichtdeed, stelde hij zichzelf de vraag waarom George de clubs niet meteen had betaald. Zat hij krap bij kas? Hij verdiende hier bij Deravenel een goed salaris, kreeg elk kwartaal een directeurshonorarium, en zijn vrouw Isabel kreeg een reusachtige toelage van haar moeder. Nan Watkins was multimiljonaire en was uiterst genereus voor Isabel en George. Eigenlijk hadden ze in zijn ogen geld in overvloed. Aan de andere kant, dertigduizend pond aan schuld aan de ene club en vijf-duizend aan elk van de twee andere clubs waren aanzienlijke som-men. Veertigduizend pond.

En dan was er de kwestie van het drankgebruik. Edward had tot zijn schrik gehoord dat George als een alcoholist werd beschouwd. Hij had zich niet gerealiseerd dat het zo ver was gekomen. Wat de verdovende middelen betreft, daar was hij allerminst zeker van. Maar wie weet, bedacht hij nu. Misschien gebruikt hij iets versla-vends, afgezien van drank.

Edward zag in dat George zeer streng moest worden aangepakt wanneer hij uit Schotland terugkeerde, en hij besloot ook dat George de veertigduizend pond die hij zojuist had uitgeschreven zou terug-betalen. Hij was niet van plan de gokverslaving van zijn broer te fi-nancieren; en plotseling vroeg hij zich af of hij Georges lidmaat-schap van de clubs zou kunnen opzeggen. Hij was er niet zeker van, maar het zou het proberen waard zijn. En na de kerst zou hij George godvrezendheid bijbrengen. Ja, hij was van plan in het nieuwe jaar heel wat zaken aan te pakken; die beslissing had hij al dagen gele-den genomen.

Nu moest hij van zijn slechte humeur zien af te komen. Ogen-blikkelijk. Hij moest een glimlach op zijn gezicht wringen en naar Rules aan de overkant gaan. Hij had geen zin een domper op de lunch te drukken die hij voor zijn bijzondere collega's bij Derave-nel gaf. Het was bijna Kerstmis, de eerste Kerstmis die ze naar be-horen zouden kunnen vieren omdat ze eindelijk in vrede leefden. Aan de lunch zouden een paar gezichten ontbreken: Rob Aspen en Christopher Green, die in Frankrijk waren gesneuveld toen ze voor hun land vochten. Ze zouden bij iedereen dierbare herinneringen oproepen, vooral bij hemzelf.

Edward stond op, ging naar de kast waarin zijn kluis was onder-gebracht en deed die open. Hij bleef even bedachtzaam staan, maar nam toen een besluit. Hij haalde er twee grote enveloppen uit, sloot de kluis af, liep terug naar zijn bureau en legde de enveloppen in een la. Die deed hij op slot. Hij liet de sleutel in zijn zak glijden en pak-te zijn jas en zijn sjaal. Het was bijna één uur. Tijd om te gaan.

Twaalf

Vicky Forth was een optimist. Dat was ze al haar hele leven; zelfs als kind had ze een positieve instelling gehad.

Haar glas was altijd halfvol, nooit halfleeg; morgen zou het een veel betere dag zijn dan vandaag; de toekomst was vol belofte en succes. Aan haar aard dankte ze de energie om haar plannen te verwezenlijken, onverschrokken en manmoedig. Als ze op tegenstand stuitte, ging ze die niet uit de weg, maar ging er dwars doorheen alsof die niet bestond.

Volgens Stephen, haar man, die van haar hield, haar aanbad en in haar werk stimuleerde, was ze een amazone die de wereld wilde veroveren door goede daden te verrichten. En dat was waar. Vicky had menig leven veranderd. Ze hield ervan anderen te helpen, vooral beschadigde vrouwen die het niet meezat en zorg, advies en stimulans nodig hadden. Ze wilde hen helpen om een beter leven te krijgen.

Haar optimisme was haar door de jaren heen goed van pas gekomen, en daar moest ze nu plotseling aan denken terwijl ze een paar jurken in haar kast bekeek en zich afvroeg welke ze die avond zou aantrekken.

Wat was het goed van haar geweest Grace Rose aan te moedigen om optimistisch te zijn en haar zinnen op de universiteit van Oxford te zetten. Vrouwen werd weliswaar het lidmaatschap van de universiteit nog steeds ontzegd, ze mochten wel colleges bijwonen en lessen volgen.

Grace Rose zou dat allemaal kunnen doen, ze zou er veilig zijn en er zou goed voor haar worden gezorgd door haar oude vriendin Millicent Hanson, nu weduwe met een schattig oud huis in Oxford. Het was een bevlogen idee geweest om haar te schrijven.

In de brief die Vicky die dag had ontvangen schreef Millicent dat ze het enig zou vinden om Grace Rose bij zich in huis te hebben in de tijd dat ze haar studie voortzette. Vicky was opgelucht en blij voor haar dochter, die een uitstekende studente was. Ze hoopte op een dag historica te worden.

Uiteindelijk koos Vicky voor een elegante donkerroze zijden jurk met driekwart mouwen en een nauwe rok die tot op de enkels viel. De jurk had een v-vormig pasje van beige kant aan de voorkant en dat zorgde voor een unieke halslijn. Ze had hem pas één keer aangehad en besloot dat hij uitstekend zou zijn voor het diner van die avond. De jurk had stijl, maar was niet overdreven chic voor een etentje thuis, vooral omdat de mannen geen smoking zouden dragen.

Nadat ze de jurk had aangetrokken en in de bijpassende roze pumps was gestapt, ging Vicky terug naar haar toilettafel, zocht een paar oorbellen met parels en diamanten uit, en een bijpassende broche in de vorm van een bloem. Nadat ze haar jurk met de sieraden had gecompleteerd bewoog Vicky zich met de haar eigen soepele gratie door de kamer en bekeek zichzelf in de passpiegel in de hoek van de slaapkamer. Terwijl ze zichzelf toeknikte, vond ze dat haar verschijning haar beviel. Ja, ze kon ermee door.

Vicky Forth, nu midden veertig, zag eruit als een veel jongere vrouw; haar donkerbruine haar was glanzend en dik, met slechts hier en daar een minuscuul zilvergrijs draadje. De paar rimpeltjes die ze om haar ogen en mond had, waren nauwelijks zichtbaar en omdat ze een en al levenslust was, had ze iets jeugdigs over zich. Haar energie en enthousiasme maakten haar extra aantrekkelijk. Zowel mannen als vrouwen voelden zich tot haar aangetrokken en vonden haar een hartelijke, lieve vrouw met een groot hart. Edward Deravenel had altijd gezegd dat zij de beste schouder had om op uit te huilen, omdat ze zo veel warmte te geven had.

Vicky draaide zich om en was net haastig op weg naar de deur, toen die openzwaaide en haar man Stephen binnenstapte.

Zodra hij haar zag, verscheen er een glimlach op zijn gezicht. 'Wat zie je er mooi uit, Vicky!' riep hij uit, terwijl hij de deur achter zich dichtdeed. Hij bleef staan om haar een kus te geven, hield haar op armlengte van zich af en knikte glimlachend ten teken van zijn goedkeuring.

'Hallo, schat,' zei ze, terwijl ze zijn glimlach beantwoordde.

'Jij bent vroeg gekleed, is het niet, schat?'

Vicky schudde haar hoofd. 'Dat valt wel mee. Ik moet nog een paar dingen nalopen met de kokkin en Fuller. Bovendien belde Ned zo-even. Hij vroeg of hij wat eerder mocht komen, vóór de anderen. Hij wil ons spreken, dus ik heb gezegd dat het goed was.'

'Waaróver wil hij ons spreken?' vroeg Stephen nieuwsgierig.

'Over Grace Rose.'

'Hoezo?'

'Kennelijk heeft hij een paar jaar geleden, nadat hij hoofd van Deravenel was geworden, een fonds voor haar opgericht. Daarover kan ze pas beschikken als ze eenentwintig is, maar hij wil de desbetreffende documenten vanavond meenemen. Hij vindt dat wij ze nu moeten beheren tot ze volwassen is.'

'Wat eigenaardig. Waarom?'

'Hij heeft niet echt alles uitgelegd, liefste Stephen, maar hij zei wel dat hij tussen nu en het eind van het jaar een groot deel van zijn zaken wilde regelen.'

'Aha. Nou, dan kan ik maar beter opschieten, lieveling, een ander overhemd en een ander pak aantrekken en me opdirken voor je etentje.'

'Ons etentje, Stephen,' corrigeerde ze. 'Ned zei dat het maar een kwartiertje zou duren. Hij stelde voor dat Grace Rose Jane zou kunnen bezighouden, terwijl wij ons gesprek in de bibliotheek voeren.'

'Ik weet dat Grace Rose dat leuk zou vinden, maar Jane?'

'Wat bedoel je in 's hemelsnaam?' Vicky fronste verward haar voorhoofd, terwijl ze haar man niet-begrijpend aankeek.

'Grace Rose is de laatste tijd verbijsterend bijdehand. Ze is niet echt brutaal – ze is zelfs uitermate beleefd en goed gemanierd – maar ik vind wel dat ze de laatste tijd geen blad voor de mond neemt. Of had je dat nog niet gemerkt?'

'Ja, natuurlijk wel,' klonk Vicky's reactie. 'Aan de andere kant weet ze haar ietwat choquerende commentaren met zo'n brille te presenteren, met zo'n humor, dat ik ervan overtuigd ben dat niemand er aanstoot aan neemt.' Terwijl ze haastig op de deur afliep, voegde ze er over haar schouder aan toe: 'Maar ik moet naar beneden, kijken of alles in orde is. Doe jij er niet te lang over?' Ze wierp een blik op de pendule op de schoorsteenmantel en riep uit: 'Het is al tien over zes, en Ned en Jane komen om halfzeven. De anderen worden om zeven uur verwacht.'

'Wie komen er trouwens nog meer?' vroeg hij voor ze weg was. 'Fris mijn geheugen nog even op. Je hebt me de uiteindelijke lijst helemaal niet doorgegeven, zoals je altijd doet.'

'O, dat spijt me. Dat spijt me vreselijk, Stephen. Ja, nou, het is

85

eigenlijk alleen familie. Ned en Jane, en wij, dat zijn er vijf, plus Fenella, Amos, en mijn broer.'

'Komt Kathleen niet met Will mee?'

'Nee, helaas niet. Hij belde vanmorgen op. Ze worstelt kennelijk met een vreselijke kou en hij zei dat ze allebei vonden dat ze beter thuis kon blijven. Ze wil de bacillen niet verspreiden. Daar was ik het dus mee eens. Wat had ik anders kunnen doen? Trouwens, vanmiddag kwam er een prachtig bloemstuk van Kathleen, met een kaartje om zich te verontschuldigen. Het is een lief mens, heel attent.'

'Inderdaad. Het komt door die regenbuien die we de laatste tijd hebben gehad, als je het mij vraagt,' mopperde Stephen. 'Het regent al dagenlang pijpenstelen. Geen wonder dat iedereen kouvat en ziek wordt.'

Vicky barstte in lachen uit. 'Laten we niet gaan klagen over het Engelse weer, lieve schat! De oorlog is VOORBIJ. Is dat niet heel wat om blij om te zijn? Het weer kan barsten, wat mij betreft.'

Hij grinnikte en begaf zich naar zijn kleedkamer. 'Gun me tien minuten, dan kom ik beneden,' mompelde hij terwijl hij door de deuropening verdween.

In zichzelf glimlachend, terwijl ze bedacht hoe gruwelijk haar leven zonder hem zou zijn geweest, trok Vicky de deur achter zich dicht en ging naar beneden. Ze wilde even bij Fuller gaan kijken om na te gaan of hij de champagne naar de bibliotheek had gebracht; ze had voor Krug gekozen, wetend dat dat tegenwoordig het favoriete merk van Ned was.

Die schat van een Ned. Hij was altijd haar favoriet geweest en een van haar dierbaarste vrienden. Ze kenden elkaar al een eeuwigheid en waren met het verstrijken der jaren heel hecht geworden. Hij was de beste vriend van haar broer Will en ze begreep volkomen waarom die twee al jaren dikke maatjes waren.

Ze had Ned over zijn verdriet en wanhoop heen geholpen nadat zijn maîtresse Lily bij dat gruwelijke ongeluk was omgekomen. Nou ja, voegde ze er voor zichzelf aan toe, dat was geen ongeluk, maar moord in koelen bloede. Margot Grant, al die jaren geleden Edwards aartsvijand in zijn strijd om de macht over Deravenel. Zij had Lily Overton laten vermoorden. En ze was er ongestraft mee weggekomen en had er nooit voor hoeven boeten. Nee, eigenlijk had ze er wel voor moeten boeten. De Française was alles en iedereen kwijtgeraakt. Gods wil, zonder enige twijfel.

Er trok een huivering door Vicky heen en ze kreeg kippenvel op

86

haar armen en in haar nek. Die noodlottige dag in Hyde Park had ze naast Lily in de landauer gezeten, was er samen met haar uitgeslingerd en had net zo gemakkelijk zelf dood kunnen zijn.

Lily... haar beste vriendin, zo mooi, en veel te jong om te sterven. En het ongeboren kind was ook dood – Neds kind, dat ze droeg. Vicky wist dat ze de aanblik nooit zou vergeten: Lily, zoals ze daar in het gras lag, en het lichtblauw van haar jurk, overdekt met felrood bloed. Dat beeld was onverbiddelijk in haar geest geëtst; het vervaagde nooit.

Op de trap bleef ze even staan, haalde diep adem en dwong zichzelf deze bittere herinneringen aan die allerellendigste dag van zich af te zetten, waarna ze langzaam afdaalde om haar gedachten te kalmeren voor de gasten kwamen.

Bijna onmiddellijk botste ze beneden in de hal tegen Fuller op. 'Goedenavond, *madam*,' zei hij, terwijl hij zijn hoofd boog. 'Ik sta net op het punt de grog in de bibliotheek neer te zetten.'

'Dankjewel,' antwoordde ze, terwijl ze opmerkte dat hij een zilveren emmer vol ijs in zijn handen had. 'Alles gaat verder zeker naar behoren?' vroeg ze. 'Branden alle haarden?'

'O ja, *madam*, alle hens aan dek. De zeilen kunnen worden gehesen.'

'Dank je, Fuller,' mompelde ze en liep hoofdschuddend de gang door naar de keuken. Voor hij vorig jaar bij hen kwam werken, was Fuller hoofdbutler geweest in het huis van een voormalige en inmiddels overleden admiraal bij de Koninklijke Marine en hij had de neiging in scheepstermen te spreken, of iets wat daarvoor moest doorgaan. Zij en Grace Rose vonden het vermakelijk, maar Stephen irriteerde dat soms: laatst nog had hij geklaagd dat hij het gevoel had dat hij verdorie op een oorlogsschip woonde!

Als reactie had ze hem er snedig op gewezen dat Fuller toevallig een uitstekende butler was, de beste die ze in jaren hadden gehad.

Vicky deed de keukendeur open, stak haar hoofd om de hoek en vroeg: 'Hebt u me ergens voor nodig, Mrs. Johnson?'

Toen de kokkin zich met een ruk omdraaide, had ze een soeplepel in haar hand die even in de lucht bleef hangen. Nadat ze die had neergelegd, zei ze: 'Goedenavond, *mum*. Nee, er zijn geen moeilijkheden. Alle hens aan dek, de zeilen kunnen worden gehesen en alles is op tijd. Het eten staat bij de achtste bel klaar, zoals u had verzocht.' De kokkin perste haar lippen op elkaar om haar plotseling opkomende lachbui tegen te houden. Ze herstelde zich en flapte eruit: 'Ik schijn Fullers jargon over te nemen, *mum*, neem me niet kwalijk, neem me vooral niet kwalijk, *mum*.'

Terwijl ze zelf haar best deed haar gezicht in bedwang te houden, antwoordde Vicky: 'Zolang je maar zorgt dat de kerriesoep goed warm is. Je weet dat Mr. Forth van gloeiend hete soep houdt.'

'Jawel, *mum*, net zoals alles! Ik weet dat hij het liefst heeft dat warm eten ook warm is, en zo hoort het ook.'

Lachend liep Vicky naar de zitkamer en ging naar binnen. Omdat ze dit de prettigste kamer van het huis vond, keek ze even genietend om zich heen. De muren waren bespannen met zachtgele zijde en voor de ramen hingen geel met crèmekleurige tafzijden draperieën die als baljurken uitwaaierden, precies zoals ze dat graag zag.

Tegen de zachtgele achtergrond was er een melange van felle kleuren, voornamelijk heldere blauw- en roodtinten in de bekleding van de diverse Franse stoelen en grote, comfortabele banken. Het haardvuur loeide, de porseleinen lampen met crèmekleurige lampenkappen schenen uitnodigend en overal stonden bokalen met verse bloemen. Volmaakt, dacht ze. De kamer biedt een volmaakte aanblik.

Vicky schrok op toen de deurbel ging, en terwijl ze haastig over het antieke Aubusson-kleed liep, hoorde ze de voetstappen van Fuller in de marmeren hal weergalmen. Ze hoopte dat hij niet 'Welkom aan boord' zou zeggen, zoals hij dat wel eens scheen te doen. Aan de andere kant wist ze: als hij dat deed, zou Edward alleen maar grinniken.

Dertien

Grace Rose had de opdracht gekregen Mrs. Shaw bezig te houden, terwijl haar ouders met oom Ned een soort zakenbespreking in de bibliotheek hadden.

Ze was blij dat ze haar hadden gevraagd Jane Shaw gezelschap te houden, want ze mocht haar erg graag. Ze had iets intrigerends over zich, iets bijzonders; omdat Grace Rose bovendien wist dat Jane Shaw haar ook mocht, was er een zekere ongedwongenheid tussen hen.

Dat deze vrouw werkelijk schitterend was om te zien, behoefde geen betoog; dat ze charmant, aardig en uitermate intelligent was, was een extraatje, vond Grace Rose, onder de indruk van haar kennis van beeldende kunst en haar bereidheid altijd overal op te antwoorden wanneer Grace Rose iets vroeg. Jane wist een heleboel over bepaalde kunstenaars en hun werk, vooral over de Franse impressionisten en postimpressionisten, en dat wilde ze graag met haar delen.

Ze zaten met z'n tweeën in de gele zitkamer, waar ze over ditjes en datjes praatten. Op een gegeven moment bedacht Grace Rose onwillekeurig dat Jane Shaw die avond volmaakt in deze volmaakte kamer leek te passen. Ze droeg een heel elegante saffierblauwe fluwelen japon met saffieren oorbellen die exact het bijzondere blauw weerspiegelden van enkele stoffen die haar moeder voor de kamer had gekozen. Eigenlijk zou ze hier geschilderd moeten worden, dacht Rose, en dan zou het *Portret in blauw* moeten heten.

Na nog een kort gesprek over een recente kunsttentoonstelling in een bekende galerie in Chelsea, waarbij het voornamelijk Jane was die het woord voerde, viel er een stilte tussen hen. Maar het was een stilte van gelijkwaardigheid; ze voelden zich alle twee op hun gemak met elkaar en dat was al zo geweest toen ze elkaar een paar jaar geleden voor het eerst ontmoetten.

Jane keek Grace Rose aan en nam opnieuw de leiding toen ze zachtjes opmerkte: 'Ik heb gehoord dat je veel plezier in je studie hebt, en je oom vertelde me dat je uiterst gedreven en gedisciplineerd bent. Hij vindt het bewonderenswaardig, en ik ook.' Jane leunde achterover in de Franse fauteuil, nam een teug champagne en keek de jongere vrouw met een hartelijke glimlach aan.

Grace Rose knikte, haar gezicht een en al gretigheid. 'Ik heb het altijd heerlijk gevonden op school, Mrs. Shaw, en vandaag ben ik extra blij omdat ik binnenkort bij een vriendin van moeder in Oxford ga wonen en colleges op de universiteit mag volgen.'

'Dat is geweldig! Gefeliciteerd! Is je studierichting niet geschiedenis?'

'Ja. Op dit moment ben ik in het bijzonder geïnteresseerd in Frankrijk, en in Franse koningen.'

'Wat een buitengewoon toeval. Ik heb altijd een voorliefde gehad voor Franse geschiedenis, en al horen Engelsen niet van Napoleon Bonaparte te houden, ik moet bekennen dat ik altijd stiekem bewondering voor hem heb gehad. Hij was in menig opzicht een genie.'

'En waarschijnlijk de grootste generaal die de wereld ooit heeft gekend,' merkte Grace Rose op.

'Behalve toen hij Rusland binnenviel,' wees Jane haar terecht, waarbij ze haar jonge gezelschap scherp aankeek.

'Dat is waar... Maar dat kwam voornamelijk door het weer, dat zijn ondergang is geworden,' luidde Grace Rose' reactie. 'Ik dacht meer aan strategie, toen ik zei dat hij de grootste was.'

'Dat begrijp ik, en velen zijn het met je eens. Maar vertel eens, welke bepaalde koning intrigeert je het meest?'

'Om eerlijk te zijn, ben ik meer geïnteresseerd in de maîtresses van koningen. Dat bestudeer ik namelijk op dit moment. Maîtresses. Ze fascineren me...' Grace Rose onderbrak zichzelf, omdat ze bedacht dat Jane Shaw de maîtresse was van oom Ned. In stilte kon ze zichzelf wel voor haar hoofd slaan omdat ze zo'n controversieel onderwerp had aangesneden. 'O hemel, het... spijt me ontzettend,' hakkelde ze met een ongelukkig gezicht, waarna ze bloosde van schaamte.

Jane moest ondanks zichzelf lachen toen ze de gekwelde uitdrukking op haar gezicht zag en terwijl ze haar hand uitstak en haar een klopje op haar arm gaf, zei ze zachtjes: 'Je hoeft je niet te verontschuldigen, lieve kind, ik weet toch dat je weet dat ik de maîtresse van oom Ned bent.'

'Ja,' zei Grace Rose, en ze knikte. 'De hele wereld weet...' Opnieuw onderbrak ze zichzelf, met een nog roder gezicht dan ooit, en schraapte haar keel.

'Neem me alstublieft niet kwalijk, Mrs. Shaw, ik zeg steeds weer de verkeerde dingen. Ik wilde u niet kwetsen.'

'Dat heb je ook niet gedaan, dat verzeker ik je. Vertel me nou maar waarom je zo op maîtresses bent gesteld dat je een studie van hen wilt maken.'

Omdat ze ineens moed vatte, nu ze inzag dat Jane kennelijk in haar mening was geïnteresseerd, ging ze haastig verder. 'Degenen over wie ik heb gelezen, zijn allemaal bijzondere vrouwen. Ze hebben zo'n enorme rol in de geschiedenis gespeeld. De meesten hadden invloed op de politiek en de regering, terwijl ze voor hun koning opkwamen, en wat ze deden, zegt zoveel over de tijd waarin ze leefden. We kunnen van hen leren. Hun relaties draaiden meestal om macht. In de meeste gevallen, vind ik.'

'Absoluut!' riep Jane uit. 'En om geld. En om een maatschappelijke positie. Maar ook om hogerop te komen en, op een andere manier, sociale acceptatie, en suprematie.'

'Ik hou van maîtresses, als onderwerp, bedoel ik,' vertelde Grace Rose verder. 'Ze zijn veel interessanter om over te lezen dan de meeste koninginnen. Heel vaak gaf de koning meer om zijn maîtresse dan om zijn vrouw.'

Getroffen door de openhartigheid van het meisje en door een ongewone oprechtheid die echt adembenemend was, begon Jane met een geamuseerd gezicht te grinniken. Even later vroeg ze: 'En met welke maîtresse ben je op het moment bezig, Grace Rose?'

'Diane de Poitiers, de maîtresse van Henri II van Frankrijk. Ze ontmoette hem toen hij nog een jongetje was, twaalf pas. Dat was vlak nadat hij in Frankrijk terug was, na door de Spanjaarden gevangengehouden te zijn. Hij was gegijzeld, samen met zijn broer, terwijl zijn vader vrijuit ging. Hij was toen gedeprimeerd en verlegen en ze sloot vriendschap met hem. Ze werd eigenlijk zijn beschermengel en was heel goed voor hem – een stabiele invloed. Ze bemoederde hem ook heel erg. Ik geloof dat ze hem een veilig gevoel gaf. Dat was volgens mij belangrijk voor hem.'

'Ja, je hebt gelijk, waarschijnlijk was dat zo.'

'Diane heeft hem verleid toen hij zeventien was,' verkondigde Grace Rose. 'Ze was twintig jaar ouder dan hij, maar hij heeft haar nooit verlaten. Ze is zijn hele leven zijn maîtresse geweest. Hij overleed eerder dan zij, maar toen hij nog leefde, was hij dol op haar, meer dan op zijn koningin.'

'O ja, de beroemde Catharina de Medici. Een vrouw die vanaf het begin van haar huwelijk werd versmaad. Henri ii was volgens mij veel te veel in beslag genomen door Diane om zich iets van zijn vrouw aan te trekken.'

'U schijnt heel wat van Diane af te weten, Mrs. Shaw.'

'Jazeker,' antwoordde Jane en een flauwe glimlach speelde om haar mondhoeken terwijl haar ogen twinkelden van plezier.

Grace Rose voelde dat haar eigen mond begon te trillen, en ze begon zachtjes te lachen. En Jane Shaw lachte met haar mee. Op dat moment werd er voor altijd een band tussen deze twee vrouwen gesmeed. De maîtresse en de buitenechtelijke dochter. Buitenstaanders, in zekere zin, en toch zo hecht verbonden met deze hoogst dominante man in hun leven, hechter dan met de meeste anderen die hij kende en om wie hij gaf.

Grace Rose verschoof enigszins op de sofa en merkte op: 'Dan weet u ook dat Henri ii de kroonjuwelen aan Diane gaf. Stelt u zich eens voor. En ook het weelderigste paleis, Chenonceaux.'

'Dat wist ik, ja. En ik weet ook dat ze bijna dertig jaar haar macht heeft uitgeoefend. Toch was ze wonderlijk mild voor de hele familie van de koning en voor de koningin toen zij ziek en opgegeven was, en Diane heeft de koningskinderen praktisch opgevoed.'

'En die kinderen zijn er alleen maar gekomen omdat Diane de koning ertoe overhaalde het bed van zijn vrouw te bezoeken, door hem erop te wijzen dat hij een erfgenaam nodig had.'

'Mijn hemel, Grace Rose, je hebt je onderzoek grondig aangepakt. Diane is je favoriete, hè?'

'Ja, maar er is nog een maîtresse die ik bewonder en die ik graag had gekend.'

'En wie is dat, als ik vragen mag?'

'Agnès Sorel,' zei Grace Rose. 'Ze was in 1444 de maîtresse van Karel vii. Hij was zo aan Agnès verknocht dat hij haar tot zijn officiële maîtresse maakte. Daarmee bedoel ik dat hij een officiële functie in het leven heeft geroepen, en voor het eerst in de Franse geschiedenis. "*Maîtresse en titre*"...'

'En wie is de "*maîtresse en titre*"?' vroeg Edward vanuit de deuropening, waarna hij de kamer binnen stapte, met een gezicht dat bijzonder geamuseerd stond. Hoewel de twee vrouwen dat niet wisten, had hij een paar minuten naar hen staan luisteren.

Grace zwaaide met haar hand en riep uit: 'O, mijn hemel! Oom Ned! Ik was Mrs. Shaw net aan het uitleggen dat ik tegenwoordig maîtresses bestudeer.' Opnieuw kleurde haar gezicht prompt diep-rood en ze ging haastig verder: ' Wat ik bedoel is... eh, Franse maî-tresses, ik bedoel de maîtresses van koningen...'

'Maar blijkbaar alleen van Franse koningen. Ben je niet geïnte-resseerd in Engelse koningen en hun maîtresses?' Hij grinnikte. 'Te saai zeker, die Engelsen?'

'O nee, helemaal niet. Ik weet een heleboel over Engelse konin-gen. Je had Charles ii en Nell Gwynne, en...'

'Ja, lieverd, dat weet ik. Ik plaagde je alleen maar.' Hij liep op de bank af en kwam achter haar staan, met zijn handen liefdevol op haar schouders, terwijl hij vragend naar Jane keek.

Jane keek hem glimlachend aan. 'Ik vond ons gesprek uiterst aan-genaam,' fluisterde ze met warmte en volkomen oprecht. 'Grace Rose wordt vast een geweldige historica, Ned. Ze heeft er de juis-te intuïtie voor. Ze is duidelijk niet bang om te onderzoeken en ik vind dat ze een fijne neus heeft om de waarheid te achterhalen. Om-dat we er honderd jaar geleden geen van allen bij waren om ge-beurtenissen met eigen ogen te zien, moeten historici afgaan op het geschreven woord en op hun intuïtie vertrouwen.'

'Ik ben er altijd van onder de indruk geweest,' mompelde hij, zichtbaar verheugd over Janes commentaar. Hij verroerde zich niet, één ogenblik verdiept in zijn eigen gedachten.

Janes adem stokte; ze van zo dichtbij samen mee te maken was geweldig onthullend. Er was geen enkele twijfel wiens dochter ze was – dat rossig goudblonde haar en die helderblauwe ogen. En ze hadden allebei diezelfde rozige roomblanke huid. Ja, Grace Rose leek als twee druppels water op Ned, en het was verbijsterend hoe-veel kracht en vitaliteit er van hen uitging.

Ik wil dat ze mijn vriendin wordt, dacht Jane opeens. En ik zal háár vriendin worden – haar beschermen als dat nodig is. En op die manier zal ik, wat er ook gebeurt, altijd een stukje van Ned heb-ben.

Vicky zei vanuit de deuropening: 'Het lijkt wel of iedereen tege-lijk komt! Kom, Grace Rose, ik hoor Fenella en Amos in de hal.'

'Ga maar,' zei Edward, terwijl hij een eindje van Grace Rose af ging staan. 'Ga je oude vrienden maar begroeten.'

'O ja, dat ga ik zeker doen!' riep ze uit en ze sprong op.

Edward keek haar na en wendde zich toen tot Jane. Hij liep op haar toe, trok haar overeind, drukte een kus op haar wang en liep met haar naar de haard. 'Iedereen houdt zijn adem in vanwege haar directheid, vrees ik. Ik hoop dat ze niets verkeerds zei of je in verlegenheid heeft gebracht.'

'Natuurlijk niet. Eerlijk gezegd, vond ik haar een verademing,' Jane aarzelde, en fluisterde toen: 'Ik zou haar graag beter willen leren kennen, Ned.'

'Dan zal dat ook gebeuren,' beloofde hij.

'Er is toch niets mis, hè? Ik bedoel, je bent toch niet ziek, Ned?' vroeg Vicky zachtjes, terwijl ze hem indringend aankeek.

Hij zat rechts van haar aan de ronde eettafel en keek even snel naar haar op. 'Natuurlijk niet. Ik ben kerngezond. Waarom vraag je dat?'

'Omdat je hebt besloten die documenten vanavond over te dragen. Dat kwam zo onverwacht, uit het niets. Ik kan er niets aan doen dat ik me, nou ja... zorgen maak omdat ik me afvraag of alles goed met je is.'

Hij boog zich naar haar toe en zei zacht: 'Volgens mij hebben de oorlog en de griepepidemie me wat beïnvloed, in die zin dat ik daardoor besef dat ik sterfelijk ben, net als iedereen. Wie nog heel jong is, denkt dat het leven eindeloos doorgaat en dat we allemaal eeuwig zullen blijven leven. Maar helaas is dat niet zo. We zijn allemaal kwetsbaar.'

Nu schonk Ned haar zijn meest verblindende glimlach. 'Ik ben echt niet ziek, mijn lieve Vicky. Ik ben nog jarenlang niet van plan om dood neer te vallen, en ik verzeker je dat er maar één reden is waarom ik de documenten aan jou en Stephen heb gegeven. En dat is omdat jullie die, als haar ouders, in bezit horen te hebben. Dat is de enige aanleiding. Bovendien ben ik de laatste tijd behoorlijk efficiënt en heb de afgelopen weken orde geschapen in een groot deel van mijn persoonlijke zaken.'

Vicky knikte en leunde hevig opgelucht achterover in haar stoel. Ze schonk hem een warme, liefdevolle glimlach. 'Je bent al die jaren zo goed voor haar geweest. Zoals je dat voor iedereen bent geweest om wie je geeft.'

'Ik probeer gewoon mijn steentje bij te dragen, zo goed als ik kan, meer niet,' reageerde hij met een licht schouderophalen, en draaide zich toen om om met Fenella te praten, die hem zojuist een vraag had gesteld over Edward junior en zijn gezondheid.

Nu de bezorgdheid om Ned volledig uit haar gedachten was gewist, ontspande Vicky zich helemaal en keek de tafel rond. Ze zag dat iedereen zich amuseerde en van elkaars samenzijn genoot. Fuller had net een paar seconden geleden de tong Colbert opgediend en nu er diverse opmerkingen klonken over hoe heerlijk die was, was ze blij dat het eten van de kokkin iedereen smaakte.

Even later, toen het tot haar doordrong dat Jane Shaw haar aandacht probeerde te trekken, vroeg ze: 'Alles naar wens, Jane? De vis smaakt je toch wel?'

Jane glimlachte. 'Heerlijk, en ik wilde je net zeggen hoe bijzonder je tafel er vanavond uitziet, Vicky, met al je prachtige servies en bestek. Je weet hoe dol ik ben op je rode loge, zoals jij dat noemt.'

'Dank je. Iedereen vindt hem mooi – volgens mij omdat het een gezellige, knusse kamer is, best een aangename plek om een winterse avond door te brengen.'

Jane glimlachte en knikte, waarna ze haar aandacht weer aan het eten wijdde.

Vicky keek de kamer rond die ze ongeveer vijf jaar geleden had ingericht, net voor de oorlog. Ze was gevleid door Janes opmerkingen. Het was ook echt een rode loge, met karmijnrood zijdebrokaat, waarmee de muren waren bekleed en dat ook voor de ramen hing, de met fluweel in een diepere tint rood beklede victoriaanse stoelen om de tafel, het handgeknoopte, rood-, roze en donkerblauw gemêleerde kleed op de vloer. De brandende haard en de talrijke kaarsen in hoge zilveren kandelaars gaven de kamer op deze koude decemberavond extra warmte, intimiteit en allure.

Vicky organiseerde dit feestelijke diner elk jaar, vlak voor Kerstmis. En zelfs tijdens de oorlog had ze de traditie in stand gehouden. Het waren altijd dezelfde mensen die kwamen: oude vrienden en familieleden. Opeens trof het haar hoe clangericht ze met z'n allen waren, maar de familie Deravenel had nou eenmaal altijd vrij slecht buiten familieleden en oude vrienden gekund. Hun hele leven waren ze al verweven met andere takken van de familie, maar vooral met de Watkins-clan, die directe neven en nichten van hen waren. Volgens haar was dat vanwege hun gemeenschappelijke overtuigingen en idealen, een bepaalde filosofie en leefwijze waardoor ze tot elkaars kring werden aangetrokken. Loyaliteit, vriendschap en steun door dik en dun waren binnen hun relatie essentiële elementen.

Ze dacht aan haar schoonzuster Kathleen, die vanavond niet aanwezig was omdat ze kou had gevat. Ze was de nicht van Ned en de zus van Neville en Johnny Watkins, die beiden vier jaar geleden waren omgekomen bij dat vreselijke auto-ongeluk. Ze miste haar. Toen hij vanavond kwam, had Will haar verteld dat Kathleen echt heel

95

ziek was. 'Maar geen Spaanse griep,' had hij er haastig aan toegevoegd toen hij de verontruste uitdrukking op haar gezicht opmerkte. 'Gewoon een stevige kou.' Will aanbad Kathleen, en het was altijd een heel stabiel huwelijk geweest, waar Vicky reuze dankbaar voor was.

Toen de stem van Fenella haar gemijmer verstoorde en ze haar oude vriendin, die tegenover haar zat, aankeek vroeg deze net: 'Hoe voelt Charlie zich, Amos?'

'Hij is opgelucht dat hij veilig thuis is, blij dat de oorlog is afgelopen, lady Fenella, en hij laat u de groeten doen, aan allemaal. Maar hij is gewond geraakt, heeft ernstig beenletsel en hij hinkt, loopt met een stok. In elk geval hebben ze tenminste zijn benen behouden. Ook zitten er littekens op één kant van zijn gezicht. Ik vrees dat het is verbrand.' Amos schudde zijn hoofd en keek plotseling zorgelijk. 'Toch is hij opgewekt, moet ik toegeven, en hij verheugt zich erop iets anders in de toneelwereld te gaan doen, produceren misschien, of schrijven.'

'Zijn de littekens zo erg?' vroeg Fenella met gefronste wenkbrauwen, een en al aandacht voor Amos.

'Zoals ik al zei, alleen één kant van zijn gezicht is verbrand. En de littekens moeten nog helen. Hij vertelde dat hij er misschien later iets aan kan laten doen, als hij helemaal beter is. Ze hebben blijkbaar nieuwe methoden om brandwonden te behandelen.'

'Ja, dat is waar,' kwam Grace Rose tussenbeide. 'Eigenlijk bestaan huidtransplantatie en dat soort gespecialiseerde chirurgie al eeuwenlang.'

'Dát wist ik niet!' riep Vicky uit. 'Je bent een bron van kennis, lieverd.'

Fenella had een peinzende uitdrukking op haar gezicht toen ze over de tafel heen keek en tegen Vicky zei: 'Jeanette Ridgely maakte laatst, toen ze op Haddon House kwam helpen, een opmerking tegen me. Haar zoon was officier aan het front en is nu thuis, ook gewond. Ze zei dat ze zou willen dat gewonde soldaten ergens terecht konden voor wat rust en recreatie en om met andere Tommies te praten. Hij zei dat zijn mannen om zoiets zaten te springen. Meer een plek als Haddon House dan een herberg, waar een groot aantal van de mannen zich natuurlijk alleen maar zat te bedrinken.'

'Dat is een interessant idee.' Vicky wierp een blik op de anderen, terwijl ze een wenkbrauw optrok. 'Vinden jullie ook niet?'

'Absoluut,' antwoordde Stephen, die altijd klaarstond om zijn vrouw in haar projecten te steunen.

Fenella knikte. 'We zouden volgende week eens met haar kunnen praten, als je wilt, Vicky. Ik weet dat ze twee dagen op Haddon House wil komen werken. Ik denk dat zo'n huis echt een uitkomst zou zijn voor gewonde mannen die nu naar huis komen.'

'Een soort club,' opperde Stephen, en hij klonk enthousiast. 'Niet zoals al die arbeidersclubs die overal als paddenstoelen uit de grond schieten; meer een recreatiecentrum, denk je niet?'

Will knikte. 'Een plaats waar ze andere soldaten kunnen ontmoeten, iets kunnen eten en drinken, kaarten, lezen... waar ze terecht kunnen, om ze uit huis te halen zodat ze hun vrouw of moeder niet voor de voeten lopen.'

'Het is een uitstekend idee, naar mijn mening.' Edward had het tegen Fenella en vervolgde: 'Mocht je besluiten iets dergelijks te gaan doen, Fenella, dan zal ik zeker een cheque uitschrijven om een donatie te doen voor zo'n doel.'

'Nou, hartelijk dank, Ned, maar ik had er eigenlijk nog niet aan gedacht het zelf te gaan doen, althans, niet tot op dit moment. Maar we zullen zien.'

'Ik doe ook mee,' beloofde Will.

'Dan sluit ik me bij Ned aan,' kondigde Stephen aan. 'We moeten onze waardering laten blijken aan onze gewonden. Ze hebben hun leven voor ons geriskeerd en jullie weten verdomd goed dat de regering niet veel zal doen om de teruggekeerde gewonden te helpen.'

'Nou, wat geweldig van jullie allemaal,' mompelde Fenella, terwijl ze dacht aan de manier waarop zij en haar tante Haddon House jaren geleden hadden opgezet. Ze hadden een veilige schuilplaats geschapen voor mishandelde vrouwen en, tot hun innige tevredenheid, wonderen verricht in East End en vele vrouwen voor een verschrikkelijk lot behoed.

Vicky's blik flitste naar de deur. 'Ah, hier is Fuller met het hoofdgerecht.'

Fuller kwam met twee van de keukenmeisjes de eetkamer binnen met grote terrines met gestoofd lam. Toen iedereen was voorzien, verdwenen ze, al kwam Fuller binnen enkele seconden terug om de rode wijn in de fraae kristallen glazen te schenken.

'Jouw etentjes zijn altijd het lekkerst,' zei Edward op een gegeven moment, waarbij hij zich tot Vicky wendde. 'Van die stoofpot van jou smul ik nou al vier jaar.'

Vicky boog gevleid haar hoofd. 'Dank je,' zei ze met een glimlach. Een seconde later voegde ze eraan toe: 'Als we echt zo'n tehuis voor gewonde soldaten openen, moeten we dan geen kantine hebben? Om ze dagelijks een goede lunch voor te zetten?'

'Ik zie dit project, dat net een minuut geleden werd geopperd, steeds groter worden,' zei Will tegen zijn zuster. 'Het eerste wat je moet doen, Fenella, en jij ook, Vicky, is rustig berekenen wat zoiets gaat kosten. Echt, vóórdat jullie iets anders doen.'

'Natuurlijk heb je gelijk, Will,' stemde Fenella in. 'Ik moet er eerst heel goed over nadenken voor we tot dat stadium overgaan. We hebben het erg druk op Haddon House. Voor een dergelijk project zouden we een paar hulpkrachten nodig hebben...' Haar stem stierf weg.

'Ik weet zeker dat we al snel veel vrijwilligers zullen hebben,' zei Vicky vol vertrouwen.

Edward lachte. 'Optimistisch als altijd, die schat van een Vicky.'

Na het eten, toen iedereen in de zitkamer koffie met likeur dronk, schoof Amos wat dichter naar Edward toe.

Edward, na al die jaren op Amos ingespeeld, wisselde een snelle blik met hem en boog zijn hoofd. Hij excuseerde zich bij Stephen en zette een paar stappen in de richting van Amos.

'Wat is er, Amos? Zo te zien wil je me spreken, en nogal urgent ook.'

'Ik moet u inderdaad spreken, maar het is niet urgent. Ik kan morgenochtend wel met u praten als u dat liever hebt.'

'Morgenochtend kan ik niet, vrees ik,' antwoordde Edward, omdat hem de afspraak te binnen schoot die Jane voor hem had gemaakt om het schilderij van Renoir te bezichtigen. 'Laten we het nu maar doen. Zullen we de gang op gaan?'

'Goed, Mr. Edward, als dat kan.'

'Uitstekend.' Hij ging naar Stephen, die nu bij het raam stond, en fluisterde: 'Finnister wil me spreken. Wil je me even excuseren?'

'Natuurlijk.'

Edward zei, terwijl hij Amos naar buiten volgde: 'Hier is te veel personeel aan het opruimen. Laten we naar de bibliotheek gaan.'

'Goed idee, sir.'

Toen ze zich in de bibliotheek met uitzicht op de tuin hadden afgezonderd, vroeg Edward: 'Wat is er? Je kijkt zo zorgelijk.'

'Nee, ik ben niet zorgelijk. Het zit zo, sir. Gisteravond, toen ik met Charlie in de Ritz dineerde, ging hij een andere officier begroeten die net het restaurant binnen was gekomen. Een majoor met wie hij in twee verschillende ziekenhuizen had gelegen. Toen hij aan tafel terugkwam, vroeg ik wie die man was, en hij zei dat het een vriend was, Cedric Crawford geheten.'

Edward was zo geschokt die naam uit het verleden te horen dat hij Amos een ogenblik alleen maar met open mond aanstaarde, letterlijk met zijn mond vol tanden. Uiteindelijk vroeg hij: 'De Cedric Crawford die met Tabitha James samenwoonde? Is dat degene die je bedoelt? Tja, dat zal dan wel; uiteindelijk is het een vrij uitzonderlijke naam.'

'Dat klopt, sir, en ik geloof niet dat er twee van bestaan.'

'Je bent duidelijk van plan dit op te helderen, Amos, daar ken ik je goed genoeg voor.'

'Ik neem ze morgenavond allebei mee uit eten. Ik hoop op z'n minst zijn identiteit vast te stellen.'

'En wat dan?'

'Ik dacht erover hem naar Tabitha James te vragen.'

'Zal hij je de waarheid vertellen? We zijn het er allebei over eens dat ze niet is vermoord, want als dat zo was, zou de politie er destijds in gemengd zijn, wát Grace Rose ook heeft gezegd toen je haar vond. Tenslotte wás ze pas vier.'

'Ik hoop dat hij me kan vertellen wat er werkelijk met Tabitha is gebeurd, en ook waar ze is begraven. Ik denk dat het voor Grace Rose goed zou zijn om het te weten, Mr. Edward. Dat het haar rust zou geven.'

'Ze heeft het er zeker met je over gehad?' mompelde Edward, opmerkzaam als altijd en omdat hij Grace Rose als geen ander begreep.

'Ja. Ik ben verscheidene keren met haar naar Whitechapel gegaan, met toestemming van Mrs. Vicky uiteraard. En natuurlijk is ze in de loop der jaren in Haddon House geweest. Er is nooit iets voor haar verborgen gehouden. Mrs. Vicky is altijd van mening geweest dat we haar de waarheid moesten vertellen.'

'En terecht. Het zou dwaas zijn het allemaal geheim te houden.' Edwards ogen kregen even een peinzende uitdrukking, starend in de amberkleurige vloeistof in het cognacglas in zijn hand. Uiteindelijk zei hij: 'Zoek uit wat je kunt, Amos. Het zal hoogst interessant zijn te horen wat hij te vertellen heeft. Maar verwacht er niet te veel van, want misschien weet hij er weinig van. Wie weet, is hij bij haar weggegaan. Of zij bij hem... Het heeft allemaal iets mysterieus... iets wat we misschien wel nooit kunnen doorgronden.'

Veertien

In al die jaren dat hij politieman was geweest, en daarna privédetective, had Amos Finnister heel wat over mensen geleerd en dus wist hij hoe hij ze moest peilen. De meesten kon hij psychologisch doorgronden, en van anderen begreep hij over het algemeen hun motief. Afgezien daarvan had hij zich een zekere charme eigen gemaakt. Hij voelde zich thuis bij mensen van alle rangen en standen, en dat was wederzijds. Hij bezat onmiskenbaar een flair om met hen om te gaan en benaderde hen met know-how en raffinement.

En dat bleek vrijdagavond maar al te duidelijk, toen Charlie en majoor Cedric Crawford met hem in het Ritz-restaurant dineerden. Naarmate de avond vorderde, ontdekte hij dat de majoor de volmaakte Britse gentleman was – welgemanierd en innemend, en van goede komaf. En Charlie was die avond zichzelf: hij spéélde de Britse gentleman zoals hij zo dikwijls in Londen en New York op toneel had gedaan.

Amos wist hoe je mensen op hun gemak stelde, en toen ze halverwege de maaltijd waren, had hij de majoor aan het lachen gekregen en vertelde hij verhalen waarvan sommige hilarisch waren. En terwijl Amos zijn steentje bijdroeg aan de algehele hilariteit, zelf verhalen vertelde, maar voornamelijk over koetjes en kalfjes babbelde, hield hij zijn oren en ogen open, en probeerde de majoor onopvallend te observeren teneinde te beoordelen wat voor vlees hij in de kuip had.

Toen ze het hoofdgerecht op hadden, voelde Amos zich voldoende zeker van zijn zaak om het onderwerp Tabitha James aan te snijden. Op een gegeven moment keek hij met een vragende uitdrukking op zijn gezicht naar Charlie, die hem een kort knikje gaf.

Na nog een slok te hebben genomen van de uitstekende Franse wijn die hij had besteld, een Chateauneuf-du-Pape, zette Amos zijn glas neer en leunde achterover in zijn stoel, om geen opdringerige en geenszins dreigende indruk te maken.

Op zijn normale, neutrale toon vroeg Amos: 'Zou ik u iets mogen vragen, majoor?'

'Maar natuurlijk. Wat zou u willen weten, Mr. Finnister?'

Omdat hij vóór het etentje een eenvoudig verhaal had bedacht, gebaseerd op de werkelijkheid, had Amos dat paraat en op het puntje van zijn tong. 'Voor ik begin, zou ik iets willen uitleggen... Ik vraag me af of u een bekende van me kent.'

De ogen van de majoor zaten aan Amos vastgeklonken. 'Wie mag dat dan wel zijn?'

'Lady Fenella Fayne. Bent u haar ooit tegengekomen?'

'Ik vrees van niet. Maar ik weet wel wie ze is; dat weet iedereen, volgens mij. Een groot filantrope, heb ik gelezen, en een vrouw die haar tijd, energie en geld besteedt om vrouwen te helpen... vrouwen in nood, zullen we maar zeggen. Ik meen dat ze de weduwe is van lord Jeremy Fayne.'

'Dat is juist, en haar vader is de graaf van Tanfield. Een paar jaar geleden heeft lady Fenella geprobeerd om een van haar vriendinnen uit Yorkshire te vinden, waar ze zelf oorspronkelijk vandaan komt – een vriendin die in Londen was verdwenen. Het is haar gelukt er via een andere kennis achter te komen dat haar vriendin uiteindelijk in East End was gaan wonen, in Whitechapel of die omgeving, en dat ze een man had leren kennen die Cedric Crawford heette. Dat was toch niet toevallig uw persoon, majoor?'

Cedric Crawford knikte prompt, zonder enig teken van gêne of terughoudendheid, om toe te geven dat hij de vrouw had gekend aan wie Amos refereerde. 'Ik heb een dame gekend die in Whitechapel woonde die Tabitha James heette. Ik heb haar zelfs heel goed gekend. Ziet u, ze was een uiterst goede vriendin van een andere gardeofficier, Sebastian Lawford. Er kwam een fase dat ik werkelijk meende dat ze zouden gaan trouwen – ze waren heel erg verliefd. Maar helaas is dat niet gebeurd.'

'En waar kwam dat door, majoor, weet u dat ook?'

'O ja, ik vrees van wel. Tabitha James werd ziek. Ze had namelijk tuberculose opgelopen en werd vervolgens geveld door een dubbele longontsteking. Voor ik het wist, was ze dood en begraven.'

'Aha. Dus u bent in Westchapel bij hen thuis geweest?'

'Het was het huis van Tabitha, om precies te zijn. Om een of andere reden wilde ze niet naar een betere plek verhuizen – hoewel, met alle respect, Seb had geprobeerd haar in een woning onder te brengen die meer dan grieflijk was. Ik heb geen idee waarom ze zo obstinaat was.' Hij schudde zijn hoofd en besloot: 'Het is allemaal heel treurig omdat ze duidelijk echt een dame was. Wat ik bedoel is: een vrouw van stand.'

'Dat was ze zeker. Ze was lady Tabitha Brockhaven, en wijlen haar vader was de graaf van Brockhaven,' lichtte Amos hem in.

Het was duidelijk dat de majoor verbaasd was; Amos vond dat het leek alsof hij door de bliksem getroffen was, ietwat ongelovig zelfs. Hij wachtte even, omdat hij deze informatie wilde laten bezinken.

Cedric Crawford fronste zijn voorhoofd, en hij leek te twijfelen toen hij uiteindelijk vroeg: 'Bent u daar zeker van, Mr. Finnister? Ik bedoel... een titel? Mijn hemel.'

'Ja, ik ben er zeker van. Absoluut. Enfin, u had het net over Tabitha's huis. U bent er dus geweest?'

'O ja, vrij vaak. Dat was in 1904, in het voorjaar, meen ik. Jawel, dat is juist. Ziet u, ik stond op het punt met mijn vader en mijn twee zusjes naar Europa af te reizen. We zouden naar de familievilla in Zuid-Frankrijk gaan, en daarna zou ik naar Parijs gaan. Voorgoed. Ik wilde kunstschilder worden en van mijn vader mocht ik aan de Académie des Beaux Arts gaan studeren. Hij zou zelfs voor de kosten opdraaien.'

'Maar u was toch gardeofficier?' drong Amos aan.

'Jawel, maar die ouwe, mijn vader, was een geschikte vent, die me min of meer mijn gang liet gaan. Vandaar dat hij niet tegensputterde toen ik ontslag nam. Zijn vader was nogal een boeman geweest, heb ik begrepen, en papa was meer...' Cedric zweeg even en haalde zijn schouders op. 'Hij was eerder geneigd tot het andere uiterste. Hij gaf me mijn zin, verwende me tot op het bot, denk ik. Hoe dan ook, hij was het met me eens dat ik voor soldaat niet uit het goede hout was gesneden.'

'Maar u bent weer in het leger gegaan toen de oorlog uitbrak, en u bleek zich allebei te hebben vergist, nietwaar, majoor? Omdat u, naar wat ik van Charlie hoor, een zeer gedreven soldaat bent geweest. U hebt dermate grootse heldendaden verricht, dat u binnenkort wordt beloond met 's land hoogste eer, de eervolste medaille die een soldaat kan krijgen voor verdiensten tegenover de vijand... het Victoria Cross.'

De majoor leek plotseling in verlegenheid te zijn gebracht en volstond met een knikje, terwijl hij bloosde. Hij nam een slok van zijn rode wijn.

Amos boog zich nu over de tafel heen en stelde de vraag die hij voor het laatst had bewaard. 'Hebt u in het voorjaar van 1904 een klein meisje gezien dat bij Tabitha woonde?'

'Goeie God, ja, ik was haar even totaal vergeten. Tabitha had inderdaad een dochter. Een peuter. Ja, ja, natúúrlijk. Hoe heette ze ook alweer? Ik heb het! Ze heette Grace.'

'U weet zeker niet toevallig wat er met Grace is gebeurd?'

'Eigenlijk niet.' De majoor wreef met zijn hand over zijn voorhoofd, dat hij enigszins fronste. 'Weet u, nu ik erover nadenk: de laatste keer dat ik het kind zag, was de laatste keer dat ik Tabitha heb gezien.'

'Kunt u zich herinneren wat er die dag is gebeurd?' Amos ging achterover zitten, waarna hij een slok water nam en afwachtte, met stijgende opwinding. Zijn ogen rustten bedachtzaam op de majoor. Hij was vast van plan achter de waarheid te komen.

'Ik herinner me dat het een heel fraaie dag was,' stak de majoor van wal. 'Zonnig, zij het wat fris. Ik ging met Seb Lawford naar Whitechapel omdat hij Tabitha wilde overhalen naar een betere plek te verhuizen, een fatsoenlijk rijtjeshuis dat hij in Hampstead had gevonden, bij de Heath. Hij vroeg of ik hem wilde helpen haar spullen te verhuizen, en we zijn er met een rijtuig met koetsier naartoe gegaan. Tabitha was thuis, maar ze vertikte het om te verhuizen of dat... krot te verlaten. Ze was koppig. We zagen allebei hoe vreselijk ziek ze eruitzag en ze hoestte... hoestte haar hart uit haar lijf. Seb stuurde me eropuit om met de vrouw te praten die een paar deuren verder woonde. Die had een dochter, een bakvis, die klaarblijkelijk wel eens voor Grace zorgde. Hij wilde dat ze naar het huis zou komen om op Grace te passen, terwijl wij Tabitha naar het ziekenhuis brachten. Ik kan me de naam van het meisje niet herinneren, maar ze stemde toe en is samen met mij teruggegaan. Als ik me het goed herinner, heb ik haar een guinea gegeven om te wachten tot we terug waren. Toen hebben Seb en dat meisje Tabitha in een paar kleren geholpen en hebben hij en ik haar het rijtuig in gedragen, waarna we haar naar het ziekenhuis hebben gebracht.'

'Welk ziekenhuis was dat, majoor Crawford?'

'Het ziekenhuis in Whitechapel Road, het heet Royal London Hospital. Stokoud. Vanzelfsprekend hebben ze haar in het ziekenhuis gehouden; ze was zo vreselijk ziek.'

'En wat is er daarna gebeurd?' vroeg Amos kalm.

'Seb ging terug naar Tabitha's huis in Whitechapel en ik ben met het rijtuig teruggegaan naar mijn vaders huis in Queen Street in

Mayfair. Ongeveer vijf dagen daarna gingen we naar Frankrijk.'

'Maar u zei dat Tabitha overleed. U hebt uw vriend Sebastian Lawford waarschijnlijk nog wel gezien voordat u vertrok?'

'Hij is me alleen twee dagen nadat we Tabitha naar het ziekenhuis hadden gebracht een keer komen opzoeken. En ja, ze was inderdaad overleden. Ze had een ernstige vorm van longontsteking, om van de tuberculose nog maar te zwijgen. Het waren haar longen, denk ik; die zaten helemaal verstopt en ze had moeite met ademhalen.'

'Heeft hij het destijds over de kleine Grace gehad?'

'Nee, hij heeft niets gezegd en ik heb er niet aan gedacht iets te vragen. Wij, de familie, gingen voor drie maanden het land uit en ik was voor een veel langere tijd in Parijs aan het pakken. Het was enigszins chaotisch, vrees ik...' Cedric Crawford brak zijn zin af alsof hem plotseling iets te binnen schoot. 'Wat is er met dat meisje gebeurd, Mr. Finnister? Niets ergs, hoop ik?'

'Nee. Niet echt, goddank.' Amos schraapte zijn keel voordat hij verderging. 'Ik weet dat lady Fenella, toen ze op zoek ging naar Tabitha, bij alle ziekenhuizen in de omgeving navraag heeft gedaan, want daarbij heb ik haar geholpen. Maar ze vond Tabitha nergens ingeschreven staan. Vindt u dat niet ietwat bizar?'

'Ja. Maar ook weer niet. Ziet u, ze gebruikte de naam Mrs. Lawford... Mrs. Sebastian Lawford... Seb dacht dat als ze gebruik maakte van zijn volledige naam, hij haar in dat ruige gebied van Londen enige mate van protectie zou geven. Trouwens, hij had ook nog een koosnaampje voor haar. Hij noemde haar altijd "lady Lucy". Ik heb geen idee waarom, maar wat ik wél zeker weet, is dat ze stond ingeschreven als Mrs. Sebastian Lawford, voornaam Lucy. Ik stond vlak naast haar toen hij met de verpleegster praatte.'

'Ik begrijp het, en het zal lady Fenella ook duidelijk zijn. Alles is opeens duidelijk. Vertelt u eens, majoor, heeft Sebastiaan Lawford u uitgenodigd voor de begrafenis? Of tegen u gezegd waar ze is begraven?'

'Nee, dat heeft hij niet gezegd, maar ik had toch niet kunnen gaan omdat de familie op reis ging en, zoals ik al zei, het in mijn vaders huis tot de dag van ons vertrek een chaos was.'

'Ik denk dat ik Sebastian Lawford graag zou willen ontmoeten, als u me zou willen helpen hem op te sporen. Weet u waar hij is, majoor?'

'Jawel.'

'En waar is dat, als ik vragen mag?'

'In een graf in Frankrijk. Hij is gesneuveld in de strijd om Ieper, de derde veldslag. Hij is in mijn armen gestorven, Mr. Finnister. Dus u begrijpt dat ik u daarbij niet van dienst kan zijn. Het spijt me zeer.'

'U bent me desondanks van dienst geweest. U hebt me de naam van het ziekenhuis gegeven, en hopelijk zal men me daar kunnen vertellen waar Tabitha James, of beter gezegd Mrs. Sebastian Lawford, is begraven. Ik ben er zeker van dat ze dat hebben vastgelegd.'

'Is dat belangrijk om te weten?' vroeg de majoor nieuwsgierig.

'O, zeer zeker,' mompelde Amos, en hij voegde eraan toe: 'Nogmaals mijn dank, majoor, dank u wel.'

Het was niet ongewoon dat Amos op zaterdag naar Deravenel ging, ook al waren de kantoren in de weekends gesloten. Hij ging er dikwijls heen om zijn administratie op orde te brengen en andere klusjes te doen waar hij tijdens de week niet aan toekwam.

Maar die zaterdagochtend had hij een specifiek doel toen hij bij het grote oude gebouw op de Strand aankwam. De geüniformeerde portier tikte aan zijn pet en zei: 'Goedemorgen, Mr. Finnister. Wat een hondenweer, hè?'

Amos grinnikte naar de oudere man. 'Goedemorgen, Albert. Het is inderdaad het juiste weer voor onze gewaardeerde trouwe viervoeters.' Intussen klapte hij zijn paraplu dicht, waarna hij haastig de majestueuze marmeren ontvangsthal door liep en de trap opging.

De reden dat hij op kantoor was, was om een lijst te maken van de namen van kerkhoven in de omgeving van Whitechapel en een paar telefoontjes te plegen.

Zijn eerste telefoontje was naar het Royal London Hospital in Whitechapel, waar hij al snel te weten kwam dat het registratiekantoor in het weekend niet open was; dit was een antwoord dat voor hem geenszins onverwacht kwam. Vervolgens belde hij naar Ravenscar, en toen Jessup, de butler, opnam, maakte hij zich bekend, sprak een paar minuten met de butler en werd toen doorverbonden met Edward Deravenel.

'Goedemorgen, Amos,' zei Edward. 'Ik neem aan dat je een nieuwtje voor me hebt.'

'Goedemorgen, sir, en inderdaad. Het was de juiste Cedric Crawford, zoals we donderdag al dachten, maar hij was niet de man die een relatie heeft gehad met Tabitha James.'

'Wat vreemd!' riep Edward uit. 'Die vriendin van Tabitha, Sophie of zoiets, leek zeker te zijn wat betreft Cedric Crawford.'

'Volgens lady Fenella was ze dat, ja. Maar volgens de majoor was zijn mede-officier, Sebastian Lawford, de man in kwestie. En ik geloof majoor Crawford wel.'

'En een voor de hand liggende vergissing, zou ik zeggen, om Crawford en Lawford door elkaar te halen,' merkte Edward op.

'Precies, Mr. Edward, en de majoor had het gisteravond steeds over hem als Seb. Seb Lawford of Ced Crawford, wat maakt het uit als je het niet zo nauw neemt met de feiten?'

'En dat was bij Sophie het geval, is dat wat je bedoelt?' vroeg Edward.

'Dat bedoel ik, ja. En sta me toe u alles te vertellen wat ik heb vernomen.' Vervolgens gaf hij alle informatie die hij de afgelopen avond bij de majoor had vergaard.

'Goed gedaan, Amos!' riep Edward uit. 'Nu heb je iets waarmee je verder kunt.'

'Inderdaad, maar dat zal tot maandag moeten wachten. Ik heb naar het ziekenhuis gebeld en weet nu dat Somerset House in het weekend gesloten is. Ze hebben daar een register van alle geboorten, huwelijken en sterfgevallen in Groot-Brittannië, zodat ik haar overlijdensakte kan opsporen, nu we de juiste naam hebben, althans, de naam die ze gebruikte.'

'Dank je voor al je moeite, Amos, je hebt schitterend werk verricht.'

'Er is nog iets, sir. Eh... eh, Mr. Deravenel?'

'Wat is het, Amos?'

'Als ik eenmaal alle informatie heb, zou het dan juist zijn als ik het aan Mrs. Forth vertel?'

'Maar natuurlijk! Ze zal net zo graag alles willen weten als ik; het is al die jaren zo'n kwellend mysterie geweest. En ik weet zeker dat ze ook zal vinden dat Grace Rose ingelicht moet worden... Voor haar is het een afronding, Amos, waarmee eindelijk een eind aan haar gepieker zal komen als ze weet wat er met haar moeder is gebeurd.'

'Dat lijkt mij ook, sir. Ik zal u maandag opbellen zodra ik contact heb opgenomen met de diverse betrokken instanties, en dan zal ik daarna met Mrs. Vicky gaan praten.'

'Dat is een uitstekend plan, en nogmaals dank, Amos...' Edward wachtte een fractie van een seconde, waarna hij besloot: 'Wat loopt het toch vreemd in het leven. Dit kwam allemaal bij toeval boven water omdat Charlie in het ziekenhuis een andere soldaat trof. Werkelijk wonderbaarlijk, Amos.'

Vijftien

Ravenscar

Zij had de leiding. Dat had haar grootmoeder gezegd, en daar was Bess Deravenel blij om. Maar ze hád toch ook de leiding? Per slot van rekening was ze al negen jaar – de oudste en eerstgeborene. Iedereen wist dat de stamhouder belangrijker was omdat hij een jongen was. Maar dat deerde haar niet. Ze had altijd geweten dat ze haar vaders lieveling was, en daarom heel speciaal. Dat had hij tegen haar gezegd toen ze nog klein was.

Haar vader had kortgeleden een passpiegel voor haar gekocht, zodat ze zichzelf ten voeten uit kon bekijken. Nu was ze er naartoe gelopen en stond, met haar hoofd schuin, naar haar spiegelbeeld te kijken.

Bess constateerde dat ze er heel mooi uitzag en hoogst toepasselijk gekleed was voor de kerstlunch. Ze had de jurk zelf uitgezocht, omdat Nanny haar handen vol had aan de andere kinderen en tegen haar had gezegd dat ze maar op haar eigen oordeel af moest gaan. Dat vond ze leuk omdat het haar een heel volwassen gevoel gaf. En dus had ze een jurk uitgekozen van koningsblauw fluweel met een wijde rok die bijna tot haar enkels kwam, met lange mouwen en prachtig kant aan hals en manchetten. Haar witte kousen en zwarte schoenen waren een uitstekende keus, had Nanny een paar minuten geleden gezegd.

Bess liep terug naar de toilettafel in de erker en haalde de kleine broche uit het zwartfluwelen doosje. Eerder die ochtend hadden ze met z'n allen in de bibliotheek, waar de reusachtige kerstboom stond, hun kerstcadeaus uitgepakt en had ze van haar vader deze broche gekregen. Het was een strikje van diamanten. Haar moeder was zichtbaar geïrriteerd geweest en Bess had haar tegen haar vader horen zeggen dat het veel te duur was voor een kind, waarop hij haar van repliek had gediend met: 'Niet voor een van mijn kinderen, Elizabeth,' en nog geïrriteerder dan haar moeder was weggelopen. Ze was het van hen gewend. Ze kibbelden vaak; ze was met hun geruzie opgegroeid en vroeg zich dikwijls af waarom haar moeder die dingen zei, terwijl ze wist dat hij meteen kwaad zou worden.

Toen Bess de broche voorzichtig aan de hals van de jurk vastspeldde, zag ze dat hij precies tussen de twee punten van de kraag paste. Ze voelde aan haar haar, streek de krullen uit haar gezicht en knikte zichzelf toe. Haar haar had dezelfde roodgouden tint als dat van haar vader en haar ogen waren net zo helderblauw. Ze leek op hem, net als Grace Rose. Ze was heel erg teleurgesteld dat Grace Rose niet met Kerstmis kon komen. Dat kwam allemaal door de bronchitis van Edward junior. Er kwam niemand van de gasten; haar vader had de feestelijkheden afgelast. 'God sta ons bij,' had Nanny op een middag tegen het kindermeisje Madge gezegd. 'Ik weet niet wat we hier zonder familie en vrienden moeten beginnen. Die vormen meestal een buffer tussen die twee.' Ze was van de deur teruggedeinsd, in de hoop dat Nanny haar niet had gezien. Maar ze wist precies wat Nanny toen bedoelde en was het met haar eens, al zou ze dat nooit mogen zeggen. Nanny zou denken dat ze luistervinkje had gespeeld.

Bess holde op de deur van haar kamer af en trok die open. Op de gang hoorde ze in de verte Nanny's stem vanuit Mary's slaapkamer, die ze deelde met de kleine Cecily, omdat Cecily bang was in het donker. Omdat ze zich afvroeg of er iets aan de hand was, rende ze de gang door en duwde de deur van Mary's kamer open.

Nanny draaide zich met een ruk om en riep uit: 'Kom, kom, Bess! Alsjeblieft niet door de gang rennen. Dat hoort een dame niet te doen. En hoe vaak heb ik je dát niet gezegd?'

'Dagelijks, Nanny. Het spijt me. Maar ik dacht dat u me misschien nodig had. Om u te helpen.'

Nanny, een tikkeltje rond van postuur, met rode appelwangen en bruine schitteroogjes, perste haar lippen op elkaar om haar glimlach van pret te maskeren. 'Ik denk dat ik het wel aankan,' antwoordde ze en richtte haar aandacht op Cecily. Het meisje van zes kon duidelijk elk moment in tranen uitbarsten.

'Waarom huil je, Cecily?' vroeg Bess, terwijl ze op haar jongere zusje toe liep en haar aankeek. 'Het is eerste kerstdag en we krijgen zo meteen een heerlijke lunch.'

'Ik heb geen honger,' antwoordde Cecily met trillende lip. 'Ik moet deze jujk niet.'

'Geen babytaal alsjeblieft, *missy*, dat is niet zoals het hoort,' mompelde Nanny en maakte de zachtblauwe strik in Cecily's blonde haar vast.

'Je jurk is beeldig en hij heeft dezelfde kleur als de mijne,' zei Bess. 'Kijk eens naar me.'

Cecily deed wat van haar werd gevraagd en knikte: 'Hij heeft dezelfde kleur. Maar ik moet deze jujk niet.'

'O, jawel, Cecily. En zeg jurk. Kijk maar naar Mary, die draagt ook blauw en zij klaagt niet. We passen bij elkaar. Dat is toch juist leuk? En we zijn zusjes, hoor. Ik denk dat Nanny heel slim is geweest door voor jullie tweeën een blauwe jurk uit te zoeken. We kleuren bij elkaar.'

'Maar,' zei Mary, 'jij hebt jouw jurk zelf uitgezocht, want dat heb Nanny ons zelf verteld.'

'Kom, kom, Mary, praat eens netjes. Je moet "heeft" zeggen, niet "heb". Dat is nogal plat, zo'n manier van praten,' verkondigde Nanny met een frons op haar voorhoofd.

'Niet zoals het hoort,' vulde Bess aan, waarmee ze een van Nanny's geliefde uitdrukkingen bezigde.

Nanny draaide zich om en keek haar over haar bril vorsend aan. 'We gaan toch niet bijdehand doen, hè, Bess?'

'O nee, Nanny, ik doe nooit bijdehand tegen u.'

'Dat is dan mooi. Dan heb ik je tenminste íéts geleerd.'

'Wat hoort en wat niet hoort,' kraaide Mary, en ze barstte in lachen uit. Omdat het kind van acht een heel vrolijke inborst had, huppelde ze in het rond, terwijl ze zong: 'De blauwe zusjes, wij zijn de blauwe zusjes. Moet je ons zien. Blauw als een blauwvink. Blauw, blauw, blauw!'

'Hou er nu mee op, Mary,' zei Bess. 'We moeten voortmaken en Nanny helpen.'

'Alles is geregeld, *missy*.' Toen ze om zich heen keek, merkte Nanny opeens dat Richard er niet was. 'O, waar is de kleine Ritchie in vredesnaam? Ach, mijn hemel, waar is dat kind gebleven?'

'Ik ben hier,' antwoordde een klein stemmetje, waarop Nanny nog veel erger schrok toen ze een blond hoofdje onder het bed uit zag gluren.

'Ritchie, kom er alsjeblieft ogenblikkelijk onder vandaan!'

Hij gehoorzaamde en krabbelde overeind. Nanny bekeek hem van top tot teen, met haar ogen speurend naar het geringste vlokje stof. Maar hij was brandschoon. Terwijl ze zijn zwartfluwelen jasje rechttrok, mompelde ze: 'Nou, gelukkig maken de meiden hier goed schoon.'

'Ik wil mijn rooie jujk,' zei Cecily.

'Zeg niet steeds jujk!' riep Mary, die nu net zo klonk als Bess.

'Nanny,' zei Bess, 'en Edward junior dan? Komt hij beneden voor de kerstlunch? Of is hij te ziek?'

Nanny glunderde. De kleine Edward was haar onmiskenbaar dierbaar, en ze legde uit: 'O jazeker, je vader heeft hem helpen aankleden en een poosje geleden naar beneden gebracht.'

'Dan moeten we maar meteen gaan,' verkondigde Bess. 'Vader zit vast op me te wachten.'

'Hij zit op jullie allemáál te wachten,' kaatste Nanny terug, terwijl ze haar veelbetekenend aankeek.

'Ik wil de baby,' sputterde Cecily. 'Waar is Anne?'

'Bij de baker. Die neemt haar over een minuutje mee naar beneden.'

'Heeft zij ook blauw fluweel aan?' vroeg Mary, terwijl ze Nanny ernstig aankeek.

'Doe niet zo onnozel, kindje. Natuurlijk heeft de baby geen blauw fluweel aan. Ze wordt op dit moment in schuimend witte kant gehuld.'

'Waar is grootmoeder?' vroeg Bess.

'Mrs. Deravenel is ook al beneden.'

'U vindt haar aardig, hè Nanny?'

'Nou en of.'

'Maar moeder niet. Háár vindt u niet aardig.'

'Wat afschuwelijk om zoiets te zeggen, Bess,' zei Nanny berispend. 'Natuurlijk vind ik jullie moeder aardig. Ze is een mooie dame, en heel aardig en attent voor me.'

'Maar niet voor mijn vader,' mompelde Bess.

Nanny wierp haar een waarschuwende blik toe. 'Dit gesprek is niet zoals het hoort, helemáál niet zoals het hoort en ik wil het niet hebben,' zei Nanny. En haar stem was even dreigend als haar blik.

Omdat dit haar niet ontging, zei Bess zachtjes: 'Het spijt me, Nanny. Ik zal het nooit meer doen.' Terwijl ze dichter naar de kinderjuf toe schoof, fluisterde ze: 'De kleintjes begrijpen het tóch niet.'

'Je zou verbaasd zijn over wat ze begrijpen,' kaatste Nanny pinnig terug. 'Goed dan, laten we naar beneden gaan en bij jullie ouders en grootouders gaan zitten. Sta rechtop, Ritchie, je lijkt wel een lappenpop.'

Richard keek haar aan en geeuwde. Toen zei hij: 'Ik heb honger, Nanny.'

'Ik ook,' verkondigde Mary. 'Ik zou wel een paard op kunnen.'

'Wat een platvloerse uitdrukking, Mary. Zeg zoiets alsjeblieft nooit meer.'

'Een pony dan... Ik zou wel een pony op kunnen.'

Richard moest lachen, net als Mary en Cecily, en giechelend liepen ze de gang door.

Terwijl ze achter hen aan liepen, keek Bess Nanny meelevend aan. 'Wat moet je toch met ze beginnen?' Hoofdschuddend voegde Bess eraan toe: 'Maar ze zijn ook nog zo jong.'

Nanny wendde haar gezicht af, zodat Bess niet de pret zou zien die in haar opborrelde. Onbetaalbaar waren ze, deze kinderen, meer volwassen dan goed voor hen was. En ze hadden veel te veel gezien, en te veel ruzies meegemaakt die bijna op agressie waren uitgelopen. Maar dat was de schuld van hun moeder. Die arme Mr. Deravenel. Onwillekeurig leefde ze met hem mee. Stel je voor dat je met dat koude, onaangename mens getrouwd was, terwijl hij juist zo goed was, zo vriendelijk en zo knap. Arme man. Och, die arme man.

Boven aan de trap moesten ze van Bess allemaal blijven staan, en terwijl ze achtereenvolgens naar Nanny en haar broertje en zusjes keek, zei ze: 'Grootmoeder heeft gezegd dat ik de leiding over jullie heb, dus jullie moeten doen wat ik zeg. We lopen bedáárd naar beneden. En wanneer we bij de bibliotheek zijn, gaan jullie in een rij staan. Zoals ik jullie gisteren heb laten staan. En dan gaan we het kerstlied zingen.'

'Ik heb honger,' jammerde Richard.

'Jij krijgt niets te eten, Ritchie,' dreigde Bess. 'Pas nadat het kerstlied is gezongen.'

'Kijk maar uit, Ritchie,' waarschuwde Nanny. 'Kom, geef me een hand, dan gaan wij samen naar beneden.' Het jongetje van twee, dat net zo blond was als zijn broertje, greep Nanny's hand stevig beet.

De drie meisjes liepen achter hen aan.

In de grote hal aangekomen zag Bess dat Jessup al stond te wachten. 'We gaan eerst ons kerstlied zingen, Jessup,' legde Bess uit.

'Jawel, Miss Bess. Uw grootmoeder heeft tegen me gezegd dat de lunch pas wordt opgediend nadat u uw vertolking ten beste hebt gegeven. En dat ze zelf piano voor u zal spelen.'

'Dank je.' Bess vergastte hem op een van haar stralendste glimlachjes, precies zoals haar vader zo vaak placht te doen.

'Vergeet niet in een fatsoenlijke rij te gaan staan,' siste Bess toen ze bij de deur van de bibliotheek waren gekomen. Terwijl ze haar zusjes en haar broertje naar voren duwde, zei ze: 'Hier zijn we, vader! We gaan ook voor u een kerstlied zingen, moeder.'

Bess keek om en glimlachte naar Cecily Deravenel, waarna ze vervolgde: 'En grootmoeder is heel lief. Ze gaat piano voor ons spelen.'

'Wat leuk, Bess!' Edward keek haar glimlachend aan. 'Ik wist niet dat we voor de lunch op een kerstconcert zouden worden getrakteerd.'

'O, maar vader, het is maar één kerstlied,' haastte Bess zich uit te leggen, ineens met een bezorgd gezicht. 'Want, nou, ik moest de anderen de woorden leren... ze moesten het wél uit hun hoofd kennen.'

'Wat ontzettend knap van je, Bess, knap van jullie allemaal, hoor.' Zijn ogen gleden over zijn vier kinderen die in een rij op de drempel stonden, vlak bij de kleine piano die Jessup gistermiddag uit de muziekkamer had gehaald, zoals hij dat met Kerstmis altijd deed. Wat waren ze mooi, zijn kinderen, met hun lichtblonde en rossig goudblonde haar. Vier paar ogen in diverse tinten blauw keken naar hem terug.

Hij keek Elizabeth aan en glimlachte hartelijk.

Ze wist even niet hoe ze moest reageren, aangezien ze hem daarnet zo had geïrriteerd met haar opmerking over het diamanten strikje. Omdat ze op deze heel bijzondere dag van het jaar vrede wenste, glimlachte ze naar hem terug, waarna ze naar hem toe schoof en haar hand op de zijne legde om haar affectie te tonen. Toen ze naast zich enige beweging voelde, keek ze om en zag Edward junior, die op de divan dichter tegen haar aan was gekropen. 'Gaat het goed met je? Heb je het warm genoeg?'

'O ja, mamma. Ik zou alleen mee willen zingen met het kerstlied.'

'Ik weet het. Je vindt het niet leuk dat je wordt buitengesloten, dat begrijp ik. Volgend jaar. Volgend jaar mag je zingen, lieverd.'

Cecily stond op uit haar stoel en liep naar de piano, waarbij ze even bleef staan om één moment een hand op Ritchies hoofd te leggen.

Omdat hij dol op zijn grootmoeder was, keek hij haar aan en schonk haar een enorme glimlach. 'Ik heb honger, oma.'

'Ik ook, schatje.' Ze boog zich over hem heen. 'En over een paar minuten krijgen we gevulde kalkoen met aardappelpuree. Na het kerstlied. Heel gauw, dat beloof ik.'

Bess keek haar zusjes en broertje aan en mompelde: 'Cecily, je moet naast mij komen staan, omdat je groter bent dan Mary. Kom op, jullie, net zo'n rechte lijn maken als gisteren.'

'Moet ik hier?' vroeg Ritchie.

'Ja, jij bent de laatste.' Bess nam haar plaats in aan het hoofd van de rij en zei tegen haar grootmoeder: 'Wij zijn klaar.'

'Ik zal eerst een paar maten spelen en dan zet ik het kerstlied in,' zei Cecily en voegde prompt de daad bij het woord.

Even later weerklonken vier prille stemmen:

'Hark, the herald-angels sing
Glory to the new-born King,
Peace on earth, and mercy mild,
God and sinners reconciled.
Joyful, all ye nations, rise,
Join the triumph of the skies;
With the angelic host proclaim,
"Christ is born in Bethlehem."
Hark, the herald-angels sing
Glory to the new-born King'

'Welbedankt, kinderen, dat was prachtig!' Edward begon te klappen, net als hun moeder, grootmoeder, Edward junior, Nanny en Madge, het kindermeisje dat, met Anne in een rotan kinderwagen bij het raam stond.

'Goed gedaan, allemaal!' Edward keek hen stralend aan.

Bess, Mary, Cecily en Ritchie keken niet minder stralend terug. Ze maakten allemaal een diepe buiging en renden toen met blij lachende gezichten op hun ouders af.

Mary en Cecily belaagden hun vader, zoals altijd vechtend om zijn aandacht.

Bess nam Ritchie mee naar hun moeder, die zich vooroverboog en een kus op zijn kruin drukte. 'Dankjewel,' fluisterde ze tegen Bess, die voor haar stond. 'Je vader heeft gelijk – je hebt het heel goed gedaan.'

Bess schonk haar moeder een aarzelende glimlach.

Elizabeth stond op en schreed in de richting van de ramen van de bibliotheek, waar Nanny bij Madge stond.

'Geniet straks van jullie kerstlunch, Nanny, en jij ook, Madge.

De kokkin heeft beneden in de eetkamer alles voor jullie klaargezet. Ik heb er ook voor gezorgd dat Jessup een bedje bij de haard heeft gezet, voor het geval je Anne uit de kinderwagen wilt halen.'

'Bedankt, *mum*.' Madge boog sierlijk.

'Dat is uiterst vriendelijk, Mrs. Deravenel, hartelijk dank,' zei Nanny, en ze tikte Madge op de arm ten teken dat ze geacht werden de aftocht te blazen. Ze had tegen de kinderen willen zeggen dat ze zich onberispelijk moesten gedragen, maar de twee jongste meisjes hadden slechts oog voor hun vader, aan wie ze zich vastklampten, en Bess maakte al aanstalten om naar hem toe te gaan.

Bess was Nanny's lieveling, maar omdat ze niets van voortrekken moest hebben, hield ze dat geheim en behandelde iedereen hetzelfde. Maar Nanny maakte zich voortdurend zorgen over het meisje van negen, dat veel te oud was voor haar leeftijd, weinig ophad met haar moeder en zich veel te bezitterig opstelde ten opzichte van haar vader.

Wat een eigenaardig gezin vormden ze; toch was ze inmiddels aan hen gewend geraakt. Ze was hier al acht jaar, en ze had zowel Bess als de andere kleintjes opgevoed. Het waren schatten van kinderen, beeldschoon, en ze hield zielsveel van ze. De volwassenen in dit huishouden baarden haar zorgen. Ze had soms de indruk dat ze elkaar naar het leven stonden.

Ze schudde die verontrustende gedachte van zich af. Het was Eerste Kerstdag 1918. De oorlog was ten einde en ze leefden in vrede. Op de hele wereld heerste vrede. En iedereen zei dat de Wereldoorlog, die net was afgelopen, de oorlog was die alle oorlogen overbodig maakte. Dat hoopte ze uit de grond van haar hart.

Zestien

Elizabeth besefte maar al te goed dat ze die morgen iets verkeerds had gezegd, toen ze tegen Edward opmerkte dat de diamanten broche te kostbaar was om aan een kind te geven.

Hij was prompt in zijn wiek geschoten, had een snerende opmerking gemaakt en was weggelopen. Ze had beter moeten weten: dat had ze pas bedacht toen de dag al was overgegaan in de avond. Hij had Bess altijd voorgetrokken, haar verwend en duidelijk te kennen gegeven dat niets te goed voor haar was.

En natuurlijk verfoeide hij elke opmerking die riekte naar kritiek op hem. Waarom had ze haar mond niet gehouden? Ze had geen idee... Maar ze maakte nu eenmaal altijd opmerkingen die hij verkeerd opvatte. Dat deed ze bij niemand anders, alleen bij hem. Zou het misschien uit nervositeit zijn? vroeg ze zich af.

Niet zo lang geleden had haar broer Anthony tegen haar gezegd dat ze een idioot was en dat ze zich altijd druk maakte over dingen die er niet toe deden. 'Het gaat er niet om een veldslag te winnen,' had hij op kille, verwijtende toon tegen haar gezegd. 'Je moet tot doel stellen de oorlog te winnen. Dat is het enige wat telt... Op een dag, Lizzie, word je wakker en kom je tot de ontdekking dat je de kip met de gouden eieren hebt geslacht.'

Hij had zich zo aan haar geërgerd dat ze de moed niet had gehad hem een verwijt te maken omdat hij haar Lizzie noemde. In plaats daarvan had ze zo'n beetje gestameld dat ze niet begreep wat hij bedoelde.

'Voor een intelligente vrouw kun je soms echt dom zijn,' had hij gezegd, op die kille, kleinerende toon waaruit zijn woede bleek. 'Om te beginnen ben je onredelijk, en verder klaag je over zijn andere vrouwen, terwijl er geen andere vrouwen zijn...'

'Wat is Jane Shaw dan?' had ze hem onderbroken, terwijl ze haar broer woest aankeek.

'Zij is zijn maîtresse; dat weet je net zo goed als ik. Ze is niet "andere vrouwen", zoals jij dat uitdrukt.'

'Wat bedoel je daarmee? Dat ik haar moet accepteren?'

'Ja, dat is precies wat ik bedoel. Knijp een oogje dicht, net als andere vrouwen uit ons milieu, vrouwen van wie de man er een maîtresse op na houdt. En dat is volgens mij minstens half de populatie van dit land. En bedenk dit ene belangrijke feit: een vrouw die lange tijd als maîtresse bij een man is gebleven, heeft duidelijk geen onmogelijke eisen gesteld, is niet op een huwelijk uit en evenmin op méér dan de relatie die ze al heeft. Jane Shaw heeft geen heibel geschopt. Doe jij dat dan ook niet.'

'Het kwetst me,' had ze gemompeld. 'Ik wil dat hij me trouw is.'

'Ach, Elizabeth, word toch eens volwassen! Verwaarloost hij je soms lichamelijk? Stomme vraag. Hij heeft kennelijk veel aandacht voor je, aangezien je aan de lopende band baby's baart, de ene na de andere. Slaat hij je soms? Kom op, doet hij dat? Verberg je iets voor me? Slaat Ned jou?'

'Nee. Hij slaat me niet, en ook niemand anders. Edward is toevallig een zachtaardig mens.'

'Dat had ik allang begrepen. Ik weet ook dat hij je in weelde baadt, je woont in luxueuze huizen, en je mag aan kleren en andere prullaria besteden wat je wilt en hij begraaft je letterlijk onder de juwelen. Jij zou niets te klagen moeten hebben, lieve kind.'

'Maar toch... nou ja...'

'Het is niet zomaar iets. Tenzij ik erbij mag zeggen dat je naar mijn mening gewoon behoorlijk dom bent.' Haar broer had zich dichter naar haar toe gebogen en met gedempte stem gezegd: 'Hoe langer hij zijn relatie met Jane aanhoudt, hoe beter het voor je is... Waarom kun je dat niet inzien?'

'Ik heb liever dat hij helemaal geen maîtresse heeft.'

'Word toch volwassen! Dat zal nou eenmaal niet gebeuren, niet met iemand als Ned. En als hij geen maîtresse had – ik moet dit preciseren en zeggen dat als hij geen maîtresse als Jane zou hebben – zou je het tegen een helebóél vrouwen moeten opnemen. Vrouwen die misschien niet zo, laten we zeggen, zusterlijk zouden zijn als Jane. Vrouwen met ambities, die waarschijnlijk maar wát graag de tweede Mrs. Edward Deravenel willen worden.'

Ze wist nu nog hoezeer die laatste opmerking haar van haar stuk had gebracht, en dat ze, als ze toen niet in het Ritz hadden geluncht, misschien in tranen uitgebarsten zou zijn. Op een of andere manier had ze haar emoties in toom weten te houden, had haar hoofd gebogen en zonder iets te zeggen in haar tas naar een zakdoek gezocht.

Anthony was degene geweest die de stilte had verbroken en ditmaal op mildere toon zei: 'Ik wil niet dat je huilt. Ik kan niet tegen huilende vrouwen.'

'Je bent niet bepaald aardig geweest.'

'Ik heb je de waarheid gezegd, hoe de dingen er voor staan, Elizabeth, en geloof me, ik denk alleen aan jóú en jouw welzijn,' had hij toen gezegd, terwijl hij haar hand pakte. 'Je hebt een heerlijk leven, Elizabeth, een luxeleven, en een jonge, knappe man die enorm geslaagd is, en rijk. Een man die je als een vorstin behandelt en van wie je nota bene met geld mag smijten als een... bezopen matroos. Hij is ongelooflijk gul. Hij is een geweldige vader en is gek op zijn kinderen. En ik weet zeker dat hij absoluut niet van plan is bij je weg te gaan, dus geef hem alsjeblieft wat lucht.'

'Ja, je hebt gelijk, Anthony. Alles wat je zegt is juist. Ik zal mijn mond stijf dicht houden, dat beloof ik je. Ik zal hem geen strobreed in de weg leggen.'

Anthony knikte en besloot: 'Ik twijfel er geen moment aan dat het nooit in hem is opgekomen om van je te scheiden, Elizabeth. Per slot van rekening houdt hij van je.'

Dat kun jij mooi zeggen, want jij werkt voor hem, had ze die dag gedacht, maar die valse opmerking had ze weten in te slikken, wetend dat zoiets olie op het vuur zou zijn.

Maar nu ze die avond alleen in haar slaapkamer op Ravenscar zat, wist ze dat het onaardige, bespottelijke gedachten waren geweest. En heel onredelijk tegenover haar broer, die een hoogst fatsoenlijk, integer mens was. En dat hij precies dezelfde dingen zou hebben gezegd, ook als hij niet voor Edward had gewerkt. Ik was vals, berispte ze zichzelf, en ze was ongelooflijk blij dat die opmerking niet over haar lippen was gekomen. Het laatste wat ze kon gebruiken was dat ze haar lievelingsbroer tegen zich in het harnas zou jagen, terwijl hij alleen maar het beste met haar voorhad – geluk, zekerheid en comfort.

Terwijl ze achteroverleunde op de chaise longue vroeg Elizabeth zich af hoe ze het tegenover Ned kon rechtzetten. Dat moest ze wél doen. Vanavond nog. Ze wilde niet dat haar onbedachtzame opmerking over het cadeau voor Bess in hem zou voortwoekeren. Hij was die ochtend beleefd gebleven, ook tijdens de lunch, maar toen waren de kinderen erbij geweest. Zelfs bij het avondeten was hij best onderhoudend geweest, zij het nogal stil voor zijn doen. Het leek wel alsof hij er met zijn gedachten niet bij was, nu ze erover nadacht. Na het eten had hij haar en zijn moeder welterusten gezegd, was naar de bibliotheek gegaan en had de deur achter zich dichtgetrokken. Cecily was naar haar kamer gegaan en zelf had ze geen andere keus gehad dan haar schoonmoeder naar boven te vergezellen en ook maar naar bed te gaan.

Elizabeth keek op de pendule op haar kaptafel en zag dat het bijna elf uur was. Hij lag nog steeds niet in bed. Of wel? Was hij naar zijn eigen kamer gegaan? Zelfs wanneer hij alleen wilde slapen, in de kamer naast haar, kwam hij meestal welterusten zeggen om even met haar te praten voordat hij zich terugtrok.

Ze kwam overeind, liep de kamer door en bleef bij de deur van zijn slaapkamer staan luisteren. Het was muisstil in huis. Er was helemaal niets te horen. Voorzichtig draaide ze de deurknop om en opende de deur op een kier. Het licht brandde, het bed was onbeslapen en hij was nergens te bekennen.

Zat hij beneden in de bibliotheek onder het genot van een borrel te mokken? Ze had geen idee. Hoe kon ze dat nou weten? Nu zou ze moeten opblijven en wachten tot hij in bed kwam. Ze móést met hem praten, om de lucht te klaren.

Nadat Jessup nog wat blokken op het vuur had gelegd en een calvados voor hem had ingeschonken was Edward Deravenel een poosje voor de haard gaan staan, zoals hij zo dikwijls deed, terwijl hij van zijn calvados nipte en nadacht. Hij had op het moment zoveel aan zijn hoofd dat hij werkelijk niet wist waar hij moest beginnen om orde in de chaos te scheppen. Een paar dingen had hij al bereikt: Richard had de akten van het huis in Chelsea en George was wat dat betreft buiten gevecht gesteld; het echtpaar Forth had de documenten voor het trustfonds voor Grace Rose in beheer tot ze volwassen was. Edward was blij dat hij het fonds voor haar in het leven had geroepen. Daardoor zou ze te allen tijde onafhankelijk zijn en niemand ooit iets hoeven te vragen.

En hij had iets dergelijks voor Jane Shaw gedaan. Zij had haar eigen trustfonds, dat hij zes jaar geleden voor haar had opgericht, en net als Grace Rose zou ze, of hij er was of niet, financieel geborgen zijn.

Hij glimlachte toen hij dacht aan Janes verbazing afgelopen donderdag, toen hij haar de documenten van de trust gaf. Hij was haar komen ophalen om haar mee te nemen naar het etentje ten huize van de Forths, en bij zijn komst had hij haar het pakketje overhandigd waar een rood lint omheen zat. 'Nog een kerstcadeau,' had hij gezegd.

Natuurlijk was ze niet alleen blij geweest, maar ook stomverbaasd, en toen was ze in huilen uitgebarsten bij het besef wat het pakket inhield.

'Niet huilen, Jane,' had hij sussend gefluisterd. 'Ik ga heus nog niet dood, en ik ga niet bij je weg, of waar dan ook heen. Ik wilde alleen maar dat je de documenten in beheer zou hebben, omdat ze van belang zijn voor jou, je leven en je toekomst, mocht je me overleven.'

Als intelligente, verstandige vrouw had ze onmiddellijk begrepen hoe belangrijk de papieren waren en ze in een kluis weggeborgen, nadat ze hem uitgebreid had bedankt omdat hij aan haar belangen had gedacht. De kluis bevatte ook de akten van haar huis in Hyde Park Gardens, dat hij lang geleden voor haar had gekocht en die hij haar toen al had gegeven.

Toen ze de tranen had weggeveegd en haar make-up had bijgewerkt, waren ze naar het etentje bij Vicky en Stephen vertrokken en hadden een heerlijke avond gehad. Jane was die avond verliefd geworden op Grace Rose en wilde haar beter leren kennen. Dat had hem nou enorm plezier gedaan; dat deze twee vrouwen goede vriendinnen zouden worden, vond hij een schitterend idee.

Begin december was Edward op een dag achter zijn bureau gaan zitten en had een nieuwe wilsbeschikking opgesteld. Daar dacht hij aan, terwijl hij een flinke slok van zijn calvados nam en in een stoel bij de haard ging zitten.

Zodra hij na de kerst in Londen terug was, zou hij een afspraak met zijn advocaten maken om zijn nieuwe testament met hen door te spreken en het oude onmiddellijk in te trekken.

Niet dat hij er veel in had veranderd: het was meer dat hij de begunstigden had gespecificeerd, de dingen duidelijker omschreven, omdat hij niet wilde dat er iets verkeerd zou worden uitgelegd vanwege gebrekkig taalgebruik.

Een van de voornaamste zorgen betrof Elizabeth, die zo extravagant was. Hij wilde dat het zijn vrouw nooit aan iets zou ontbreken omdat hij werkelijk om haar gaf, wat ze ook mocht denken. Tevens had hij er extra zorg voor gedragen uitstekende voorzieningen te treffen voor zijn vier dochters, Bess, Mary, Cecily en voor Anne, die er nog maar zo kort bij was. Zij hadden elk hun eigen trustfonds, waardoor ze volkomen onafhankelijk waren. Zo wilde hij het hebben.

Edward was nogal geneigd zich zorgen te maken over de vrouwen in zijn familie en in zijn leven, en wat er van hen zou worden als hij dood was.

Omdat hij in wezen een pragmaticus was die gezegend was met een vooruitziende blik, was hij van mening dat hij die zaken moest aanpakken op het moment dat ze in hem opkwamen. Hij wilde dat alles tot in de puntjes was geregeld, en strikt volgens de wet.

Wat zijn twee zoons Edward junior en Ritchie betrof, als zijn twee stamhouders was er voor hen goed gezorgd. De oudste zou alles erven – de huizen in Londen en Kent, het geld en Ravenscar – en zou na zijn dood aan het hoofd van Deravenel komen te staan.

Maar wat zou er gebeuren als hij doodging voordat Edward junior oud genoeg was om de scepter over Deravenel te zwaaien? Die gedachte had hem lange tijd parten gespeeld. Mocht Edward junior dan nog op school zitten, nog te jong zijn, dan zou George wat betreft het leiderschap over het bedrijf de volgende in lijn zijn. Maar die was daar nauwelijks de aangewezen persoon voor; George had geen beoordelingsvermogen, was onbetrouwbaar, volstrekt incompetent en kennelijk hard op weg om als dronkaard te eindigen, als hij dat al niet was.

Verder was George altijd hebberig, afgunstig en een opruier geweest, altijd in de contramine. Omdat hij op het arrogante af ambitieus was, werd hij humeurig als hij zijn zin niet kreeg. Wat ronduit verontrustend was, was dat George zo lang hij zich kon herinneren zijn plaats had willen innemen. Dan had je ook nog het bedrog en verraad, waar te veel blijken van waren geweest om ze te vergeten. Hoewel, hij had hem toch vergeven? Omdat hij nou eenmaal zijn broer was en zijn misstappen hem dus vergeven moesten worden.

Dat was nu afgelopen, dacht Ned. George verdiende niets. Dan zou het dus Richard moeten worden. Hij zou de volgende week deze clausule aan zijn testament toevoegen. Richard, zijn Visje, zijn integere en loyale broer, zijn eeuwige favoriet. Hij zou zo nodig Deravenel kunnen leiden, tot Edward junior oud genoeg was om het over te nemen. Dat was inderdaad de oplossing. En zijn oudste zoon zou enkele trouwe en competente mannen ter beschikking hebben die hem net zo goed zouden helpen en wegwijs zouden maken als Richard. Will Hasling, Afredo Oliveri, zijn oom Anthony Wyland en natuurlijk zou Amos Finnister er zijn om een oogje in het zeil te houden.

Edward barstte in lachen uit. Hij was pas drieëndertig! Hij zou dit komende jaar op 28 april vierendertig worden. Toch veel te jong om dood te gaan? Opnieuw moest hij lachen. Hij was ervan overtuigd dat hem een lang leven was beschoren.

Hij stond op, liep naar het tafeltje in de hoek, waarop Jessup het dienblad met likeuren had neergezet en schonk nog een calvados voor zichzelf in, waar hij een scheut sodawater bij goot.

Toen hij weer bij de haard had plaatsgenomen, dacht hij enkele ogenblikken na over zijn goede vrienden, van wie hij zou willen dat ze hier waren. Hij was gewend ze om zich heen te hebben, die mannelijke vrienden die evenzeer aan hem gehecht waren als hij aan hen. Hij voelde zich alleen, niet gewend aan deze eenzaamheid, zonder mannengezelschap.

Edward Deravenel was, zoals de meeste jonge aristocraten die in de victoriaanse tijd waren geboren, een traditionalist, opgegroeid in een door mannen gedomineerde wereld. Het was een bijzondere wereld, waar het draaide om klassen, welstand, kostschool, universiteiten, besloten clubs en voor sommigen het Britse leger, de marine, aansluiting bij de Kerk of een politieke carrière. Er waren regels en voorschriften, gedragscodes, ere- en kledingcodes. Zo'n jongeman werd opgevoed tot gentleman, die wist hoe men omging met ouderen, met zijn superieuren, zijn ouders en met vrouwen. Slechte manieren, wangedrag tegen vrouwen, hoge schulden, speelschulden, vals spelen bij kaarten, dronkenschap en onwaardig gedrag in het algemeen waren aanleiding om buitengesloten te worden en bezorgden een man een slechte reputatie, wat hem de titel schurk, proleet, ploert of erger bezorgde.

Al Neds intieme vrienden waren gentlemen, net als hijzelf. Ze spraken dezelfde taal, leidden vergelijkbare levens, hadden dezelfde normen en waarden en zouden op een dag tot het establishment behoren, de heersende klasse, zoals hun vaders vóór hen. Hij miste ze vanavond allemaal, voelde zich verloren zonder hen. Hij kon amper wachten om terug te gaan naar Londen, om in hun midden te verkeren. Hij stond op, deed de lampen uit, ging weer zitten en nipte van de calvados, terwijl hij zich op zijn gedachten mee liet drijven, half in slaap, half wakend, opgaand in zijn heel eigen wereld.

Zeventien

Er was een nauwelijks hoorbaar geluid, als een lang aangehouden zucht, dat, terwijl hij half doezelend, onderuitgezakt in de stoel voor de haard zat, vaag tot hem doordrong. Hij was volkomen ontspannen en voelde zich heerlijk op zijn gemak in zijn overhemd, zonder zijn colbert en das die hij ruim een uur geleden had afgelegd.

Daar was het opnieuw... die lange zucht, ditmaal gevolgd door een ander, merkwaardig fluistergeluid. Het klonk hem in de oren als het geruis van zijde – zwak, maar intrigerend.

Ineens zweefde de geur van gardenia's hem op de warme lucht tegemoet, waardoor hij zich in de fauteuil overeind hees en zich dwong om wakker te worden.

De bibliotheek baadde in het maanlicht, en toen hij er knipperend zijn ogen aan liet wennen, zag hij haar in de deuropening staan. Elizabeth. Door het lamplicht uit de grote hal, dat haar van achteren bescheen, vormde haar voluptueuze figuur een verlokkelijk silhouet dat duidelijk zichtbaar was door het rookgrijze chiffon van de peignoir die ze aanhad. Haar met zilver doorschoten haar hing los tot op haar middel, golvend rond haar gezicht.

Voor hem was het nog altijd het mooiste gezicht dat hij ooit had gezien, absolute perfectie, alsof het door een groot kunstenaar uit smetteloos marmer was gehouwen. Ze was die nacht spookachtig bleek, waardoor het leek alsof ze als een geest voor zijn ogen zweefde. Plotseling draaide ze zich om, deed de deur van de bibliotheek op slot en liep een stap naar voren. Toen bleef ze staan, met haar armen langs haar lichaam, en keek hem zonder een woord te zeggen alleen maar doordringend aan.

Ze was gekomen om hem te verleiden, dat was hem onmiddellijk duidelijk.

Edward voelde prompt het bloed door zijn lijf jagen; zelfs zijn gezicht was ineens gloeiendheet. Hij kon zijn ogen niet van haar afhouden, hij was betoverd.

Uiteindelijk kwam hij overeind en kwam haar halverwege tegemoet. Ze keek naar hem op, hij keek op haar neer en hun blauwe ogen ontmoetten elkaar.

'Wat doe je hier?' vroeg hij en het verbaasde hem hoe hees zijn stem klonk, hees van verlangen.

'Ik ben op zoek naar mijn man.'

'Die is hier.'

'Wacht hij op zijn vrouw?'

'Ja.'

'Verlangt hij naar haar?'

'Ja.'

'Ze is van jou. Van jou alleen.'

Edward stak zijn hand uit, die zich om haar lange, slanke vingers sloot, en trok haar naar zich toe. Hij nam haar in zijn armen en liet zijn mond op haar lippen zakken, proefde haar, terwijl hij haar geur in zich opsnoof.

Elizabeth klampte zich aan hem vast, haar allerliefste man. De man van wie ze hield, de enige man voor haar. Ze begroef haar handen in zijn dikke rossig gouden haar, drukte zich tegen hem aan en liet sensueel haar tong in zijn mond glijden, zoals hij het graag had. Hij was meteen opgewonden. Toen ze zijn erectie tegen haar lichaam voelde, kreeg ze hoop. Dit was de juiste manier, zoals haar moeder altijd tegen haar zei. Dit was de juiste manier om hem terug te winnen, om hem weer helemaal voor zich te winnen.

'Je moet hem tot je slaaf maken,' had haar moeder kort geleden nog tegen haar gezegd. 'Hij is een sensuele man, geobsedeerd door seks en heel potent. Jij bent zijn vrouw, de moeder van zijn kinderen, dus wees dan ook zijn minnares.'

Elizabeth dacht nu terug aan wat haar moeder toen had gezegd. Ze liet haar handen naar zijn schouders afglijden, naar zijn rug, tot ze ten slotte op zijn billen rustten; ze drukte hem tegen zich aan.

Hij was opgewonden en hij murmelde in haar lange, zijdezachte haar. 'Laten we naar boven gaan.'

'Nee, laten we hier blijven.'

Zonder iets te zeggen liet hij haar los, trok zijn overhemd en zijn andere kleren uit; ze kwam naar hem toe en liet haar peignoir van haar schouders op de grond glijden. En al die tijd stonden ze elkaar aan te kijken, zonder dat hun ogen elkaar loslieten, alsof ze elkaar nog nooit eerder hadden gezien.

Hij stond die nacht versteld van haar. Van hoe buitensporig mooi ze was, hoe jong ze leek, als een jong meisje, ongerept, onschuldig zelfs. Ze was vijf jaar ouder dan hij, en toch was ze vannacht als een meisje.

Terwijl ze Ned zo bekeek, wetend dat zijn ogen over haar heen zwierven, kon Elizabeth zich nauwelijks inhouden. Hij was zo mannelijk, zo groot, en wat had hij een brede borst en lange benen. Toen ze ooit tegen hem zei dat hij een adonis was, moest hij lachen, maar toch was het waar.

Hij pakte haar handen en trok haar mee naar de haard, waar ze samen op het dikke tapijt gingen liggen. Hij graaide in haar haren en bracht ze teder naar zijn lippen, boog zich over haar heen en kuste haar hals, haar ogen en ten slotte haar mond. Eerst waren zijn kussen beheerst, maar toen hij merkte dat haar opwinding groeide en hij haar hitte voelde, werd hij gulziger en vuriger.

Ze lag trillend in zijn armen en fluisterde, met haar lippen aan zijn oor, zijn naam. 'O Ned, o Ned, ik wil jou...' Hij hees zich boven op haar, zodat hij in haar ogen kon kijken. En met lage stem, onhoorbaar bijna, zei hij: 'Ik hou echt van je, weet je dat...'

'Bewijs het dan, Ned. Bewijs het.'

En dat deed hij, door bezit van haar te nemen op een manier zoals hij al heel lang niet meer had gedaan. En Elizabeth gaf zich volledig aan hem over, omdat ze besefte dat hij vannacht anders was. Teder en liefdevol, maar ten prooi aan een vurige lust, op het woeste af. Met groot raffinement, dat ze voor een groot deel van hem had geleerd, hield ze hem de hele nacht in haar ban en zorgde ze dat zijn verlangen naar haar steeds hoger oplaaide. Nu hun ruzies en meningsverschillen even waren vergeten, waren ze, althans voor deze nacht, weer man en vrouw en bedreven ze de liefde zonder enige remming.

Toen Edward plotseling een koude wind over zijn lichaam voelde waaien, ging hij met een ruk rechtop zitten. Hij zag onmiddellijk dat hij in zijn eigen slaapkamer lag; het raam was van de grendel gegleden en klepperde tegen de buitenmuur. IJskoude Noordzee-wind nam bezit van de ruimte.

Hij sprong uit bed, trok het raam dicht en keek rond. Hij sloop de kamer door en gluurde de kamer van Elizabeth binnen; daar was het aardedonker, zoals ze het het liefste had, maar toch kon hij zien dat ze in diepe slaap was. Nadat hij stilletjes de deur had dichtgetrokken, liep hij terug en ging op zijn eigen bed zitten. Hij had een barstende hoofdpijn en een kurkdroge mond. Het was een kater... Hij had een kater van de grote hoeveelheid drank die hij gisteravond had gedronken, vlak voordat ze naar beneden was gekomen en hem op de vloer van de bibliotheek had verleid. Goddank was ze zo verstandig geweest de deur op slot te doen, want daar had hij niet eens aan gedacht.

Lachend schudde hij zijn hoofd, stond op en ging de aangrenzende badkamer in. Hij draaide de kraan open, liet een glas vollopen met ijskoud water en dronk het leeg, waarna hij de scheerzeep en zijn scheermes pakte.

Elizabeth was er vannacht op uit geweest hem te verleiden, heel doelbewust, en natuurlijk was ze daarin geslaagd. Niet dat ze veel moeite had hoeven doen. Hij had haar hoogst verlokkelijk gevonden en was een uitermate willige, enthousiaste partij geweest. En omdat ze voor één keer niet de verkeerde dingen zei om hem kwaad te maken, hadden ze een volmaakte nacht van liefde beleefd.

Hield ze maar vaker haar mond, dan zou het in het algemeen veel beter tussen hen zijn. Maar helaas maakte ze altijd en eeuwig valse opmerkingen die hem nou eenmaal altijd woest maakten.

Edward hield even op met scheren, waarbij het scheermes in de lucht bleef hangen, toen plotseling de waarheid zich aan hem opdrong. Elizabeth, intelligent maar ook in zo menig opzicht uitgekookt, had in feite een bord voor haar kop. Dat is het, mompelde hij onhoorbaar, nu hij zijn vrouw plotseling met grote helderheid objectief bekeek. Bepaalde dingen drongen niet tot haar hersens door; ze was immuun voor de gevoelens van anderen, besefte hij.

Zuchtend ging hij door met scheren, terwijl hij over Elizabeth bleef nadenken. Ze was een van de irritantste mensen die hij kende, en ze was soms zo lichtgeraakt dat hij woest op haar werd. Maar hij zou nooit bij haar weggaan omdat hij een normaal gezinsleven wilde en ook omdat er kinderen waren. Ze hadden er nu zes, en hij hield zielsveel van ze en ze hadden hem nodig – hun beide ouders in feite.

Om echt heel eerlijk te zijn, bezat zijn vrouw bepaalde kwaliteiten en gaven die belangrijk voor hem waren. Ze was zelfs na elf jaar huwelijk nog steeds seksueel opwindend voor hem; altijd werd hij op de meest sensuele manier door haar aangetrokken. Er was nóg iets: ze vond het niet erg om kinderen te krijgen, ook al besteedde ze niet al te veel aandacht aan hen als ze er eenmaal waren.

Weer hield hij even op, terwijl hij zichzelf in de spiegel bekeek en zich afvroeg of ze de afgelopen nacht misschien opnieuw een baby hadden gemaakt. Daar zou ze niet van overstuur raken en hem hinderde het niet, in geen enkel opzicht. Grote gezinnen waren in de victoriaanse periode en de tijd van koning Edward populair geweest. En nog steeds werd met veel plezier en vol trots naar grote gezinnen gekeken.

Afgezien daarvan werd zijn vrouw beschouwd als een schoonheid van wereldklasse, en dat was ze ook. Ze had een fantastische stijl, was chic, wist hoe ze zich moest kleden en gedroeg zich zelfverzekerd en met bravoure; hij had haar graag aan zijn arm. Ze had ook geleerd hoe ze het huishouden aan Berkeley Square moest beheren. Over het huis aan zee in Kent maakte hij zich niet ongerust, omdat Mrs. Nettleton, de huishoudster, er efficiënt over waakte, terwijl zijn moeder met al haar inzicht toezicht hield op het reilen en zeilen op Ravenscar en dat graag deed. Het landgoed zelf bracht tegenwoordig zelfs geld in het laatje; ze had de teugels stevig in handen en lette erop dat de rentmeester, Alan Pettigrew, al haar aanwijzingen stipt ten uitvoer bracht.

Elizabeth had zich onder zijn hoede inmiddels ontpopt als een routineuze, innemende gastvrouw, maar er was wél een schaduwzijde. Hij nam nu het besluit dat hij moest proberen daar zijn ogen voor te sluiten. Ze was onredelijk en ze slaagde er vaak in tegen de haren in te strijken; ze zei de verkeerde dingen tegen mensen die zich geregeld beledigd voelden. Hij had echt, maar zonder veel succes, geprobeerd haar die irritante gewoonte af te leren. 'Ze heeft altijd haar woordje klaar en haar tong is altijd geslepen,' zei Will altijd tegen hem, en dat was waar.

Hoe opzwepend ze in bed ook mocht zijn, Elizabeth was daarbuiten helaas dodelijk saai. Ze was totaal niet geïnteresseerd in zaken die zijn aandacht opeisten of voor zijn ontspanning zorgden.

Nou ja, natuurlijk, voor kameraadschap had hij Jane Shaw en hij was blij met hun gemeenschappelijke belangstelling voor beeldende kunst, muziek en boeken. Zijn gedachten concentreerden zich één moment op Jane; ze was zo'n goed mens en was volmaakt tevreden met hun verhouding zoals die was. Het huwelijk interesseerde haar niet. Een huwelijk met hem, of met welke man dan ook. Ze was een keer getrouwd geweest, en dat scheen voor haar genoeg te zijn. Dat had ze hem vele malen verteld.

Will, zijn beste vriend en grote vertrouweling die hem voortdurend inprentte dat hij het leven moest nemen zoals het was, zei laatst: 'Hou nou toch op met dat getob over die twee vrouwen. Je behandelt ze uitermate goed, net zoals je dat met iedereen in je familie doet. Je hebt jezelf niets te verwijten.'

Hij hoopte dat dat waar was.

Achttien

'Ah, Ned, lieverd, daar ben je,' zei Cecily Deravenel, terwijl ze haar kopje op het schoteltje neerzette. 'Goedemorgen.'

'Goedemorgen, mama,' zei hij terug en keek haar glimlachend aan terwijl hij door de ontbijtkamer liep. Bij haar stoel bleef hij staan, drukte een kus op haar wang en liep door naar het buffet. Een reeks zilveren terrines stond uitgestald op warmhoudplaten, en toen hij de deksels oplichtte, zag hij een keur aan eten waarvan het water hem in de mond liep: geroosterde worstjes, niertjes, spek, champignons en tomaten, evenals roerei en kippers. 'Goeie hemel, Cook heeft wél haar best voor ons gedaan!' riep hij uit, en nadat hij een bord had gepakt koos hij geroosterde tomaten en worstjes uit en kwam weer naar de tafel.

Net toen hij naast zijn moeder ging zitten, kwam Jessup haastig binnen met warme toast en een pot verse thee op een dienblad. 'Goedemorgen, sir,' zei Jessup en liep naar de tafel met het dienblad, dat hij naast Edward neerzette.

'Goedemorgen, Jessup,' mompelde Edward. 'Schitterende dag, vind je niet?'

'Ja, sir, dat is het zeker. Zonnig en helder, en vanmorgen geen mist uit zee. Maar het is kil, Mr. Deravenel, zoals gewoonlijk.' De butler kwam nu met glazen schaaltjes met boter en aardbeienjam en zette die naast het rekje met toast.

Edward knikte en zei, terwijl hij een stuk warme toast pakte en met boter besmeerde: 'Alles geregeld voor tweede kerstdag, Jessup? Staat alles klaar?'

'O, jazeker, sir. Cook heeft prachtige dozen samengesteld met heerlijk eten voor het personeel van het landgoed – met kalkoen, ham en rundvlees, varkenspastei en kerstkransjes – en Mr. Pettigrew heeft goudstukken in de spaarpotten gedaan.'

Edward knikte. 'Uitstekend. Ik zou de arbeiders op het landgoed niet graag willen verwaarlozen; ze verdienen het dat er goed voor hen wordt gezorgd, Jessup. En luister, misschien wil je een fles wijn stoppen in de dozen die voor de pachters zijn klaargezet. Dat zijn beste lui.'

'Dat zal ik doen, sir.' Jessup keek Edwards moeder aan en vroeg: 'Hebt u verder nog iets nodig, Mrs. Deravenel? Kan ik u nog iets brengen?'

'Nee, dank je, Jessup.' Ze haalde een kaartje uit haar jaszak en gaf het aan hem. 'Hier zijn de menu's voor Cook voor de lunch en het avondeten van vandaag. O, en zou je tegen haar willen zeggen dat lady Fenella vanmiddag op de thee komt? De gewone *afternoon tea* is genoeg, Jessup, en wil je haar eraan herinneren dat lady Fenella altijd dol is geweest op haar vleespasteitjes?'

'Jawel, *madam*.' Jessup liep haastig weg.

'Dat was ik vergeten, van Fenella,' zei Edward, terwijl hij zijn moeder aankeek. 'Ze komt toch met Mark Ledbetter?'

'Ja. Ik weet dat je alle feestelijkheden hebt afgelast, Ned, maar ze wilde zo graag vanmiddag komen, dat ik het hart niet had om nee te zeggen.'

'Voor mij is het geen probleem, moeder, echt niet. Bovendien heb ik de huisgasten afgezegd omdat Edward junior ziek was. In elk geval ben ik dolblij dat hij vooruitgaat; hij is al zoveel beter. En van Fenella's aanwezigheid zal hij geen last hebben.'

Hij nam een slok thee en sprak verder: 'Ik moet iets met u bespreken, maar dat kunnen we straks wel doen.'

Cecily kreunde. 'Dat doe je nou altijd, weet je: zeggen dat je over iets wilt praten en het dan onmiddellijk blokkeren – in jouw woorden: "tot straks". Net als je vader vroeger. Vertel het me nú, Ned, alsjeblieft, niet uitstellen.'

'Ik wil de bedrijfspapieren uit uw kluis in Charles Street halen. Ik moet ze bekijken.'

Cecily rechtte haar rug, terwijl ze hem aankeek, met haar wenkbrauwen samengetrokken tot een frons. 'Is er iets mis? Is er een probleem, Ned?'

Hij schudde zijn hoofd. 'Nee, helemaal niet, moeder. Ik moet alleen een paar bedrijfsreglementen nakijken.'

'O.' Ze deed haar mond open, sloot hem weer en dacht even na voor ze langzaam tegen hem zei: 'Is er soms een probleem met dat familielid van Henry Grant – Henry Turner, die man die in Frankrijk woont? De Grants hijgen zeker weer in onze nek, hè?'

'Nee, nee, absoluut niet! En wat Henry Turner aangaat, dat is nog een jonge knaap – zeventien of achttien. Geen bedreiging voor ons. Hij woont al jaren in Frankrijk, geen idee wat hij uitvoert. Maar hij maakt geen enkele aanspraak op Deravenel, als dat is wat u suggereert, mama.'

'Ik suggereer niets, hoor, maar ik weet wel dat iemand hem jaren geleden heeft horen zeggen dat hij de eigenlijke erfgenaam van Henry Grant was.'

Geamuseerd barstte Ned in lachen uit, waarna hij een van zijn worstjes doorsneed. 'Maar erfgenaam van wat? Zoals ik al zei, hij maakt geen enkele aanspraak op Deravenel. Bovendien is hij nogal een dubieuze erfgenaam, als u het mij vraagt. Zijn vader was Henry Grants halfbroer, dus was Henry Grant zijn halfoom, naar ik meen.' Opnieuw moest Edward lachen.

Cecily schudde haar hoofd. 'Ja, je hebt gelijk in alles wat je zegt, lieverd, maar zoals je maar al te goed weet: wie het laatst lacht, lacht het best. Weet je zeker dat die Turner geen troef in zijn mouw heeft?'

'Welnee, moeder. Laat me u iets uitleggen. Ik wil de bedrijfsreglementen om een heel specifieke reden inzien. Ik wil weten of ik een van die reglementen kan wijzigen.'

'Dat betwijfel ik!' riep ze uit, terwijl ze zich dichter naar hem toe boog en haar ogen zijn gezicht aftastten. 'En welk reglement wil je dan wel wijzigen?'

'Het reglement met betrekking tot wie in aanmerking komt om Deravenel te erven.'

'Wat bedoel je? Dat is de eerstgeborene van de huidige directeur! Of, zoals in jouw geval, de managing director. Edward junior is jouw erfgenaam, en daarna Ritchie, mocht Edward junior vóór hem overlijden.'

'Dat begrijp ik – zoals ik de erfgenaam van mijn vader was. Maar er kan van alles gebeuren; het leven is onvoorspelbaar en ik wil er zeker van zijn dat, mocht er na mij geen mannelijke Deravenel zijn om van me te erven, een vróúw mag erven.'

'Een vrouw aan de leiding van Deravenel? Mijn God, Edward, hoe haal je het in je hoofd? Ik kan me niet voorstellen dat het bestuur van Deravenel dat zou goedkeuren! Goeie hemel, nee! En vergeet niet dat er wel degelijk een raad van bestuur is, en dat je dus enigszins gebonden bent.'

'Dat weet ik. Maar de tijden veranderen. En het leven is werkelijk onvoorspelbaar, zoals ik net al zei. Vandaar dat ik zou willen weten of het mógelijk is dat Bess erft als zij de enige Deravenel is die oud genoeg is om in mijn voetsporen te treden als er geen mannelijke opvolger is.'

'Waarom zou er geen mannelijke opvolger zijn?' Opeens was Cecily zichtbaar uit haar doen, en haar gezicht verstrakte.

'Ik ben er tamelijk zeker van dat er een zal zijn, maar stel dat de jongens iets verschrikkelijks overkomt?' Edward schudde zijn hoofd en keek haar doordringend aan. 'Ik kan me nog heel goed herinneren wat u ooit tegen me hebt gezegd, hier op Ravenscar. "Heeft niemand je ooit verteld dat het leven rampzalig is, Edward?" Dat zijn exact de woorden die u die dag hebt gesproken, veertien jaar geleden, toen u me vertelde dat mijn vader en mijn broer, mijn oom en mijn neef allemaal in Italië waren vermoord.'

Cecily zweeg, maar toen knikte ze bedachtzaam. 'Ja, dat is zo. Dat heb ik gezegd.' Ze leunde achterover in haar stoel. 'Misschien is er een manier om dat reglement over vrouwen te veranderen. Die regel is oud, natuurlijk, maar er zijn wel mensen die zouden zeggen dat die nú verouderd, echt ouderwets is.' Cecily sloot even haar ogen om na te denken. Toen ze ze weer opendeed, keek ze haar oudste zoon glimlachend aan. 'Ik heb het gevoel dat het jóú zou lukken, dat jij het zou klaarspelen, gesteld dat het bestuur het met je eens is.'

Er stroomde een gevoel van opluchting door hem heen, en hij zei zacht: 'Ik kan heel overtuigend zijn, moeder, héél overtuigend.'

'O, dat weet ik maar al te goed, dat hoef je mij niet te vertellen,' kaatste ze terug, terwijl ze hem veelbetekenend aankeek.

Buiten klonk opeens tumult; een hond blafte, er huilde een kind en er gilde iemand. Hij dacht dat het misschien Bess was. Toen hoorde hij Mary schreeuwen: 'Nee! Nee! Hou op!'

Edward sprong overeind en riep: 'Wat is daar in godsnaam aan de hand?' Hij duwde de dubbele deuren van de ontbijtkamer open, stapte het terras op en rende de treden af die door de terrasgewijs aangelegde tuin leidden. In zijn angst om de kinderen en zijn haast om hen te gaan halen, merkte Edward niet dat er ijs op de treden lag en gleed uit, waarbij hij hard kwam te vallen en de tuintegels af rolde, zonder dat hij zichzelf kon afremmen. Beneden aangekomen, bij de strook gras aan de afgrond, bleef hij roerloos liggen.

'Vader! Vader!' schreeuwde Bess, en ze rende naar hem toe, terwijl ze riep: 'Mary! Mary! Ga Jessup halen. Ga Nanny zoeken. Toe dan, vlug! Doe wat ik zeg.'

'En de hond dan?' jammerde Mary, in tranen.

'Geef de lijn aan Cecily. Ga nou!'

Op dat moment was ze bij Edward aangekomen, knielde naast hem neer op de grond en voelde aan zijn gezicht. 'Vader. Vader. Doe uw ogen open.' Edward kreunde, maar er kwam geen woord uit zijn mond.

'Vader, vader,' zei Bess opnieuw, terwijl paniek in haar opsteeg. 'Alsjeblieft, zeg iets.'

Nog steeds reageerde hij niet. Ze pakte zijn hand, wachtend op Jessup, en biddend dat haar vader niet dood was.

Negentien

Nanny stond midden in de gelambriseerde zitkamer van het kinderverblijf en telde de stoelen om de ronde tafel, waar de kinderen hun maaltijden gebruikten. Ze telde tot zeven en hield toen op.

'Er ontbreekt een stoel,' zei ze, terwijl ze haar kroost overzag. 'Waar is hij gebleven? Weet iemand dat?'

'Die is weggegaan,' luidde de nietszeggende mededeling van Cecily, die een snelle blik in de richting van de haard wierp.

'Waar is-ie dan naartoe gegaan?' roeg Nanny, terwijl ze haar ogen een beetje toekneep.

'Weet ik niet,' mompelde Cecily.

'Aha. Wel, wel, wel, lopen stoelen zomaar weg, vraag ik me af? Ik dacht het niet. Dus wie heeft hem weggehaald?'

'Bess,' klonk opeens een klein stemmetje, waarop Nanny's bruine ogen naar de kleine Ritchie flitsten.

'Dankjewel. En waar is Bess, Mary? Jij weet altijd alles, dus: waar is Bess gebleven?'

Mary ging rechtop op haar stoel zitten, terwijl ze enigszins zwol van trots. 'Toen ze mij de leiding gaf, zei ze dat ze bij vader ging kijken. Is hij dood?'

Cecily keek haar oudere zusje met open mond aan en barstte prompt in tranen uit.

Nanny snelde op haar toe, boog zich troostend over haar heen en zei: 'Nee, hij is niet dood. Alleen maar een beetje gewond.' Ze kwam overeind, keek Mary dreigend aan en riep: 'Zeg toch niet van die dingen, lieve Mary. Je moet de kleintjes niet overstuur maken. Je weet dat ze alles wat je zegt héél ernstig opvatten.'

'Ja, Nanny. Sorry, Nanny. Niet zoals het hoort.'

Nanny onthield zich verder van commentaar, haastte zich naar de kinderkamer ernaast en zei tegen Madge: 'Wil jij even op hen letten? Ik kom zo terug.'

'Ik blijf waar ik ben, Nanny, maak u geen zorgen,' antwoordde het kindermeisje, druk in de weer met het kanten jurkje van de baby, terwijl ze haar in de wieg legde.

Hoewel ze de gang op was gerend, nam Nanny, op weg naar de grote slaapkamer beneden, de trap wat langzamer. Ze heette Joan Madley, en ze was een voorbeeldige, nuchtere vrouw uit Yorkshire die al haar hele leven voor andermans kinderen zorgde. Iedereen wist dat ze de beste kinderverzorgster ter wereld was, met een uitstekende reputatie.

Op het moment dat ze een voet op de overloop zette, kreeg ze Bess in het oog. Ze stond bij de deur van haar vaders slaapkamer, met naast haar Edward junior, die op de ontbrekende stoel zat.

'Kinderen, jullie moeten ogenblikkelijk met me mee terug naar de kinderafdeling!' riep Nanny. 'De anderen zitten op jullie te wachten... het is tijd voor jullie ochtendhapje.'

'We wachten tot de dokter naar buiten komt,' zei Bess bedrukt. 'Hij gaat ons vertellen hoe ernstig vader zich heeft bezeerd toen hij viel.'

'Dat begrijp ik. Maar we kunnen hier niet blijven. Ik beloof je dat we het heel gauw zullen weten. Je moeder of je grootmoeder zullen het ons ogenblikkelijk komen vertellen.'

'Oma zegt dat ik een geluk bij een ongeluk ben,' verkondigde Edward junior vol trots.

'Een wat...' begon Nanny.

'Helemaal niet,' kwam Bess haastig tussenbeide. 'Ze zei niet dat jij een geluk bij een ongeluk was, ze zei dat je bronchitis dat was. Want als je dat niet had gehad, was dokter Leighton hier niet gekomen om naar je te kijken. Nog wel vlak voordat papa van de tuintegels viel. Het kwam dus heel goed uit dat hij kwam, zei oma.'

Edward junior keek sip toen hij daartegen inbracht: 'Maar dat is toch hetzelfde?' Hij keek Nanny aan. 'Ik wil graag een geluk zijn.'

'Daar heb je ook gelijk in, en dat ben je ook, mijn hondje. Dat weet iedereen. Maar laten we niet bij de deur van jullie vader... kamperen, dat is echt, nou ja, nogal vulgair en het haalt niets uit. Het hoort niet.' Ze pakte hem bij zijn handje, waarop hij zich gehoorzaam van de stoel liet glijden. Terwijl hij naar haar omhoogkeek, vroeg hij bezorgd: 'Hij gaat toch niet dood, hè?'

'Nee, natuurlijk niet! Doe niet zo onnozel. Hij heeft waarschijnlijk alleen maar wat blauwe plekken.'

'Ga je bij de engeltjes wonen als je doodgaat, Nanny?'

'Laten we ophouden met al dat gepraat over doodgaan, Edward junior,' antwoordde Nanny kortaf. 'Het is bijzonder morbide. Niemand gaat hier dood, en je vader al helemaal niet. Hij is jong en sterk.'

Bess keek haar stralend aan. 'Hij gaat niet dood omdat... het... niet hoort,' zei het negenjarige meisje, zich bedienend van Nanny's geliefde uitdrukking, en ze barstte in lachen uit.

Nanny en Edward junior lachten met haar mee, terwijl Nanny de stoel pakte, waarna ze naar de kinderafdeling teruggingen voor hun ochtendhapje.

'U hebt geen idee wat een geluk u hebt gehad, Mr. Deravenel,' zei dokter Leighton, terwijl hij zijn stethoscoop en andere instrumenten in zijn zwarte leren koffertje terugstopte. 'U had zich wel dodelijk kunnen verwonden, weet u dat? Bij zo'n val had u, met uw lengte en gewicht, gemakkelijk uw nek kunnen breken. Of iets wat even fataal was.' De dokter schudde zijn hoofd. 'Het verbaast me dat u geen ernstig letsel hebt opgelopen, nauwelijks een schrammetje.'

'Ik ben niet minder verbaasd. Toen ik voelde dat ik uitgleed, probeerde ik uit alle macht mijn val te breken, en ik denk dat ik op dat moment mijn arm en mijn schouder heb ontwricht. Maar het is een wonder, dokter Leighton, dat ik het er kennelijk met slechts een paar schaafwonden heb afgebracht.' Edward hees zich wat verder overeind in de kussens en vervolgde: 'Maar ik vermoed dat ik morgen een paar fraaie bloeduitstortingen zal hebben.'

De dokter knikte. 'Later op de dag al, zou ik denken. Vooral uw rug zal wel pijnlijk worden, en die schouder zult u héél erg voelen. Maar die is niet gebroken, goddank. U bent er zonder kleerscheuren afgekomen, kan ik tot mijn genoegen constateren.'

Terwijl hij zich omdraaide om weg te gaan, zag hij Edwards kleren, die op de bank waren gegooid. 'Een geluk dat u uw rijtenue aanhad. De leren laarzen hebben uw benen beschermd, dat is zeker.'

'Ik heb geboft dat u hier was om naar Edward junior te kijken. Een bof voor mij, in elk geval. Hartelijk dank dat u me meteen hebt onderzocht.'

'Geen probleem, en met uw zoon ging het de dag voor Kerstmis al zoveel beter dat ik me vandaag eigenlijk niet al te veel zorgen over hem maakte. Maar ik besloot toch maar te komen, omdat mijn vrouw en ik nog bij de Dunbars op The Lodge logeren. Eric Dunbar en ik hebben samen medicijnen gestudeerd, en zijn ouders hebben graag dat we, als we maar even kunnen, in het weekend uit Scarborough bij hen komen. Ze denken dat we hem kunnen opvrolijken.'

'Hoe is het met Eric?' vroeg Edward, terwijl hij met een zwaai zijn benen op de grond zette. 'Ik hoorde dat hij terug was van het front en ernstige verwondingen had.'

'Hij is zelfs een been kwijt. Maar zoals hij zegt: zolang hij twee armen heeft, kan hij als hij helemaal beter is als arts praktiseren. Het is een wonder hoe moedig en opgeruimd hij is. Een wonder!'

'Zo zijn alle gewonden,' mompelde Edward, en hij dacht onmiddellijk aan Fenella. Ze kwam vanmiddag op de thee, en hij besloot om met haar verder te praten over het idee om een recreatiecentrum te beginnen.

Peter Leighton bleef even op de drempel staan. 'Ik wil dat u het kalm aan doet, Mr. Deravenel. U zult zich een paar dagen wat beurs voelen, over uw hele lijf, vermoed ik. Ook die hoofdpijn van u zal aanhouden. Blijf die aspirines maar innemen, en de rest. Geen opwinding. En nog iets – mocht u zich toch niet in orde voelen, of het nu pijn in uw ledematen is, of aan uw hoofd of rug, of misselijk worden, wat het ook is, belt u me dan op bij de Dunbars. Ik kom morgenochtend in elk geval even langs, gewoon om even naar u te kijken. Maar denk erom: ik kan hier in twintig minuten zijn.' Hij liep op de deur af en voegde eraan toe: 'En nu denk ik dat ik maar beter naar mijn jongere patiënt kan gaan kijken. Ik kan Jessup zeker beneden vinden?'

'Ja, en mijn vrouw zit waarschijnlijk in de bibliotheek op u te wachten. Zij zal u naar de jongen brengen. En nogmaals dank, dokter Leighton, dat u zo attent en plichtsgetrouw bent.'

Cecily Deravenel was diep geschokt geweest en nu, halverwege de middag, had ze nog altijd last van een soort naschokken. Dat was de enige manier waarop ze het aan zichzelf kon beschrijven.

Haar oudste zoon had die morgen net zo goed zwaargewond kunnen raken of zelfs dood kunnen gaan. Hij had zijn nek wel kunnen breken, of zijn rug, of fataal hoofdletsel kunnen oplopen. Alles was mogelijk als je een tuimeling van zulke steil aflopende tuintegels maakte.

En zo onverhoeds als het was gebeurd, zomaar, in een oogwenk. Dat was nog het meest beangstigende. Van het ene op het andere moment kon je dood zijn.

Cecily zat geknield op een kerkbank op de voorste rij van de privékapel achter het huis. Ze was hier een poosje geleden naartoe gegaan om haar dankbaarheid te betuigen aan God, omdat hij haar zoon had beschermd. Met de rozenkrans in haar hand prevelde ze aanvullende dankgebeden voor al haar zegeningen, die talrijk waren, en de veiligheid van al haar kinderen.

Al spoedig keerden haar gedachten terug naar Edward, en enkele ogenblikken overdacht ze het gesprek dat ze tijdens het ontbijt met hem had gevoerd, toen hij het had gehad over het wijzigen van de reglementen om er zeker van te zijn dat er altijd een Deravenel aan het hoofd zou staan van de firma Deravenel. Oók als dat een vrouw was. Ze was benieuwd of hij de raad van bestuur om zou kunnen krijgen, hen zou kunnen overhalen de nieuwe regel toe te voegen die ten gunste zou zijn van het vrouwelijke geslacht. Voor zichzelf had ze geen antwoord. Ze hoopte dat het plan door zou gaan.

Een lichte zucht passeerde Cecily's lippen, en ze keek naar het fraai bewerkte altaar met de figuur van Christus aan het kruis als middelpunt. Wat een mysterieus toeval was het geweest, die morgen – hij had het over zijn erfgenamen gehad, en een paar minuten later was Ned haastig naar buiten gegaan en gevallen, had hij bijna zijn nek gebroken. Niet te geloven!

Mocht Ned iets overkomen, iets voortijdigs, terwijl hij nog in de bloei van zijn leven was, dan zou er bij Deravenel een vacuüm ontstaan. Zonder hoofd van de firma. Edward junior zou er dan waarschijnlijk nog niet de leeftijd voor hebben om het over te nemen. Cecily wist in het diepst van haar hart dat Edward nooit, in geen honderd jaar, George zou aanbevelen. Richard zou degene zijn die aan de macht kwam, die de handelsfirma zou veiligstellen, tot Edward junior oud genoeg zou zijn om de plaats van zijn oom als uitvoerend directeur over te nemen.

Arme George. Hij had iets over zich dat haar altijd raakte en maakte dat ze hem verdedigde. Het was eigenaardig hoe hij als kind altijd zijn toevlucht bij haar had gezocht, bij haar kwam schuilen alsof hij tegen de wereld beschermd moest worden. Zelfs in zijn vroege puberteit had hij zich aan haar vastgeklampt. En zij had aan zijn behoefte voldaan, zoals een moeder behoorde te doen: met liefde en de geruststelling dat ze hem zou beschermen, dat hij veilig zou zijn.

Maar ze wist dat hij niet eeuwig veilig zou zijn... Ze had allang een boze toekomst voorvoeld, voor zichzelf geweten dat George verdoemd was. Volgens haar kwam hij voortdurend in moeilijkheden,

moeilijkheden die hij over zichzelf afriep. Hij had er een handje van een grote mond op te zetten, een gave om Edward razend te maken, en ze begreep volkomen waarom híj geen goed woord meer voor zijn jongere broer over had. Tegelijkertijd had ze met George te doen... Het viel haar op dat George een stoethaspel was... die er een potje van maakte zonder iets kwaads in de zin te hebben... mensen van streek maakte... hen vreselijk kwetste. Door de jaren heen waren er zelfs momenten geweest dat ze geloofde dat George werkelijk een zelfvernietigingsdrang in zich had.

Niet zo lang geleden had hij zijn schoonmoeder tegen zich in het harnas gejaagd, en daarover had ze alles vernomen van Nan Watkins zelf. Nan kwam haar een paar maanden geleden in het huis in Charles Street in Londen opzoeken en had haar hart uitgestort. Nan had met zo veel woorden gesuggereerd dat George een verkwister was die háár geld over de balk gooide, net zoals hij degene was die de ruime toelage spendeerde die ze Isabel gaf.

Ze herinnerde zich nog hoe geschokt ze was geweest, en zich ook had geërgerd aan George. Nan was altijd goed geweest voor haar dochter en schoonzoon, die kennelijk misbruik maakte van haar goede inborst en vrijgevigheid.

Die dag had Cecily geprobeerd om Nan, die helemaal overstuur was, te troosten en voorgesteld om eens een hartig woordje met George te spreken. 'Je moet hem gewoon wat verstand bijbrengen,' had Cecily tot besluit opgemerkt. 'Of blokkeer de toelage die je aan Isabel geeft, dwing George zijn vrouw te onderhouden en niet boven zijn stand te leven.' Daar was Nan het mee eens geweest, en ze had het daarbij gelaten.

Nu vroeg Cecily zich af wat er was gebeurd, aangezien Nan haar niet meer in vertrouwen had genomen. George, haar charmante, knappe zoon, was een stoethaspel, een verkwister, af en toe niet goed bij zijn hoofd, en werkelijk onverbeterlijk. Toch was hij haar zoon, en ze hield echt van hem. Net zoals ze van Edward en Richard hield, maar op een of andere manier waren die twee veel beter in staat voor zichzelf te zorgen...

Cecily stond op, sloeg een kruis, draaide zich om en liep langzaam het middenpad af, terwijl ze zich afvroeg wat er van haar zoons en hun gezinnen zou worden. Op deze tweede kerstdag van 1918 kon ze ook onmogelijk vermoeden dat het onheil als een zwaard van Damocles boven de Deravenels hing en dat catastrofale gebeurtenissen uiteindelijk hun aller leven zouden veranderen. Onherroepelijk. En wel zodanig, dat niets ooit nog hetzelfde zou zijn.

Twintig

Mark Ledbetter was al heel lang niet op Ravenscar geweest, maar zelfs hij was het spectaculaire uitzicht vanuit de bibliotheek niet vergeten.

Terwijl hij samen met Fenella door Cecily Deravenel het vertrek werd binnengelaten, deed hij zijn best de impuls te onderdrukken om op het raam af te snellen en naar buiten te kijken, om te genieten van dat unieke uitzicht.

'Het is verrukkelijk jullie beidjes te zien,' zei Cecily, en er brak een glimlach op haar gezicht door. 'Aha, daar is Bess, je grootste bewonderaar, Fenella. En daar hebben we Nanny met de andere kinderen.'

Toen even later de jongelui zich om hen heen verdrongen en stuk voor stuk dringend om aandacht vroegen, maakte Mark van de gelegenheid gebruik om naar de andere kant van de ruimte te lopen.

Hij ging voor de terrasdeuren staan, waar hij uitkeek over het onmetelijke panorama van de Noordzee met de vloeiende kustlijn van crèmekleurige rotsen dat zich eindeloos voor zijn ogen ontrolde. De zee had die middag een met brede streken zonlicht geschilderde, staalkleurige glans. De lucht, in deze unieke strook van de noordelijke kust dikwijls zo dreigend, was helderblauw als maagdenpalm, waarin helemaal bovenin een paar wolkenflarden dreven.

Het oude huis, boven op de rotsen gebouwd, bood een uitzonderlijk overzicht en nu hij uit het raam bleef turen, zag hij aan het eind van de horizon net hoe twee enorme schepen zich een weg ploegden door de turbulente wateren. Het was die dag winderig, en de Noordzee was woelig en vol schuimkoppen.

Nadat hij zich had omgedraaid, liet Mark even zijn ogen bewonderend door het vertrek dwalen, terwijl hij de torenhoge boekenkasten, de schitterende schilderijen aan de andere muur en het fraaie antieke meubilair van donkere, degelijke houtsoorten in zich opnam. Er stonden comfortabele banken en stoelen, gearrangeerd rond de reusachtige stenen haard waarin een houtvuur knetterde. Het was een genot om in zo'n fraai ingerichte kamer te zijn.

Zijn ogen bleven op Fenella rusten, die op dat moment in beslag werd genomen door het groepje jongelui, en hij moest toegeven dat hij zijn hele leven nog nooit zulke mooie kinderen had gezien. Alsof ze regelrecht uit een portret waren gestapt van een van de grote klassieke schilders uit de achttiende eeuw, zoals Thomas Gainsborough, George Romney of sir Joshua Reynolds.

Terwijl de kleine Deravenels zich rond Fenella schaarden, schoot een flits van spijt door Marks hoofd en wenste hij plotseling dat ze kinderen had gehad. Die van haar zouden minstens zo mooi zijn geweest als het grut dat om haar heen krioelde en liefdevol haar aandacht opeiste. Maar Jeremy, haar eerste man, was nog jong geweest toen hij vroeg in hun huwelijk werd gedood. Fenella was een schoonheid, met haar heldergroene ogen, en met dat zijdezachte blonde haar dat glanzend haar gezicht met de zachte contouren omlijstte was ze bijna transparant. Bovendien was ze rank en lang en bewoog ze zich met een enorme allure. En ja, haar kinderen zouden net zo mooi geweest zijn als zij.

Mark vestigde zijn aandacht op de vijf Deravenels; hij was op dat moment ronduit verliefd op hen. Lang geleden, toen hun vader nog vrijgezel was, werd Edward Deravenel door zijn jaargenoten heel vaak de *Golden Boy* genoemd. Zijn kinderen waren dan ook absoluut van goud, met hun gave, fraaie uiterlijk en dat levendige kleurenspectrum – dat schitterende rossig gouden haar, die glanzende blauwe ogen. Hij zag dat ze stuk voor stuk een volmaakt gezichtje hadden – prachtig gevormd, met fraaie, fijnbesneden, edele trekken. Wat waren ze onschuldig en aanbiddelijk. Zulke mooie kinderen waren adembenemend. Die moesten altijd goed beschermd worden... de buitenwereld was vol gevaar...

Hij rukte zich uit zijn innerlijke overpeinzingen toen Cecily bij hem kwam staan. 'Het spijt me verschrikkelijk, Mark, het was niet mijn bedoeling je zomaar aan je lot over te laten. Ik had gehoopt dat ik kon verijdelen dat de kinderen Fenella helemaal in beslag zouden nemen.'

Mark lachte. 'Maar het is ze duidelijk gelukt.'

'Ja, zeg dat wel. Hoe gaat het met je moeder?'

'Opmerkelijk goed, en ze laat u de beste wensen en haar hartelijke groeten doen. Ze zei dat ik u eraan moest herinneren hoeveel pret u en zij en Fenella's tante Philomena altijd met Kerstmis hadden, lang geleden, toen u allemaal jong was, en nog niet getrouwd... en samen met hen uw entree in de society maakte.'

Cecily barstte in lachen uit. 'Ja, nou en of, en volgens mij waren we... nou, eerlijk gezegd waren we alle drie behoorlijk eigengereid.' Nadat ze haar keel had geschraapt, vervolgde ze: 'Elizabeth komt zo bij ons. Net op het moment dat jullie kwamen, moest ze een telefoongesprek aannemen. Ah, hier is Ned, eindelijk! Maar hij loopt nogal slecht, vrees ik, na zijn val.'

'Is hij gevallen?' Mark keek haar fronsend aan. Hij was duidelijk verbluft, en dat was in zijn ogen te lezen, die plotseling een en al bezorgdheid waren.

'Jazeker. Vanmorgen. Hij is van de tuintegels bij de ontbijtkamer afgetuimeld.'

Edward, die zwaar op een stevige wandelstok steunde, kwam moeizaam op hen toe en stak, toen hij bij Mark en zijn moeder stilstond, met een schuldbewust glimlachje zijn hand uit naar de andere man.

'Excuseer me, ik zie dat Jessup staat te wachten. Ik geloof dat hij me even wil spreken,' mompelde Cecily, en ze liep haastig naar de deur en liet de twee mannen alleen.

'Hoe heb je nou kunnen vallen?' informeerde Mark, terwijl hij Edward met een bezorgd gezicht vorsend aankeek.

'Ik maakte een duikeling op de tuintegels, die onder het ijs zaten. Mijn eigen schuld. Ik lette niet op. Het was een hels kabaal buiten... met de kinderen. Ze waren aan het gillen en het schreeuwen, en de hond blafte. Dus ja, als bezorgde, liefhebbende vader holde ik naar buiten, en ik moet bekennen dat ik wat haastig was toen ik van die stenen dook. Ik had helemaal niet aan ijs gedacht.'

Mark liet snel zijn ogen over hem heen glijden, waarbij hij het blauwe oog, de geschaafde wang en de flinke bloeduitstortingen op zijn kin opmerkte. 'Je hebt vast een lelijke smak gemaakt,' riep hij uit.

'Ja, en ik heb verschrikkelijk geboft.'

'Zeg dat wel. Ik hoop dat je bij een dokter bent geweest.'

'Jawel. Edward junior heeft namelijk een bronchitisaanval gehad, en onze plaatselijke huisarts kwam vanmorgen toevallig langs om naar hem te kijken, net toen Jessup me met twee stalknechten naar binnen droeg.'

'Heeft hij je grondig onderzocht?'

'Absoluut. Maar ik heb hem beloofd dat ik naar Guy's Hospital zou gaan wanneer ik over een paar dagen weer in Londen ben, om Michael Robertson te consulteren, die me jaren geleden heeft behandeld. Zullen we daar op een stoel gaan zitten, Ledbetter? Ik krijg op mijn donder van dat gammele been.'

'Natuurlijk, laten we gaan zitten,' stemde Mark direct in.

'Vertel eens, wanneer ga je terug naar de Yard?' vroeg Edward, toen ze elk in een fauteuil bij de haard hadden plaatsgenomen. 'Will Hasling vertelde dat je een aardige bevordering te wachten staat.'

'Dat klopt, ja. Dat gaat zelfs binnenkort aangekondigd worden. Dan word ik commandant van het Metropolitan Police Corps van Scotland Yard.'

'Gelukgewenst!' Edward leunde achterover, terwijl hij de man glimlachend aankeek. 'Ik ben blij voor je. Dat is een mooie bevordering.'

Mark lachte. 'Ik weet het, maar eerlijk gezegd wilde ik toch al terug. Ik heb de Yard nogal gemist, om je de waarheid te zeggen. Mijn baan bij het Ministerie van Oorlog was best in orde, en dat moest ik nou eenmaal doen, maar af en toe kwam ik om in het papierwerk.'

'Dus jij begroef je in papier, terwijl wij allemaal dachten dat je met spionnen in de weer was,' merkte Edward gekscherend op.

'Dat deed ik in zekere zin ook, maar niet oog in oog,' legde Mark glimlachend uit. 'Met andere woorden, hoewel ik nota bene bij de Engelse geheime politie was, had ik niets met de praktijk te maken.'

'Jij mocht je taak tijdens de oorlog dan waarschijnlijk saai vinden, maar het was toch wel heel wat veiliger?'

'Dat was ook zo, Deravenel, en ik moet toegeven dat ik het gevoel had dat ik daadwerkelijk een bijdrage leverde aan de oorlogsvoering.'

Op dat moment kwam Elizabeth binnen, die er uitermate fraai uitzag in een beige wollen mantelpakje met diverse schitterende parelsnoeren. 'Neem me alsjeblieft niet kwalijk,' riep ze uit, terwijl ze haar hand naar Mark uitstak, die inmiddels was opgestaan. 'Het spijt me dat ik er niet was om je te begroeten. Ik moest mijn moeder aan de telefoon spreken.'

Mark knikte ten teken dat hij het begreep, en keek toen naar de kinderen die, nu dicht in de buurt, nog steeds om Fenella heen zwermden. 'Ze zijn stuk voor stuk beeldschoon, Elizabeth, en wat mag je trots op ze zijn.'

'Dank je.'

Cecily keerde naar de bibliotheek terug, gevolgd door Jessup en drie van de dienstmeisjes die serveerwagens voor zich uit duwden, die bij de piano naast de deur werden opgesteld.

'Ik denk,' zei Edward, 'dat Jessup gaat aankondigen dat elk moment de thee zal worden geserveerd.'

Fenella, die zich van de kinderen had weten te bevrijden, kwam haastig bij Elizabeth en Edward zitten en, na hun allebei een kus gegeven te hebben, zei ze tegen Ned. 'Och, arme jongen, je arme gezicht. Je moeder heeft me van je afschuwelijke val verteld.'

'Hoe minder woorden eraan worden besteed, hoe beter. Ik ben uitermate dom geweest, Fenella, zoals ik overhaast en zonder erbij na te denken naar buiten ging, en dat allemaal omdat de hond blafte en Mary aan het gillen was. Het bleek in feite niets voor te stellen.'

Fenella keek hem glimlachend aan. Ze kenden elkaar al jaren, en ze had zich altijd opgeworpen als zijn grote beschermster en verdedigster; ze hield van hem als van een broer. 'O ja,' mompelde ze. 'Ik heb van Edward junior alles over de hond gehoord.'

Ned barstte in lachen uit. 'Heb je ooit zo'n naam voor een hond gehoord? Macbeth!'

Toen iedereen gniffelde, biechtte Fenella op: 'Van zijn kleine baasje heb ik begrepen dat, toen hij zei dat hij een Schotse naam wilde kiezen omdat de hond een West Highland terriër is, Nanny de naam Macbeth voorstelde.'

'Dat is juist.'

Opnieuw voegde Cecily zich bij het viertal en fluisterde: 'Volgens mij wil Jessup de thee serveren. Misschien wil je hier komen zitten, Fenella, naast mij. En Elizabeth. Nanny zorgt wel voor de kinderen. Daar.' Ze knikte in de richting van de ramen. 'Waar ze hun eigen theekransje mogen hebben.'

Nadat ze diep had ingeademd, kwam Fenella overeind, zette een stap naar voren en kondigde haastig en geheel onverwacht aan: 'Ik, of beter gezegd, wij moeten jullie iets vertellen. Mark en ik hebben ons zojuist verloofd.'

Terwijl ze dat zei, stond Mark op, liep naar haar toe en pakte haar hand. 'Dat is de reden dat we vandaag bij jullie wilden komen, om ons nieuws aan jullie bekend te maken,' besloot ze met flonkerende ogen en een stralende glimlach.

Edward, Elizabeth en Cecily wensten hun van harte geluk, waarop Elizabeth uitriep: 'De hemel zij dank dat je nu toch niet als een oude vrijster op de plank blijft liggen, zoals iedereen dacht dat je zou eindigen.'

Er viel een stilte.

Ned wierp zijn vrouw een woedende blik toe, en op het gezicht van zijn moeder stond een mengeling van verbijstering en schaamte te lezen.

Fenella Fayne had altijd al geweten dat Elizabeth haar niet mocht, voornamelijk omdat ze jaloers was op haar relatie met Ned. Maar omdat zij een vrouw met beschaving was, van adellijke afkomst en welopgevoed, verlaagde ze zich nooit tot andermans niveau. Ze was ook een kalme en beheerste persoonlijkheid. Uiteindelijk, met een brede glimlach naar alle aanwezigen, zei ze met heldere, vaste stem: 'Tussen het weduwschap, de aanzet tot het liefdadigheidswerk op Haddon House en de oorlog door, heb ik het tot nu toe blijkbaar een tikkeltje te druk gehad.'

Zonder aandacht te besteden aan Elizabeths misser sloeg Mark zijn arm om Fenella heen en zei liefdevol, terwijl hij op haar neerkeek: 'Ik vraag haar al jaren om met me te trouwen en eindelijk heeft ze ja gezegd. Tot mijn immense vreugde.'

Cecily liep haastig op Fenella af en sloeg haar armen om haar heen. Toen draaide ze zich om en, terwijl ze Elizabeth bij de arm pakte, trok ze haar uit haar stoel en zei tegen haar schoondochter: 'Misschien moeten wij de kinderen maar rustig houden, zodat onze gasten rustig van hun *afternoon tea* kunnen genieten.'

'Maar Nanny is daar...'

'Kom mee, Elizabeth,' beval Cecily streng als nooit tevoren, en ze duwde haar vooruit, met een veelbetekenende blik naar haar zoon, terwijl ze zich in de richting van de ramen begaven waar Nanny zich met de kinderen aan het installeren was.

Fenella ging op de divan zitten en keek Edward doordringend aan. 'Ik wilde je iets vragen, mijn lieve Ned. Ik hoop zo dat je het goedvindt dat je dochters mijn bruidsmeisjes zullen zijn. Dat zou ik erg leuk vinden. Zeg alsjeblieft ja.'

'Maar natuurlijk zeg ik ja,' riep hij uit, waarbij zijn helderblauwe ogen oplichtten.

Ze schonk hem een blije glimlach, en in de snelle blik die ze wisselden uitte hij zijn ontzetting over wat zijn vrouw had gezegd en haar totale desinteresse ten opzichte van hen. Ze hadden altijd elkaars gedachten kunnen lezen en ze begrepen elkaar.

Op meer gedempte stem vroeg ze nu: 'Ik zou ook graag Grace Rose als bruidsmeisje willen, als dat mag van jou. Ik ben zo dol op haar en ze is me heel dierbaar, weet je.'

'Dat is een schitterend idee! En ik heb absoluut geen enkel bezwaar. En Vicky ook niet, dat weet ik – ze zal blij zijn.'

'Ik heb het haar nog niet gevraagd, Ned. We hebben eigenlijk nog aan niemand verteld dat we gaan trouwen. Jullie zijn de eersten die het weten.'

'Ik heb haar vader de hele kerst moeten bestoken,' vertelde Mark. Hij ging naast Ned zitten en voegde eraan toe: 'Wat was ik opgelucht dat de graaf ons zijn zegen gaf.'

Jessup kwam met een van de dienstmeisjes naar hen toe, met een vragende blik naar Edward, die vervolgens knikte. Het meisje duwde een serveerwagen voort en bleef bij de haard staan. Jessup schonk thee, terwijl het dienstmeisje hen van servetjes en een bord voorzag. Toen ging ze rond met een grote schaal met sandwiches, onder andere met gerookte zalm, eiersalade, komkommer, tomaat en ham en kaas.

Een rinkelende telefoon rukte Jessup enkele ogenblikken bij hen weg en toen hij in de bibliotheek terugkwam, liep hij haastig op Edward af en fluisterde hem iets toe. Edward knikte.

'Dankjewel, Jessup,' antwoordde hij, en hij stak de butler zijn hand toe. 'Zou je me even overeind willen helpen?'

Toen hij eenmaal rechtop stond, zei Edward tegen Fenella en Mark: 'Het spijt me vreselijk, een urgent telefoontje. Ik ben vast zo terug.'

Edward hinkte de bibliotheek door, zwaar op zijn wandelstok steunend. Hij pakte de telefoon die op een tafeltje in de grote hal stond.

'Met Deravenel,' zei hij. En toen spitste hij zijn oren en luisterde met enige verbijstering naar de woordenvloed die vanuit Schotland door de lijn spoelde. Zonder één enkele onderbreking.

Eindelijk, toen degene die belde even ophield om adem te halen, antwoordde Edward op de meest verzoenende toon die hij kon opbrengen: 'Ik begrijp alles wat je zegt, Ian, en ik ben het helemaal met je eens. Op dit moment heb ik gasten. Maar ik geloof dat we dit morgen kunnen oplossen, dat weet ik heel zeker.'

Nadat Ian MacDonald ermee akkoord was gegaan om de volgende dag met hem te praten, hing de Schot zonder meer op, zonder nog een woord te zeggen, zelfs zonder afscheid te nemen.

Edward bleef een ogenblik staan. Verbijsterd. Zijn gezicht was wit van woede. Hij ademde enkele malen diep in, in een poging te kalmeren alvorens hij naar de bibliotheek terugging. Maar het duurde een hele poos voor hij daartoe in staat was.

Eenentwintig

Londen 1919

'Het spijt me dat ik je op een zaterdag moest laten komen, Amos,' zei Edward. 'Maar ik heb echt je hulp nodig.'

'Dat geeft niet, Mr. Edward,' antwoordde Amos. 'Eerlijk gezegd, ben ik blij om hier te zijn. Ik heb niets beters te doen. Dus waarmee kan ik u helpen, sir?'

'Ik wil dat je in een van de kantoren inbreekt. Alleen mag het niet op een inbraak lijken. Als iemand dat kan, ben jij het wel.'

'Neem me niet kwalijk, sir, maar ik neem aan dat u me in het kantoor van Mr. George wilt laten inbreken?'

Edward stootte een hol lachje uit. Wat wist Amos toch goed hoe de zaken hier in elkaar staken. 'Dat is inderdaad het geval. Zullen we dan maar?'

Edward stond op en liep de kamer door, met Amos achter zich aan, die uitlegde: 'Ik moet alleen even bij mijn kantoor langs om mijn gereedschap op te halen. Mag ik even?'

Edward knikte en liep de gang door, in de richting van het kantoor van zijn broer, terwijl hij aan George dacht. Die was weliswaar ondergedoken, maar Edward wist heel goed waar hij uithing – hij verschool zich achter de rokken van de vrouwen van zijn familie: zijn vrouw Isabel en zijn schoonmoeder Nan Watkins. Dat zou hem weinig helpen. Wat een dwaas was hij, een volslagen idioot die zijn verstand had verloren. Na diverse keren met Ian MacDonald te hebben gesproken, waarbij hij een volledig verslag had gekregen over het debacle in Edinburgh, besefte Edward maar al te goed dat hij George zijn bevoegdheden moest ontnemen. En wel onmiddellijk. Daarom zat er niets anders op dan een degradatie. Edwards gezicht vertrok; als hij George op dit moment in zijn klauwen kreeg, zou hij hem met alle genoegen wurgen.

Hij leunde tegen de deurpost, wachtend op Amos, die inmiddels haastig kwam aangelopen. 'Doe maar kalm aan, Amos,' mompelde Edward. 'We hebben zeeën van tijd. Er komt hier waarschijnlijk niemand op zaterdag, vooral niet tijdens de kerstvakantie.' Het was 4 januari, en iedereen was nog steeds de komst van het jaar 1919 aan het vieren. Het begin van de vrede en van een jaar waarin werkelijk alles mogelijk was, zoals de politici bij hoog en laag beweerden.

Amos rolde zijn bruinlederen etui uit, knielde op de grond neer en stak een instrument in het slot. Na enig gepruts klonk er een klik. Amos keek grijnzend naar Edward omhoog. De oudere man kwam overeind, draaide de deurknop om en deed de deur open, waarna hij uitriep: 'Na u, Mr. Deravenel.'

Edward stapte naar binnen en bleef toen staan. 'Mijn god, hij moet wel heel veel roken. Het stinkt hier.'

'Hij heeft nooit géén sigaret in zijn mond tegenwoordig. Ik heb van mijn leven nog nooit iemand gezien die zoveel rookt als hij.' Amos schudde zijn hoofd. 'Volgens mij lijdt hij aan addictie.'

'Wat bedoel je?'

'Hij heeft wat Mark Ledbetter altijd noemde een "tot verslaving geneigde persoonlijkheid", Mr. Deravenel. Dat was toen de hoofdcommissaris nog smeris was.'

'Hem heb ik met de feestdagen nog gezien,' zei Edward, terwijl hij Amos even aankeek. 'Hij heeft zich verloofd met lady Fenella.'

'O, wat ben ik daar blij om, sir! Die vrouw is een schat, en ze doet zoveel goed voor de mensen.' Amos knikte en glimlachte, waardoor zijn ogen helemaal oplichtten. 'Ik had haar geen betere man kunnen wensen dan de hoofdinspecteur. Goeie kerel, het zout der aarde.'

'Dat is hij inderdaad.' Edward sloot de deur en liep op Georges bureau af, stak zijn hand uit naar de bovenste la en trok aan het handvat. De la gaf niet mee. Hij zat op slot. Nadat hij alle andere laden in dat enorme antieke bureau had geprobeerd, kwam hij tot de ontdekking dat ze allemaal waren afgesloten.

'Nou, Amos, hier wacht je een hele klus, vrees ik. Ik moet in al deze laden kijken, dus aan de slag, laat zien wat je kunt.'

'Geen probleem, het is binnen een minuut gepiept.' En terwijl hij dat zei, ging hij opnieuw op zijn knieën zitten, stak er een instrument in en had binnen enkele minuten de middelste bovenla open, waarna de rest volgde. Toen ze allemaal open waren, kwam Amos overeind en maakte een wuifgebaar naar het bureau. 'Gaat uw gang, sir.'

De bovenste la zat vol onbetaalde rekeningen. Ontsteld over het geldbedrag dat George aan kleermakers en kooplui schuldig was, legde Edward ze zorgvuldig terug en doorzocht nog een paar laden. Zijn mond viel open van verbazing toen hij het vuurwapen in de onderste la zag. 'Amos, kom hier eens naar kijken. Daar ligt een pistool.'

Vanwege zijn hartgrondige hekel aan vuurwapens was Edward niet van plan het ding op te pakken en te bekijken.

Amos staarde naar het wapen en schudde zijn hoofd van verbijstering. 'God weet waar hij dat ding voor nodig heeft, Mr. Edward. In elk geval is het een Smith and Wesson, te uwer informatie.' Amos tilde zijn voet op en duwde de la dicht.

Toen Edward de andere laden doorzocht, vond hij niets, behalve een adresboekje vol telefoonnummers van vrouwen en de nummers van diverse nachtclubs in Londen. Vervolgens liep hij het vertrek door en trok een paar kasten open, echter zonder iets van belang te vinden. 'Nou, dat is het dan, er is niets, sluit alle laden maar weer af.'

'Okido, sir. Neem me niet kwalijk, maar zocht u iets speciaals?'

'Nee... nou, ja, toch wel. Ik was op zoek naar íéts, wat dan ook, wat misschien op een bepaalde manier... belastend kon zijn.'

Amos wierp een blik op Edward en ging toen aan de slag om de laden op slot te doen.

Een paar minuten later verlieten ze Georges kantoor. Amos sloot de deur af, waarna ze in doodse stilte samen door de gang liepen.

Op een gegeven moment bleef Edward staan, terwijl hij Amos vragend aankeek. 'Er knaagt iets in mijn achterhoofd, en ik kan er mijn vinger niet helemaal op leggen. Eerlijk gezegd, Amos, verwachtte ik echt iets in zijn kantoor te vinden, iets van vitaal belang, maar ik kan met geen mogelijkheid bedenken wát ik zoek.'

'Mocht het u te binnen schieten, laat het me dan weten, sir. Ik heb de deur van het kantoor in een handomdraai open, zoals u net hebt gezien.'

Edward zat in zijn kantoor de memo's door te kijken die hij de vorige dag van Oliveri en Will Hasling had ontvangen. Deze twee mededirecteuren, die hem het meest na stonden, bekleedden binnen het bedrijf machtige posities en hadden eindelijk hun onderzoek afgerond naar wat de firma gedurende het jaar 1918 in de hele wereld aan zaken had gedaan.

Toen ze hem gisteren de bevindingen presenteerden, waren ze dolenthousiast geweest te kunnen verkondigen dat het een werkelijk buitengewoon jaar was geweest, ondanks de oorlog. Of wellicht, voor een deel, juist vanwege de oorlog, bedacht Edward, terwijl hij zich achterover liet zakken in zijn stoel.

Deravenel, 's werelds grootste handelsmaatschappij, nam een hoge vlucht. Winsten stegen enorm en hij had het idee dat het onmogelijk beter zou kunnen. Er trok een glimlachje over zijn gezicht. Natuurlijk wel, en dat zou gebeuren ook. Nu er vrede in de wereld heerste zou zich een geweldige *boom* voordoen.

Hij boog zich voorover en bladerde de papieren door om even twee branches onder de loep te nemen – de mijnbouw en de wijngaarden in Frankrijk. Laatstgenoemde hadden met problemen te kampen – niet zozeer vanwege de oorlog als wel vanwege het slechte weer. Toch was de wijnbranche nog even winstgevend als die al honderden jaren was.

En over de hele wereld waren hun mijnen welvarend. Alles deed het goed, en op een dag in de niet al te verre toekomst zou er olie in Perzië zijn. Daarvan was hij overtuigd. Dat was zijn droom. Na de memo's korte tijd te hebben bestudeerd, stopte hij ze terug in de la en draaide die op slot.

De zaak was in topvorm, goddank. In de veertien jaar die hij nu aan het roer stond, had hij voor een kentering van driehonderdzestig graden gezorgd. Niemand kon hem iets verwijten en hij was best trots op zijn prestaties, vooral wanneer hij dacht aan de enorme chaos die hij had aangetroffen toen hij, zoals hij dat noemde, de 'Grant-bende' had afgezet. Ook zijn persoonlijke zaken waren keurig op orde. De trustfondsen voor de vrouwen in zijn leven waren geregeld; hij had de volgende week een afspraak met zijn raadslieden om wijzigingen in zijn testament aan te brengen; en de financiële aangelegenheden van zijn moeder, die hij jarenlang had behandeld, waren eveneens perfect in orde.

Hij begon het nieuwe jaar goed. Afgezien van George. Hij zette de gedachte aan zijn broer, die nu meer dan ooit een blok aan zijn been was, van zich af. Hij zou hem de volgende week eens goed onder handen nemen. Toen hij aan Richard dacht, besefte hij hoe verstandig het van hem was geweest om het huis van Nan Watkins te kopen. Richard en Anne waren veilig; zij hadden hun akten in hun bezit.

Hij bukte zich naar de onderste la van zijn bureau, draaide hem van het slot, haalde er de foto van Lily uit en ging weer rechtop zitten. Hij stond op, liep met de foto naar het raam en bekeek hem in het heldere daglicht. Wat was ze mooi geweest, en zo liefdevol, oprecht en hartelijk. Een goede vrouw. Zijn eerste maîtresse, de enige vrouw van wie hij echt had gehouden en die ontzettend veel voor hem had betekend. Hij was kapot geweest van haar dood, een hele tijd. De moord op haar, de moord op hun kind, corrigeerde hij zichzelf.

Lily had ook van hem gehouden, met haar hele hart. En na haar dood had ze over hem gewaakt en een rijk man van hem gemaakt. Haar hele bezit was per testament aan hem overgemaakt – het geld, de huizen en een groot deel van haar sieraden en antieke meubilair. Met Lily's kapitaal, dat door de jaren heen was gegroeid, had hij de trustfondsen van Grace Rose en zijn dochters opgericht en het huis in Chelsea van Nan gekocht. Hij wist dat het Lily goed zou doen als ze wist dat hij haar erfenis zo goed had besteed. Mischien wist ze het ook wel. Toen hij opnieuw naar de foto in zijn handen keek, besefte hij hoezeer hij haar al die jaren had gemist. Hij gaf weliswaar heel veel om Jane Shaw, en ze was voor hem een geschenk uit de hemel, maar ze zou Lily nooit kunnen vervangen. Dat kon niemand. Elizabeth wel het minst van iedereen.

Elizabeth. Wat had ze hem op tweede kerstdag razend gemaakt; die valse opmerking die ze tegen Fenella maakte toen zij en Mark op de thee kwamen, had hem tot in zijn ziel geraakt. Ze draagt het hart op de tong en ze weet nooit wanneer ze haar mond moet houden, dacht hij, terugdenkend aan Wills commentaar. Ze was een jaloerse vrouw, daar kon niemand omheen. En op de avond van tweede kerstdag hadden ze een verschrikkelijke ruzie gekregen, alleen maar omdat hij had gezegd dat ze zich aanstelde door jaloers te zijn op zijn relatie met Fenella, die er eerder een was als tussen broer en zus dan iets anders. Daar had hij het niet bij gelaten, maar eraan toegevoegd dat ze gewoon platonische vrienden waren die elkaar al honderd jaar kenden. Maar daarmee scheen Elizabeth geen genoegen te kunnen nemen, en ze had hem beschuldigd van amoureuze betrekkingen met Fenella.

'In jaloezie zit meer zelfzucht dan liefde,' had hij ijskoud teruggekaatst toen ze wat was gekalmeerd, om De la Rochefoucauld voor haar te parafraseren. Ze had hem woedend aangekeken en was driftig weggelopen, en sindsdien was de verstandhouding tussen hen allesbehalve goed. Dat moet dan maar, dacht hij, en hij ging weer naar zijn bureau.

Er werd geklopt, waarna Amos zijn hoofd om de deur stak. 'Kan ik u even spreken, Mr. Edward?'

'Ja, kom binnen, Amos.' Edward legde de foto in de onderste la en draaide die op slot. 'Wat is er? Je klinkt ongerust.'

'Dat ben ik ook, sir. Dat vermaledijde vuurwapen in het kantoor van Mr. George zit me dwars. De gedachte dat hier wapens rondslingeren bevalt me niet. Die dingen zijn gevaarlijk.'

'Je hebt helemaal gelijk, maar ik kan er weinig aan doen.'

'Ik zou het ding kunnen weghalen, sir.'

'Ja, dat zou kunnen. Maar ik vind niet dat je dat moet doen. Ik wil niet dat hij weet dat iemand toegang heeft tot zijn kantoor en zijn bureau, en nog gemakkelijk ook. Dat moet ons geheim blijven, Amos.'

'Ik begrijp het, sir. Dan haal ik het vuurwapen dus niet weg. Geen probleem.'

Edward knikte. 'Zo mag ik het horen, Amos. Ik sta op het punt om weg te gaan. Ik heb met Mr. Hasling afgesproken om in het Savoy te gaan lunchen. En ik betwijfel of ik vanmiddag nog terugkom. Dus kom ik Grace Rose en jou morgen afhalen, bij Mrs. Vicky thuis.'

'Heel graag, sir. Grace Rose is helemaal opgewonden. Ze kan niet wachten tot ze het graf van haar moeder kan bezoeken.'

'Dat zal in zekere zin een afsluiting voor haar zijn,' mompelde Edward. 'Ik ben blij dat je haar daarbij hebt kunnen helpen.'

Tweeëntwintig

Toen hij Edward Deravenel de Grill Room van het Savoy Hotel binnen zag komen, zag Will Hasling dat zijn vriend gebukt ging onder nieuwe, zware lasten.

Hun hechte vriendschap van meer dan twintig jaar werd niet bezoedeld door gekibbel en meningsverschillen, en hij kende Ned even goed als zichzelf; misschien wel beter dan hij zichzelf kende. En na al die jaren van hechte vriendschap was Ned een open boek voor hem. Hij vermoedde dat George de kern van de moeilijkheden was, en de oorzaak van Neds sombere gezicht.

'Ben ik te laat?' vroeg Edward, terwijl hij tegenover zijn beste vriend plaatsnam.

'Nee, hoor. Ik was hier zelfs te vroeg en ik was echt nogal verbaasd toen ik zag hoe druk het hier vandaag is, op zaterdag nog wel.'

Edward keek om zich heen en knikte. 'Héél druk, maar het zijn waarschijnlijk allemaal hotelgasten. Ik zie geen enkel bekend gezicht.'

'Dat is waar,' stemde Will in. 'Ik dacht erover misschien een glas champagne te nemen. Lijkt dat jou ook wat?'

'Ja, waarom niet?'

Will wenkte een ober, die direct naar hen toe kwam, en vroeg of hij de wijnkaart mocht zien, waarna hij Edward aankeek en vroeg: 'Wat is er? Heeft het met voormalige broeder George te maken?'

'Ja, uiteraard. Zoals je weet, is hij deze week niet komen opdagen, zoals hij had afgesproken, maar in plaats daarvan kreeg ik via Isabel die stomme boodschap van hem dat hij bronchitis had en niet aan de telefoon kon komen.'

Will lachte snuivend. 'Dat vertelde je, en ik was stomverbaasd over zijn lef. Maar zijn afwezigheid baart je toch geen zorgen?' Will keek Edward vragend aan.

'Nee. Het baart me zorgen wat er in Schotland bij Ian MacDonald is gebeurd. Ik heb je nog niet verteld over het debacle dat zich daar heeft afgespeeld, omdat ik eerst George onder handen wilde nemen en in een persoonlijk gesprek zijn kant van het verhaal wilde horen. Maar aangezien hij zijn snor drukt en nog steeds bij Nan op Thorpe Manor in Yorkshire is ondergedoken, vond ik dat ik jou vandaag op de hoogte moest brengen.' Ned wachtte even toen de ober met de wijnkaart terugkwam, die hij aan Will gaf.

Na de kaart te hebben doorgenomen, bestelde Will een fles roze Krug-champagne. Terwijl hij zich tot Ned wendde, pakte hij de draad van hun gesprek weer op. 'Volgens mij heeft hij de transactie om zeep geholpen. Is het niet?'

'Nou... min of meer... maar eerlijk gezegd niet helemaal. Ik heb MacDonald ervan weten te overtuigen dat ik het serieus bedoel. Maar ik geloof dat het erop neerkomt dat jij de komende week naar Schotland moet om de zaak met jouw gebruikelijke diplomatie en vakmanschap te regelen. Dan zal Richard met je mee moeten, aangezien MacDonald wil dat er bij de definitieve onderhandelingen een Deravenel aanwezig is en George kennelijk niet welkom is.'

'Natuurlijk ga ik, maar wat is er gebeurd?' Er verscheen een frons op Wills gezicht, en hij keek Edward stomverbaasd aan. 'Het laatste wat ik hoorde, was dat het geweldig ging.'

'Dat was ook zo. De eerste afspraak op de vrijdag voor Kerstmis verliep goed en dat weekend heeft MacDonald George een paar stokerijen in de omgeving van Edinburgh laten zien. De problemen begonnen op maandag, 23 december. Kennelijk blies George ineens hoog van de toren tegen MacDonald – en niet zo'n beetje ook, volgens de Schot – waarop hij zo verstandig was de kwestie even te laten rusten. Hij had geen zin om op dat moment met George in discussie te gaan. Hij dacht dat het verstandiger zou zijn om de zakelijke besprekingen na Kerstmis voort te zetten. Misschien weet je nog dat George was uitgenodigd om bij MacDonald, zijn dochter en haar gezin in de Lammermuir Hills te komen logeren. Naar het schijnt heeft George zich met de kerst behoorlijk misdragen – hij dronk te veel, gedroeg zich arrogant en kreeg praatjes, zoals alleen hij dat kan. En op tweede kerstdag vertrok hij met veel herrie, nadat hij een auto met chauffeur had geëist om de familie naar een hotel in Edinburgh te rijden. Toen kreeg ik dus op Ravenscar een woedend telefoontje van een heel boze Ian MacDonald.'

'En onze George drukt zijn snor, gaat als een haas naar Engeland terug – maar in plaats van naar Londen, naar Yorkshire, omdat hij je natuurlijk niet onder ogen kan komen.' Will schudde zijn hoofd. 'Het is zo'n sukkel. Snapt hij dan niet dat we hem allemaal door hebben? Hij is zo doorzichtig dat het bijna zielig is.'

Edward glimlachte flauwtjes. 'Hij is momenteel een beetje een schijterd, denk ik, omdat hij overal een potje van heeft gemaakt.'

'Maar ik neem aan dat MacDonald nog steeds bereid is om te onderhandelen?'

'Ja, Will, en om je de waarheid te zeggen kan ik me eigenlijk niet voorstellen waarom George in godsnaam over geld zat te bakkeleien. Wat mij betreft, was het een heel redelijke transactie. Waarom hij MacDonald op die manier tegen de haren in wilde strijken, zal me eeuwig een raadsel blijven. De prijs was uitstekend!' Edward perste zijn lippen op elkaar en wendde zijn blik af. Toen draaide hij zich weer om naar Will en vertelde: 'MacDonald heeft me alles woord voor woord gerapporteerd en ik ben er absoluut van overtuigd dat hij de waarheid sprak. Ik ken hem al jaren en het is een eerlijke vent. Wat George aangaat, hij had het allemaal met mij moeten bespreken, vooral als hij ergens zijn twijfels over had. Maar op zijn eigen zelfingenomen, arrogante en opgeblazen manier wilde hij de grote meneer uithangen. Daar zal hij niet ver mee komen.'

'Het draait bij George alleen maar om macht,' merkte Will op. 'Hij wil de scepter zwaaien. Met alle geweld! Hij heeft een opgeblazen kijk op zichzelf en zijn capaciteiten en hij draaft maar door, zonder na te denken, als een everzwijn dat op zoek is naar truffels in een bos.' Will zweeg even, wendde zich tot de ober die de champagne kwam brengen, en bedankte hem.

Even later klonk Will met zijn champagneglas tegen dat van Ned en sprak snel verder: 'Maar één ding moet je me uitleggen. In het begin, weken geleden, zei je nog dat het je niet echt kon schelen of de transactie zou lukken of niet. Dus waarom ben je er nu zo happig op?'

'Dat ben ik niet,' antwoordde Edward. 'Nee, dat bedoel ik niet. Laat het me uitleggen.' Hij boog zich over de tafel heen en keek zijn vriend doordringend aan. 'Ik denk dat het verwerven van het bedrijf van MacDonald op de lange duur gunstig voor ons zou zijn: het zal de wijnbranche zeker een extra stimulans geven. De transactie berust voor mij op twee dingen: de prijs die MacDonald voor het bedrijf wil en de opbrengst van de distilleerderijen. Daarom heb ik meer informatie over de distilleerderijen nodig. Maar afgezien daarvan heeft George me in een onmogelijke positie gemanoeuvreerd.'

Will knikte, nipte van zijn champagne en wachtte zonder iets te zeggen af.

'Ik schaam me dood, als je de waarheid wilt weten,' sputterde Edward. 'Dat George zich dusdanig heeft gedragen is ontstellend. Beledigend worden tegen een man op leeftijd, je gedragen als een boerenpummel of je gastheer bruuskeren, tja, heel eerlijk gezegd gaat mijn bloed ervan koken. Per slot van rekening is hij een Deravenel. En we zijn gentlemen. Naar verluidt.'

'Ik begrijp het wel, maar George niet,' merkte Will op. 'Bij George gaat het alleen maar om George. Hij is door en door verwend, als je het niet erg vindt dat ik het zeg. Niet alleen door je zuster Margaret, maar ook door je moeder.'

'Ik weet hoe Meg hem, toen we samen opgroeiden, als een baby behandelde en inderdaad, mama heeft de neiging hem de hele tijd te hulp te schieten en ja, hij heeft een totaal verkeerd beeld van zichzelf.'

'Ik weet hoe je ervan gruwt wanneer je het gevoel hebt dat de naam Deravenel door het slijk wordt gehaald, en ik begrijp heel goed waarom je vindt dat MacDonald... nou ja, laten we zeggen een beetje gesust en in de watten gelegd moet worden. Hij moet zogezegd weer in model worden getrokken,' zei Will.

'Precies.'

'En jij denkt dat ik dat kan?' vroeg Will, terwijl hij achteroverleunde. 'Met hulp van Richard.'

'Zonder zijn hulp eigenlijk, Will, maar MacDonald wil nu eenmaal dat er een Deravenel bij de besprekingen aanwezig is.'

'Goed dan. Ik zal mijn uiterste best doen om je de MacDonald Distillery Company te bezorgen, daar kun je op rekenen. En ik zal blij zijn met Richards gezelschap. We kunnen altijd goed met elkaar overweg, al sinds hij... jouw Visje was.'

Edward glimlachte. 'Hij is de gewetensvolle, sociale en behoedzame van ons, dat Visje van me.' Hij zuchtte en keek Will lang en taxerend aan. 'George heeft op kantoor een revolver in zijn la.'

'Goeie God!' Will ging rechtop zitten. 'Waarvoor?'

'Weet ik veel. Ik weet zeker dat hij niet van plan is op het werk om zich heen op mensen te gaan schieten. Misschien ligt dat ding in zijn kantoor omdat hij het niet in huis wil hebben.'

'Maar wat moet hij überhaupt met een vuurwapen?'

Edward haalde zijn schouders op, terwijl er een gelaten uitdrukking op zijn gezicht verscheen.

'Hoe weet je dat hij een revolver in zijn bureaula heeft?' vroeg Will nu pas.

'Doordat ik Amos vanmorgen in zijn kantoor heb laten inbreken, en hij ook de sloten van Georges bureauladen open heeft gekregen.'

'Waar was je naar op zoek?'

'Dat weet ik echt niet. Maar ergens in mijn achterhoofd zit een vage herinnering aan... iets... Iets wat te maken heeft met... intriges... overnamen. Ik kan er alleen niet mijn vinger op leggen.'

Will werd muisstil. Hij keek Edward aan en zei bedachtzaam en met gedempte stem: 'Ik denk dat ik je daar misschien wel bij kan helpen. Ik herinner me dat Johnny Watkins het ooit, lang geleden, met me heeft gehad over Louis Charpentier, John Summers en Margot Grant... Hij mompelde zoiets dat... dat intriges slecht zijn voor je huwelijksleven. Op de een of andere manier kwamen we op het onderwerp Henry Turner, de neef van Henry Grant... Johnny zei toen dat er altijd iemand zou zijn om de firma Deravenel op te eisen. Jij was bij ons in de kamer... misschien is het dat wat je je herinnert, hoe vaag ook.'

'Volgens mij zou je best gelijk kunnen hebben, Will. Ik weet dat George mijn plaats zou willen innemen, de baas over Deravenel wil spelen, Ravenscar wil bezitten, alles wil hebben wat ik heb... geld, macht, privileges... en dat hij zonder twijfel een pact met de duivel zou sluiten. Henry Turner. Mijn moeder had het met Kerstmis nog over hem, en waarschijnlijk is de naam in mijn hoofd blijven hangen. George is een geboren bedrieger. Dat weet jij net zo goed als ik. Hij is niet te vertrouwen.'

'Je moet echts iets aan hem doen, Edward,' zei Will met gedempte stem, waaraan hij toevoegde: 'En wel meteen.'

'Maar wat? Dat is de vraag.'

'Stuur hem op reis, zoals Oliveri voorstelde.'

'Van je levensdagen niet!' antwoordde Edward. 'Ik wil hem zo dicht mogelijk bij me houden, waar ik hem te allen tijde kan zien en horen. Dat is de enige oplossing.'

'Nou, dan is de kwestie George geregeld. Zullen we bestellen?' stelde Will voor, waarbij hij voor het eerst die morgen glimlachte. Maar zijn glimlach maskeerde zijn ware gevoelens. Dat George geen moment uit zijn blikveld zou verdwijnen, betekende niet dat Edward niets zou kunnen overkomen. George Deravenel was een geboren intrigant, een onruststoker – hebzuchtig en ambitieus. Zolang hij bij de firma Deravenel in de buurt was omdat hij er werkte, was Ned kwetsbaar. Will wist dat hij een oogje op Ned moest houden. En Amos ook. Er broeide iets. Will voelde het, hij kon het bijna ruiken...

Drieëntwintig

Grace Rose stond aan het graf en bekeek de witmarmeren grafzerk. Aan het hoofdeinde van de steen stonden, in goud gegraveerd, de woorden RUST IN VREDE EN LIEFDE. Daaronder, eveneens in goud, stond de naam: Tabitha 'Lucy' Lawford. En daar weer onder één enkele regel: Geliefde van Sebastian Lawford. Overleden 1904.

Grace Rose twijfelde er geen moment aan dat dit het graf was van haar biologische moeder. Ze had geen herinnering aan Sebastian Lawford, evenmin als de naam Cederic Crawford een belletje bij haar deed rinkelen wanneer Amos die de afgelopen jaren noemde. Maar Tabitha was zo'n uitzonderlijke naam dat ze er zeker van was dat dit het graf van haar moeder was.

Trouwens, toen Amos kortgeleden naar het ziekenhuis ging en de dossiers en vervolgens de overlijdensakte had ingekeken, had hij de aantekening gezien dat Tabitha Lawford te ruste was gelegd op het kerkhof in Brady Street in Whitechapel. Dit was de wijk waar het ziekenhuis stond en waar ze hadden gewoond. Haar herinnering aan die vroegere periode was vaag; ze was toen nog zo klein en kon zich Tabitha nauwelijks herinneren. Ook wist ze dat ze zich niet eens een visuele voorstelling van haar moeder had kunnen maken als ze geen foto van Tabitha had gehad.

Toen ze daar stond, geflankeerd door Amos Finnister en Edward Deravenel, begreep Grace Rose heel goed dat ze geen enkele emotie voelde voor degene die daar begraven lag, omdat ze nou eenmaal geen herinnering aan haar had. Het enige wat ze voelde, was een pijnlijke, diepe droefenis voor Tabitha, een jonge vrouw die zich duidelijk door haar hart had laten leiden en niet door haar hoofd, waardoor ze vervolgens in een neerwaartse spiraal was meegesleurd, en ziekte en wanhoop haar deel waren geworden.

Haar moeder was Vicky Forth, in haar hart en in haar gedachten. Zij was degene die haar de afgelopen dertien jaar had grootgebracht en door wie ze was geworden wie ze vandaag was – een vrouw met een goede opleiding, culturele bagage, goede manieren en zelfvertrouwen. Een zelfbewuste jonge vrouw met gevoel voor eigenwaarde die recht had op haar eigen plek op de wereld. Een jonge vrouw met stijl.

Grace Rose draaide haar hoofd om en keek naar Edward Deravenel, haar echte vader. Ze gaf hem niet de schuld van haar moeders ondergang; hij was nog maar een jongen toen hij een relatie kreeg met Tabitha, die toen al in de twintig was.

Vanaf het moment dat ze te weten was gekomen dat ze zijn dochter was, had hij haar getoond wat liefde was, was hij haar met warmte en tederheid tegemoet getreden en had hij haar duidelijk gemaakt dat hij zich verantwoordelijk voelde voor haar en haar welbevinden. Bovendien had hij haar openlijk erkend, zonder een geheim te maken van hun relatie als vader en dochter, zelfs niet tegenover zijn eigen familie. Ze was er trots op dat ze bij hem hoorde, een Deravenel was, en dat zijn bloed door haar aderen vloeide, ook al beschouwde ze Stephen Forth als haar vader. Uiteindelijk had de man van Vicky aan haar opvoeding bijgedragen en was hij in de beste betekenis van het woord een echte vader voor haar geweest.

En dan was er Amos Finnister, die nu aan haar andere kant stond. Het leek wel alsof hij door de hemel was gezonden toen hij haar al die jaren geleden had gevonden toen ze in een gammele handkar in Whitechapel woonde: een jongensachtig schooiertje dat tot ieders verrassing een meisje bleek te zijn.

Grace Rose glimlachte in zichzelf, terwijl ze zich ieders verbijstering probeerde voor te stellen toen het meisjesachtige lijfje en de rossig gouden krullen tevoorschijn kwamen. Natuurlijk had Amos haar, na haar getrakteerd te hebben op die heerlijke vleespasteitjes, aan haar lot kunnen overlaten en weggaan. Maar nee, omdat hij verantwoordelijkheidsgevoel had en zorgzaam was, had hij haar naar de enige plek gebracht waarvan hij wist dat ze er veilig zou zijn: Haddon House. Daar was ze regelrecht in de liefdevolle handen gevallen van Vicky en van Fenella Fayne.

Amos had haar sindsdien met attenties overladen, door al die jaren met haar verjaardag, Kerstmis en feestdagen aan haar te denken, haar cadeautjes en heel veel liefde te geven. Het was hem op de een of andere manier gelukt Tabitha's verhaal stukje bij beetje bij elkaar te puzzelen en de locaties te achterhalen die tijdens de laatste dagen van haar aardse bestaan van betekenis waren geweest. En hier stond zij vandaag, dankzij Amos, naar de laatste rustplaats van haar moeder te kijken.

Plotseling zei Edward: 'Alles goed met je, Grace Rose?'

Terwijl ze naar hem opkeek, stamelde ze: 'Ja hoor, oom Ned.' Er volgde een korte stilte voordat ze eraan toevoegde: 'Maar ik kan me haar niet echt herinneren.'

'Tja, het is dan ook lang geleden, en je was nog maar een klein meisje van vier toen Amos je vond.'

'Ik zie haar gezicht wel voor me, maar ik weet dat dat komt door de foto die ik van haar heb,' biechtte Grace Rose op.

'Dat begrijp ik,' antwoordde Edward. 'Ze was heel mooi, weet je, veel mooier dan ze er op de foto uitziet. En ze was lief, een liefdevolle jonge vrouw, heel teder...' De rest van de zin liet hij in de lucht zweven.

'Nu je weet waar ze rust, Grace Rose,' zei Amos, 'heb je dan niet een gevoel... dat er iets is afgerond?'

'O ja, Amos. Ik maakte me zorgen over wat er van haar was geworden. Soms dacht ik zelfs dat ze nog leefde en dat ze me op een dag zou komen halen.' Ze schudde haar hoofd. 'Hoe heb ik dat ooit kunnen denken?'

'Dat was een normale gedachte,' stelde Amos haar gerust. 'En heel logisch. Je had geen idee waar ze was gebleven...' Hij stak hulpeloos zijn handen omhoog en haalde zijn schouders op. 'Dus waarom zou je niét geloven dat ze nog ergens leefde en je op een dag zou komen zoeken?'

'Ja,' was het enige wat Grace Rose zei. Ze ging dichter bij de zerk staan en streelde langs de bloemen die ze had meegebracht en die nu op het graf lagen. 'Het is maar goed dat moeder erop stond dat ik een vaas voor de bloemen zou meenemen, hè Amos?'

'Zeg dat wel.'

Ze stak haar arm uit en legde een in een handschoen gehulde hand op zijn arm. 'Dankjewel, Amos, bedankt voor alles... voor alle goede dingen die je voor me hebt gedaan, zolang ik me kan herinneren.'

Hij keek haar alleen maar glimlachend aan, met een blik vol liefde.

'En u ook, oom Ned. Dank u voor al uw liefde en aandacht, en omdat u mij of mijn bestaansrecht nooit hebt ontkend.'

Edward kreeg een brok in zijn keel, en hij sloeg een arm om het achttienjarige meisje heen. Ontroerd door wat ze had gezegd, mompelde hij met omfloerste stem: 'Je bent een deel van mij, Grace, en dat zou ik nooit ontkennen...'

Binnen enkele minuten liepen Grace en de twee mannen haastig het kerkhof in Brady Street af, op weg naar Edwards Rolls-Royce, die vlakbij stond geparkeerd. Toen ze dichterbij kwamen, stapte Broadbent, Edwards chauffeur, uit om alvast de achterportieren te openen.

'We gaan terug naar het huis van Mrs. Forth, Broadbent,' zei Edward en hij hielp Grace Rose en Amos achter in de auto in te stappen, waarna hij er zelf snel naast kroop.

Buiten was het zo'n typische bitterkoude, grauwe januaridag met een druilerige regen die tot op het bot leek door te dringen. Niet bepaald een aangename dag voor een bezoek aan het kerkhof, bedacht Edward, maar ja, wanneer was zoiets ooit aangenaam? Het weer had er eigenlijk niets mee te maken. Een dergelijke aangelegenheid vervulde hem altijd met melancholie. Hij wist dat het niet zozeer te maken had met Tabitha, als wel met alle andere sterfgevallen die hem diep hadden getroffen... Van zijn vader en zijn broer Edmund, van oom Rick en zijn neef Thomas, en die andere twee neven met wie hij was opgegroeid en van wie hij had gehouden: Neville en Johnny Watkins. Ook miste hij nog steeds Rob Aspen en Christopher Green, die zoveel voor hem hadden betekend – heel belangrijke stafleden bij Deravenel die zo heldhaftig waren omgekomen in de oorlog.

Edward scheurde zich los van zijn droefgeestige gedachten toen Grace Rose aankondigde: 'Ik zal af en toe teruggaan om bloemen neer te leggen, oom Ned.'

'Ja, dat moet je doen, wanneer je maar wilt.' Hij pakte haar hand, kneep erin en voegde eraan toe: 'Mijn moeder pepert me voortdurend in dat het leven aan de levenden is, Grace Rose, en dat zou jij ook in je oren moeten knopen. Het is belangrijk om af en toe aan de mensen te denken van wie we hebben gehouden en die zijn overleden, maar we moeten tevens leven voor vandaag en voor de toekomst, en niet te vaak terugkijken, hoor.'

'Ik begrijp het,' mompelde ze en ging toen, nadat ze diep had ingeademd, opgewekter verder: 'Ik ben zo blij dat ik op de trouwdag van lady Fenella een van de bruidsmeisjes mag zijn, en dat u toestemming hebt gegeven dat Bess, Mary en Cecily ook bruidsmeisje zijn. Moeder vertelde dat we lichtblauwe tafzijden jurken aan zullen hebben met een kransje van korenbloemen op ons hoofd.'

Hij keek haar glimlachend aan. 'Ik sta te popelen om mijn stel goudharige schoonheden achter Fenella aan over het middenpad te zien lopen. Ik zal zo trots op jullie vieren zijn. En ik weet zeker dat je een plaatje zult zijn.'

Ze leunde lachend voorover om Amos te kunnen aankijken, die aan Edwards andere kant zat. 'Moeder vertelde dat jij ook op de trouwdag komt, Amos. Zal het geen prachtige dag worden?'

'Reken maar,' antwoordde Amos, blij om een stralende lach op haar gezicht te zien nadat ze al die tijd aan het graf zo verdrietig had gekeken. De verschrikkelijke angst waarin ze jarenlang had geleefd was nu eindelijk voorgoed van haar af gevallen. Gelukkig geloofde ze niet langer dat Tabitha James plotseling zou opduiken om haar bij Vicky en Stephen Ford weg te rukken. Hij wist dat dit een probleem voor het meisje was geweest, evenals haar ongerustheid over wat er werkelijk met haar moeder was gebeurd – mam, zoals ze haar had genoemd en die nu als sneeuw voor de zon was verdwenen.

Het was even stil, tot Edward Amos aankeek en cryptisch zei: 'De kwestie waarmee we ons gisteren hebben beziggehouden moet toch vandaag nog worden afgehandeld, als je het tenminste niet erg vindt om straks, na de thee bij Mrs. Forth, even langs kantoor te gaan. Ik zou graag willen dat je het voorwerp in de onderste la en alle papieren uit de middelste bovenla weghaalt. Ik ben vast van plan morgen in alle vroegte op kantoor te komen, Amos, om een uur of zeven. Zouden we dan een bespreking kunnen houden, alleen wij met z'n tweeën misschien?'

'Geen probleem, sir, en ik zal vanavond even langs gaan, zoals u voorstelt,' antwoordde Amos, helemaal opgelucht dat hij toestemming had gekregen om de revolver weg te halen. Het idee dat er een vuurwapen op het werk was, had hem met ontzetting vervuld, vooral omdat het in de la lag van George Deravenel, die zo onberekenbaar was.

Hierna deed het drietal er het zwijgen toe, en toen ze weer met elkaar spraken ging het over triviale, onbelangrijke dingen. De Rolls-Royce wurmde zich door het verkeer in East End heen, terwijl Broadbent koersvast via Piccadilly op Kensington afstevende, waar de familie Forth woonde.

Zodra Grace Rose Vicky zag, die hen in de zitkamer stond op te wachten, stoof ze op haar af. Met een hartelijke glimlach spreidde Vicky haar armen en drukte Grace Rose stevig tegen zich aan, wetend hoe het meisje tegen het bezoek aan het kerkhof had opgezien. Grace Rose klampte zich een paar tellen aan haar vast en toen ze zich eindelijk losmaakte, keek ze Vicky liefdevol aan en zei: 'Er is niets met me aan de hand, moeder, echt niet. Ik ben blij dat ik er ben geweest, want nu weet ik waar mam ligt en dat ik me nooit meer zorgen over haar zal maken.'

'Daar ben ik blij om, Grace Rose, en er is voor jou geen enkele reden om terug te kijken en ongelukkig te zijn. Kijk jij maar vooruit; denk maar aan Oxford en aan de toekomst.'

'Ja, dat ga ik doen. Ik zei tegen oom Ned dat ik er af en toe naartoe zal gaan om bloemen op haar graf te leggen.'

Vicky knikte. 'Dat is een schitterend idee en als je wilt, ga ik met je mee, en je vader ook. Ja toch, Stephen?'

Breeduit glimlachend kwam Stephen naar Grace Rose en Vicky toe gelopen. 'Reken maar. Vandaag zouden we ook met je zijn meegegaan, lieverd, maar dat scheen je niet te willen.'

Grace Rose keek hem aan en gaf hem een kus op zijn wang. 'Ik had gewoon het gevoel dat ik er op een volwassen manier mee moest omgaan,' mompelde ze, waarna ze breeduit lachte met een blijdschap die aanstekelijk was.

Stephen lachte met haar mee, waarna hij haastig Edward en Amos ging begroeten, die samen de zitkamer binnen kwamen lopen.

Zoals hij altijd deed, ongeacht waar, ging Edward Deravenel regelrecht op de haard af en ging er met zijn rug naartoe staan. 'Het is buiten erg vochtig en kil. Fijn om hier in die prachtige kamer te zijn, Vicky, en ik zou geen nee zeggen tegen die kop thee.'

'Dan krijg je die ook meteen,' kaatste ze terug, waarna ze weg liep, maar even later terugkeerde. 'De thee is er vóór je drie keer met je ogen hebt geknipperd,' zei ze grinnikend tegen hem, waarna ze zich tot Amos wendde en zei: 'Jij kijkt zeker ook uit naar een kop thee, Amos?'

'Zeker, Mrs. Vicky. Niets is erger dan Engelse motregen. De geest wordt er net zo klam van als de overjas.'

'Dat klopt als een bus,' stemde Vicky lachend in en ze nam plaats op de bank.

Stephen kwam naast Edward bij de haard staan en vertrouwde hem een ogenblik later toe: 'Ik heb Churchill laatst nog gezien, in de club. Goddank zag hij er weer gezond en kwiek uit.'

'Blij dat te horen. Wat is Winston nu van plan? Heeft hij je dat nog verteld?' vroeg Edward met onverholen nieuwsgierigheid.

'Hij wordt toch parlementslid, daar ben ik zeker van. Er komen dit jaar verkiezingen, maar Lloyd George heeft niets te vrezen, en ik ben ervan overtuigd dat Winston zijn zetel in Dundee kan terugwinnen,' antwoordde Stephen vol vertrouwen.

'Daar sluit ik me helemaal bij aan.' Edward knikte instemmend, waarna hij zijn lippen op elkaar perste. 'Jammer dat hij de schuld kreeg van Gallipoli. Dat was naar mijn mening niet helemaal terecht.'

'Dat is waar, Ned. Maar hoor eens, hij was destijds minister van Marine, en hij heeft wel de aanval vanuit zee op de Dardanellen in gang gezet.' Stephen zweeg even en schudde zijn hoofd, waarna hij besloot: 'Maar wat kun je anders verwachten? Je weet maar al te goed hoe politici zijn, en Churchill heeft nu eenmaal vijanden. Maar hebben we die niet allemaal, ouwe makker?'

'Dat is maar al te waar, Stephen, maar ik heb mijn geld altijd al op Churchill gezet. Ik heb enorm veel respect en bewondering voor hem, zoals zo veel mensen die ik ken. Het laatste over hem hebben we nog niet gehoord, let maar op mijn woorden, en op een dag zul je zien dat hij voor dit land een geschenk uit de hemel zal blijken te zijn.' Staande bij het vuur praatten ze nog verder over politiek.

Het duurde niet lang of Fuller en de dienstmeisjes kwamen de woonkamer binnen met serveerwagens volgeladen met eten. Al snel waren ze druk bezig iedereen te voorzien van koppen thee, sandwiches en warme scones met aardbeienjam en *clotted cream*. En iedereen riep uit hoe verrukkelijk het eten was.

De Forths en Edward, al jarenlang bevriend, babbelden over allerlei wereldse zaken, terwijl Amos en Grace Rose samen op een bank thee zaten te drinken en haar ophanden zijnde verhuizing naar Oxford bespraken.

Vierentwintig

'Je bent behoorlijk snel hersteld van je bronchitisaanval, hè? Heel frappant,' merkte Edward op ijzige toon op, terwijl hij over het bureau heen zijn broer George aankeek. 'Ik had begrepen dat die kwaal wel een maand duurde. Op z'n minst.' Edwards ogen gleden taxerend over de andere man.

'Het was een verkoudheid,' mompelde George, die met neergeslagen ogen zijn handen bestudeerde, niet in staat Edwards felle, onderzoekende blik te trotseren.

'Wat een pech voor je,' mompelde Edward, en hij leunde achterover in zijn stoel zonder zijn ogen van zijn broer af te wenden. Even later vervolgde hij: 'Vertel eens over je avonturen in Schotland.'

'Er valt niet veel te vertellen.'

'O, maar dat ben ik niet met je eens, George. Ik denk dat er heel wat te vertellen is. Toen je me de vrijdag voor kerst opbelde, op twintig december om precies te zijn, vertelde je dat de transactie zo goed als gesloten was en ook dat je geen problemen voorzag.'

'Dat was ook zo.'

'Die kwamen zeker zomaar opzetten? De ene na de andere, is dat het?' Edwards stem, weliswaar gedempt, was een en al ironie. Toen George geen reactie gaf en zijn blik bleef mijden, drong Edward verder aan. 'En de distilleerderijen? Die heb je de volgende dag bezocht, begrijp ik van Ian MacDonald. Was je niet onder de indruk?'

Bij het horen van die ene vraag, en niet slim genoeg om de bijtende toon in Edwards stem op te merken, riep George uit: 'Precies... ik was er níét van onder de indruk. Nee, nee, absoluut niet, en de prijs... daar klopte helemaal niets van.'

'Is dat zo? Dat is uitermate interessant. En vertel eens, hoe was jouw Kerstmis? Ik weet dat jullie naar MacDonalds buitenhuis in de Lammermuir Hills gingen. Hebben jij, Isabel en de kinderen je geamuseerd?'

'O, dat ging wel. Het was een beetje saai eigenlijk.'

'Aha. Zijn jullie daarom eerder vertrokken dan verwacht? Op tweede kerstdag?'

'Nee, nee, we zijn op tweede kerstdag vertrokken omdat Nan ziek was. Isabel wilde terug naar Yorkshire, om haar moeder op te zoeken, om te zien hoe het met haar ging.'

'Maar Nan heeft al die bedienden, en de man van haar nicht is huisarts in Ripon. Er waren toch genoeg mensen om een oogje op haar te houden en voor haar te zorgen?'

George schudde zijn hoofd en wendde haastig zijn hoofd af.

'Hybris!' brulde Edward, terwijl hij zo'n harde klap op zijn bureau gaf dat de glazen inktpotten rammelden op het zilveren blaadje en George ineenkromp, zich plotseling bewust van de ziedende woede van zijn broer. Angst raakte hem als een vuistslag in zijn maag. Hij slikte en probeerde iets te zeggen, maar kwam tot de ontdekking dat hij zijn stem volledig kwijt was.

'Kijk me aan wanneer ik tegen je praat, sukkel!' schreeuwde Edward, die plotseling opsprong, met een ijzige uitdrukking op zijn gezicht en een woede die nog hoger oplaaide. 'Het is overduidelijk dat je geen bronchitis hebt gehad, maar ziek ben je wel. Je lijdt aan hybris! Je hebt het zelfs zwaar te pakken.'

Van zijn stuk gebracht en nog altijd om woorden verlegen, staarde George zijn broer met open mond aan, terwijl hij zich afvroeg wat hij bedoelde en steeds zenuwachtiger werd.

Een verbeten glimlach speelde om Edwards lippen, en terwijl hij zich over het bureau heen boog, snauwde hij: 'Je weet kennelijk niet wat hybris betekent. Het komt uit het Grieks, en het duidt op tomeloze trots, enorme pretenties. Het betekent ook "de goden versmaden, met arrogantie de goden verzoeken".'

'Ik weet nog steeds niet...'

'Bek dicht! En luister voor één keer in je leven! Ik heb je naar Schotland gestuurd om met Ian MacDonald te onderhandelen. Maar dat heb je niet gedaan. In plaats daarvan heb je de transactie verknald. Daar kunnen we dus naar fluiten. Bovendien zijn we nu een vijand rijker. Alsof we er nog niet genoeg hadden. Je was dronken, je hebt je als een uilskuiken gedragen en een man beledigd die oud genoeg is om je vader te zijn. Vervolgens eiste je van je gastheer een auto met chauffeur, je hebt je gezin ingeladen en bent naar Edinburgh teruggegaan. Waar je enkele dagen hebt doorgebracht.'

'Nee, dat is niet waar! Ik ben naar Yorkshire gegaan. Regelrecht,' kaatste George terug.

'Je bent een leugenaar, George, en een idioot. Nan heeft me precies verteld wanneer jullie op Thorpe Manor aankwamen en, ik kan je tevens vertellen dat ze er enigszins van opkeek toen ze hoorde dat ze ziek was geweest. Ze vertelde dat ze zelfs in blakende gezondheid verkeerde.'

'Ze is beter geworden,' antwoordde Georges zonder veel overtuiging, terwijl hij met zijn hand door zijn blonde haar streek. 'Ik denk dat ze een lichte voedselvergiftiging had.'

Ik zou jou wel willen vergiftigen, dacht Edward, maar hij zei: 'Je liegt, George, het staat op je gezicht te lezen! Wat mankeert je, denk je soms dat ik debiel ben? Ik heb alles gecontroleerd, dus heb niet het lef om één ding te ontkennen.'

'Je hebt me bespioneerd!' schreeuwde George, zichzelf vergetend en weer helemaal bereid zijn broer te tarten, de broer die hij benijdde.

'Schreeuw niet zo,' zei Edward snerend, en hij liet zich weer in zijn stoel zakken. Hij trok zijn bureaula open, haalde er een paar papieren uit en zei met een stem waar het ijs van afdroop: 'Ik heb je gokschulden betaald. Je bent me veertigduizend pond schuldig. Die wil ik ogenblikkelijk terug.'

Stomverbaasd, volkomen overrompeld, ging George rechtop in zijn stoel zitten en staarde zijn broer aan. Hij werd knalrood, en een plotselinge angst schoot door hem heen. Hij was totaal overstuur en dacht dat hij vreselijk zou gaan overgeven.

Zonder acht te slaan op het zwijgen van zijn broer, maar zich er volledig van bewust dat hij stomverbaasd en geschokt was, zwaaide Edward met de promessen en vervolgde: 'Dit zijn de briefjes die je hebt ondertekend. Ik heb ze ingelost. Zodra ik in het bezit ben van je cheque en die door de bank is overgeboekt, mag jij ze hebben. Ik vind dat je moet weten dat ik de drie betreffende clubs heb medegedeeld dat ik nooit meer jouw schulden zal betalen. Ik heb ze geschreven om uit te leggen dat ik daar geen verantwoordelijkheid voor kan dragen. Ik meen te weten dat ze automatisch je lidmaatschap hebben ingetrokken, vanwege torenhoge schulden. Je bent geroyeerd. Dus, broertje, wat heb je daarop te zeggen?'

'Ik wens te weten waarom jij je met mijn zaken bemoeit,' riep George opgewonden uit omdat hij, ineens weer een en al branie, zijn gezicht wilde redden.

'Ik heb me nergens mee bemoeid, alleen onze naam enigermate

verdedigd. Er deden zo veel roddels de ronde over jou en je schulden, je hoerenloperij en je gebruik van drank en verdovende middelen, dat ik iets moest doen. Maar ik ben beslist van mening dat jíj hier iets aan zou moeten doen.' Edward deed opnieuw een greep in de bureaula en haalde er een pak rekeningen uit. 'Ik denk dat je hier beter iets aan kunt doen: deze winkeliers betalen en je kleermaker in Savile Row. Ik zal verder geen schandelijke roddels over jou tolereren.'

'Hoe kom je aan mijn rekeningen?' brulde George, terwijl hij opsprong en nu zelf bijna ontplofte van woede. 'Hoe ben je in mijn bureau gekomen? Het zit op slot.'

'Ik heb er ingebroken. En nu we het toch over je bureau hebben, waarom bewaarde je dit erin?' Edward liet de revolver aan één vinger bungelen.

Ontsteld plofte George op de stoel neer. Eén moment was hij met stomheid geslagen. Hij schudde zijn hoofd alsof hij niet besefte wat er aan de hand was, maar toen keek hij zijn broer aan. Op dat moment voelde hij al het bloed uit zich wegstromen. Hij was reddeloos verloren.

Neds ogen waren als blauw ijs en zijn gezicht straalde diepe woede uit. 'Dat is om... om... mezelf te beschermen,' hakkelde George, die moeizaam slikte om opwellende tranen terug te dringen, in de wetenschap dat hij volledig aan de genade van zijn broer was overgeleverd. Hij wist ook dat hij geen been had om op te staan, maar toch dacht hij dat hij zich op een of andere manier uit deze onverwachte ellende zou kunnen bluffen.

Edward pakte een grote bruine envelop van zijn bureau, gooide er de revolver in en sprak op kille toon verder: 'Dit wordt in de kluis gelegd, waar het voor altijd zal blijven. Zoals ik al zei: ga alsjeblieft onmiddellijk je openstaande rekeningen betalen en tref een regeling met je kleermaker. Bovendien verwacht ik morgen een cheque op mijn bureau voor de veertigduizend pond die je me schuldig bent.'

George knikte. Hij was spierwit en sidderde inwendig. Hij haatte Ned, had een intense hekel aan hem. Hij moest een manier zien te vinden om hem te gronde te richten, zodat hij het bedrijf kon overnemen en besturen, zoals dat hoorde. Bovendien wist hij dat hij dat veel beter zou doen dan die vermaledijde broer van hem.

'Je schijnt niet veel te zeggen te hebben.' Edward fronste zijn voorhoofd. Het leek wel of hij het niet begreep. 'Schaam je je niet, George, of heb je geen spijt van de moeilijkheden die je hebt veroorzaakt en de ravage die je in Schotland hebt aangericht? Goeie god, man, je bent bijna zesentwintig, getrouwd, vader, en je bent bovendien een Deravenel. Je moet eens wat verantwoordelijkheidsgevoel tonen, en ook wat trots, mag ik erbij zeggen.'

'Hoe durf je me de les te lezen!' tierde George. 'Wie denk je wel dat je bent? Je bent God niet!'

'Nee, maar ik weet wel precies wie ik ben. Mijn naam is Edward Deravenel. Ik ben hoofd van de familie Deravenel, hoofd van de firma Deravenel en ik ben je oudste broer. Ik ben ook de man voor wie je werkt. Met andere woorden: ik ben je baas. En laat me je één ding zeggen: als je mijn broer niet was, zou ik je op staande voet ontslaan.'

'Je kunt me niet zomaar de zak geven. Ik ben een van de directeuren van dit bedrijf, en een Deravenel.'

'O, maar je hebt het mis. Ik kan je wel degelijk de zak geven. Ik, als hoofddirecteur, kan bijna alles doen wat ik wil, binnen bepaalde grenzen. Ik zal je heus niet de laan uit sturen, George, om de simpele reden dat je mijn broer bent. En een getrouwd man, vader van kinderen. Dus, ik zal schappelijk zijn. Ik zal je gedrag tegenover Ian MacDonald door de vingers zien en hopelijk zal het me lukken de transactie weer op de rails te zetten. Maar wat ik niet door de vingers zal zien, is het geld dat je me schuldig bent. Morgen wil ik die cheque.'

'Ik weet niet waar ik veertigduizend pond vandaan moet halen,' jammerde George, terwijl er opnieuw tranen in zijn blauwgroene ogen schitterden.

'Het ligt voor de hand dat je daarvoor naar je vrouw zult moeten. Isabel is een van de twee erfgenamen van Watkins en haar moeder is een enorm welgestelde vrouw. Die twee zullen je toch zeker wel een lening geven?' Er schoot een rossig blonde wenkbrauw omhoog. 'Wat denk je, Georgie? Zullen de dames je uit de brand helpen?'

'Ik weet het niet,' antwoordde George met trillende stem. Hij stond op en wilde het kantoor uit lopen.

'Niet zo'n haast, broertje. Je kunt deze rekeningen maar beter meenemen. Wellicht dat je schoonmoeder die voor je wil voldoen. En zo snel mogelijk.'

George liep op het bureau af, griste de rekeningen weg en wierp Edward een kwade blik toe. Een seconde later viel de deur met een smak achter hem dicht. Wat is het toch merkwaardig, dacht Edward, met nog steeds zijn ogen op de deur gevestigd, dat een jongeman die er zo fantastisch uitzag, met het meest knappe gezicht, die bijna turquoise, blauwgroene ogen en die prachtige kop met blond haar, zo rot en lomp kan zijn. Bovendien is hij behoorlijk dom, heel anders dan Richard. Die twee scheelden maar een paar jaar en ze waren samen opgegroeid, voornamelijk op Ravenscar. Ze waren vroeger dikwijls voor elkaar opgekomen en hij wist dat ze diep vanbinnen om elkaar gaven. En toch had George altijd geprobeerd de baas over Richard te spelen, terwijl híj zich geroepen voelde om over zijn Visje te waken. Hebzucht, ambitie, afgunst en arrogantie, dat waren de ware karakteromschrijvingen voor George. *Hybris.* Het juiste woord om hem te omschrijven. Terwijl Richard zo loyaal was – bijna ten koste van zichzelf – heel koppig, moedig en wat aan de serieuze kant. De hemel zij dank voor mijn Richard, dacht Edward: hij zal altijd loyaal tegenover me zijn. Over hem hoef ik me geen zorgen te maken. Hij is goudeerlijk.

Hij stond op, liep het vertrek door en klopte op de tussendeur van de kamer ernaast. Zonder een spoor van twijfel wist hij dat Will daar achter zijn bureau zou zitten.

'Goedemorgen, Ned, kom erin, kom erin,' riep Will glimlachend. 'Ik hoorde heftige stemmen. Je was zeker bezig George de mantel uit te vegen?'

'Dat klopt. Hij is zo traag van begrip, echt behoorlijk dom. Ik had het met hem over de Schotse transactie en ik denk dat hij er niets van begreep. Hoewel hij op een gegeven moment wel een tikkeltje bang leek, begon hij ineens agressief tegen me te worden, een en al gif. Hij schreeuwde nota bene terug.'

Will moest lachen. 'Dat hoef je mij niet te vertellen – ik heb hem wel gehoord. Je weet heel goed dat ik altijd al vond dat hij niet helemaal lekker was.'

Nu lachte Ed met hem mee. 'Niet helemáál?' Hij ging op de stoel tegenover Will zitten en stak van wal. 'Laat ik je een vraag stellen. Denk jij dat de raad van bestuur me zal toestaan een van de reglementen te wijzigen?'

'Geen idee, eerlijk gezegd. Het hangt ervan af welk reglement dat is,' antwoordde Will.

'Vrouwen kunnen hier werken als secretaresse, receptioniste en telefoniste. Maar alleen een vrouw die een geboren Deravenel is, kan een leidinggevende functie bekleden en ook tot de directie van het bedrijf toetreden. Ze kan echter geen lid van de raad van bestuur worden. Tevens kan een vrouwelijke Deravenel niet de leiding over het bedrijf voeren...'

'En dat is het reglement dat je wilt wijzigen?' onderbrak Will hem, waarna hij ineens met een zorgelijk gezicht op zijn lip beet. 'Mijn god, is dat niet een beetje erg ingrijpend? Bovendien, waarom wil je deze regel wijzigen?'

'Omdat ik weet, en jij weet dat ook, dat vrouwen even competent en toegewijd zijn als mannen, en even slim. We beschikken allemaal over dezelfde intellectuele vermogens, maar eerlijk gezegd denk ik wel eens dat vrouwen meer hersens hebben dan mannen. Ik ken zelfs heel wat geweldige vrouwen. Maar moet je luisteren, Will, ik heb vier dochters, als we Grace Rose meetellen. Ik wil er absoluut zeker van zijn dat ze, mocht dat ooit nodig zijn, allemaal in de directieraad zitting mogen nemen en directeur of commissaris kunnen worden, met andere woorden de scepter kunnen zwaaien. Ik heb twee zoons, maar stel dat ik Edward junior en Ritchie niet zou hebben als ik doodging? Wat dan? Wie zou me dan opvolgen?'

'Daar hoef ik geen twee keer over na te denken. George natuurlijk!'

'Juist, en dat zou eigenlijk mijn broer Richard moeten zijn. Maar laten we dit voor het moment even laten rusten, laten we het bij één onderwerp houden. Ik heb de reglementen bestudeerd die mijn moeder voor me uit haar kluis heeft gehaald, en ik denk dat het hierop neerkomt: als twaalf van de zeventien bestuursleden ten gunste van de wijziging stemmen, kan de nieuwe regel, wat die ook is, eraan worden toegevoegd.'

'Weet je dat zeker? Echt zeker, Ned?'

'Ja. En mama is deskundig wat die regels betreft. Ze heeft er jarenlang op gestudeerd vanwege de problemen die mijn vader binnen het bedrijf had. Ze is het met me eens. Maar zullen de bestuursleden erin meegaan?'

'Ik heb absoluut het gevoel van wel. Zo uit mijn blote hoofd kan ik er op dit moment wel zes bedenken... Oliveri, Anthony Wyland, Frank Lane en Matthew Reynolds. Dat zijn zekere factoren, en met mijn stem erbij zijn het er vijf. Jij mag zelf ook stemmen, dus dat is zes. En er zijn er nog wel zes die ik kan garanderen; die zullen doen wat jij wilt. Misschien iedereen wel, eigenlijk. Per slot van rekening ben jij de kip met de gouden eieren.'

'Dankjewel,' zei Edward lachend. Terwijl hij zijn lange benen strekte, drukte hij zijn vingers tegen elkaar en zette ze aan zijn lippen. Een ogenblik keek hij bedachtzaam, en toen hij uiteindelijk Will weer aankeek, was dat met een vorsende blik.

'Wat is er?' vroeg Will. 'Je kijkt alsof je me een cruciale vraag gaat stellen.'

'Niet bepaald. Maar het is absoluut belangrijk. Wat weten we van die Henry Turner, die vent die in Frankrijk woont?'

'Niet veel. Hij is volgens mij een soort troonpretendent van de Deravenels, van de tak uit Lancaster. Je weet dat zijn halfoom Henry Grant was. Zijn moeder is Margaret Beauchard, en zij was getrouwd met Edmund Turner, de halfbroer van Henry... Volgens mij is dat juist.'

'Je hebt absoluut gelijk. Maar is dat álles wat we weten?'

Will knikte. 'Ik vrees van wel.'

'Ik zou willen dat ik Finnister naar Frankrijk kon sturen, maar op dit moment kan niemand nog reizen...'

'Ik ga wel wat rondneuzen, en zodra we kunnen, sturen we Amos naar *gay Paree*.'

Opnieuw moest Edward lachen. 'Het lukt je altijd om me een glimlach te ontlokken, me op te beuren.' Ned stond op. 'Ik moet maar eens met Oliveri gaan praten. Zullen we met ons drieën gaan lunchen?'

'Ik zal wel een tafel reserveren bij Rules. Zal ik Richard uitnodigen? Dan kunnen we onze reisplannen bespreken, en de Schotse transactie.'

'Goed idee.'

Vijfentwintig

Alfredo Oliveri kwam als eerste bij Rules aan, en terwijl hij naar hun gebruikelijke tafel werd gebracht en ging zitten, bleven zijn gedachten op George Deravenel gefixeerd.

Dat hij een probleem vormde, was bekend; dat hij nu ook nog gevaarlijk bleek te zijn, was een nieuw element dat onder de loep moest worden genomen. Alfredo was even erg geschrokken als Amos en Edward toen hij van de revolver hoorde – een tamelijk bizar gebruiksvoorwerp om mee naar kantoor te nemen. Voor hem riekte het naar agressie.

Terwijl hij op de bank langs de muur achteroverleunde, overdacht hij de huidige situatie en vroeg zich af wat ze binnen het bedrijf met George aanmoesten. Terwijl hij zelf degene was geweest die ooit had bedacht dat het een goed idee zou zijn George op reis te sturen zodat hij Edward niet in de weg zou lopen, besefte hij nu dat hij alleen maar een puinhoop zou maken van Deravenels handel met het buitenland. Het zou van roekeloosheid getuigen om hem niet constant in de gaten te houden.

Zijn hersens begonnen goed op gang te komen toen hij een reeks mogelijkheden overwoog. Oliveri, nu begin vijftig, was al ruim vierendertig jaar in dienst bij Deravenel. Toen Edward er jaren geleden de leiding overnam, werkte Alfredo er al twintig jaar, nadat hij er als stagiair was begonnen. Destijds werd hij tot de oude garde gerekend. Hij was ervan overtuigd dat men hem nu zag als een van de oudgedienden die deel was gaan uitmaken van het ultramoderne heden.

Hij was op de afdeling mijnbouw begonnen en stond nu aan het hoofd van die branche. Inmiddels had hij de supervisie over al hun mijnen op de hele aardbol... diamantmijnen in India, diamant- en goudmijnen in Zuid-Afrika, evenals andere mijnen in Zuid-Amerika en Azië waar smaragden, saffieren en robijnen werden gewonnen. Hun opaalmijnen in Australië waren een nieuwe, succesvolle aanwinst.

Hij en Edward Deravenel hadden elkaar voor het eerst ontmoet in Carrara, toen Edward en Neville Watkins er een onderzoek kwamen instellen naar de moord op hun vaders en broers. Will Hasling was er toen ook bij geweest. Oliveri, die destijds het toezicht had op de Deravenel marmergroeven in Italië, had de drie mannen snel duidelijk gemaakt dat hij veel meer affiniteit had met de Deravenels uit Yorkshire dan met de Deravenel Grants uit Lancashire. Edwards vader was al die jaren goed voor hem geweest en had er altijd op toegezien dat hij de promoties kreeg die hem toekwamen.

Alfredo had hen in Carrara zo veel mogelijk geholpen en was daarna bijna meteen naar Londen gegaan, zogenaamd om informatie uit te wisselen met het hoofdkantoor en zijn baas, Aubrey Masters. Maar in werkelijkheid was hij gekomen om met hen te praten, en algauw was hij hun bedrijfsspion geworden.

Afgezien van het feit dat hij een van de grootste experts was op het gebied van mijnen en van de stenen die er werden gewonnen, kweet hij zich onvermoeibaar van zijn taak en was een prettige, vriendelijke man die de gave bezat in iedereen het beste naar boven te halen. Iedereen mocht hem graag en als staflid stond hij hoog in aanzien.

De meeste mensen zagen hem meer als een Engelsman dan als een Italiaan. Zeker in zijn voorkomen was hij Engels. Hij had een blanke huid, zijn gezicht was bezaaid met sproeten en toen hij nog jong was, had hij onwaarschijnlijk rood haar, wat hem de bijnamen 'Peentje' en 'Rooie' had opgeleverd. Nu was zijn haar zandkleurig, een soort peper-en-zoutkleur met een kastanjebruine gloed. Hij zag er goed uit en ging altijd goed gekleed, zij het niet zo elegant of modieus als Edward en Will.

Alfredo was gelukkig getrouwd met een Engelse, had twee zonen – van tweeëntwintig en negentien – en was verknocht aan zijn gezin. Zijn, zeer veeleisende, maîtresse was de firma Deravenel. De afdeling mijnbouw en het niet-aflatende wereldsucces daarvan slorpten hem helemaal op.

Edward zei altijd dat Oliveri zijn hele leven en het grootste deel van zijn liefde aan het bedrijf had gewijd, en al was dat tot op zekere hoogte waar, Oliveri besefte terdege dat Edward Deravenel precies hetzelfde had gedaan. Hij was ervan overtuigd dat zijn werkgever anders het bedrijf nooit zo groot, groter dan het ooit was geweest, en tot zo'n begrip had kunnen maken. Dat was dan ook iets wat voor altijd een band tussen hen had gesmeed.

'Wat zit je te dromen, Oliveri,' zei Edward, terwijl hij de man aankeek die een van zijn favoriete werknemers was en die hij inmiddels als een echte vriend beschouwde, maar ook als een trouwe, gedreven collega met een lange staat van dienst.

Oliveri keek wazig naar hem op en antwoordde bedachtzaam: 'Ik zit na te denken over George.'

'Dat verbaast me niets.' Edward ging naast Oliveri op de bank zitten. 'Ik ben heel benieuwd of hij me morgen een cheque komt brengen.'

'Dat zal hij vast wel doen. Hij zal hoogstwaarschijnlijk bij Nan Watkins aankloppen voor het geld,' opperde Oliveri en keek vervolgens naar de deur toen Richard binnenstapte, die een geagiteerde en zeer nerveuze indruk maakte. De jongere man had zijn jas nog aan en zijn gezicht stond gespannen en zorgelijk.

Edward volgde Oliveri's blik en sprong prompt op toen Richard haastig op hen af liep. Edward kende hem goed genoeg om onmiddellijk te weten dat er iets mis was. Richards gezicht was krijtwit en er stond paniek in zijn leigrijze ogen.

'Goeie god, Dick, wat is er?'

'Ik kwam net George tegen. Hij... klampte me aan – een ander woord heb ik er niet voor. Nota bene in de hal van ons gebouw. Hij schreeuwde als een gek tegen me en zei dat hij je op een dag ging vermoorden. En toen krijste hij: "Zeg tegen hem dat ik het geld heus wel ergens zal vinden en dat ik alles zal doen om er aan te komen." Toen rende hij de straat op. Ik zag hem als een kip zonder kop over de Strand rennen. Hij werd bijna door een auto aangereden. Ik vond zijn gedrag onvoorstelbaar.'

Edward schudde zijn hoofd, terwijl een trieste blik van herkenning als een wolk over zijn blauwe ogen trok. 'Hij wordt met de dag onbegrijpelijker. Er mankeert iets aan hem. En als Nan hem niet wil helpen, zal hij het geld dat hij me schuldig is wel van moeder loskrijgen. Dan gaat hij met een zielig verhaal vragen of hij geld van haar mag lenen, en dan zal ze het hem geven, ze heeft hem van kinds af aan altijd in bescherming genomen. Toe, Dick, kalmeer een beetje en kom even op adem. Je bent helemaal overstuur. En trek in godsnaam je jas uit.'

'Het gaat best, echt, Ned, gun me even de tijd. En ik ga mijn jas niet uittrekken, aangezien ik niet kan lunchen. Zoals ik al eerder tegen Will vertelde: ik heb een rotte kies. Ik moet naar de tandarts, ik verga van de pijn. Ik heb vanmorgen vroeg een afspraak gemaakt, en die moet ik nakomen. Het spijt me erg van de lunch.'

'Dat geeft niet, zolang je maar voor jezelf zorgt en onmiddellijk die kies laat behandelen.' Edward keerde terug naar de bank.

Richard schonk Oliveri een flauw glimlachje. 'Neem me niet kwalijk dat ik zo kwam binnenstormen, ik wilde geen opschudding wekken.'

'Geeft niet, geen probleem,' antwoordde Alfredo, waarna hij, tegen niemand in het bijzonder, aankondigde: 'Ah, daar is Hasling.'

Richard nam afscheid na Will begroet te hebben en liep haastig naar buiten, waarna Will ging zitten en met gedempte stem zei: 'Nou, ik veronderstel dat jullie al weten van die scène in de hal. Een behoorlijk lawaaiige scène ook nog, kennelijk.'

Edward slaakte een diepe zucht, terwijl hij aan George dacht, die hem eindeloos zorgen baarde. 'Richard is het ons net komen vertellen. Ik denk echt dat George malende is... in elk geval bij vlagen.'

'Meestentijds, als je het mij vraagt.' Will stak zijn hand op en wenkte een ober. 'Zullen we een glas claret nemen, mannen? Het is erg koud vandaag en ík heb in elk geval behoefte aan een drankje.'

De andere twee mannen stemden met hem in, waarna Will de wijnkaart bekeek, bestelde, achteroverleunde en Edward en Alfredo aankeek. Die zaten met hun tweeën tegenover hem op de bank. Zijn gezicht stond ernstig en toen hij het woord nam, klonk zijn stem somber en leek het wel of zijn boodschap een waarschuwing inhield.

'Je bent een van de zijden van een gevaarlijke driehoek,' zei Will, waarbij hij zijn blik op Edward richtte. 'Uitermate gevaarlijk zelfs, en dan heb ik het niet over vrouwen en je persoonlijke leven, Ned. Ik heb het over je broers en over jou.'

Uit het lood geslagen door die onverwachte mededeling staarde Edward Will alleen maar aan. Pas na een tijdje zei hij: 'Ga door, alsjeblieft.'

Met zijn vinger tekende Will een driehoek in de lucht. 'Jij, Ned, staat aan de bovenkant van de driehoek – aan het uiterste topje. Je twee broers staan aan weerskanten, aan de basis. Laten we eerst George eens bekijken. Hij is afgunstig, opvliegend, ambitieus en onberekenbaar van aard. Dat weet je, net als wij allemaal. Hij benijdt je, wil jóú zijn, en hij zou je verraden om te krijgen wat hij wil. Je weet hoe gemakkelijk Neville Watkins hem in zijn web van intriges en verraad jegens jou heeft weten te strikken. Laten we jou even opzijschuiven en het over Richard hebben. Hij en George waren goede maatjes toen ze nog klein waren, maar Richard is je lievelingetje, en daarom is George boos op jou en op Richard. En hij benijdt hem. Hij staat ook vijandig tegenover hem, omdat Richard uiteindelijk toch met Anne Watkins trouwde, samen met Georges vrouw Isabel een van de twee erfgenamen van Watkins. George misgunt Anne haar aandeel in het kapitaal van Neville Watkins hartgrondig, wat ook de ware reden was dat hij Richards huwelijk met haar heeft willen dwarsbomen, maar ik ben ervan overtuigd dat je dat allemaal weet. Ten slotte is Richard op zijn beurt je uitermate toegewijd en ongelooflijk loyaal ten opzichte van jou, en hij is een harde werker, intelligent, bekwaam, in zekere zin zelfs geniaal, en al die factoren maken George óók razend.'

'Met andere woorden: ik kan niet winnen... George kan mijn bloed wel drinken om talrijke redenen, en niet in het minst omdat ik... simpelweg ik ben?'

'Dat heb je helemaal juist,' stemde Will in. 'Mooi, daar is de ober met onze glazen claret.'

Nadat ze met elkaar hadden geproost was het Oliveri's beurt om Edward aan te kijken toen hij zei: 'Hij stelt ons geduld al jarenlang op de proef, en soms gaat hij te ver. Kortgeleden zei ik dat we hem op reis zouden moeten sturen, maar dat is toch geen goed idee. We moeten hem in de gaten kunnen houden.'

'Daar ben ik het mee eens,' riep Will uit. 'Geen tripjes meer voor Master George.'

'Zo is dat.' Edward nam een diepe teug van zijn rode wijn en sprak verder: 'Na zijn gedrag in Schotland heb ik op dit moment weinig of geen vertrouwen in hem. Goddank dat Ian MacDonald deze transactie echt graag wil. Anders zouden we uitgepraat zijn, dat is een ding dat zeker is.' Hij keek zijn beste vriend vorsend aan en vroeg: 'Dus zeg eens, Will, wat moet ik doen? Moet ik die fameuze zin hardop zeggen? "Wie verlost me van deze oproerige geestelijke?" Is dat het?'

Oliveri grinnikte. 'Liever niet.'

Will schudde zijn hoofd. 'Je kunt helemaal niets aan George doen, Ned, echt niet. Maar toch raad ik je aan geregeld over je schouder te kijken, en ik zal met je mee kijken, net zoals Oliveri en Amos.'

Edward glimlachte.

Will zei, een tikkeltje heftig: 'Nee, daar moet je niet zomaar om glimlachen. Alsjeblieft, Ned, ik meen het heel, heel serieus. George is een geboren intrigant en uitermate onberekenbaar. Ik heb hem nooit vertrouwd. Er is wel vaker een moord gepleegd die als een ongeluk werd afgedaan, vergeet dat nooit. Kom, zullen we bestellen?'

'Denk je echt dat George broedermoord zou plegen?' vroeg Edward fronsend, toch enigszins ongerust. 'Natuurlijk niet, Will. Per slot van rekening ben ik zijn broer.'

'Dat is waar,' antwoordde Will. 'Ik denk dat ik de gegrilde schol neem. En jullie?'

'Hetzelfde,' zei Edward.

'Misschien dat ik ook de vis neem.' Oliveri leunde achterover, nam een slok wijn en vroeg zich af hoe je George kon vermoorden zonder dat je werd gepakt.

Julian Stark, de eigenaar van de gokclub Starks, was zichtbaar geschrokken toen zijn secretaresse haar hoofd om de hoek stak en zei: 'Mr. George Deravenel is hier, Mr. Stark. Hij zegt dat hij geen afspraak heeft, maar wilt u een paar minuutjes met hem praten?'

'Laat hem maar binnenkomen, Gladys,' antwoordde Stark prompt, omdat hij benieuwd was waar het over ging.

Een paar minuten later zou hij daarachter komen. Nadat hij George Deravenel op neutrale toon had begroet, vroeg hij: 'En wat kan ik voor je doen?'

'Niets, helemaal niets, Stark. Maar ik zou jóú wellicht een gunst kunnen bewijzen.'

'Werkelijk? Wat voor gunst?' vroeg Stark.

'Ik zal er niet omheen draaien. Ik heb een goede tip, een goede zakentip. Niet zozeer voor jou, als wel voor je broer Alexander. Ik weet dat hij financieel adviseur in de City is en dat hij een paar belangrijke cliënten heeft. Ik zou graag informatie willen doorgeven over een transactie die, laten we zeggen, nog niet helemaal afgerond is. Maar dat zal heel binnenkort het geval zijn.'

Stark knikte, verward, maar geïntrigeerd. 'Wat is dat dan wel voor een transactie, Deravenel?'

'De MacDonald Distillery Company is te koop.' George stak zijn hand in zijn zak, haalde er een envelop uit en gaf die aan Julian Stark, waarvoor hij zich over zijn bureau heen moest buigen. 'Hier zit alles in – alle details.'

Stark staarde naar de envelop, legde die op het bureau en vroeg: 'Waarom breng je die naar mij? Uiteindelijk heb ik je uit mijn club verbannen.'

'Ach, we kennen elkaar al zo lang... en toen ik lid was, heb je me altijd als een heer behandeld en mijn schuldbekentenissen zo lang mogelijk laten liggen.'

Terwijl hij achteroverleunde in zijn stoel, begreep Julian Stark, een gewiekste mensenkenner, onmiddellijk wat er aan de hand was. Maar hij besloot voorlopig het spelletje met George mee te spelen. 'En wat wil je in ruil voor deze zogenaamde belangrijke informatie?'

'Niets. Helemaal niets,' antwoordde George, en hij stond op. 'Ik kreeg de informatie in handen en ik dacht, laat ik die aan jou doorgeven. Zie maar wat je ermee doet.' George liep naar de deur en draaide zich om, met zijn hand op de deurknop. 'Fijn dat je me op zo'n korte termijn hebt willen ontvangen.'

Zonder verder nog iets te zeggen verliet hij het kantoor.

Julian Stark staarde hoofdschuddend naar de deur. Wat een smerige verrader was die George Deravenel. Hij was ervan overtuigd dat dit de transactie was waar Georges broer Edward mee bezig was, en nu wilde het rancuneuze kleine broertje hem om de een of andere reden het gras voor de voeten wegmaaien. Zuchtend maakte Stark de envelop open, las de twee vellen papier door en pakte toen de telefoon. Hij vond het door hem gewenste nummer in zijn adresboek, draaide het en vroeg: 'Ben jij het, Howard?'

'Ja, Julian, met mij. Wat kan ik voor je doen?' vroeg zijn oude vriend.

Stark vertelde hem van zijn onderhoud met George Deravenel en voegde eraan toe: 'Doe wat je wilt met deze informatie, maar persoonlijk vind ik, als ik heel eerlijk ben, dat je Will hoort in te lichten. Edward Deravenel zou op de hoogte moeten zijn van het verraad van zijn broer. In mijn ogen is hij een stuk vuil.'

'Dat ga ik onmiddellijk doen,' antwoordde Howard Hasling, en hij hing op.

Zesentwintig

Jane Shaw stond bij de terrasdeuren in de blauwe kamer van haar huis en keek uit over de tuin. Op deze zonnige middag in maart bloeiden er allerlei lentebloemen: paarse, gele en witte krokussen, dwergnarcisjes in zachte, delicate tinten en een hele stoet helgele narcissen, rijendik. Schitterend, vond ze. 'Dansend en fladderend op de wind,' zei ze hardop terwijl ze zich omdraaide, en ze glimlachte in zichzelf. Ze was altijd dol geweest op dat beroemde gedicht van Wordsworth dat haar ineens te binnen was geschoten.

Ze liep naar de haard, pakte de pook en rakelde de houtblokken op, waarna ze zich bukte om er nog een paar extra op te gooien. Hoewel het barre winterweer plotsklaps had plaatsgemaakt voor de lente, was het die dag ondanks de zon nog steeds behoorlijk koud en er stond wind.

Na een blik op de pendule op de schoorsteenmantel zag ze dat het bijna kwart voor vier was, later dan ze had gedacht. Ze liep de blauw-gele kamer uit en ging de hal door, op zoek naar de huishoudster. Ze vond Mrs. Longden in het butlerverblijf, waar ze de lijstjes doornam.

'Ik wist niet dat het al zo laat was, Mrs. Longden,' zei ze met een glimlach. 'Mrs. Forth en Mr. Deravenel kunnen elk moment hier zijn. Ik neem aan dat alles klaarstaat?'

'Jazeker, *Madam*, natuurlijk. En wilt u dat Wells de thee dan meteen opdient, of moeten we even wachten?'

'We kunnen wel een paar minuten wachten, denk ik. Laat iedereen maar eerst even...' Jane brak haar zin af toen de deurbel weerklonk, waarop Mrs. Longden uitriep: 'Ik geloof dat we vroege gasten hebben, *Madam*, ik zal maar even opendoen.' Terwijl ze nog sprak, holde ze al weg en Jane liep wat langzamer achter haar aan, omdat het hoogstwaarschijnlijk Vicky was en niet Edward. Hij had haar al eerder telefonisch laten weten dat hij die middag laat zou zijn en dat ze niet met eten op hem moesten wachten, maar dat hij zo snel mogelijk zou komen.

Toen de deur openging, kwam inderdaad Vicky Forth binnen-stappen. Ze zag er prachtig uit, zoals gewoonlijk de bevalligheid zelve; chic in haar met astrakan afgezette donkerpaarse mantel met een cloche van paarse vilt met een satijnen lint waarop aan één kant een tuiltje paarse namaakviooltjes was vastgezet.

Jane liep op haar toe, waarna de twee vrouwen elkaar begroet-ten met een omhelzing en Vicky opmerkte: 'Het is vreselijk verra-derlijk weer vandaag, lieve kind. Heel koud, en er waait een snij-dende wind.'

'Ik zag aan de bomen in de tuin hoe winderig het buiten was,' zei Jane, terwijl Vicky zich van haar mantel ontdeed en die aan de huishoudster gaf om op te hangen. 'Maar de sneeuw is tenminste verdwenen.'

De twee vrouwen liepen de blauwe kamer binnen en Vicky mom-pelde: 'Ik ben vroeg gekomen, zodat we een paar minuten met zijn tweeën kunnen zijn. Om over dat feest te praten. Dat fameuze, fan-tastische feest dat we willen geven.'

Jane knikte, plotseling bedrukt, terwijl ze met haar vriendin naar de haard ging. 'Ik denk, eerlijk gezegd, dat het hele gebeuren nog-al een probleem zou kunnen worden. Kom hier zitten, lieverd, bij de haard. Hier is het lekker warm.'

'Ik weet wat je gaat zeggen, Jane: dat het een probleem zal wor-den omdat het Elizabeth hoogstwaarschijnlijk ter ore zal komen.'

'Daar twijfel ik geen moment aan. Reken maar, want er wordt hier in de stad zo vreselijk geroddeld. En ze zal het er niet bij laten zitten.' Jane nam tegenover haar vriendin plaats en ging verder: 'Was jij vandaag niet bij Fenella geweest? Hoe is het met haar?'

'Ze is heel ziek geweest, maar het gaat al veel beter, en ja, ik ben vanmorgen bij haar langs geweest. Ze laat je de groeten doen. Ze is blij dat ze het ziekenhuis uit is en weer thuis is in Curzon Street. Dat is ook veel comfortabeler. Ze wordt weer helemaal beter. Dub-bele longontsteking is natuurlijk gruwelijk, maar ze heeft de beste artsen en van nature is ze een heel sterke vrouw.'

'Dat weet ik...' Jane maakte haar zin niet af en zuchtte. 'Volgens mij was ze op de hoogte van de dingen die Elizabeth over haar be-weerde, voor ze ziek werd en het ziekenhuis in ging.'

'Ja, dat was zo, maar je weet hoe Fenella is – ze staat boven dat soort onzin en stapt er gewoon overheen; ze doet haar werk en leidt haar leven zonder zich al te veel aan te trekken van de wereld om haar heen. Daarmee bedoel ik de mensen met wie ze niet zoveel opheeft, en volkomen terecht.'

'Dat begrijp ik, en dat is inderdaad heel verstandig van haar.' Terwijl ze zich in de kussens nestelde, voegde Jane eraan toe: 'Goed... dus, wat doen we met het verjaardagsfeest voor Ned?'

'Ik zou dolgraag een feest voor hem geven,' riep Vicky enthousiast. 'Hij wordt vierendertig, zo'n mooie leeftijd voor een man – nou ja, voor iedereen eigenlijk – en je weet dat hij het heerlijk vindt om door zijn vrienden in de watten te worden gelegd. Op wat voor dag valt 28 april, Jane? Ik vrees dat het me is ontschoten.'

'Op een maandag, en ik heb altijd gedacht dat het moeilijk voor hem zou zijn om op die datum op ons feest te zijn, vanwege zijn familie, vooral zijn kinderen die zo dol op hem zijn. Als we er toch mee doorgaan, zullen we het op een andere avond moeten houden. Vóór of na de achtentwintigste.'

'Ned kennende, zou het hem niets kunnen schelen of het vóór of na zijn verjaardag plaatsvindt,' dacht Vicky hardop. 'Dus voorlopig doet de datum er niet toe. De vraag is wat voor feest we gaan geven. En waar? En wie gaan we uitnodigen?'

'Laten we eerst eens nadenken over de gasten, Vicky,' zei Jane, in een poging haar bedrukte stemming van zich af te schudden. Ze ging verder en zei: 'Natuurlijk zullen wij er met z'n allen zijn. Zíjn kliek, zoals hij ons noemt, maar wie nog meer? Welke vrienden nodigen we verder nog uit?'

Vicky tuitte haar lippen. 'Dat weet jij vast beter dan ik, lief kind.'

'Er zijn een paar mensen die hij aardig vindt en die we soms samen zien, maar eerlijk gezegd weet ik niet of hij wel zo'n groot feest zou willen als we oorspronkelijk van plan waren. En ook niet in een openbare gelegenheid, zoals de balzaal van het Ritz of het Savoy...' Jane onderbrak zichzelf en schudde haar hoofd. 'Ik denk dat ik het weet. Ned is zeer gesteld op "zijn kliek". Jij en Stephen, Will en Kathleen, Amos, Grace Rose. Wat hij het meest op prijs zou stellen, zou een intiem dineetje zijn bij jou thuis, of we doen het hier. Wat vind jij, Vicky?'

'Ik geloof dat je gelijk hebt. Dat is ook veiliger op de langen duur... Waarom zouden we háár van voer voorzien om over te roddelen? Ze heeft al genoeg schade aangericht...'

'Maar jij zei dat Fenella zich er niets van aantrok...' riep Jane uit. 'Nauwelijks een seconde geleden, nota bene.'

'Dat is ook zo. Toch denk ik dat dat gekwebbel van Elizabeth, hoe onbenullig ook, Edwards naam opnieuw door het slijk haalt. Waarom kan ze haar mond niet over hem houden? Hij is haar man...' Vicky zweeg abrupt, terwijl ze Jane verontschuldigend aankeek.

'Neem me alsjeblieft niet kwalijk, liever, het was niet mijn bedoeling om dat er zomaar uit te flappen.'

Jane lachte. 'Ik weet dat je het niet kwaad bedoelde, en laten we eerlijk zijn, hij ís haar man.'

'Word je nooit jaloers, Jane?' vroeg Vicky, ineens nieuwsgierig, terwijl ze haar beste vriendin aankeek. 'In elk geval laat je dat nooit blijken. Je bent op en top een lady.'

'Natuurlijk, er zijn momenten dat ik een steek van jaloezie voel, maar ik weet precies wat hij echt voor me voelt. Ik weet dat hij zich bij míj op zijn gemak voelt, dat ik hem warmte, veel liefde en steun bied, en dat zoekt hij ook bij mij. Bovendien heb ik liever dat alles bij het oude blijft.'

'Maar waarom?' vroeg Vicky voor ze het wist, met grote, bedachtzame ogen.

Terwijl ze zich vooroverboog en Vicky indringend aankeek, legde Jane uit: 'Als ik zou willen, zou ik hem voor altijd in mijn armen kunnen lokken en hem kunnen overhalen haar te verlaten en zelfs een scheiding te regelen. Maar hij is in hart en nieren een familiemens, hij houdt van zijn kinderen en heeft ze graag om zich heen. Hij zou ze onvermijdelijk gaan missen en er spijt van krijgen, zich schuldig gaan voelen, wat mij dan weer dwars zou gaan zitten. Omdat hij niet zou weten hoe gauw hij weer naar ze toe moest gaan, en het één puinhoop zou worden, één grote chaos met tranen en verwijten, en geruzie. Het zou veel te ingewikkeld worden. Op deze manier, als zijn maîtresse, komt hij uit vrije wil naar me toe – omdat hij me nodig heeft en naar me verlangt – en is hij ervan verzekerd dat hij zowel mij als de kinderen heeft. In zekere zin heeft hij het beste van twee werelden, en daar heb ik vrede mee. En voor jij het zegt: ik weet dat hij met haar naar bed gaat, want er blijven maar kinderen komen. Zo'n man is hij nu eenmaal, weet je. Hij zou er altijd vrouwen op na houden, ongeacht met wie hij getrouwd was... In elk geval weet ik wél dat hij me trouw is.'

Vicky glimlachte. 'Je doet me zo aan Lily Overton denken, Jane. Je lijkt in menig opzicht heel veel op haar. O, laten we op een ander onderwerp overschakelen – hier is je butler met de thee.'

Vicky zat stilletjes op de bank naar Jane en Edward te luisteren, die een schilderij bespraken. Daarna schakelden ze over op meer wereldse zaken, bespraken zijn drukke dag op het werk, haar dag, wat ieder van hen had gedaan. En wat ze later die week voor plannen hadden.

Ze glimlachte in zichzelf. Ze klonken eerder als een lang getrouwd stel dan als maîtresse en aanbidder. Hun gesprek was een echo van het babbeltje dat zij elke avond met Stephen maakte, wanneer hij thuiskwam van de bank.

Het schoot haar plotseling te binnen dat ze dat ook waren... afgezien van een stukje papier dat hun verbintenis wettig verklaarde. Ned vond zijn rust, bevrediging en ontspanning hier, bij Jane thuis, waar hij samen met haar een tamelijk huiselijk leven leidde. Dat gebeurde zeker niet bij Elizabeth aan Berkeley Square.

Ze huiverde bij de gedachte aan zijn vrouw – een vals mens, een oppervlakkige vrouw die zich alleen maar bekommerde om haar uiterlijk, haar kleren, haar sieraden en het enorme geldbedrag dat nodig was om haar prullen en tierelantijnen aan te schaffen. Ze was niet bepaald een goede moeder, had Bess en de andere meisjes vanaf hun geboorte verwaarloosd en had duidelijk alleen belangstelling voor de twee jongens, vooral voor Edward junior, want hij was de erfgenaam van de firma Deravenel en alles wat Ned bezat.

Vicky moest er niet aan denken wat er zou gebeuren als ze hem vertelde wat Elizabeth over Fenella had beweerd. Jane en zij hadden vóór Neds komst afgesproken dat zij het hem moest vertellen, omdat zij het grootste deel van de roddels had opgevangen.

Vicky sloeg haar ogen neer en staarde naar zijn schoenen, die glanzend gepoetst waren. Ze leken wel van glas. Met de hand gemaakt. Ongetwijfeld liet hij ze bij Lobb's onderhouden, de befaamde schoenmaker. Haar ogen gleden over het marineblauwe pak. Onberispelijk van snit. De perfectie van Savile Row. De laatste mode. Overhemd van hagelwitte Egyptische katoen. Hoogstwaarschijnlijk van Turnbull and Asser. Een helblauwe zijden das, op modieuze manier geknoopt en in de kleur van zijn ogen.

Een volmaakt beeld van elegante, aantrekkelijke mannelijkheid, bedacht ze, en ze herinnerde zich weer hoe ze jaren geleden onder de indruk was geweest toen haar broer Will haar aan Ned voorstelde. Het was niet zozeer zijn knappe uiterlijk dat haar voor hem had ingenomen, als wel zijn charme, zijn innemende uitstraling en, bovenal, zijn pure zelfverzekerdheid. Een zelfverzekerdheid die hem zo eigen was, hem was aangeboren en die hij zich niet had aangeleerd – zoals zo veel mensen. Het was het soort zelfverzekerdheid dat wel eens werd aangezien voor arrogantie. Maar hij was niet arrogant, verre van dat.

Will had haar in de loop der jaren verteld dat Edward de firma van begin af aan met ijzeren hand had bestuurd, ook al was hij toen pas negentien en had hij geen enkele ervaring in zaken. Hij had de mensen in het bedrijf die de Yorkshire Deravenels waren toegenegen voor zich weten in te nemen en was zo slim geweest hun hulp in te roepen om hem het vak te leren. Zij hadden het voorbeeld van Oliveri gevolgd en hem alles bijgebracht wat ze over hun eigen branche wisten. Toen hij eenentwintig was, wist hij alles wat er viel te weten over het bedrijf dat honderden jaren geleden door zijn voorvader Guy de Ravenel was opgericht. De stafleden met wie hij zich had omringd hadden hem volgestopt met informatie, zoals men een gans volpropt voor foie gras.

'Hij onthield alles,' had Will haar uitgelegd. 'En dat doet hij tot op de dag van vandaag. Hij heeft een fotografisch geheugen en kan eindeloos veel werk verzetten. En omdat hij mij alles heeft geleerd wat ik weet, ben ik heden ten dage een geslaagd staflid bij Deravenel.'

Vicky ging achterover zitten, met haar gedachten nog steeds geconcentreerd op Edward. In het verleden werd hij misschien beschouwd als een playboy en rokkenjager, maar dat was hij tegenwoordig geen van beide. Hij was al ruim tien jaar met Jane en had voor zover ze wist nooit een misstap begaan. Voor het grootste deel hadden de roddels over hem te maken met zijn trouw aan haar en niet met zijn seksavontuurtjes met andere vrouwen. De enige andere vrouw in zijn leven was zijn echtgenote. Kennelijk vond hij haar nog altijd lichamelijk aantrekkelijk, want hij bleef haar maar zwanger maken. Maar daar was alles mee gezegd; verder was er niets tussen hen. Dat wist Vicky maar al te goed. De relatie die hij buiten het bed met Elizabeth had was angstaanjagend dor. Ze hadden niets met elkaar gemeen.

'Je bent erg stil, Vicky,' merkte Edward plotseling op, terwijl hij haar aankeek. 'Ik hoop dat je niet inzit over de financiering van je recreatiecentrum, nu Fenella en jij hebben besloten ermee door te gaan. Ik heb een cheque van tienduizend pond voor jullie, en die zal ik je geven voor ik wegga.'

Vicky staarde hem één moment stomverbaasd aan, waarna ze uitriep: 'O Ned, wat ben je toch vrijgevig! Hartelijk dank. Fenella heeft hetzelfde bedrag beschikbaar gesteld, en ik ook. Stephen en Will hebben beloofd dat ze net zo'n bijdrage zullen geven als jij en Fenella's tante Philomena heeft ons al twintigduizend pond geschonken, zodat we zeventigduizend pond hebben om te beginnen.'

'Ik ben verrukt. Gefeliciteerd. Het is ook zo'n goede zaak: een centrum voor gewonde soldaten. Ik beloof je dat ik nog een paar donateurs voor jullie ga zoeken en dat ik zelf later meer zal geven.'

'Graag. Ik ben je zo dankbaar, en Fenella ook, denk ik.'

'Hoe gaat het met haar? Ik ben vorige week bij haar geweest. Ze zei dat ze er niet zeker van was of ze het huwelijk in juni zou laten plaatsvinden, vanwege haar longontsteking. Maar ik vond eerlijk gezegd dat ze er een stuk beter uitzag. Ze had het erover om misschien in juli te trouwen,' besloot Edward.

'Ze heeft besloten juni aan te houden,' vertelde Vicky. 'Maar eerder later in de maand dan in het begin.'

'Ik ben blij dat te horen, aangezien ik van plan ben in juli naar het buitenland te gaan, gesteld dat we tegen die tijd naar het vasteland kunnen reizen.'

Jane keek van Vicky naar Edward, en ze zei: 'Lieverd, Vicky wil met je praten – over een gevoelige kwestie. Als jullie klaar zijn met eten, zal ik Wells bellen om alles te laten weghalen.'

'Ja, doe dat. Ik ben klaar.' Hij fronste zijn voorhoofd en wendde zich tot Vicky. 'Iets wat gevoelig ligt?' Hij klonk verward.

Ze knikte alleen maar.

Nadat Jane had gebeld, verschenen binnen enkele seconden de butler en de huishoudster om alles op te ruimen.

Toen ze weer onder elkaar waren, ging Jane in de stoel naast Edward zitten. 'Vicky aarzelde of ze het je moest vertellen, je in vertrouwen moest nemen, maar ik heb haar overgehaald.'

Hij knikte. 'Vertel me alsjeblieft waar het over gaat.' Hij had het eigenaardige gevoel dat het iets met hem te maken had. Hij vertrouwde Vicky; ze had hem in het verleden vaak getoond dat ze dat vertrouwen waard was en haar vriendschap bewezen. Wat ze nu te vertellen had, moest wel belangrijk zijn.

Vicky schraapte haar keel en zei met zachte maar vaste stem: 'Het gaat om Elizabeth. Ik heb eerst geaarzeld om met je te praten, Ned, omdat ik er een hekel aan heb me in de relatie tussen twee mensen te mengen. Vooral in een huwelijk. Maar nadat ik diep had nagedacht en naar Janes raad had geluisterd, vond ik dat je het beter kon weten.'

'Vertel op, alsjeblieft, Vicky. Dat zou ik op prijs stellen. En ik ken je goed genoeg om te beseffen dat je geen bemoeial bent.'

'Dank je. Het gaat hierom, Ned... Kennelijk heeft Elizabeth iets over Fenella tegen een van haar zusters gezegd, die het weer aan Maude Tillotson heeft overgebriefd, waarna Maude het weer tegen een vriendin vertelde die het op haar beurt aan een vriendin heeft verteld, zodat het verhaal zich als een lopend vuurtje verspreidt. Je weet precies hoe dat gaat in de Londense society. Er zijn vrouwen die niets beters te doen hebben dan met anderen te roddelen.'

Hij kreeg een ombehaaglijk gevoel in zijn maag en keek Vicky doordringend aan. 'Ik neem aan dat het geroddel over Fenella iets te maken heeft met mij?'

'Inderdaad. Elizabeth heeft haar zuster verteld dat het hele verhaal over Grace Rose, dat ze door Amos Finnister in een handkar is gevonden, gelogen is, een verzinsel. Dat Grace Rose in werkelijkheid Fenella's buitenechtelijke kind van jou is en dat het kind is grootgebracht op het landgoed van Fenella's vader in Yorkshire. Ze heeft erbij gezegd dat Fenella jarenlang je maîtresse is geweest. Dat ze dat nog altijd is, en dat de enige reden dat ze met Mark Ledbetter trouwde was om haar, namelijk Elizabeth, op een dwaalspoor te brengen. Met andere woorden: zowel Fenella als Jane is je maîtresse.'

Edward was met stomheid geslagen. Hij ging achterover zitten, terwijl hij Vicky totaal verbijsterd aanstaarde. 'Wat belachelijk!' riep hij op het laatst uit, terwijl het bloed naar zijn hoofd steeg. 'Hoe haalt ze het in godsnaam in haar hoofd om zo'n verhaal te verzinnen? Trouwens, wie zou het in godsnaam geloven? Het is zo vergezocht, gespeend van elke logica.' Hoewel hij zichzelf goed beheerste, trilde hij inwendig. En hij was razend.

'Ik betwijfel of iemand het gelooft, lieve Ned,' zei Vicky. 'Maar het is niet bepaald een fraai verhaal dat daar op straat ligt, en in zekere zin wordt er weer gezinspeeld op een schandaal bij de Deravenels. Om nog maar te zwijgen van Fenella's reputatie. Een vrouw die zo zuiver is en zo veel goed doet voor haar medemens dat ze wordt gezien als een... heilige.'

'Elizabeth moet krankzinnig zijn!' barstte hij uit, niet langer in staat zijn woede te beteugelen.

Jane legde een kalmerende hand op zijn arm. 'Niemand gelooft het, dat weet ik zeker, Ned. Toch heb ik Vicky overgehaald om het je te vertellen. Want je moet dergelijke dingen gewoon weten, zodat je er iets aan kunt doen. En je moet met Elizabeth gaan praten.'

'Dat ga ik zeker doen.' Hij keek Vicky vorsend aan. 'Is die laster Fenella ter ore gekomen?'

'Jawel, maar pas kort geleden. Ze staat erboven, net als Mark.

Ze zijn zo verstandig het volkomen te negeren.'

Hij knikte en ging staan, stak zijn hand in de zak van zijn colbert en haalde er een envelop uit. 'Hier is de cheque, Vicky. Voor het recreatiecentrum.' Hij wendde zich tot Jane en voegde eraan toe: 'Het spijt me, schat, ik moet gaan. Ik moet naar Berkeley Square terug om onmiddellijk iets aan deze kwestie te doen.'

Zevenentwintig

'Leuk, dat je op de thee komt,' zei Anne Watkins Deravenel, terwijl ze haar zus Isabel glimlachend aankeek. 'Omdat we elkaar de laatste tijd zo weinig zien, ben ik blij dat je het voorstelde.'

Isabel zuchtte. 'Getrouwd zijn en kinderen eisen zeeën van tijd op, vind je niet?' Ze haalde haar schouders op, trok een gezicht en voegde eraan toe: 'En zoals je weet is George heel veeleisend, waar het mij aangaat.'

'Hoe gaat het met hem?' vroeg Anne beleefd, zonder dat het haar veel kon schelen. Hij behoorde niet tot haar favorieten. Ze had zelfs een gloeiende hekel aan hem.

'Hij gaat momenteel nogal gebukt onder zijn werk. Omdat hij met ontzettend veel extra dingen voor Ned bezig is, moet hij tot heel laat op zijn werk blijven. Bijna elke avond.' Onder het praten vulde Isabel haar kopje bij en deed er een schijfje citroen in.

Dat is niet waar, dacht Anne, omdat ze wist dat Ned nog steeds woedend op George was, nadat de Schotse transactie door zijn toedoen bijna was afgeketst. Richard en Will hadden het allemaal weer recht moeten zetten, wat ze ook hadden gedaan, en de vorige dag eindelijk de overeenkomst bezegeld. George loog. Hij hield het met andere vrouwen. Maar omdat ze dat niet tegen haar zuster kon zeggen, glimlachte ze maar wat en sneed een ander onderwerp aan door te zeggen: 'Moeder wil dat we met Pasen met z'n allen naar Thorpe Manor komen, Isabel, en ik heb ja gezegd. Ben jij van plan haar uitnodiging aan te nemen?'

'Ik weet het eigenlijk niet. George houdt nog een slag om de arm. Hij hoopt namelijk dat we tegen die tijd misschien weer naar Europa kunnen. Hij zei dat hij met Pasen graag met me naar Parijs zou willen, en vroeg nu wat ik ervan vond. En ik zei dat dat enig zou zijn, schitterend, wat het natuurlijk ook zou zijn. Bijna als een tweede huwelijksreis, aangezien we met ons tweeën zouden gaan.'

'Je hebt gelijk, dat zou iets heel speciaals zijn,' stemde Anne in, terwijl ze zich afvroeg hoe haar zuster George om zich heen kon verdragen. Hij zag er goed uit, dat stond buiten kijf, maar hij was nogal een tiran, en een leugenaar en een bedrieger bovendien. Maar misschien bekeek Isabel hem met andere ogen. Ze hadden elk als meisje al hun Deravenel als echtgenoot uitgekozen. Voor haar was er nooit iemand anders geweest dan Richard, en iedereen wist toen al dat Isabel er wat George betreft net zo over dacht. Ze was destijds verrukt van zijn knappe uiterlijk, en ook zijn seksuele aantrekkingskracht was een belangrijke overweging geweest.

Isabel, die Anne zat te observeren, voelde plotseling een vlaag van jaloezie en wrok. Haar zuster verkeerde duidelijk in blakende gezondheid en droeg heel chique kleren, extravagant dure kleren – en parels! Verder woonde ze in een huis waar Isabel een moord voor zou doen. Net zoals haar man. 'Eigenlijk is het van ons,' had hij laatst nog gezegd. 'Daar moet je haar maar eens over aanspreken, dat ze eruit gaan.' Vandaar dat ze hier vandaag was. Tot nu toe had ze er met geen woord over gerept, het onderwerp niet aangesneden, omdat de moed haar in de schoenen was gezonken. Maar ze wist dat het algauw tijd zou zijn om naar huis te gaan en dat ze moest volbrengen waarvoor ze eropuit was gestuurd. Anders zou George haar ervoor laten boeten.

Nadat ze diep had ingeademd zei Isabel: 'Ik zou zo graag eens een rondje door het huis maken, Anne, mag dat? Per slot van rekening ben ik hier opgegroeid.' Ze stond op en wilde al naar de deur lopen, terwijl ze even werd bestookt door herinneringen.

'Natuurlijk mag dat,' antwoordde Anne prompt, waarna ze eveneens opstond. 'Kom, laten we eerst maar naar de bibliotheek gaan. Je weet hoe heerlijk papa het daar altijd vond. Het was zijn toevluchtsoord, dat zei hij altijd. Weet je dat niet meer?'

Isabel schudde haar hoofd. 'Eigenlijk niet, nee.' Ze haalde haar schouders op en staarde Anne aan, opnieuw met een plotselinge steek van jaloezie bij de herinnering dat Anne het lievelingetje van haar vader was geweest. Voor Neville Watkins had alleen Anne bestaan. En Nan, hun moeder. Zijzelf had er niet toe gedaan.

Anne Watkins, een frêle vrouw met een roomblanke perzikhuid en lichtbruin haar met blonde strepen, maakte een uitermate beschaafde indruk. Ze was op een vertederende manier mooi en rank als een veulen, met een prachtig figuur en lange benen. Haar zuster

Isabel, een paar jaar ouder, vertoonde een grote gelijkenis met haar, behalve dat ze altijd ontevreden of zorgelijk keek en dikwijls gedeprimeerd was. Bovendien was ze nooit zo lieftallig geweest als Anne, en dat wist ze.

Omdat Anne vond dat haar zus er zorgelijk uitzag sinds ze zoeven in het huis in Chelsea was gearriveerd, vroeg ze zich af of haar zwager het misschien bij het rechte eind had. Ned zei altijd dat Isabel er zo vreemd en zorgelijk uitzag omdat ze vreselijk ongelukkig was met George, en dat hij waarschijnlijk een monster was om mee te leven. Anne betwijfelde dat geen moment. Ze had gedurende een periode van haar leven een tijdje bij hen ingewoond, en toen had hij zich heel lomp gedragen, wreed zelfs, en altijd onaardig. Maar tegenover haar, niet tegenover zijn vrouw. Aan de andere kant had ze dikwijls opgewonden stemmen achter gesloten deuren gehoord en had Isabel er soms uitgezien alsof ze had gehuild.

'Waar denk je aan? Je kijkt zo bedrukt,' vroeg Isabel, terwijl ze Anne oplettend aankeek, waarna ze een tafellamp aanklikte toen ze de bibliotheek binnen gingen.

'Met mij is echt niets aan de hand,' antwoordde Anne, en ze liep de kamer rond, terwijl ze net als haar zus lampen aanknipte en dacht aan de manier waarop George Isabel met andere vrouwen bedroog. Het was verschrikkelijk.

Van haar kant vroeg Isabel zich af hoe ze met de juiste woorden het gesprek over een heel ernstig onderwerp moest beginnen. Nadat ze even in de bibliotheek had rondgelopen en de bezittingen van wijlen haar vader had bekeken, die ze nog net zo aantrof als vroeger, draaide Isabel zich midden in het vertrek met een ruk om en riep uit: 'Eigenlijk hebben jullie het recht niet om hier te wonen, Anne! Ik ben de oudste van ons tweeën, vaders enige twee erfgenamen, en dit huis hoort eigenlijk mij toe omdat ik de oudste ben. Moeder heeft een ernstige vergissing gemaakt door het als huwelijkscadeau aan jou en Richard te schenken. Daar had ze het recht niet toe. Wist je dat niet?'

'Ze had er het volste recht toe,' kaatste Anne terug, terwijl ze een zakelijke toon opzette omdat ze ineens besefte wat er zou gaan komen. Ned had haar en Richard gewaarschuwd. Hij had gezegd dat er zoiets zou kunnen gebeuren.

'Nee, nee,' sprak Isabel tegen, terwijl ze haar hoofd schudde. 'Vader heeft haar alleen maar het recht gegeven om er te wonen. Het was niet haar eigendom.'

'Je hebt het helemaal mis.' Anne liep naar haar zus toe, ging voor haar staan en keek haar doordringend aan. 'Vader heeft dit huis voor moeder gekocht en het daarna uitdrukkelijk aan haar gegeven, met de akten. Zij was de eigenaar, niet onze vader, en ze had het volste recht om ermee te doen wat ze wilde. Te allen tijde.'

'O, hou toch op. Je weet dat dat niet zo was! Dit huis is rechtmatig van mij, omdat ik ouder ben dan jij. Ik ben de oudste.'

'We zijn mede-erfgenaam van het bezit van onze vader, na de dood van moeder, en knoop dat voor altijd in je oren, Isabel. NA HAAR DOOD.'

'Je hoeft niet tegen me te schreeuwen,' sputterde Isabel op irritant klaaglijke toon. 'Een van de dingen waarover ik vandaag met je kwam praten, was dit huis. We zouden er later dit jaar in willen trekken. Dus je begrijpt dat je tegen Richard moet zeggen dat hij naar een nieuw huis voor jullie moet uitkijken. Een nieuw huis. Dit huis is van míj... van óns.'

'Ik denk dat je beter even bij me kunt komen zitten,' zei Anne, waarbij ze haar stem milder maar toch beslist liet klinken. Ze nam plaats op de bank en wees naar de hoge leunstoel ernaast. 'Kom, Isabel, ik heb je iets belangrijks te vertellen.'

Isabel, net zo slank en elegant als Anne, schreed over het kleed en nam plaats in de stoel die Anne haar had aangewezen. 'En wat is er dan wel zo belangrijk?'

'De waarheid,' antwoordde Anne. 'De píjnlijke waarheid, zou ik wellicht moeten zeggen. Weet je, wat ik je vertelde, dat dit huis van moeder is, is helemaal waar. Het was namelijk een schenking van vader aan haar, een onvoorwaardelijke schenking. Vanaf de dag dat hij het kocht was hij er geen eigenaar van, omdat hij het op haar naam kocht en het rechtstreeks aan moeder heeft geschonken. En al voor het aan ons werd geschonken, heeft ze het verkocht.'

'Verkócht!' krijste Isabel. 'Ze had het recht niet om het te verkopen. Ik geloof je niet. Ze had het recht niet!'

'Maar dat recht had ze wél. Ik zeg je toch steeds dat het aan haar was om ermee te doen wat ze wilde. Als ze wilde, had ze het tot de grond kunnen laten afbranden.'

Isabel gaapte haar zuster sprakeloos aan.

Anne sprak verder. 'Moeder heeft het huis verkocht aan Ned, jouw en mijn zwager. Hij heeft er een goede prijs voor betaald, een heleboel geld, dat moeder incasseerde omdat het haar toebehoorde. Ned heeft onmiddellijk nieuwe akten laten opstellen. Nieuwe akten op naam van Richard. Vandaar dat het huis van ons is. Edward Deravenel kocht het voor ons en heeft het ons geschonken, en de akten staan op Richards naam. Dus kan George op geen enkele manier aanspraak maken op dit huis, het van ons afnemen of ons eruit gooien. En jij evenmin.'

Isabel was razend en zag spierwit van woede. Ze stond haastig op en zette een stap in Annes richting, die ook overeind was gekomen. 'Dat zullen we nog wel eens zien,' dreigde ze op ijskoude toon, en voor Anne kon reageren was ze de bibliotheek al uit gestormd.

Anne ging haastig achter haar aan en haalde haar in het voorportaal in. 'Ik heb je gezegd, Isabel, dat jullie niets kunnen uitrichten. Het huis is ons eigendom. En dat is helemaal legaal.'

Isabel snoof en liep naar de kast om haar jas te pakken. 'Jullie horen nog wel van George,' snauwde ze, terwijl ze op de voordeur af liep. 'Of liever: je man.'

Anne knikte. 'Ik zal hem op de hoogte brengen,' klonk haar kille reactie, en zodra haar zuster haar hielen had gelicht, voelde ze zich opgelucht. Het enige waaraan ze kon denken was hoe slim het van Ned was geweest om het huis te kopen en aan hen te schenken. Op Richards naam.

Broadbent zat in de Rolls Royce op hem te wachten toen Edward haastig het huis van Jane verliet, en luttele seconden later maakte de auto zich los van de stoeprand, richting Mayfair en Berkeley Square.

Terwijl hij zich op de achterbank nestelde, probeerde Edward zijn woede tot bedaren te brengen. Ditmaal was Elizabeth te ver gegaan, en iemand moest zorgen dat ze ermee ophield. Dat ze kwaadaardige roddels over hem verspreidde, was tot daar aan toe; om Fenella erin te betrekken, ging alle perken te buiten. Elizabeth bazuinde leugens rond over Fenella en hem, en iedereen met een greintje verstand zou dat begrijpen. Niettemin moesten haar een paar elementaire waarden duidelijk worden gemaakt en ze moest inbinden.

Mallet begroette hem in de hal van het huis aan Berkeley Square. 'Goedenavond, sir.'

'Goedenavond.' Nadat hij zich uit zijn jas had gewurmd en die aan de butler had gegeven, sprak Edward verder: 'Waar is Mrs. Deravenel?'

'In de zitkamer boven, meen ik.'

'Dank je, Mallet.'

Edward ging met twee treden tegelijk de trap op, liep met grote passen de overloop over en de gang door. Hij zwaaide met zo'n kracht de deur naar de zitkamer open dat die in zijn scharnieren terugveerde en tegen de met brokaat beklede muur aan knalde.

Elizabeth, die bij de haard een Frans modetijdschrift zat te lezen, sprong verbaasd op, zo geschrokken was ze. Ze zat meteen rechtop en toen ze opkeek en de woede op Edwards gezicht zag, kromp ze weer ineen in de stoel, met grote ogen van angst.

'Wat mankeert jou?' brulde hij, terwijl hij met zijn voet de deur dichtknalde en op haar af liep. 'Je hebt waarschijnlijk je verstand verloren, mens! Kwade praatjes over me verspreiden. Over Fenella Fayne. Een vrouw die jou of wie dan ook nooit enig kwaad heeft gedaan, een vrouw die nooit anders dan lief en aardig voor je is geweest en je met de grootste egards heeft behandeld. Haar naam te bezoedelen en door het slijk te halen. En wat dacht je van mijn naam? De naam Deravenel, die toevallig ook jouw naam is. Heb je dan geen enkele trots? Geen enkele notie van integriteit? Dergelijke leugens verzinnen is uitermate verachtelijk en gewetenloos. En ik wil het niet hebben. Hoor je me: ik wil het niet hebben.'

'Ik weet niet wat...'

'Hou je mond! En probeer maar niet je hier een weg uit te liegen, zoals je altijd doet als je onnodig trammelant hebt geschopt. Je weet heel goed waarover ik het heb.'

'Edward, ik...'

'Ik zei dat je je mond moest houden!' schreeuwde hij, en zijn gezicht liep rood aan terwijl zijn woede steeg. 'Je bent ontzettend dom!'

Terwijl hij een paar meter van haar af bleef staan, keek hij het vertrek rond, waarbij zijn ogen over de kostbare postimpressionistische kunst schoten, het verfijnde antiek, de weelde aan rijke brokaten, zijden en fluwelen stoffen: al die overdaad was duizelingwekkend. Allemaal zijn werk, dat wist hij, omdat zij geen eigen smaak had. Niettemin bewoonde ze een huis dat vermaard was om zijn schoonheid, sfeer en verfijning.

'Je leeft in totale luxe! Je draagt couture van de grootste ontwerpers ter wereld. Je bent overladen met juwelen. Ik geef je alles wat je wilt, ik ontzeg je niets. En jij spreekt kwaáád over me! Jij! Mijn vrouw,' gilde hij, bijna stikkend in zijn woorden van tomeloze woede. 'Het gaat elke voorstelling te boven. En die roddels zijn allemaal leugens.'

Ze kromp nog verder in elkaar en had niet de moed een woord van verweer te uiten omdat ze wist dat ze dat niet kon.

Hij deed een stap naar haar toe. Hij torende boven haar uit, en keek met een uitdrukking van absolute walging op haar neer.

Ze slikte en probeerde haar kalmte te bewaren. Fysiek was ze niet bang voor hem. Hij zou een vrouw nooit slaan. Daar was hij te zachtaardig voor; en ook te veel een heer. Elke vorm van fysiek geweld stond hem tegen. Maar zijn woorden deden pijn, dat was altijd al zo geweest. Wanneer hij woedend was, zoals nu, uitte hij zich duidelijker dan ooit; zijn woorden sneden haar door de ziel. Wat was ze ook dom. Waarom zei ze van die dingen? Hij had gelijk. Ze was dom.

Bijna alsof hij haar gedachten las, boog Ned zich voorover, bracht zijn gezicht dichter naar het hare toe en vroeg met kille stem: 'Waaróm? Waarom heb je dat verhaal over Fenella verzonnen? Waarom heb je gezegd dat zij de moeder is van Grace Rose? Waarom, Elizabeth? In godsnaam, waaróm?'

'G-g-geen idee,' stamelde ze met trillende stem.

'Omdat je me wilt kwetsen, is het niet?'

Ze schudde haar hoofd.

'O jawel,' snauwde hij, en zijn stem klonk ijskoud, hard. 'Je bent zo krankzinnig jaloers op elke vrouw die ik ken dat je het me betaald wilt zetten, alleen al omdat ik naar een vrouw heb geglimlacht. Of soms een platonische vriendschap met een vrouw onderhoud, zoals met Fenella, die ik al eeuwenlang ken. En Vicky? Is zij de volgende? Ga je haar ook zwart maken? Binnenkort kwade praatjes over haar afsteken?'

Elizabeth schudde haar hoofd. Ze had geen verweer. Haar broer zei altijd dat ze een dwaas was, en hij had het bij het rechte eind. Waarom deed ze van die domme dingen? Had Ned gelijk? Was het uit jaloezie? Toen ze naar hem opkeek, in dat razende gezicht en die kille blauwe ogen, barstte ze in tranen uit.

'Hou daarmee op!' schreeuwde hij in haar gezicht. 'Hou ermee op, hoor je me! Je tranen hebben voor mij geen enkele betekenis. Je hebt onze naam gruwelijk bezoedeld. En nog belangrijker: je hebt de naam van Fenella bezoedeld, een vrouw gekwetst die doodziek was, door een longontsteking. En dat alleen maar omdat je mij de wet niet kunt voorschrijven en niet alles naar je hand kunt zetten. Ik wálg van je.'

'Het spijt me...' begon ze.

'Nee, het spijt je helemaal niet. Nooit. Je bent net als George. Je zorgt altijd voor ellende, en het laat je koud wat je hebt aangericht.'

'Zeg dat niet, dat ik net zo ben als George,' hakkelde ze, terwijl ze de laatste restjes van haar zelfbeheersing verloor.

Zonder acht te slaan op die opmerking boog hij zich voorover en bracht zijn gezicht nogmaals dichter bij het hare. 'Luister naar me, juf. En let goed op wat ik zeg. Want ik ga het niet herhalen. Als je ooit nog eens een kwaad woord over mij of een van mijn vrienden tegen íémand durft te zeggen, en dat geldt ook voor jouw of mijn familie, ga ik bij je weg. Of beter gezegd: dan ga jij bij mij weg. Dan zal ik je uit dit huis laten verwijderen en dan ga jij op het land wonen, waar ik een klein rijtjeshuis voor je zal kopen. Dan krijg je een redelijke toelage voor je levensonderhoud. En daar zul je permanent blijven, verstoken van de Londense society. Dan zul je nooit meer samen met mij in dit huis wonen, noch in Londen. Dan ben je simpelweg verbannen naar het platteland. Ik zal je beperkte toegang tot onze kinderen verlenen – niet dat je werkelijk om hen geeft, afgezien misschien van Edward junior. En dat is omdat hij de stamhouder is en belangrijk voor je toekomst, mocht je mij overleven. Begrijp je me? Dan stuur ik je weg.'

Ze knikte slechts, trillend, omdat ze terdege besefte dat hij ertoe in staat was. Ned kon meedogenloos zijn, en hij kwam nooit met loze dreigementen. Hij hield altijd zijn woord.

Ned draaide zich met een ruk om en beende met grote stappen op de deur af.

'Waar ga je naartoe?' fluisterde ze.

'Weg,' antwoordde hij laconiek, waarna hij de deur achter zich dichtsmeet.

Hij rende naar beneden, trof Mallet in het butlerverblijf en zei: 'O, daar ben je, Mallet. Bij nader inzien blijf ik niet voor het eten. Zou jij alsjeblieft een kleine koffer voor me willen inpakken, met de normale dingen – verschoning, mijn scheergerei? Ik breng de nacht op mijn club door.'

'Onmiddellijk, sir.'

'Neem alle tijd, Mallet. Ik heb vanavond een afspraak. Als ik op mijn plaats van bestemming ben, zal ik Broadbent terugsturen, dan neemt hij de koffer wel van je in ontvangst.'

'Ik zal zorgen dat hij klaarstaat, sir.'

'Dank je, Mallet, en goedenavond. Nadat Broadbent de koffer heeft opgehaald, kun je afsluiten.'

'Jawel, sir, en goedenavond.'

De butler bleef bij de voordeur staan en keek hem na toen hij de stoep af liep naar de Rolls Royce. Edward Deravenel was zo'n goed mens, zo goed voor iedereen, iemand die minder bedeelden altijd te hulp schoot. Hij was heel menslievend, Mr. Deravenel. Jammer dat hij met een feeks was getrouwd. Een vrouw die hem voortdurend uit haar buurt verjoeg. Wat een dwaas was ze, mompelde hij binnensmonds, vol afkeer voor de vrouw des huizes. En dat noemt zich een lady, voegde hij er in een vlaag van minachting tegen zichzelf aan toe terwijl hij de voordeur dichtdeed en de koffer ging inpak-ken.

Achtentwintig

'Ik wil een scheiding,' zei Edward bedaard, zijn blauwe ogen met een grote felheid op zijn moeder gericht.

Cecily Deravenel zei een moment helemaal niets, zo geschrokken was ze. Ze leunde achterover in de stoel en keek naar haar oudste zoon. 'Dus het is zo ver, Ned? Eindelijk.'

'Ja, ik ben bang van wel. Elizabeth is gewoon...' Hij wachtte even om de juiste woorden te vinden, de juiste formulering. '... onmogelijk om mee te leven. Ze is ook nogal gevaarlijk, naar mijn mening. Ze heeft de neiging allerlei dingen rond te bazuinen en ze verzint wat ze maar wil – over mij, en over de Deravenels in het algemeen als haar dat uitkomt.'

Cecily fronste haar wenkbrauwen. Haar grijsgroene ogen, die zo op die van haar zoon Richard leken, kregen een peinzende uitdrukking en ze voelde een reusachtige ontzetting door zich heen stromen. 'Er is iets gebeurd waardoor je helemaal over je toeren bent, Ned. Ik zie dat je niet helemaal jezelf bent. Toen je kwam, zag ik eigenlijk al dat je van streek was. Waar gaat het allemaal over? Vertel het me nou maar, lieverd. We moeten hierover praten, dan kunnen we misschien samen naar een voor jou bevredigende oplossing zoeken.'

Edward leunde achterover op de bank, sloeg zijn lange benen over elkaar en ademde diep in. 'Ze heeft een belachelijk praatje over me verspreid, dat Fenella's reputatie aantast. Kennelijk heeft ze het aan een van haar zusters verteld, hoogstwaarschijnlijk Iris, die dondersteen, die het aan Maude Tillotson vertelde, die het weer aan iemand anders heeft doorgebriefd, waarna het als een lopend vuurtje rondging, om Vicky's woorden te gebruiken.'

'Jij en Fenella,' mompelde Cecily, terwijl ze haar ogen samenkneep. 'Maar jullie zijn altijd alleen maar goede vrienden geweest, meer niet. Waarom zou iemand Fenella als mikpunt kiezen, die bij iedereen in zo'n hoog aanzien staat?'

'Geen idee. Misschien juist daarom. Fenella wordt door al haar vrienden op handen gedragen, zelfs door mensen die haar helemaal niet zo goed kennen.'

'Wil je zeggen dat Elizabeth je er werkelijk van beticht dat je... een affaire met Fenella hebt?'

'Ja, en dat die nog altijd aan de gang is.' Hij boog zich voorover. 'En het wordt nog erger.' Nu vertelde Edward zijn moeder het hele verhaal, zoals hij het eerder die dag van Vicky had gehoord.

'Maar dat gaat alle perken te buiten,' riep zijn moeder vol afschuw toen hij was uitverteld. 'Elizabeth is duidelijk vastbesloten het je heel moeilijk te maken.' In oprechte verwarring schudde ze haar hoofd. 'Wat volslagen belachelijk van haar, en rancuneus, op zijn zachtst gezegd.' Cecily zweeg even en haar blik zwierf naar de haard, terwijl haar brein met zijn gebruikelijke snelheid en helderheid aan het werk ging. Uiteindelijk zei ze: 'Wat zij heeft gedaan, Ned, is werkelijk heel... kwaadaardig!'

'En destructief.'

'Wanneer heb je het gehoord?' vroeg Cecily bezorgd, ontzet over het verraderlijke gedrag van haar schoondochter.

'Vanmiddag. Ik ging bij Vicky en mijn vriendin theedrinken. Het doel van mijn bezoek was Vicky een cheque te geven voor de oprichting van het centrum voor gewonde veteranen dat zij met Fenella in het leven wil roepen. Ik heb u erover verteld.'

'Wat genereus van je,' luidde zijn moeders reactie. 'Dus toen je dat vandaag hoorde, ben je naar huis gegaan om Elizabeth ermee te confronteren. Is het zo gegaan?'

'Ja, precies zo. Ze probeerde het te ontkennen, maar daar wilde ik niet van horen. Ik heb gedreigd dat ik haar voorgoed naar het platteland zou sturen – alléén – als ze nog ooit op die denigrerende toon van haar over mij of mijn vrienden zou praten.'

'Dat was van jouw kant goed bedacht. Dat zou ze nooit uithouden – op bescheiden voet leven, waar dan ook – maar vooral niet op het platteland, afgesneden van de Londense society. Dat is haar hele wereld.'

'Dat weet ik, maar ik vraag me af of ze haar leven zal beteren. Vandaar dat ik dacht om te gaan scheiden, om in juridisch opzicht van haar af te zijn, en daarom ben ik naar u toe gekomen om erover te praten.'

'Wil je wel echt een scheiding, Ned? Denk heel goed na over de consequenties, en laten we ook niet vergeten dat we katholiek zijn.'

'Hoe belangrijk is geloof tegenwoordig nog, mama?' Opeens lachte hij, enigszins hol. 'Ooit hebben we een katholieke koning gehad, een paar honderd jaar geleden, die met de paus en Rome brak om te kunnen scheiden...'

'Ja, en hij werd protestant,' onderbrak Cecily hem.

'Heel goed, moeder.'

'Mag ik je een buitengewoon penibele vraag stellen?' begon Cecily voorzichtig, terwijl ze even ging verzitten en haar zoon onderzoekend aankeek. 'Ben je van plan met Mrs. Shaw te trouwen?'

'Dat weet ik niet. Ik denk echter niet dat ik bij die beslissing veel gewicht in de schaal leg. Ik ben er tamelijk zeker van dat Jane niet met me wil trouwen en zelfs niet met me zou trouwen als ik opeens vrij zou zijn.'

'Waarom niet, in hemelsnaam?' vroeg Cecily.

'Als zij en ik trouwden, zou zij denken dat ik een vrijgekomen arbeidsplaats had gecreëerd – voor een maîtresse. En dat zou ze niet kunnen en willen tolereren. Dat geloof ik tenminste.'

Cecily keek hem glimlachend aan, waarna ze zuchtte en zweeg, terwijl ze heel hard nadacht. Na een paar seconden zei ze op uitermate ernstige, bezorgde toon: 'Wat bewoog Elizabeth om dit nogal belachelijke praatje over jullie rond te strooien? Wilde ze je kwetsen? Of was het meer uit jaloezie... omdat ze jaloers is op Jane Shaw?'

'Volgens mij zijn beide factoren relevant... Het gaat er niet alléén om dat ze mijn gevoelens wil kwetsen, moeder, en ook niet alléén dat ze jaloers is op Jane. Ze is jaloers op iedere vrouw die bij me in de buurt komt of bij me in de gunst lijkt te staan.'

Hij stond op en liep naar de haard, waar hij op zijn gebruikelijke manier met gespreide benen voor ging staan, en vervolgde na een moment stilte: 'Met Kerstmis was ze zelfs jaloers op haar eigen dochter, een kind van negen nota bene. Ze was werkelijk woedend omdat ik die kleine victoriaanse broche voor Bess had gekocht. Het was echt een broche voor een kind, zo klein. Van zilver, met een paar kleine diamanten. Het was geen kostbaar cadeau – het kostte bijna niets. Toch nam Elizabeth er aanstoot aan – stel je voor: een cadeautje van mij, Bess' vader, aan zijn eigen dochter. Waanzinnig, werkelijk.'

'Ja, ik weet het. Zelf vond ik het ook eigenaardig,' biechtte Cecily op.

'En dan Grace Rose,' ging Edward verder. 'Er zijn momenten geweest dat Elizabeth heel jaloers was op haar en op mijn relatie met Grace Rose. Maar ook op die van u met het meisje, hoor. Al weet ik bijna zeker dat Elizabeth daarover nooit iets tegen u heeft gezegd. De afgelopen paar weken was mijn vrouw zeer cynisch over het feit dat de meisjes bruidsmeisje van Fenella zouden zijn.' Edward haalde zijn schouders op, stak hulpeloos zijn handen omhoog en schudde ongelovig zijn hoofd.

'Ze is natuurlijk uitermate jaloers van aard, en misschien wel afgunstig. Ik moet bekennen dat ik dat van tijd tot tijd wel heb gemerkt... Blijkbaar kan Elizabeth er niet tegen dat je aardig tegen andere vrouwen bent of belangstelling voor ze toont, hoe oppervlakkig die belangstelling ook is,' benadrukte Cecily. 'Ned, dat is nogal... zíék. Wat ik bedoel, is dat dergelijk gedrag volkomen irrationeel is en, voor mij althans, een blijk is van een zieke geest. Van waanideeën, als je het mij vraagt. Ik ben benieuwd wat die knappe dokter Sigmund Freud van je vrouw zou vinden.' Ze trok een wenkbrauw op.

'Denkt u dat heus, moeder? Dat Elizabeth naar een psychiater moet?'

'Misschien wel. Maar laten we niet afdwalen. Ik wil dat je naar me luistert, en heel aandachtig. Ten eerste: als je een scheidingsprocedure in gang zet, zul je jezelf en de familie blootstellen aan onvoorstelbare moeilijkheden en ernstige laster. Elizabeth zal zo boos en buiten zinnen zijn, dat ze alles zal doen om je te gronde te richten. Ze zal de beste advocaten inhuren, uitermate lastige advocaten, die er niet voor zullen terugdeinzen om jou aan het kruis te nagelen. Ze zullen privédetectives op je loslaten, en ze zullen ver gaan, heel, heel ver. Ze zullen in elk hoekje en gaatje van je leven gaan neuzen. Ze zullen de jacht op Mrs. Shaw inzetten. Vicky en Grace Rose zullen het mikpunt worden. Er zal een gigantisch schandaal van komen, Ned, en dat kunnen we ons toch niet veroorloven?'

'Nee, moeder, ik besef dat u gelijk hebt. Een schandaal kunnen we niet gebruiken, evenmin dat onze naam nog meer door het slijk wordt gehaald dan George met zijn gruwelijke gokschulden al heeft gedaan. En nogmaals dank dat u borg voor hem hebt gestaan en vooral omdat u ervoor hebt gezorgd dat hij me terugbetaalt.'

Cecily knikte en keek Edward veelbetekenend aan, echter zonder commentaar te geven.

Edward zweeg eveneens en keek haar bedachtzaam aan. Het was niet zijn bedoeling geweest om Georges naam in dit gesprek te berde te brengen; die was hem gewoonweg ontsnapt. Hij wist dat hij zich erbij moest neerleggen dat zijn moeder George al van kleins af aan in bescherming had genomen. Hij veronderstelde dat ze dat tot haar dood zou blijven doen. En dat was haar recht; ze kon doen wat ze wilde.

Cecily stelde met zachte stem vast: 'Ik denk echt dat een scheiding een vergissing is, lieverd. Gezien de omstandigheden. Vind je ook niet?'

Hij knikte, waarna hij kreunde en moedeloos uitriep: 'Maar wat kan ik dan in 's hemelsnaam doen? Hoe kan ik hierna nog met haar leven? Na dit verschrikkelijke blijk van... kwaadaardigheid, zoals u het noemde.'

Zijn moeder zei bedaard, zij het op onverwacht besliste, zelfverzekerde toon: 'Je hebt haar waarschijnlijk de stuipen op het lijf gejaagd, doodsbang gemaakt, door te zeggen dat je haar voorgoed naar het platteland zou sturen. Was dat een loos dreigement, of meende je dat echt?'

'Ik meende het echt. Ziet u, dat zou het enige zijn wat ik kan doen. Op die manier zorgen dat ik van haar af was, in plaats van door een scheiding.'

'Dat lijkt me ook. Vandaar dat ik je het volgende adviseer: vergeet een echtscheiding of een scheiding van tafel en bed, en bewandel de andere weg. Pak de draad weer op alsof er niets gebeurd is. Maar ga er eens wat vaker uit, om alleen te zijn – en ik bedoel echt: alléén. Ga op reis met Will Hasling, of met Richard, en speel het spel zoals je het altijd hebt gespeeld, door een goede, attente, lieve echtgenoot te zijn, overdreven vrijgevig, die daarnaast een eigen leven leidt, zoals de meeste mannen van jouw stand. Wees discreet. Vooral wat betreft Mrs. Shaw. Schep geen problemen, met andere woorden. Ga je eigen gang, net zoals je al die jaren van je huwelijk hebt gedaan. En bedenk: in je achterhoofd weet je dat je Elizabeth, als je dat wilt, voorgoed naar het platteland kunt sturen. Ik kan je verzekeren dat zíj dat dreigement niet zal vergeten. Het zal haar overal achtervolgen.'

'Reken maar, en ik zal doen zoals u suggereert, moeder.'

'Nog één ding,' opperde Cecily. 'Wees niet te vlot met vergeven, Ned. Houd haar op afstand, zo veel je kunt. Haal ook geen dwaasheden uit, maar bedenk dat jij alle kaarten in handen hebt. Uiteindelijk zijn het jouw geld en macht die haar positie in stand houden, vooral in sociale kringen. Ze gaat liever dood dan dat ze die kwijtraakt.'

'Daar slaat u de spijker op z'n kop. En dat mijn dochters bruidsmeisje zijn voor Fenella, moeder. Hoe zal ik dat aanpakken?'

'Goeie god, Ned, moet je dat nog vragen? Kom nou toch. Natuurlijk worden ze Fenella's bruidsmeisjes: zij en haar vader, de hertog van Tanfield, maar ook haar broers en zusjes zijn al van kinds af aan met mij bevriend. Ik wil geen enkele klacht van je vrouw horen over het feit dat de meisjes aanwezig zullen zijn bij Fenella's huwelijk. Dat hebben we afgesproken, en een Deravenel komt nooit op zijn woord terug. Even een andere kwestie: waar was je naar op weg toen je langs Charles Street kwam en besloot mij om raad te komen vragen?' vroeg Cecily met een gewiekste glimlach, waarbij haar ogen ineens begonnen te twinkelen.

'Ik was eigenlijk op weg naar mijn club.'

'Ga niet naar White's, lieverd. Niet vanavond. Zijn club is voor een man een schrale troost wanneer hij huwelijksproblemen heeft. Ga je vriendin maar opzoeken. Veel beter voor je welzijn en algehele gemoedstoestand: de tedere, liefdevolle aandacht van een vrouw.'

Cecily Deravenel bleef nog lang nadat haar zoon was weggegaan bij de haard in haar bescheiden zitkamer zitten. Haar gedachten waren bij hem. Ze had altijd geweten dat Elizabeth Wyland de verkeerde vrouw was voor Ned, vanaf het moment dat ze haar voor het eerst had ontmoet.

Maar het was te laat om hoe dan ook invloed op hem uit te oefenen. Hij was in het geheim met haar getrouwd; dat impulsieve, betreurenswaardige huwelijk was de oorzaak geweest van de problemen tussen Ned en Neville Watkins en had gezorgd voor een afschuwelijk schisma binnen de familie dat nooit echt was hersteld. Althans, tot Neville en John Watkins bij dat gruwelijke auto-ongeval bij Ravenscar waren omgekomen. Pas toen waren de vrouwen van de familie bij elkaar gekomen om elkaar te troosten. En was de breuk eindelijk geheeld.

Ned was niet gelukkig in zijn huwelijk, dat wist iedereen, en dat lag voornamelijk aan Elizabeths karakter. Ze was een inhalige, ambitieuze vrouw – en jaloers bovendien. Cecily wist maar al te goed hoe oppervlakkig haar schoondochter was, en gespeend van mededogen.

Maar toch slaagde ze er op de een of andere manier nog altijd in Ned haar bed in te lokken en hield ze hem door middel van seks in haar ban, daar was geen twijfel over mogelijk. En hun seksuele gemeenschap bleef van die schitterende kinderen voortbrengen.

Cecily's gedachten dwaalden af naar haar kleinkinderen – die aanbiddelijke, prachtige meisjes en de twee jongetjes, net zo knap als de meisjes snoezig waren. Even bleef ze in gedachten stilstaan bij haar geliefde Bess, die met haar negen jaar heel bijzonder was – niet alleen snoezig om naar te kijken, maar ook vanbinnen een schat. Ze aanbad ze allemaal, natuurlijk, maar omdat Bess iets speciaals had, had Cecily hoge verwachtingen van haar. Het was een praktisch meisje, ze stond met beide benen op de grond en was inventief, meer zoals haar vader dan zoals haar moeder.

Toen Ned het zo-even over een scheiding had gehad, was Cecily met stomheid geslagen. Het was voor het eerst dat hij het onderwerp ter sprake had gebracht, en alleen al als ze eraan dacht, sloeg de schrik haar om het hart. Ze was van mening dat het voor haar zoon veel beter zou zijn zijn leven zo voort te zetten zoals hij het al die jaren van zijn huwelijk had gedaan dan moeilijkheden te veroorzaken die onvermijdelijk verbittering en wrok tot gevolg zouden hebben.

Omdat Elizabeth niet van hem wilde scheiden, zou ze verwoestingen aanrichten, daarvan was Cecily overtuigd. Het schandaal zou gigantisch zijn. En Ned zou nooit van Elizabeth af komen, wat er ook gebeurde, zelfs wanneer ze daadwerkelijk gescheiden waren. Hij zou er amper iets mee opschieten. En dan moest er ook aan de kinderen worden gedacht. Ze hadden hun vader nodig, die hen aanbad, van hen genoot en veel tijd aan hen besteedde; terwijl hun moeder hen aan hun lot overliet, of aan de zorg van Nanny en Miss Elliot, het nieuwe kindermeisje.

Plotseling vroeg Cecily zich af welke andere moeder haar zoon naar zijn maîtresse zou hebben gestuurd, zoals ze zelf die avond had gedaan. Dat zou menigeen onder vergelijkbare omstandigheden hebben gedaan als hun zoon gekweld en wanhopig was, vooral als ze wisten dat de maîtresse een lankmoedige, liefdevolle vrouw was die nooit eisen stelde.

Jaren geleden had ze zich ten doel gesteld alles over Mrs. Shaw te weten te komen wat er te weten viel, waarna ze opgelucht en dankbaar was geweest dat Jane de andere vrouw in zijn leven was. Bij haar was hij in veilige handen. Ze hoopte dat hij naar Jane was gegaan en niet naar zijn club, waar hij met andere mannen zou rondhangen en drinken, en nog narriger zou worden dan hij al was. Ze wilde niet dat hij zijn ellende en ongenoegen voedsel zou geven. Ze wilde dat hij getroost zou worden door iemand die duidelijk zielsveel van hem hield en die de situatie in evenwicht zou brengen.

Negenentwintig

'Neem me niet kwalijk dat ik je stoor, Jane,' zei Richard. 'Ik ben op zoek naar Ned. Is hij toevallig bij jou?'

'Nee, Richard, hij is hier niet,' antwoordde Jane, terwijl ze de hoorn steviger vastklemde, tot in elke vezel gealarmeerd. 'Ik verwacht hem eigenlijk niet vanavond. Maar hij zou best nog kunnen komen.'

'Ik begrijp het. Ik heb Mallet gesproken, maar je weet hoe butlers zijn: je krijgt nooit een rechtstreeks antwoord van ze. Intuïtief en door schade en schande wijs geworden houden ze een slag om de arm, zo zijn ze ook. Ik heb ook met onze moeder gesproken, en zij zei dat hij daar zo-even is geweest, maar dat hij al weg was. Enfin, mocht hij komen, zou je hem dan willen vragen of hij me wil bellen?'

'Dat zal ik zeker doen, Richard. Goedenavond.'

'Goedenavond, en mijn excuses dat ik je heb gestoord.'

'Welnee, dat geeft helemaal niets. Nogmaals goedenavond.' Ze hing op, liep naar de andere kant van de bibliotheek en pakte het boek dat ze had zitten lezen, maar ze kon zich onmogelijk concentreren. Haar gedachten waren bij Edward Deravenel. De man van wie ze hield en die altijd in de vuurlinie leek te liggen.

Hij was uitermate kwaad geweest toen hij die middag vertrok, en ze wist dat hij naar huis was gegaan om een hartig woordje met Elizabeth te spreken. Dat was hem wel toevertrouwd. Ze was ervan overtuigd dat hij de situatie naar behoren had afgehandeld; hij kon heel hard zijn, meedogenloos zelfs als dat moest. Het was hoognodig dat hij zijn vrouw het zwijgen oplegde, zodat ze ophield met verhaaltjes verzinnen en leugens verspreiden over hem en Fenella, leugens die onvermijdelijk aanleiding gaven tot afschuwelijke, schadelijke laster.

Die vrouw was een onruststookster. Dat wist Jane allang, maar toch was ze niet in de positie om hem te zeggen wat hij aan haar gewetenloze gedrag moest doen. Dat was haar plaats niet.

Hij was, volgens zijn broer, diezelfde avond bij zijn moeder in Charles Street geweest en misschien had Cecily Deravenel hem kunnen helpen, raad kunnen geven. Ze was een wijze vrouw, een zeer gedistingeerde vrouw die wist wat er in de wereld te koop was. Ze beschikte over een ongelooflijke kennis en ze had begrip voor mensen, ze wist wat hen motiveerde.

Zijn huwelijk met Elizabeth was niet bepaald ideaal, dat wist iedereen in zijn omgeving. Toch zag Jane duidelijk dat Edward Deravenel geen ongelukkig man was. Integendeel, wat anderen er ook van mochten denken. Hij had zijn kinderen, die hij aanbad, en hij genoot van hun gezelschap. En natuurlijk had hij haar om mee om te gaan; ze waren vrienden en deelden gemeenschappelijke interesses en tussen hen bestond ook een seksuele relatie.

Edward was graag in dit huis, dat hij liefdevol had helpen opbouwen en inrichten; ook genoot hij enorm van hun tamelijk knusse leventje. In de vredige sfeer die ze had geschapen kon hij zich ontspannen en voelde hij zich volkomen thuis. Op een merkwaardige manier hadden ze samen een soort huwelijk; vaak zei hij om haar te plagen dat ze net een bejaard echtpaar waren.

Afgezien van hun relatie was hij uitermate gelukkig in zijn werk, waar hij volledig in opging. Het bedrijf betekende ontzettend veel voor hem – alles eigenlijk; het was zijn hele leven. Hij ging elke dag met plezier naar kantoor, waar hij genoot van de dagelijkse routine, de uitdagingen, de overwinningen, het oplossen van problemen, en van de kameraadschap met zijn topfunctionarissen; hij prees hen vanwege de rol die ze hadden gespeeld en nog altijd speelden bij de opbouw van dit machtige imperium.

Hij werkte ononderbroken; hij putte er enorm plezier uit en hij was trots op wat hij had bereikt sinds hij veertien jaar geleden de leiding overnam. Hij had het bedrijf opgebouwd tot de grootste handelsmaatschappij ter wereld – de allergrootste, en dat gaf hem enorme voldoening.

Ned genoot van zijn immense succes, zijn faam, zijn macht, het geld en de privileges die dat voor hem met zich meebracht. Maar in tegenstelling tot een heleboel andere succesvolle mensen had hij aandacht voor iedereen om hem heen, van de portiers bij de ingang van het gebouw tot de typistes en secretaresses, en net zoveel als voor de hoge heren.

Hij was een vriend voor iedereen. Ned was bijzonder attent, hij was er voor iedereen die hem nodig had en nooit was iets te veel moeite. Hij sprak nooit kwaad over iemand en leverde evenmin kritiek. 'Leven en laten leven,' had gemakkelijk zijn motto kunnen zijn.

Zijn naaste vrienden wisten hoe loyaal hij jegens hen was; als zij in moeilijkheden zaten, was hij er ook voor hen en de moeite die hij zich voor hen getroostte kende geen grenzen. Ook was hij zeer menslievend, deed veel aan liefdadigheid en hij was heel genereus waar het mensen betrof die in nood zaten en minder gezegend waren dan hij. Heel simpel gezegd: hij was echt een goed mens.

Wie hem werkelijk intiem kende, zoals zij, Fenella, Vicky, Stephen en Will – zijn kliek, zoals hij hen noemde – was zich goed bewust van die eigenschappen en hield van hem om wie hij was. Hun loyaliteit aan hem was absoluut onvoorwaardelijk en hun affectie voor hem kende geen grenzen.

Wie hem helemaal niet kende, vond hem een snob, een rokkenjager en een playboy, want wat ze zagen was deze uiterst knappe man – de dure kleren, zijn elegante en verzorgde uiterlijk – en velde een overhaast oordeel dat op niets wezenlijks berustte. Sommige mensen verwarden die ongekende zelfverzekerde houding met arrogantie, wat, alweer, niet klopte. Maar die mensen deden er dan ook niet toe. Zijn vrienden wisten dat hij in de verste verte geen snob was, geen rokkenjager, playboy en niet arrogant. Trouwens, dat rokkenjagen was naar haar mening overtrokken. Hij was Lily Overton net zo trouw geweest als hij háár nu trouw was.

En mochten er mensen zijn die hem als een overspelige echtgenoot karakteriseerden, dan moest dat maar. Dat waren meestal lieden die slecht geïnformeerd waren en niets over zijn privéleven wisten, of beter: geen idee hadden van die onuitstaanbare feeks van een vrouw van hem. Een vrouw die door het grootste deel van zijn intimi werd verfoeid.

Terwijl ze achterover leunde in haar stoel keek Jane de bibliotheek rond, nog steeds met haar gedachten bij hem. Dit was Edwards lievelingskamer in het huis, samen met de blauw-gele kamer. Hij was verzot op bibliotheken, en had er nog meer plezier in om ze in te delen en op te zetten. Soms dacht ze dat dat kwam doordat hij net zoveel van boeken hield als zijzelf.

De bibliotheek hier was gelambriseerd, maar het hout was in een bepaalde vaalgroene tint geverfd die Ned 'Frans groen' noemde – licht appelgroen, getemperd met grijze verf, zodat het een enigszins rokerig effect had... als een weide waar nevel over hing – daar deed de kleur Jane aan denken.

De wanden gingen schuil achter planken vol boeken, waaronder zeldzame eerste drukken die hij voor haar had gevonden. De meeste waren in rood marokijnleer gebonden; het dieprood keerde terug in de stoffen waarmee de banken en stoelen waren overtrokken, terwijl er 'Frans groen' fluweel voor de ramen hing. Het was een gerieflijk vertrek, waarin een man zich thuis kon voelen, maar dat niet te mannelijk was.

Eerder op de dag had Jane Wells gevraagd om de haard aan te steken, en ze was blij dat hij dat had gedaan. Ook al was het voor maart een zonnige dag geweest, het weer was die avond omgeslagen. Tegen het vallen van de avond was het kil geworden en buiten hoorde ze de wind huilen.

Jane pakte haar boek en deed haar best verdiept te raken in het verhaal, waarin ze uiteindelijk werd meegesleept, tot ze plotseling een geluid hoorde: de voordeur die dichtviel. Ze sprong op, waarna ze het boek op de bijzettafel legde voor ze de kamer uit holde.

Toen ze haastig de vestibule in liep, zag ze tot haar opluchting en blijdschap Ned, die net zijn jas uittrok.

'Neem me niet kwalijk dat ik je niet heb laten weten dat ik zou komen, lieveling,' zei hij en gooide zijn jas op een bankje. Hij sloeg zijn armen om haar heen en drukte haar stevig tegen zich aan. 'Ik heb zelfs niet willen aanbellen, uit angst iedereen wakker te maken.'

'Doe niet zo raar, dat had best gemogen.' Ze pakte hem bij de arm en troonde hem mee naar de bibliotheek, terwijl ze verder sprak. 'Je ziet nogal bleek. Afgemat, Ned. Ik hoop dat het allemaal niet te moeilijk was?'

'Nee. Ze zal het niet nog eens doen, daar ben ik tamelijk zeker van.' Hij schudde zijn hoofd. 'Ik heb eigenlijk geen zin om erover te praten, als je het niet erg vindt, Jane. Hoe minder woorden je eraan vuilmaakt, hoe beter. Die confrontatie zou ik bijzonder graag willen vergeten.' Hij huiverde en liep zoals gewoonlijk op de haard af, waar hij voor ging staan om zijn rug te warmen. 'Ik heb reuze veel zin in een scotch, maar bel alsjeblieft niet om Wells. Ik pak het zelf wel.'

'Nee, nee, dat zal ik wel doen, en voor ik het vergeet, Ned: Richard heeft zo-even opgebeld. Hij zei dat het belangrijk is en dat hij je wilde spreken. Kennelijk had hij al naar Berkeley en Charles Street gebeld, en wist niemand waar je was.'

'Aha.' Hij liep naar het kabinet in George v-stijl, ging in de stoel zitten en draaide het nummer van zijn broers huis in Chelsea. Richard nam meteen op.

'Was je naar me op zoek, ouwe makker?' vroeg Ned op hartelijke toon.

'Inderdaad, Ned. Bedankt dat je me terugbelt. Ik neem aan dat je bij Mrs. Shaw bent?'

'Dat klopt. Ik ben er net. Jane vertelde dat je zei dat het belangrijk was dat ik iets van me liet horen.'

'Ja, Ned, moet je horen. George heeft vandaag weer een van zijn rottige trucjes willen uithalen. Als een donderslag bij heldere hemel had Isabel zichzelf hier vanmiddag voor de thee uitgenodigd, en op een gegeven moment zei ze tegen Anne dat dit huis van haar was. Van hun twee. En dat wij eruit moesten. Wat zeg je me dáárvan?'

Ned gooide zijn hoofd in zijn nek en bulderde van het lachen. 'Wel, wel, wel,' zei hij toen hij eindelijk was uitgelachen. 'En wat zei Anne toen tegen haar zuster?'

'Ze heeft haar verteld dat jij het huis van hun moeder hebt gekocht, er contant voor hebt betaald en dat je het onvoorwaardelijk aan ons hebt geschonken, of beter gezegd: aan mij. Dat het dus absoluut niet van hen is.'

'Bravo, Anne! En ik neem aan dat Isabel toen het pand verliet, na allerlei dreigementen, en naar huis is gegaan om het hele verhaal aan George te vertellen?'

'Ze is inderdaad nijdig vertrokken. Maar dat is alles wat ik weet, en ooit zal weten.' Richard grinnikte en besloot met: 'Het enige wat ik kan zeggen is: goddank, voor je vooruitziende blik en dat je hebt gedaan wat je hebt gedaan. Het is duidelijk dat George nog steeds door het dolle heen is...' Hij liet zijn zin onuitgesproken en wachtte op de reactie van zijn broer.

'Ik hoop van niet, echt niet, Dick. Dat kan ik er niet bij hebben. Ik heb net op Deravenel de gemoederen gesust, en jij hebt samen met Will de problemen met Ian MacDonald opgelost en de transactie rond gekregen. Ik had op wat rust gehoopt.'

'Dan zul je dat ook krijgen. Daar zullen we met z'n allen voor zorgen! Wat George betreft, mijn huis is veilig voor hem, want dat is het, dankzij jou: míjn huis.'

'Zo is dat, en als je het niet erg vindt, ga ik nu afscheid van je nemen. Ik ben hier net en ik heb mijn vriendin nog nauwelijks begroet. Ik ben niet erg beleefd.'

'Natuurlijk, Ned, en welterusten. Ik zie je morgen wel op kantoor.'

'Zeker, Dicky. Welterusten.'

Jane kwam terug met twee glazen: scotch voor Ned en een glas champagne voor zichzelf. Nadat ze hem het glas had aangereikt, gingen ze met z'n tweeën bij de haard zitten.

Ned klonk met zijn glas tegen het hare, leunde achterover en zei: 'George heeft weer eens een van zijn trucjes willen uithalen.'

'O nee, Ned, ik kan er niet meer tegen!' Ze keek ontsteld.

'O, maar ik ben hem voor geweest.'

'Zoals altijd.' Ze fronste haar voorhoofd. 'Waar ging het om?'

'Volgens mij lukt het me inderdaad meestal om hem de voet dwars te zetten, maar ditmaal wist hij echt niet wat hem overkwam. Daar ben ik absoluut van overtuigd.' Vervolgens vertelde hij over het bezoek dat Isabel die middag aan het huis in Chelsea had gebracht en de manier waarop Anne haar op haar plaats had gezet.

Ze luisterde aandachtig, haalde bijna onmiddellijk nog iets te drinken voor hem en ging toen geduldig zitten om aandachtig te luisteren, terwijl hij over zaken en algemene dingen praatte. Hij repte met geen woord over Elizabeth, en zij evenmin.

Ze zag duidelijk dat hij die avond erg moe was; volgens haar was hij de uitputting nabij. Zijn stem verried vermoeidheid en zijn gezicht was nog steeds bleek, zonder de blos die er soms op verscheen wanneer hij in de warmte kwam en iets had gedronken. Het baarde haar zorgen, die ongewone bleekheid, de matte stem en het gevoel dat hij aan het eind van zijn Latijn was. Hij, die zo sterk was, leek nu uitgeput, wat voor hem abnormaal was.

Veel later had hij tegen haar gezegd dat hij de nacht bij haar zou doorbrengen, waarna ze samen naar boven waren gegaan. Maar toen ze in bed lagen, in het donker, terwijl het licht van de haard figuren op de muren vormden, en ze zich koesterden in de vredige stilte van het moment, was Ned ingedommeld.

Toen hij, vechtend tegen de slaap, met een schok weer wakker werd, zei hij met een flauw lachje: 'Neem me niet kwalijk, lieveling, ik vrees dat ik even was weggedoezeld.'

Jane richtte zich op een elleboog op, boog zich over hem heen en zei zachtjes: 'En ik vind dat je dat nodig hebt, je hebt zo'n vermoeiende dag achter de rug.'

'Neem me niet kwalijk,' zei hij nog eens. 'Ik denk niet dat ik met je kan vrijen. Ik ben absoluut afgepeigerd, Jane.' Hij legde een arm om haar heen en voegde eraan toe: 'Weet dat je hartstochtelijk bent gekust, schat van een vrouw.'

'Dat weet ik,' antwoordde ze. 'Ga nu maar slapen.'

Tot haar grote opluchting voegde hij meteen de daad bij het woord. Maar ze bleef nog lang wakker liggen, omdat ze zich ongerust over hem maakte. Hij had de laatste tijd heel wat emotionele klappen gehad, vooral van George, die gestraft zou moeten worden vanwege zijn wangedrag. Ze vertrouwde hem niet, en dat had ze ook nooit gedaan. Hij was onberekenbaar en inhalig. Evenmin was ze kapot van Richard; Visje, had Ned hem van kinds af aan genoemd. Richard had iets schichtigs, iets stiekems en was overdreven behoedzaam. Wie ze wel vertrouwde waren zijn intieme vrienden. Niet zijn familie. Behalve zijn moeder, die hem aanbad.

Weldra viel Jane ook in slaap, maar het was een onrustige slaap met allemaal boze dromen over de Deravenels op oorlogspad en hun onderlinge vetes, dood en verderf.

Anthony Wyland was een bijzondere man. Hij was integer, loyaal en verknocht aan Edward, en zou zo nodig zijn leven voor hem geven. Toen de Wyland Merchant Bank een paar jaar geleden in moeilijkheden kwam, was Edward Anthony te hulp geschoten en had hem op alle mogelijke manieren zijn steun aangeboden. Anthony was eerlijk geweest en had tegen Edward gezegd dat hij zijn geld niet moest verkwisten door te proberen de financieringsbank voor een faillissement te behoeden. En toen had hij gevraagd of hij een baan voor hem had. Die had Ned hem gegeven, zonder er ooit spijt van te hebben gehad. Anthony evenmin.

Hij werkte inmiddels al een aantal jaren voor Edward, en vanwege zijn financiële expertise en omdat hij goed was met cijfers was hij voor Ned van onschatbare waarde. Afgezien van zijn loyaliteit, zijn gedrevenheid en integriteit was Anthony ook een ontwikkeld man met wie Edward veel interesses gemeen had – vooral voor boeken en beeldende kunst. Ze waren, behalve collega's, ook dikke vrienden geworden, en zwagers.

Op deze regenachtige donderdagmiddag in maart zat Anthony met zijn zuster in de bibliotheek van Edwards familieresidentie aan Berkeley Square. Ze had hem met enige reserve begroet, ongetwijfeld omdat ze wist waarom hij zichzelf voor de thee had uitgenodigd. Ze had tot dusver echter niets gezegd; na hem te hebben begroet had ze alleen nog naar hun moeder geïnformeerd.

Gelukkig werd op een precair moment, toen de naam van hun zuster Iris ter sprake kwam, net de thee binnengebracht door Mallet. Anthony vermoedde dat Iris degene was met wie Elizabeth had gesproken... Wat was ze toch dom. Iris was de kletskous in de familie, de roddelaarster, de boodschapper wanneer er uit de school werd geklapt. Een onnozel nest, naar zijn mening.

Nadat Mallet thee had geschonken en weer weg was, zei Anthony langzaam: 'Ik hoop dat je Iris in de toekomst niet meer van alles zult vertellen, Lizzy. Je weet het namelijk maar nooit met haar.'

'Welnee, ze is heel lief, en noem me geen Lizzy. Je weet dat ik daar een hekel aan heb.'

Hij kreeg de kriebels van de toon waarop ze dat zei. Hij was met de beste bedoelingen gekomen, maar ze was geïrriteerd en in de contramine, zonder dat hij dat nou direct had uitgelokt. Hij had de laatste tijd niet zo veel tijd voor haar, en het speet hem voor Ned dat hij dagelijks met haar zat opgescheept. Ze haalde hem waarschijnlijk het bloed onder de nagels vandaan; dat deed ze zeker bij hem. Met liters tegelijk, bedacht hij. Arme Ned.

Hij dronk van zijn thee en zei even later: 'Je hoeft niet zo'n houding tegen me aan te nemen, Elizabeth. Ik ben een van de weinige vrienden die je hebt, echte vrienden, bedoel ik.'

'Dat betwijfel ik: je werkt voor hem. Waar is hij trouwens? Hij is al dagen niet thuis geweest.'

'Ik heb geen idee waar Ned is – als hij niet hier is, logeert hij hoogstwaarschijnlijk in zijn club.'

Ze staarde hem alleen maar aan en nipte aan haar thee.

Mijn god, toch is ze mooi, dacht Anthony, terwijl hij tersluiks naar zijn zuster keek. Ze was bijna negenendertig, maar ze zag eruit als een vrouw van hooguit achtentwintig. Haar haar leek wel gesponnen goud en zat als een kroon hoog op haar hoofd opgestoken; de huid was roomblank, smetteloos, zonder een rimpeltje, zonder een smetje, en haar lichtblauwe ogen waren helder als kristallijn. Wat haar figuur betrof: dat was schitterend. Ze was niet groot, maar met de jaren was ze nooit een grammetje aangekomen, ze was slank, haar borsten waren hoog en stevig en ze had prachtige benen. Geen wonder dat Ned zo vaak bij haar in bed belandde. Weinig vrouwen waren zo mooi als zij, waar ook ter wereld. Maar wat kon ze een helleveeg zijn. Vreselijk jammer, dacht haar broer.

'Je zit naar me te staren,' snauwde ze.

'Nee, ik zit je te bewonderen, dat is alles.' Anthony leunde voorover en zei op een bedaarde, verzoenende toon: 'Luister nou naar me, liever. Ned is een goede echtgenoot, die je overlaadt met alles wat je maar zou willen... Dus zit hem niet zo op zijn huid, laat hem met rust.'

'Ik heb hem niets gedaan! Waarom zeg je dat?'

'Je hebt leugens verteld over hem en Fenella, dat weet je.'

'Het oorspronkelijke verhaal was helemaal verzonnen – van die handkar en dat Finnister dat meisje heeft gevonden, en al die klets-praat over ene Tabitha James. Die heeft nooit bestaan. Het was Fenella. Al die tijd was zij het. Hij ging met haar naar bed, jarenlang, heeft haar zwanger gemaakt en voor hetzelfde geld maakt hij haar nog eens zwanger, omdat hij nog altijd met haar naar bed gaat. Ze is een slet. Net zoals alle andere vrouwen in zijn leven.'

De rillingen kropen Anthony over de rug, hij kroop in elkaar in de stoel, voelde hoe hij verschrompelde vanbinnen. Hij was gechoqueerd door wat hij hoorde. Was ze echt gek? Was zijn zuster stapelkrankzinnig? Aan iets dergelijks wilde hij niet eens denken, maar ze zat behoorlijk te raaskallen en geloofde duidelijk zelf wat ze zei.

Hij schraapte zijn keel en legde geduldig uit: 'Ik heb de bewijzen, de originele bewijzen gekregen die Vicky heeft gevonden. Echt waar. Ik vind echt dat je de kwestie moet laten rusten. Je hebt onmetelijke schade aangericht, Elizabeth, een schandaal veroorzaakt. Jij samen met Iris, beter gezegd.'

Ze staarde hem wazig aan, alsof ze het niet begreep.

'Ik schaam me voor jullie allebei!' riep hij ineens uit, met stijgende woede. 'Jullie tweeën hebben je zo verachtelijk gedragen als maar mogelijk is. Praatjes verspreiden over je eigen man.'

'Mijn man is degene die verachtelijk is. Waar hangt hij in godsnaam uit? Dat zou ik wel eens willen weten.'

Anthony zette zijn kop en schotel neer en stond op. 'Ik zou maar niet op die manier of op die toon over je man praten, als ik jou was, althans niet tegen iemand anders dan tegen mij. Anders zul je weldra wel eens geen man meer kunnen hebben. En hier is nog een goede raad, mijn beste. Hou je mond waar het Edward Deravenel en de familie Deravenel betreft. Anders zul je binnenkort misschien alleen maar door het raam bij hen naar binnen mogen kijken. Goedendag, Elizabeth. En als je weet wat goed voor je is: let op mijn woorden.'

'Hoe durf je zo tegen me te spreken!' gilde ze.

Maar ze had het tegen een lege kamer. Haar broer was bij haar weggelopen, waarna hij de deur achter zich dichtsmeet.

Zoals hij altijd placht te doen wanneer hij 's avonds laat thuiskwam, ging Edward regelrecht naar de bibliotheek om even tot zichzelf te komen en nog een glas cognac te drinken. Soms was Mallet er, soms ook niet, en die avond was de butler afwezig. Het was zijn vrije dag. Dan ging hij altijd zijn zuster in Maida Vale opzoeken.

Edward liep met grote passen naar de bibliotheek, duwde de deur open en ging naar binnen, waarna hij als vastgenageld bleef staan. Zijn vrouw zat op een stoel, zo te zien bloednerveus en behoorlijk van streek. Haar gezicht was doodsbleek en ze had donkere kringen onder haar ogen.

Met een frons op zijn voorhoofd vroeg hij: 'Waarom zit je hier te wachten? Op mij, ongetwijfeld, maar waarom hier en niet boven?'

'Ik moet met je praten,' zei ze timide.

'Hebben we elkaar op dit moment nog wel zoveel te vertellen? Ik vind dat je eigenlijk al te veel hebt gepraat. Vind je ook niet?'

Ze knikte. 'Het spijt me, Edward, het spijt me echt. Alsjeblieft, zeg alsjeblieft dat je me vergeeft.'

'Ik vrees dat dat wat tijd nodig zal hebben... jou vergeven, bedoel ik. Ik duizel nog van de schok over je geroddel.'

'Het spijt me zo, zo verschrikkelijk,' jammerde ze met onvaste stem.

'Ga nou niet huilen, dat zal je weinig helpen.' Hij ging naar het kabinet, schonk een klein glas cognac voor zichzelf in en ging bij de haard staan. 'Je hebt onze naam geschaad en een lieve vrouw gekwetst en ook háár naam bezoedeld. Fenella heeft je nooit iets misdaan. Waarom? Ze is altijd je vriendin geweest. Ik begrijp gewoon niets van je gedrag.'

'Ik begrijp het zelf niet eens, Ned, echt niet,' fluisterde Elizabeth, terwijl ze haar handen in haar schoot samenwrong. 'Het enige wat ik kan bedenken is dat het kwam door die afschuwelijke jaloezie van mij. Ik ben jaloers op jou en andere vrouwen, dat kan ik nu net zo goed toegeven. Ik kan er gewoon niets aan doen.'

'Fenella is al met de familie bevriend sinds ze een klein meisje was, en er is tussen ons nooit sprake geweest van enig flirterig gedoe. Bovendien zijn er voor jou geen andere vrouwen om jaloers op te zijn, Elizabeth.'

Ze deed haar mond open om iets te zeggen, maar deed hem toen weer dicht, omdat haar te binnen schoot dat het beter zou zijn om hem niet te provoceren. Per slot van rekening had ze gewacht tot hij zou thuiskomen om excuus aan te bieden en niet om hem te beschuldigen.

Langzaam zei hij: 'En begin niet over mijn maîtresse. Ze bestaat, ja. Maar mannen hebben nu eenmaal graag een maîtresse. Goddank behoor jij in vergelijkbare situaties tot de echtgenotes die behoorlijk boffen. Mijn maîtresse zorgt in geen enkel opzicht voor moeilijkheden – noch voor jou, noch voor mij, noch voor dit gezin. Ze is tevreden met haar positie. Ik ook. En dat zou jij ook moeten zijn.'

'Dat weet ik, en ik leg me erbij neer.' Elizabeth stond op, kwam naar hem toe en pakte hem bij de arm. 'Alsjeblieft, Ned, laten we het vergeten.'

Hij keek haar enkele ogenblikken doordringend aan, en haalde toen haar hand van zijn arm. Met heel zachte stem zei hij: 'Ik zal mijn best doen, Elizabeth, ter wille van onze kinderen. Ga nu alsjeblieft naar bed, het is al erg laat.'

'Kom je ook?'

'Ik vrees van niet. Ik heb nog heel wat te doen.'

Dertig

Londen 1920

Het was woensdag, 31 maart, en het was haar verjaardag. Haar twintigste verjaardag. Grace Rose kon het nauwelijks geloven, maar toch was het zo. En op slag, en tot haar grote vreugde, voelde ze zich werkelijk volwassen. Heel volwassen zelfs.

Gisteravond had haar vader haar een prachtige jongedame genoemd. Ze had hem glunderend aangekeken, haar armen om hem heen geslagen en tegen hem gezegd dat ze ontzettend bofte dat ze hem en Vicky als haar ouders had. Niemand had zo geboft als zij; dat meende Grace Rose uit de grond van haar hart.

Gisteravond, onder het eten, hadden Vicky en Stephen ook tegen haar gezegd dat ze ontzettend trots op haar waren, op wat er van haar was geworden en op haar prestaties. Toen werd ze overspoeld door een immense golf van liefde en dankbaarheid jegens hen. Stephen had verder nog gezegd dat er een prachtig leven voor haar lag, en ze geloofde hem. Hij had altijd de waarheid tegen haar gesproken.

Haar droom om naar Oxford te gaan was uitgekomen... dankzij haar moeder, en het afgelopen jaar was haar jeugddroom uitgekomen toen ze colleges had mogen volgen. Ze had van elk moment genoten dat ze in die roemrijke oude stad met de glanzende torenspitsen, sierlijke pleinen en fraaie oude architectuur woonde. Het was een bijzondere ervaring om in deze bron van immense kennis te verblijven, die ze in haar hart had gesloten en waaraan ze nog lang na haar vertrek met liefde zou terugdenken.

Grace Rose studeerde Engels en Franse geschiedenis, haar favoriete vakken, en hoopte ooit historica te worden, zelf college te geven en boeken te schrijven. Omdat ze graag schreef, dacht ze dat dat misschien haar ware *métier* was.

Als ze geen college liep, werkte en studeerde ze in haar ruime, comfortabele kamer in het fraaie oude huis van Millicent Hanson, gelegen aan een rustige laan. Deze oude vriendin van haar moeder had haar hartelijk welkom geheten, en tussen al dat smaakvolle antiek en al die dikke boeken had Grace Rose zich onmiddellijk thuis gevoeld. Mrs. Hanson gaf haar, zonder bezitterig of opdringerig te zijn, een gevoel van geborgenheid, maar gaf haar ook alle vrijheid. Af en toe aten ze samen en die regeling pakte voor hen allebei gunstig uit. Millicent was zelf schrijfster en in haar werkkamer boven altijd wel aan een boek bezig, en ze drukte Grace Rose de hele tijd op het hart dat het hele huis voor haar openstond. Het was er rustig, vredig en gezellig – echt een veilige thuishaven.

'Grace Rose!' riep Vicky van onder aan de trap. 'Broadbent is hier om ons op te halen. Schiet alsjeblieft op, lieverd.'

'Ik kom eraan, moeder,' riep Grace Rose terug, terwijl ze haar hoofd om de hoek van haar kamerdeur stak. Toen ging ze haar blauwe jas, haar avondtasje en handschoenen halen en wierp een laatste blik in de spiegel.

Ze vond haar jurk mooi. Die was nieuw; speciaal voor haar ontworpen en gemaakt door Madame Henriette. Hij was van pauwblauwe zijde, mooi van snit, met de hand gemaakt, en had een nauwe rok die tot halverwege de kuit reikte. Ze glimlachte terwijl ze haar parels bekeek die ze allemaal voor haar verjaardag had gekregen. Het snoer om haar hals was van haar ouders, de armband was een cadeau van Amos, de oorbellen kwamen van Fenella en Mark. Ze wierp een blik op haar nieuwe horloge: een geschenk van oom Ned. Het was van Cartier en wees haar erop dat het precies zeven uur was. Ze ging de kamer uit en rende de trap af, zich verheugend op haar verjaarsdiner dat door oom Ned werd gegeven in het Ritz Hotel. Ze zouden met z'n achten zijn: zij met haar ouders, Fenella en Mark, Amos, en oom Ned met Jane Shaw. Het zou ongetwijfeld een schitterende avond worden.

Nadat ze hun jassen bij de garderobe hadden afgegeven, pakte Vicky Grace Rose bij de arm en vertelde: 'Oom Ned wacht boven op ons, lieverd. Maisie en haar man zijn uit Ierland overgekomen en hebben ons uitgenodigd om een glas champagne met hen te drinken ter gelegenheid van je verjaardag.'

'O, wat aardig,' riep Grace Rose uit, terwijl Vicky haar meetrok naar de lift. Ze keek achterom en vroeg: 'Wat is vader daar aan het doen?'

'Volgens mij vraagt hij aan de jongeman bij de receptie of hij ons wil aankondigen. O, daar komt hij al aan.'

Even later stonden ze met z'n drieën in de lift naar de vijfde etage. 'Het is aan het eind van de gang,' kondigde Stephen aan, terwijl ze, met hem voorop, uit de lift stapten. Een paar seconden later klopte hij aan bij de dubbele deuren van een suite.

Er werd onmiddellijk opengedaan door Edward Deravenel, die breeduit glimlachte, Grace Rose bij de hand pakte en haar snel de kamer in trok, waarna de aldaar verzamelde gasten als uit één mond riepen: 'Hartelijk gefeliciteerd, Grace Rose! Hartelijk gefeliciteerd!'

Grace Rose was zo overrompeld, dat ze met stomheid geslagen was; haar keel werd van emotie dichtgeknepen en ze dacht werkelijk dat ze in tranen zou uitbarsten, zo ontroerd was ze.

Haar ogen schoten door de ruimte om alle aanwezigen in zich op te nemen: de mannen ongelooflijk chic gekleed in een donker pak, de vrouwen allemaal in een prachtige jurk. Fenella stond bij Mark en Jane Shaw, en de vrouwen zagen er allebei schitterend uit, in hun fraaie japonnen en met hun juwelen, bedacht Grace Rose.

Aan de andere kant van de ruimte, bij de haard, ontwaarde ze tante Cecily – heel voornaam in donkere oudroze zijde en met vele parelsnoeren om haar hals – en Bess, die tegen haar stoel geleund stond. Ze zag ook dat Bess er werkelijk beeldig uitzag, in een dieprode jurk, een niet-alledaagse kleur voor iemand met rood haar, maar niettemin een boeiende combinatie.

Naast Bess stond haar allerdierbaarste allerliefste Amos Finnister, met aan zijn andere kant Charlie Morran, die stralend naar haar glimlachte, met zijn nieuwe vriendin Rowena Crawford. Naast Rowena zag ze – op en top de beeldschone theaterdiva die ze ooit was geweest – Charlies zusje Maisie met haar man Liam, in feite lord en lady Dunleith, uit Ierland. Maisie was in het marineblauw, versierd met saffieren en uitermate betoverend.

Toen ze opkeek en oom Ned zag, sprongen Grace Rose nu echt de tranen in de ogen, omdat ze wist dat hij deze surpriseparty had georganiseerd en iedereen had uitgenodigd. Ze deed haar best naar hem te glimlachen, al viel het resultaat wat beverig uit, maar toen hij haar aankeek met een enorme grijns op zijn knappe gezicht, begon ze zelf ook te glimlachen, waarna ze tegelijkertijd in lachen uitbarstten en elkaar in de armen sloten.

'Zo ben je mijn meisje weer!' riep Edward uit, en hij trok haar met zich mee, draaide zich om om Vicky en Stephen erbij te betrekken en nam ze alle drie mee om zich onder de andere gasten te mengen.

Grace Rose was het middelpunt.

Bess, inmiddels elf en de laatste tijd qua verschijning erg volwassen, was de eerste die op haar af vloog. Haar stiefzusje sloeg haar armen om haar heen en kondigde aan: 'Ik heb een enig cadeautje voor je, Grace Rose. Papa zei dat ik het mocht uitzoeken en ik zal het je straks geven.'

'Wat lief van je,' riep Grace Rose lachend uit en wendde zich toen tot Amos, die haar omhelsde en een kus op haar wang drukte. 'Hartelijk gefeliciteerd, Grace Rose,' zei hij zacht, terwijl hij haar trots en vol liefde aankeek. Ze liet hem haar arm zien en bedankte hem voor de armband.

Fenella kwam naar haar toe om haar nog vele verjaardagen te wensen, waarbij ze haar hartelijk op de wang kuste, gevolgd door Mark, en ze bedankte hen voor de oorbellen. En toen Jane naast haar kwam staan, zei ze: 'Hartelijk dank voor de schrijfmap. Hij is prachtig, Jane.'

Ze werd beloond met een warme glimlach van Jane Shaw, met wie ze de afgelopen twee jaar bevriend was geraakt, en toen ze zich, bij het horen van haar naam, vervolgens omdraaide, zag ze Charlie, die haar even later aan Rowena voorstelde.

Uiteindelijk wist ze de plek te bereiken waar tante Cecily zat.

'Kom, laat me eens even naar je kijken, lieverd,' zei tante Cecily. 'Mijn hemel, Grace Rose, je bent nu echt een schoonheid, hè? En wat lijk je op je v...' Ze slikte de rest van haar woorden in. Maar Grace Rose wist wat ze had willen zeggen.

Ze boog zich voorover en gaf Cecily een kus op haar wang, terwijl haar tante in haar oor fluisterde: 'Je bent een echte Deravenel, kleindochter, althans: qua uiterlijk. Wel gefeliciteerd!'

'Dankuwel, tante Cecily,' zei Grace Rose, en ze slikte moeizaam. Ze werd ineens door emotie overmand. Het was voor het eerst dat Cecily Deravenel haar zo had genoemd... kleindochter. Intussen sprak ze verder: 'En dank u wel voor de toilettafelset – de zilveren haarborstels en de handspiegel met mijn initialen zijn prachtig. Ik zal er altijd zuinig op zijn.'

'Ze zijn met veel liefde gegeven.' Cecily glimlachte, maar haar ogen waren vochtig. Bess leek op Ned, heel veel zelfs, maar dit kind, zijn eerste, was zijn absolute evenbeeld.

Grace Rose excuseerde zich en stapte op Maisie af, die ze al twee keer eerder had ontmoet, toen Charlies zusje bij hen op bezoek was geweest, maar haar man Liam kende ze nog niet. Maisie stelde hen aan elkaar voor, waarna ze zei: 'En wat een gelukkig toeval, Grace

Rose, dat we hadden besloten om hier met Pasen heen te gaan. Charlie heeft de uitnodiging van je oom doorgegeven om met je verjaardag met jullie uit eten te gaan.'

'Ja, zeg dat wel. En ziet Charlie er niet fantastisch uit?'

'Nou en of, en ik ben blij dat hij eindelijk een leuk meisje heeft leren kennen,' antwoordde Maisie. 'Nou ja, hij heeft er heel veel leren kennen, maar deze vindt hij echt leuk.'

Opeens klonken er knallen, waarna uit de aangrenzende kamer twee obers met bladen met glazen champagne en witte wijn kwamen, die ze aan de gasten uitdeelden.

Even later kwam Charlie op Grace Rose af gelopen. 'Ik heb een cadeau dat ik je straks zal geven.' Hij schraapte zijn keel en vertrouwde haar toe: 'Rowena heeft me geholpen bij het uitzoeken.'

'Alvast bedankt, Charlie. Ze ziet er heel leuk uit, je nieuwe vriendin. En ze is erg mooi.'

'Dank je.' Hij grijnsde. 'Ik ben blij dat ze je goedkeuring kan wegdragen.'

Grace Rose lachte met hem mee. Ook met Charlie was ze de afgelopen twee jaar goed bevriend geraakt, sinds hij terug was van het front, en ze hadden eenzelfde gevoel voor humor. Toen zei ze, eerlijk en onomwonden als altijd: 'Je gezicht ziet er mooier uit dan ooit, Charlie, en die huidtransplantaties zijn wonderbaarlijk, zo goed als onzichtbaar. Mijn hemel, de chirurgen hebben wonderen verricht en je gezicht weer helemaal goed gekregen.'

Hij barstte in lachen uit, zoals altijd geamuseerd door haar directheid. 'Het is maar goed dat iedereen die hier aanwezig is me heeft gezien toen mijn gezicht nog vol littekens zat, hè? Anders zouden ze er niets van begrijpen.'

Een blos verspreidde zich vanuit Grace Roses hals over haar gezicht; ze was knalrood en schaamde zich dood. 'Neem me alsjeblieft niet kwalijk, het was niet mijn bedoeling je in verlegenheid te brengen,' fluisterde ze. 'Maar ik meende wat ik zei: je ziet er fantastisch uit, en je staat binnenkort vást weer op de planken. Dat wéét ik gewoon.'

'Ik hoop het.'

'Ik ook, en ik verheug me er al op om je weer te zien acteren. Rowena ook, durf ik te wedden. Ga je met haar trouwen?'

Geamuseerd haalde Charlie even zijn schouders op en zei glimlachend: 'Ik weet het nog niet.' Terwijl hij zijn stem dempte, zei hij: 'Ik heb haar nog niet gevraagd, maar wanneer ik dat doe, zul jij de eerste zijn die het weet.'

Grace Rose excuseerde zich om een praatje te gaan maken met Jane Shaw. Meteen raakten ze met z'n tweeën in een lang en heel geanimeerd gesprek verwikkeld.

Als gastheer zorgde Edward ervoor dat niemand aandacht tekortkwam, hij zag erop toe dat er snel champagne en witte wijn werd bijgeschonken als er glazen leeg raakten en hij deed keer op keer de ronde in de grote dubbele suite, omdat hij wilde dat het zijn gasten aan niets zou ontbreken. Toen hij op een gegeven moment zijn moeder in het oog kreeg, ging hij even naar haar toe. Terwijl hij zich over haar stoel heen boog, vroeg hij: 'Alles in orde, moeder? Wilt u nog iets hebben? Nog wat kaviaar? Of een glas champagne?'

'Mij ontbreekt het aan niets, Ned,' antwoordde Cecily, waarna ze met gedempte stem informeerde: 'Ik vroeg me alleen af waar Will en Kathleen blijven. Ze komen toch wel?'

'Jazeker, maar Will is op zakenreis geweest, voor Deravenel uiteraard. Ze zijn alleen wat verlaat. Ik weet dat ze dit feestje voor Grace Rose niet zouden willen missen, voor geen goud.'

Ze legde heel even haar hand op zijn arm en zei: 'Ik herinnerde me vanmiddag iets. Weet je Ned, het schoot me plotseling te binnen en ik vond dat ik het je moest vertellen. Ik heb geen idee waarom het me totaal was ontschoten.'

Ned fronste zijn voorhoofd. 'Wat klinkt u ernstig. Wat is het?'

'Er schoot me iets te binnen wat Neville jaren geleden tegen me heeft gezegd, toen je nog maar net was getrouwd. Hij maakte een opmerking: dat het jammer was dat jullie in het geheim waren getrouwd, met het oog op zijn onderhandelingen met Louis Charpentier... Zoals je weet, was hij er ontzettend op gebrand dat je met Louis' dochter Blanche zou trouwen. Enfin, hij mopperde wat tegen me, en klaagde dat je hem in de steek zou laten...'

'Dat weet ik allemaal, mama, waar wilt u precies heen?'

'Alleen dit... Hij vertelde me dat Henry Turner familie was van Louis Charpentier, via zijn moeder Margaret Beauchard – iets wat ik nooit had geweten. Hij zei erbij dat áls je huwelijk met Blanche zou zijn voltrokken, dat de breuk tussen de Deravenel Grants uit Lancaster en onze familie zou hebben gelijmd.'

Ned barstte in lachen uit. 'Dat kan hij niet gemeend hebben, moeder! Welnee. Ik ben er vast van overtuigd dat Margaret Beauchard en haar zoon mijn gezworen vijanden zijn, ónze vijanden, en dat waren ze toen ook al. Uiteindelijk is Turner de erfgenaam van Henry Grant. Er wordt gezegd dat dat twijfelachtig is, maar er is helemaal niemand anders, zoals u weet. In elk geval heeft Turner de aandelen in Deravenel van de Grants geërfd. Echter, moet ik erbij zeggen, niet voldoende om enigerlei schade aan te richten. Trouwens, sinds ik de leiding heb, is het ons altijd gelukt die aandelen te honoreren. Ik heb hun aandelen en participatie in de firma zelfs heel kort geleden laten nakijken, en het klopt allemaal als een bus. En overigens, moeder, gaan de dividenden met regelmaat naar Margaret Beauchard, vastgezet in een trust voor haar zoon.'

'Wel, wel, dát heb ik nooit geweten,' mompelde Cecily met een verwarde uitdrukking op haar gezicht. 'Dat heb je me nooit verteld.'

'Er was geen speciale reden waarom ik dat niet heb gedaan, mama. Eigenlijk vond ik het niet zo belangrijk. De Grants hebben al honderden jaren aandelen in Deravenel. Maar om u gerust te stellen, wij vormen de meerderheid van aandeelhouders, en dat is het enige wat telt, zou u ook niet denken? Bovendien ben ik toevallig verantwoordelijk en ik heb de dagelijkse leiding over het bedrijf.'

Ze keek hem glimlachend aan. 'Met ijzeren hand.'

'O, maar in een fluwelen handschoen,' kaatste hij terug, waarbij hij ook glimlachte. Die scheve, jongensachtige glimlach, die menig vrouwenhart sneller deed kloppen.

Op dat moment gingen de suitedeuren open en stond Will Hasling daar met zijn vrouw Kathleen. Ze was niet alleen de zus van wijlen Neville en Johnny Watkins, maar ook een nichtje van Cecily. Met de schoonheid en het donkere haar van de Watkins leek ze sprekend op een jongere versie van haar tante. Ze had fijne trekken en een fraaie beenderstructuur, net als haar tante, en het was duidelijk te zien dat ze nauw verwant waren.

Edward liep op Will en Kathleen toe, begroette hen hartelijk en leidde hen vervolgens de ruimte binnen. Toen Will en Kathleen de ronde hadden gedaan om iedereen goedendag te zeggen en allebei waren voorzien van een glas Krug, nam Ned Kathleen mee naar een stoel naast zijn moeder.

Toen ze had plaatsgenomen, liep hij met Will naar het raam om even alleen met z'n tweeën te kunnen praten. 'Het is precies zoals je dacht, Ned,' vertrouwde Will hem op gedempte toon toe. 'Onze oude vijand Louis Charpentier voelde er heel veel voor om zijn nicht te laten trouwen met iemand van de familie Deravenel – een oud verhaal, nietwaar? Naar ik heb begrepen heeft hij Meg een poos benaderd om hem daarbij behulpzaam te zijn. Gelukkig is je zus uiteindelijk zo verstandig geweest om een dergelijke verbintenis te ontraden. Ik denk dat ze plotseling inzag dat Louis, die oude vos, wel eens zou kunnen proberen jou een loer te draaien om op een of andere manier het bedrijf in zijn greep te krijgen. Op het laatst was jij belangrijker voor haar dan George. Ik ben dus echt van mening dat jij iets in de kiem hebt weten te smoren door met Meg te gaan praten. Niet alleen is je zus door en door loyaal ten opzichte van jou, ook jouw ingrijpen was geniaal.'

Edward zuchtte. 'George is zo'n dwaas, altijd uit op macht, in de waan verkerend dat hij mij de baas kan, dat hij me kan kwetsen.' Hij schudde treurig zijn hoofd. 'Isabel is pas een halfjaar dood en hij is nu al op zoek naar een nieuwe bruid.'

'Maar niet zomaar een bruid, denk erom, Ned. Een bruid in grote welstand, daar is hij heel naarstig naar op zoek. De erfgename van Charpentier was er geknipt voor. En dat alles vertegenwoordigt Louise nu. Nadat zowel Blanche als de baby in het kraambed was gestorven, zat er voor Louis niets anders op dan het enige kind van zijn broer als erfgenaam aan te wijzen. Dat is Louise geworden.'

'O, neem gerust van me aan dat ik dat niet ben vergeten, evenmin als al dat andere. Maar wat die andere kwestie betreft: ben je nog iets meer te weten gekomen... omtrent Henry Turner?'

'Jazeker, kan ik je tot mijn grote vreugde melden. Jean-Paul was een enorme hulp, en ik ben blij dat hij tegenwoordig de leiding heeft over de Deravenel-vestiging in Parijs. Jean-Paul heeft enkele uiterst bekwame privédetectives ingeschakeld. Moet je dit horen! Henry Turner staat op het punt om weer voor Louis Charpentier te gaan werken. Hij heeft nu een hogere functie in het bedrijf gekregen, al is het nog niet officieel. Blijkbaar is hij een goede zakenman. Voorzichtig, op zijn hoede en niet scheutig met geld – laten we zeggen, op het krenterige af. Naar het schijnt een saaie piet, volgens de privédetectives althans. Geen schandalen over hem, roddels evenmin. Mij lijkt het alsof Louis hem klaarstoomt voor nóg grootsere zaken.'

'Een huwelijk met Louise?'

'Blijkbaar niet. Louis Charpentier is zeer streng wat betreft huwelijken binnen de familie. Die keurt hij niet goed.'

'Aha.' Ed knikte en vervolgde: 'We hebben nu dus alle feiten op een rijtje... en we weten precies wat wat is. Maar we moeten Turner in de gaten houden, vind je niet, Will?'

'Absoluut. Hij zou op de langen duur wel eens heel gevaarlijk kunnen blijken te zijn.'

Een halfuur later, nadat iedereen heel wat champagne en witte wijn en de beste Beluga-kaviaar tot zich had genomen, verzocht Ned zijn gasten naar de aangrenzende kamer te gaan. Dat was een andere zitkamer in de dubbele suite, die voor die avond in een eetzaal was omgetoverd.

De deuren werden opengegooid door twee obers, waarna iedereen er tegelijk naar binnen ging. De lange, met wit tafellinnen bedekte tafel was gedekt voor zestien personen, met in het midden een prachtig arrangement van witte rozen. Tussen de zilveren bokalen stonden witte kaarsen in hoge zilveren kandelaars. Het kaarslicht weerkaatste in het zilver en kristal, zodat de tafel een schitterend geheel was, en door het hele vertrek waren bloemen en kaarsen neergezet.

Toen hij de tafel rond keek en iedereen zo zag, constateerde Ned tot zijn genoegen dat zijn gasten stuk voor stuk blij waren dat ze er die avond bij waren. Hij wist dat ze allemaal van Grace Rose hielden, bewondering voor haar hadden en het een feest vonden om haar verjaardag te vieren.

Zijn gasten waren ontspannen met elkaar aan het babbelen en amuseerden zich kostelijk. Het was een warme, vrolijke groep oude vrienden. Op een gegeven moment, vlak voordat de eerste gang werd opgediend, tikte hij met een vork tegen zijn glas om een korte speech af te steken en zei: 'Ik zou graag proosten op de twintigste verjaardag van Grace Rose.' Hij hief zijn kristallen champagneglas, en alle anderen volgden zijn voorbeeld. 'Wel gefeliciteerd, Grace Rose.'

Tegen de tafelgasten in het algemeen zei hij: 'Ik weet dat er mensen zijn die graag iets willen zeggen, een korte speech willen afsteken ter ere van Grace Rose, en dat zou erg leuk zijn. Maar ik denk toch dat we nu allemaal uitgehongerd zijn. Dus laten we nu gaan eten, dan kunnen we na afloop op Grace Rose blijven proosten en zal ze daarna haar cadeaus gaan uitpakken.'

Terwijl Edward aan het woord was, brachten obers met witte handschoenen grote schalen met gerookte Schotse zalm en forel rond, waarbij ze de gasten ook van bruin brood met boter voorzagen, en citroenschijfjes en romige mierikswortelsaus voor bij de Schotse forel.

Ned boog zich naar zijn moeder toe, die rechts van hem zat, en zei tegen haar: 'Hierna kan iedereen uit twee gerechten kiezen: geroosterde eend met kersensaus of u kunt, mocht u dat liever hebben, lamsbout krijgen. Zuiglam uit Yorkshire Dales met alles erop en eraan, kan ik erbij zeggen.'

'Ik denk dat ik dat laatste neem, ook al ben ik dol op eend.' Terwijl ze Ned vanuit haar ooghoek aankeek, vroeg Cecily: 'Is Will niet net uit Parijs teruggekeerd?'

'Ja. En we hoeven ons nergens zorgen over te maken. Meg heeft aan haar plicht jegens de Deravenels voldaan. Ze steunt Charpentier niet langer bij zijn geïntrigeer. Het aanzoek is als zodanig van de baan. Dat was in elk geval de manier waarop Will het uitdrukte.'

'Wat een opluchting,' luidde Cecily's enige commentaar.

Voor Ned was het een pak van zijn hart. Het laatste wat hij er nog bij kon hebben was dat de nieuwbakken weduwnaar George met de erfgename van Charpentier zou trouwen. Louis, de oude vos, zoals Will hem noemde, had blijkbaar nog iets kwaads in de zin met de firma Deravenel, daar was hij zeker van. Het grote graaien, dat was wat George dacht te kunnen doen. Zijn broer was een bedreiging geworden. En sinds het voortijdige overlijden van Isabel gedroeg hij zich erger dan ooit. Ze was een paar maanden geleden in het kraambed gestorven, en na een korte periode van rouw was alles als vanouds. Hij was hebzuchtiger dan ooit, verongelijkt en doortrapt. Ned verwachtte dat George elk moment voor nog meer problemen ging zorgen, dat was Georges aard. Maar hij was erop voorbereid – tot de tanden gewapend, bij wijze van spreken.

Maar uiteindelijk zette hij zijn zorgen opzij. Vanavond was het feest, vooral voor Grace Rose. Hij wilde dat ze ervan genoot, wat hij zelf ook van plan was.

DEEL TWEE

Ned

Waarheid en Liefde

Waarheid is waarheid en liefde is liefde
Schenk ons de genade ervan te proeven;
Maar als waarheid mijn lief te wreed is,
Laat ik die aan mij voorbijgaan.
Alfred Edgar Coppard

Koester, in een ongerept heiligdom,
Een ontoegankelijke vallei met droombeelden.
Ellen Glasgow
A Certain Measure

Hij die anderen kent is wijs;
Hij die zichzelve kent is verlicht.
Lao Tzu

Eenendertig

Constantinopel 1921

Olie. Zwarte, stinkende, vette, zwavelhoudende olie. Zwart goud.
Zijn lang gekoesterde droom olie te ontdekken was waarheid geworden. Eindelijk.

Edward Deravenel zat op het terras van een schitterende *yali* aan de oever van de Bosporus. Het was een heerlijk zonnige ochtend in juli, en hij nipte aan een glas hete muntthee en at een amandelbiscuitje, terwijl hij aan zijn olie dacht.

Deravco Oil. Het was zover. Hij bezat nu een olieveld in Zuid-Perzië, dankzij het inzicht, geduld en de gewiekstheid van Jarvis Merson, in wie hij altijd had geloofd, en Mersons partner Herb Lipson. En zíjn geld, uiteraard. Hij had de hele bedoening gefinancierd.

De twee mannen waren hun belofte nagekomen. Ze hadden in de langgerekte Perzische vallei een uitgestrekt, rijk olieveld gevonden, waarvoor ze een olieconcessie hadden gekocht van de sjah. Hun bodemmonsters, intuïtie en goede neus voor olie hadden hun verteld dat de waardevolste grondstof daar voorkwam. Ze hadden in de zomer van 1918 besloten er te gaan boren, nadat ze Edward zover hadden gekregen dat hij met hun plan akkoord ging om hen financieel te dekken en in principe hun volwaardige partner te worden. Nadat hij had besloten het risico met hen te nemen, was hij er vol overtuiging en een kwistig chequeboek in gesprongen en kon alleen maar hopen dat de twee mannen succes zouden hebben.

Hun avontuur was in mei 1918 begonnen. Totaal onverwacht waren ze destijds in Londen aangekomen, op weg naar Perzië om de situatie te onderzoeken. Hij was met hen bij Rules gaan lunchen, waar ze hem tijdens de maaltijd hadden overgehaald om hun partner te worden. Hun enthousiasme, hun geloof in zichzelf en het feit dat ze hun sporen in de olie ruimschoots hadden verdiend, hadden hem enorm enthousiast gemaakt. Bovendien vertrouwde hij hen.

Alfredo Oliveri en Will Hasling waren ook bij de lunch aanwezig geweest, en die hadden allebei aanvankelijk hun twijfels over het hele plan gehad. Oliveri was degene die toen had uitgelegd dat het kopen van de concessie en vervolgens het boren slechts de eerste stappen waren. 'Laten we ervan uitgaan dat jullie inderdaad olie zullen vinden,' had Oliveri gezegd. 'Dan hebben jullie financieel gezien tonnen nodig om verder te gaan – geld om olie te winnen, pijpleidingen aan te leggen, om olie te raffineren en te verschepen. Ja, jullie zullen over een immense geldaanvoer moeten beschikken om het allemaal op te zetten.' Hij had Edward veelbetekenend aangekeken, waarna hij besloot met: 'Hoeveel zou dat ongeveer zijn? Een miljoen pond? Een paar miljoen misschien? Bent u bereid zoveel risico te nemen?

Edward herinnerde zich nog goed hoe hij zijn maag had voelen samentrekken, maar hij had een glimlach op zijn gezicht weten te houden, waarna hij een snelle beslissing had genomen, louter gefundeerd op zijn intuïtie. Omdat hij altijd vertrouwen in Merson had gehad en ook Lipson onmiddellijk bij hem in de smaak viel, had hij gezegd: 'Ik weet wat je bedoelt, Oliveri, maar ik denk dat ik met deze twee roekeloze jongens in zee wil gaan. Ik zal daarvoor echter geen geld van de firma gebruiken... Je hebt hoogstwaarschijnlijk helemaal gelijk dat het riskant is. Olie is nou eenmaal een uiterst riskante aangelegenheid. Maar ik geloof in deze twee knapen, dus ik ga ze financieel ondersteunen. Maar met mijn éígen geld. Mochten ze geen olie vinden, dan wordt dat mijn eigen persoonlijke verlies. Als ze wél succes hebben, kan het bedrijf me terugbetalen en dan zal Deravco eigendom zijn van het bedrijf. Hoe vind je dat klinken?'

Oliveri had geknikt, want hij had geen andere keus, en Will was in de lach geschoten. 'Je hebt onze Amerikaanse vrienden zojuist je fiat gegeven, en aangezien alles wat jij aanraakt steevast in goud verandert, móéten ze wel slagen. Dus – op de oliehandel!'

Ze hadden alle vijf hun glas geheven en op het succes van de Perzische onderneming gedronken.

Toen ze in Zuid-Perzië waren aangekomen en in korte tijd de benodigde concessie van de sjah hadden verworven, hadden Merson en Lipson al snel twee teams samengesteld. Die bestonden uit gelukszoekers uit Amerika en oliehandelaars uit Engeland en uit Bakoe in Azerbeidzjan, de grootste haven van Rusland en tevens het centrum van de Russische oliehandel. In 1918 liep de Russische Revolutie zo ongeveer op zijn laatste benen; desondanks waren vele oliebaronnen uit Bakoe naar Perzië gevlucht, waar buitenlandse – voornamelijk Amerikaanse en Engelse – oliemaatschappijen arbeiders zochten. En aan het boren waren. Daar moest je zijn, als je op zoek was naar olie.

Verder hadden Merson en Lipson de plaatselijke stamhoofden ertoe weten te bewegen om in diverse functies met hen samen te werken. De belofte aan zwart goud was daarbij voor iedereen een enorme stimulans geweest.

Elke week schreven de twee oliebaronnen een rapportage voor Edward die ze naar Londen opstuurden, en in alles wat ze hem meldden waren ze heel secuur.

De twee daaropvolgende jaren was er na vele maanden van bloedig geploeter sprake geweest van talrijke tegenslagen en afschuwelijke fouten, evenals diepe ontgoocheling ten gevolge van – soms fatale – ongevallen. Desondanks hadden de twee Amerikanen nooit de hoop opgegeven dat er olie zou worden gevonden, zelfs niet in hun zwartste perioden en na onverwachte rampen.

Geïmponeerd door hun koppige vastberaden houding, totale inzet en oprecht geloof dat er diep onder de grond inderdaad olie in hun concessie zat, had Edward ervoor zorggedragen dat de geldstroom naar zijn partners bleef vloeien om salarissen te betalen, eten en zo nodig aanvullend materieel aan te schaffen, alsook andere benodigdheden.

Maar na tweeënhalf jaar van verbeten strijd en vaak vreugdeloos geploeter wisten Merson en Lipson dat ze ermee moesten ophouden als ze niet snel olie vonden. Het was inmiddels een uitermate kostbare onderneming geworden en ze waren wel zo redelijk om te begrijpen dat Edward Deravenel hen niet eeuwig zou blijven subsidiëren. Het idee te moeten vertrekken na totaal gefaald te hebben stond hen absoluut niet aan, maar toch legden ze zich erbij neer dat ze het kamp in de Vallei van Steen, zoals ze het dal waren gaan noemen, zouden moeten opbreken als hun derde bron geen olie voortbracht. De twee eerste bronnen die ze hadden aangeboord, waren droog. Het enige waarop de Mother Hubbard-boor tot dusver was gestuit, was massieve rots.

Ze wisten maar al te goed dat alles nu afhing van hun derde bron. Mocht die eveneens droog blijken te zijn, dan zou er voor hen niets anders op zitten dan de hele operatie te beëindigen. Ze hadden al bijna zevenhonderd meter diep geboord, echter zonder resultaat;

toch wilden ze nog één poging wagen. 'Laten we nog één laatste feestje bouwen,' had Merson grijnzend tegen Lipson gezegd. 'Laten we tot duizend meter gaan en kijken wat er gebeurt.' Voor de zoveelste keer hadden ze Edward hun rapportage toegestuurd, waarin ze uitlegden dat dit hun allerlaatste boorpoging was.

Pas toen ze negenhonderdvijftig meter diep zaten, keerden hun kansen. Er klonk een ongemeen gerommel, als de aankondiging van een aardbeving, gevolgd door een reeks explosies. En toen kwam het: een geiser van olie zoals ze geen van allen ooit hadden gezien. Magnifieke zwarte olie, die minstens tweehonderd meter de lucht in spoot en niet van ophouden wist. De olie bleef maar omhoog spuiten.

Ze waren begonnen. In de oliehandel.

Overdekt met vuil en dikke zwarte olie barstten de twee Amerikanen en hun ploegen in lachen uit, ze joelden en dansten als wervelende derwisjen in de rondte. De volgende dag stuurden ze een van de Engelse oliemannen naar Abadan om een telegram naar Edward te sturen, waarin ze hun verpletterende nieuws verkondigden.

Toen hij het telegram had ontvangen had Edward het aanvankelijk moeilijk kunnen bevatten. Na die zware, teleurstellende jaren in Perzië hadden Merson en Lipson het eindelijk geflikt: olie gevonden. En hoe. Hij was overdonderd; die dag heerste er bij de firma Deravenel een feeststemming. Edward had per omgaande zijn gelukwensen teruggetelegrafeerd en beloofd hen in juli te komen opzoeken.

Drie weken later had hij eindelijk uit Londen kunnen vertrekken. Hij was naar Marseille gereisd en had daarvandaan de boot naar Abadan genomen. Alfredo Oliveri en Will Hasling waren met hem meegegaan, en van Abadan waren de drie mannen over land naar het olieveld vervoerd, onder escorte van Merson, die hen tegemoet was gereisd.

Wat een schitterende aanblik was het geweest, al die boortorens tot aan de vaalblauwe Perzische hemel te zien oprijzen. Zijn boortorens. Deravco's boortorens. Zijn droom om ooit eigenaar van een oliemaatschappij te zijn, was uitgekomen.

Edward, Will en Alfredo hadden van Merson en Lipson een rondleiding over het olieveld gekregen, waar de ploegleden een voor een aan hen werden voorgesteld. Iedere avond hadden ze tot het aanbreken van de dag ongelooflijke verhalen moeten aanhoren, waarvan sommige behoorlijk lang waren. Zolang als ze er waren, hadden ze heftig feestgevierd en sloten bier, scotch en Russische wodka tot zich genomen.

Na vier dagen waren ze uit het dal vertrokken – dat nog altijd de Vallei van Steen werd genoemd, maar nu met een knipoog van verstandhouding. Turkije was hun eindbestemming geweest, en wederom waren ze over land gegaan: naar Constantinopel. Met z'n drieën waren ze erheen gereisd om Ismet Bozbeyli te ontmoeten, de innemende, verengelste Turk, die in Oxford was afgestudeerd en hun Turkse onderneming leidde, waarmee hij in de voetstappen van zijn vader en, vóór hem, zijn grootvader was getreden.

Het sprak vanzelf dat ze in de idyllische oude *yali* zouden verblijven, die eigendom was van Ismet Bozbeyli. Deze bijzondere villa was gelegen in de schitterende vruchtbare oorden aan de oevers van de Bosporus.

Nadat ze enkele dagen hadden gerust waren Alfredo en Will de marmergroeven gaan bezoeken, samen met Ahmet Hanum, die eveneens voor Deravenel in Turkije werkte. Een paar van die groeven waren gesitueerd op de eilanden in de Zee van Marmara, waarin de Bosporus uitmondde. Alfredo was op zoek gegaan naar nieuwe groeven voor Deravenel.

Edward was niet met hen meegegaan, omdat hij in Perzië kou had gevat en hij was, beducht voor bronchitis, waarvoor hij vatbaar was, in de *yali* gebleven.

En nu hij om zich heen keek, was hij daar heel blij om. De villa was luxueus, de bedienden waren beleefd, vriendelijk en buitengewoon bereidwillig en het eten was heerlijk. In deze villa, te midden van bloemen, grazige gazons die naar het water afliepen en lommerrijke bomen, was hij hersteld. Het was een idyllisch oord, balsem voor zijn ziel. Hier had hij zich kunnen ontspannen en hij had zich overdag, wanneer Ismet bij Deravenel in het centrum van de stad aan het werk was, in zijn eentje uitstekend geamuseerd.

Deravenel deed al enkele honderden jaren zaken in Turkije, die voornamelijk bestonden uit de import van tapijten uit Hereke en Canakkale, kelims uit Denizil en tapijten én kelims uit Konya. Zijde en ander textiel vormden, samen met alle mogelijke specerijen, Turks fruit en pure Bulgaarse rozenolie, nog een tak van import. Rozenolie gebruikte men bij de fabricage van parfum en diende ook als olie voor het lichaam.

De Deravenel Company exporteerde talrijke goederen naar Turkije: zeldzame textiel uit de wolspinnerijen in Bradford, confectie uit hun fabrieken in Leeds en witte wijn van hun Franse wijngaarden. Omdat de wederzijdse handel altijd uitstekend was verlopen en winstgevend was, was Deravenel een bedrijf dat bij de Turkse importeurs en kooplieden een blind vertrouwen genoot.

Edward stond op en liep via het pad dat de glooiende gazons doorsneed in de richting van het langwerpige lagere terras dat over de Bosporus uitkeek. Bij een lage muur aanbeland, opende hij het hekje dat toegang gaf tot het terras. Daar liep langs het brede water nog een lage muur, waarop hij ging zitten. Hij keek verwonderd om zich heen. Wat een geweldige waterweg was dit: een verbinding tussen oost en west.

De Straat van Bosporus stroomde via de Dardanellen in de Gouden Bocht – een inham die in Constantinopel een natuurlijke haven vormde. En daarachter bevond zich de Zwarte Zee... en ook Rusland.

Als hij zijn blik wat hoger richtte, kon Edward over de Bosporus heen de andere kustlijn zien, en daar lag Klein-Azië. Wonderlijk, zoals die stad Europa en Azië met elkaar verbond.

Vlak onder hem, onder aan het terras, stond het botenhuis waar de kaïks waren ondergebracht om over de Bosporus te varen en naar Klein-Azië over te steken. Recht voor hem uit strekte zich een lange pier uit, waar de bootjes gasten afleverden die de villa kwamen bezoeken.

Edward had genoten van elke minuut die hij in Constantinopel had doorgebracht – het was absoluut niet te vergelijken met andere oorden die hij ooit had bezocht. Deze oude stad was zowel exotisch als mysterieus, en dat fascineerde hem. De afgelopen twee dagen had Ismet hem in de koelte van de ochtend meegenomen om enkele locaties uit de Oudheid te bezichtigen: de Blauwe Moskee, een heel oude kathedraal die de Aya Sofia heette en het Topkapipaleis, nu een museum. Het was een stad vol moskeeën, minaretten en kerken, maar ook met talloze paleizen. Ze waren naar de kruidenmarkt gegaan, waar Edward aangenaam werd bestookt door de wonderlijke, verlokkende geuren en aroma's van honderden specerijen. Het leek wel alsof Azië en Afrika je op de warme lucht tegemoet zweefden: komijn, kerriepoeder, chilipeper, saffraan, paprika, koriander, geelwortel, karwijzaad en kaneel.

Later die week was Ismet van plan om hem rond te leiden in de Grand Bazaar, een uitstapje waarop hij zich enorm verheugde. Op die oude markt was alles te koop, van juwelen tot tapijten. Hij wilde cadeaus voor zijn dochters en zoons zien te vinden en ook voor Elizabeth, zijn moeder, voor Jane, Vicky en Fenella. Hij mocht hen niet vergeten, anders zouden ze hevig teleurgesteld zijn.

Op weg terug naar zijn suite koos Edward de langste route naar de *yali*. Hij liep door de vele bloementuinen met schitterende bonte bloesems en fonteinen die water de lucht in spoten. Ismet had hem verteld dat die tuinen in de lente op hun fraaist waren, wanneer de tulpen bloeiden. De tulp was al eeuwenlang de meest geliefde bloem en werd hier al gekweekt lang voor hij in Holland werd geteeld, iets wat hij nooit had geweten. De Hollanders hadden de tulp namelijk in Constantinopel ontdekt en mee naar huis genomen.

Deze ochtend was het buitengewoon warm en zeer zonnig, maar toch kwam er een heerlijk briesje van de Bosporus, dat verkoelend en verfrissend werkte. Ismet had hem uitgenodigd om in de lente terug te komen, wanneer, volgens zijn gastheer, het weer werkelijk schitterend was, en hij had inmiddels besloten de uitnodiging aan te nemen.

Ja, hij zou hier terugkomen en misschien de familie meenemen; hij wist zeker dat ze zouden genieten. Vooral Grace Rose, die zo met geschiedenis bezig was. Er was hier veel dat haar zou interesseren. Hij was de afgelopen weken veel meer ontspannen en voelde zich hier weer helemaal verkwikt; ook was hij naar zijn gevoel jonger geworden, alsof er jaren van hem af waren gevallen. Hij straalde iets jeugdigs uit. Zijn gezicht was gebruind, zijn haar leek wel goud en zijn tred had iets verends.

Turkije was een interessant oord, en Edward was van mening dat het binnenkort nog interessanter zou worden. Er was een nieuw en moderner land aan het ontstaan, volgens Ahmet Hunam. Constantinopel, gesticht in de zevende eeuw voor Christus, had in het verleden allerlei veranderingen ondergaan. Gedurende zestien eeuwen was het de hoofdstad geweest van het Byzantijnse keizerrijk en daarna van de Ottomaanse sultans. Maar nu gloorde er een nieuwe, belangrijke figuur aan de horizon: een man die voor verandering zou zorgen, had Ahmet hem gisteren onder het avondeten verteld. Hij heette Mustafa Kemal Atatürk en was generaal geweest in het leger dat de Turken in Gallipoli naar een glorierijke overwinning had geleid, toen de geallieerden tijdens de Grote Oorlog de Dardanellen binnen waren gevallen. Volgens Ahmet zou Atatürk het land de moderne tijd binnen trekken. De jonge directeur van Deravenel voorspelde dat Atatürk het komende jaar het sultanaat zou afschaffen en politieke en sociale hervormingen zou instellen. Ahmet leek er absoluut van overtuigd dat Atatürk tot president zou worden gekozen van wat een republiek zou worden, en Ismet was geneigd dat met de jongere man eens te zijn.

Het enige wat permanent is, is verandering, bedacht Edward, terugdenkend aan een oud gezegde van zijn moeder, dat ze af en toe nóg wel eens wilde bezigen. En terwijl hij de witmarmeren treden op liep en de koele hal van de *yali* betrad, drong het tot hem door dat er, nu sinds het einde van de oorlog de rust was weergekeerd, verandering in de lucht hing. Overal was duidelijk sprake van een nieuw begin, voegde hij er bij zichzelf aan toe, terwijl hij de wenteltrap naar zijn suite beklom.

Hij kon onmogelijk vermoeden dat er ook in zijn eigen leven sprake zou zijn van een nieuw begin. En van verandering... drastische veranderingen die voor elk van hen gevolgen zouden hebben en hen allemaal in hun greep zouden krijgen.

Het was stil in de kamer, sereen. Het enige geluid was het vage snorren van de ventilator aan het plafond, die op deze hete dag voor een aangename koelte zorgde.

Edward lag te doezelen op het bed, waar hij zoals gewoonlijk na de lunch in de tuin met Ismet siësta hield. Sinds hij in de villa was aangekomen om bij zijn Turkse partner te logeren was hij gewend geraakt aan deze middagpauze en tot de conclusie gekomen dat het een hoogst geciviliseerd gebruik was.

Doordat de witte houten luiken waren gesloten om de hitte en de zon buiten te houden, sijpelden er via de spleetjes tussen de latten slechts flinters daglicht naar binnen. Die vormden goudkleurige repen licht in de lucht waarin, zag hij nu, stofdeeltjes omhoogdwarrelden.

Zuchtend ging hij verliggen, werd klaarwakker en bleef naar het plafond liggen staren, terwijl zijn ogen de bewegingen van de wieken van de ventilator volgden. Toen draaide hij zich op zijn zij en deed zijn ogen dicht, in een poging de flarden weer op te roepen van een droom die hij zojuist had gehad... een droom over een blonde vrouw... een blonde vrouw die zijn voorhoofd streelde en zijn lippen kuste...

Elizabeth? Of Jane? Of de vrouw uit Wit-Rusland die hij met Ismet en Ahmet in het Pera Palace Hotel had ontmoet? Hij had geen idee. Misschien waren ze alle drie samengevloeid in één compositie.

Hij richtte zijn aandacht op Elizabeth, op de ware schoonheid die ze was. Zíjn vróúw. Haar uiterlijk kende geen weerga; ze was echt beeldschoon... dat wist iedereen. Maar god weet hoe ontzettend lastig ze af en toe kon zijn. Hoewel, de laatste tijd niet, maar toen hij aan de vrede van de afgelopen twaalf maanden dacht, kruiste hij in stilte zijn vingers in de hoop dat er niets zou veranderen of mis zou gaan. Tijdens haar zwangerschap was ze het afgelopen jaar meegaand en rustig geworden, en ze waren allebei verrukt geweest toen ze van een zoon was bevallen. Dat was hun derde zoon, en ze hadden hem George genoemd, al was Edward zich de laatste tijd gaan afvragen waarom.

Uiteraard was het in de familie Deravenel al jarenlang traditie om zoons en dochters te vernoemen. De meeste andere families van hun slag volgden dezelfde traditie, omdat dat bij de Engelse aristocratie nu eenmaal zo hoorde.

Maar George, naar wie deze laatstgeborene was vernoemd, was tegenwoordig meer dan een plaag; waar hij ook ging, hij sleurde rampspoed met zich mee.

Edward zuchtte toen hij aan zijn lastige broer dacht en schoof zijn beeld van zich af. Opnieuw concentreerde hij zich op zijn vrouw. Ze waren van plan de hele maand augustus naar Kent te gaan, wat ze nu al enkele jaren deden. De kinderen vonden het heerlijk in de moerassen en verheugden zich erop, net als hij. De maand in Aldington was voor hem een reusachtig feest, omdat hij veel tijd aan zijn nakomelingen kon besteden.

Het waren er nu zeven. Bess, Mary, Cecily, Edward junior, Richard, Anne en George. En dan was er ook nog Grace Rose, die had beloofd in de tijd dat ze op Stonehurst Farm was met Vicky en Stephen elke dag langs te komen.

Ineens wervelde ze door zijn hoofd... Grace Rose. Een aantrekkelijke vrouw van eenentwintig, op wie iedereen trots was. Ze had dit jaar de volwassen leeftijd bereikt, en Vicky en Stephen hadden in maart een souper-dansant voor haar gegeven in het Ritz Hotel. Elizabeth was uitgenodigd omdat dit een officiële familieaangelegenheid was, en Jane was gewoon voor een week met stille trom naar Parijs vertrokken, discreet en attent als altijd. Ze drong zich nooit op.

Ah, Jane, zijn schat van een Jane – zo loyaal, zo stabiel: de volmaakte vriendin en kameraad. Soms vroeg hij zich af hoe hij het zonder haar zou redden; ze was zo'n belangrijk deel van zijn leven gaan uitmaken. Al had Elizabeth hem seksueel nog altijd net zo in haar macht als op de dag dat hij haar ontmoette. Op haar eenenveertigste was ze als een vrouw van begin dertig – geen rimpeltje in haar gave gezicht, en ook geen enkel ontsierend vetrolletje aan haar lijf. Ze was slank en jeugdig, en lette op wat ze at en dronk.

Zelf was hij nu zesendertig, al was ook hem zijn leeftijd niet aan te zien. Desondanks had zijn vrouw er voortdurend last van dat ze vijf jaar ouder was. Maar hem kon het niet schelen. Volgens zijn filosofie was leeftijd niet meer dan een getal en betekende dus niets.

Zijn gedachten verschoven naar Natasha Troubetzkoy, de Wit-Russische prinses die als gastvrouw in het restaurant en de bar van het Pera Palace Hotel werkte. Ze was blond, mooi en aristocratisch. Maar wat een tragische figuur.

Ze was in 1917 uit Sint Petersburg gevlucht, aan het begin van de Revolutie, toen de alleenheerschappij van de Romanovs ten val kwam en nadat de Bolsjewieken haar broer Igor Troubetzkoy hadden vermoord. Ze was een nicht van de tsaar, evenals haar schoonzuster, prinses Natalie Troubetzkoy en haar nicht Irina. Natasha had hen nog altijd niet kunnen opsporen, maar hoopte ooit met deze vermiste familieleden herenigd te worden. Ze was van plan, had ze hem uiteindelijk verteld, voldoende geld te sparen en naar Parijs te vertrekken, waar een Wit-Russische gemeenschap bestond, vergelijkbaar met die in Constantinopel, maar dan groter. Het Russische netwerk zou haar misschien kunnen helpen, geloofde ze; ze wilde het op z'n minst proberen, had ze hem toevertrouwd.

Ismet had Edward, Will en Alfredo aan prinses Natasha voorgesteld toen ze net in de stad waren aangekomen. Hij had hen 's avonds mee uit eten genomen naar het Pera Palace Hotel. Daarna waren ze naar de bar gegaan, waar een orkest speelde en gastvrouwen aanwezig waren om met de gasten te dansen.

Will en Ned hadden met de prinses gedanst, en ze was een poosje bij hen komen zitten om muntthee te drinken. In de loop van de avond had ze hem van haar vermiste familieleden verteld, de enigen die nog in leven waren, en dat ze hen zo graag zou willen vinden. Het waren vluchtelingen, net als zijzelf, en ze was er absoluut van overtuigd dat ze nog leefden – *ergens*. Hen te vinden was het enige waaraan ze ooit dacht, had ze in vlekkeloos Engels uitgelegd.

In Edwards ogen was ze een aantrekkelijke, maar in en in trieste vrouw die diep in de ellende zat. Vrouwen als zij joegen hem meestal de stuipen op het lijf – hij zorgde altijd dat hij zo snel mogelijk bij hen uit de buurt kwam... Door het noodlot was er voorgoed een einde aan zijn jeugd gekomen. Hij wilde het op een afstand houden; dat was hij verplicht.

Op een avond, toen ze, vlak voor Will en Alfredo naar de marmergroeven waren vertrokken, nogmaals een bezoek brachten aan het hotel, had Will Edward met Natasha geplaagd. Maar dat sloeg nergens op. Edward had zijn hoofd geschud, uitgelegd dat zijn interesse in haar niet seksueel was – en dat was wederzijds, had hij eraan toegevoegd, dat voelde hij instinctief aan. Waarop Will het daarbij had gelaten, omdat hij wist dat zijn vriend de waarheid sprak.

Toch lieten Natasha en haar situatie Edward niet los, en hij zwaaide zijn benen van het bed, ging naar de secretaire en pakte zijn chequeboek. Hij schreef een cheque uit ten name van prinses Natasha Troubetzkoy, stopte die in een envelop en adresseerde die. Hij zou die vanavond aan haar geven; van Ismet had hij gehoord dat ze dan weer in het Pera Palace Hotel gingen eten.

Edward sloot de la van de secretaire en liep naar een raam om de luiken open te zetten. In de verte hoorde hij de klaaglijke stem van de muezzin die de gelovigen opriep tot gebed. Het was een eenzame, melancholieke stem die hem op de warmte tegemoet zweefde en hem eraan herinnerde hoe anders deze wereld was en hoe ver hij van Engeland was verwijderd.

Toen Edward en Ismet die avond de bar van het hotel betraden, merkte Edward prinses Natasha onmiddellijk op. Ze stond bij de bar. Zoals altijd dronk ze thee en ze was in gesprek met de manager, Abaz Gurcan.

Toen ze hen zag binnenkomen, knikte ze ter begroeting, maar bleef bij de manager van de bar staan omdat ze zich duidelijk niet wilde opdringen.

'Ik zou de prinses graag willen verzoeken om bij ons te komen zitten,' zei Edward met gedempte stem.

Ismet knikte instemmend. 'Maar natuurlijk. Ze vindt het prettig in ons gezelschap, dat weet je.' Hij schudde glimlachend zijn hoofd. 'Zo'n intelligente en goed opgeleide vrouw, een beschaafde vrouw... en dit is wat er van haar over is. Het doet me pijn, het doet me pijn in mijn hart, Edward, dat deze aristocrate als dansmeisje werkt.'

'Ik weet wat je bedoelt. Aan de andere kant: ze kan in haar onderhoud voorzien,' opperde Edward, terwijl hij zijn hand opstak om een ober te wenken, waarna hij roze Krug champagne bestelde.

'Ik vind dat "kostje bijeenscharrelen" beter van toepassing zou zijn,' voerde Ismet aan, terwijl de emotie uit de trouwhartige donkerbruine ogen in zijn vriendelijke gezicht straalde. Hij was eind vijftig, weliswaar ongehuwd en dus kinderloos, maar hij hield wel van de vrouwtjes. Edward wist dat hij hier graag kwam om met de westerse vrouwen te dansen, voornamelijk Russische emigrantes.

Edward stond op en zei: 'Ik ga wel even vragen of ze bij ons komt zitten, Ismet, is dat goed?'

'Daar zal ze blij om zijn... want zodra ze gaat zitten, verdient ze geld. Vandaar dat ik altijd vraag of ze bij me komt zitten.'

Edward liep de zaal door. In zijn witte kostuum en smetteloos witte overhemd met blauwe das maakte hij een verpletterende, verblindende indruk. Toen hij bij de bar bleef staan, zei hij met een hoffelijke buiging: 'Goedenavond prinses Troubetzkoy, goedenavond, Mr. Gurcan.'

De twee beantwoordden zijn buiging, waarna Edward in één adem doorging: 'Zou u bij ons willen aanschuiven, prinses? Ik heb roze champagne besteld, maar als u wilt, kunt u natuurlijk uw muntthee krijgen.'

Haar plotselinge glimlach maakte haar sombere gezicht opeens veel levendiger, maar was ook meteen weer verdwenen. Zonder een spoor van een accent antwoordde ze in keurig Engels: 'Hartelijk dank, Mr. Deravenel, ik zou niets liever willen dan een glas champagne met u drinken.' Nadat ze zich bij de manager had geëxcuseerd, wendde ze zich weer tot Edward en zei: 'Zullen we Mr. Bozbeyli gezelschap gaan houden?'

'Ik zou eigenlijk eerst met u over de dansvloer willen wervelen,' zei hij.

Hij legde zijn hand onder haar elleboog en leidde haar naar de kleine dansvloer aan het eind van de bar. Ze bewogen zich in volmaakte harmonie op het ritme van de muziek, tot Edward zei: 'Ik heb een gift voor u bij me, en het is echt een gift, zonder dat er enige verplichting aan vastzit.'

Ze leunde iets achterover en keek hem aan, haar grote rookgrijze ogen waren op zijn gezicht gevestigd. Ze wist duidelijk niet wat hij bedoelde en zei na een ogenblik: 'Ik vrees dat ik u niet kan volgen. Wat bedoelt u wanneer u zegt dat u een gift voor me hebt?'

'Ik heb een cheque voor u uitgeschreven. Ik wil dat u naar Parijs gaat, of waar u naar uw mening ook naartoe moet om op zoek te gaan naar uw familieleden. Ik vind het onverdraaglijk dat u hen bent kwijtgeraakt, dat u niemand heeft. Niets is zo belangrijk als familie. Daar heb ik altijd in geloofd.'

'Een cheque?' Ze keek hem fronsend aan, duidelijk verbijsterd. 'Maar ik kan onmogelijk geld van u aannemen, Mr. Deravenel. Ik kan niets van u aannemen. Dat begrijpt u toch wel?'

'Dat weet ik. Ik ben niet meer dan een kennis, dat ben ik me bewust. Ik weet ook hoe u bent opgevoed, vanwege uw koninklijke afkomst. Toch ga ik u de cheque geven, en die zult u aannemen – om mij een plezier te doen. Zoals ik al zei: het is een gíft. Ik wil niets van u, helemaal niets...' Hij keek op haar neer en hervatte de dans, terwijl hij haar over de dansvloer leidde. 'Dat is niet waar,' sprak hij verder. 'Ik wil een glimlach op uw gezicht zien, en ik wil een brief van u wanneer u uw schoonzus en uw nicht hebt gevonden. Als u hen hebt gevonden, kom ik naar u toe om kennis met hen te maken, waar jullie ook zijn.'

'Ik weet niet wat ik zeggen moet,' begon ze, waarna ze abrupt haar mond hield, ten prooi aan verwarring en twijfel, stomverbaasd over de vrijgevigheid van deze man.

'Kom even alleen bij me zitten,' stelde Edward voor, waarna hij haar prompt van de dansvloer meevoerde naar een tafeltje in de hoek. Toen ze eenmaal zaten, haalde hij de envelop uit de binnenzak van zijn jasje en overhandigde haar die zonder een woord te zeggen.

Ze staarde een paar minuten naar de envelop in haar handen, waarna ze hem met tegenzin opende en er de cheque uit haalde. Duidelijk hoorbaar hield ze haar adem in en toen riep ze met gedempte stem uit: 'Maar dit kan ik niet aannemen, Mr. Deravenel. O, mijn hemel...' Ze schoof de cheque terug in de envelop en gaf die aan hem.

Hij weigerde hem aan te nemen, schudde zijn hoofd met een blik op haar avondtasje op de tafel. 'Stop daar maar in, in uw tas. Ga hem morgen innen en stippel uw plannen uit.'

'Maar ik kan het niet aannemen. Vijfduizend pond, Mr. Deravenel! Het is veel te veel.'

'Bekijk het als volgt... Ik heb mijn geluk over het feit dat we op olie zijn gestuit nog niet fatsoenlijk gevierd... Dit is de manier waarop ik het vier... U helpen uw familie te vinden. Dus doet u me alstublieft een genoegen: vier het met me mee, en voor mij. Kom. Laten we nu bij Ismet gaan zitten en met een glas roze champagne op elkaar proosten.'

Natasha stopte de cheque weg, zij het nog steeds met tegenzin. Ze stonden gelijktijdig op, waarna ze zich naar hem toe draaide en zachtjes zei: 'Dank u. Dank u hartelijk, Mr. Deravenel.' Hij zag de tranen in haar rookgrijze ogen glinsteren. Ze legde een hand op zijn arm en vervolgde: 'Dankjewel is niet genoeg... Ik zal deze buitengewone geste nooit vergeten, dat u zo reusachtig vriendelijk voor me bent geweest. Nooit, zolang als ik leef, en ik zal u nooit vergeten omdat u dit voor me hebt gedaan. Dat u zo ontzettend vrijgevig bent geweest.'

Later deed het Edward goed toen hij, met het vorderen van de avond, haar onmiskenbare blijdschap zag. Hij was het helemaal niet gewend haar te zien lachen, net zoals hij ook nog nooit de geestdrift en plotselinge energie in haar honingzoete stem had gehoord. Ze had iets ongelooflijk sprankelends, wat hem vooral voldoening schonk. Hij had haar hoop gegeven.

Hij had één enkele, bescheiden goede daad verricht, er wellicht toe bijgedragen dat een vrouwenleven een fikse wending kreeg, en alleen maar doordat hij haar het geld had gegeven om op zoek te gaan naar haar dierbaren die ze sinds 1917 kwijt was en naar wie ze zo hevig verlangde.

Haar schoonheid was die avond heel evident. Ze had een blauwgrijze japon van chiffon aan die, terwijl ze met Ismet danste, vloeiend om haar heen golfde. Met haar blonde haar, rookkleurige ogen en fijne trekken was ze een hoogst opmerkelijke verschijning. Ze was lang, slank en lenig en ze had iets bijzonders. Stijl, beschaving, voortreffelijke manieren, dat waren de woorden die hem te binnen schoten, maar ze had nog zoveel meer kwaliteiten. Toen drong het in alle hevigheid tot hem door. Ze gedroeg zich met een air van immense waardigheid en haar houding was vorstelijk. Maar dat was toch vanzelfsprekend? Ze was een Romanov en telg van de voormalige keizerlijke familie van Rusland. Nicht van wijlen tsaar Nicholas, een van 's werelds machtigste despoten, die samen met zijn familie in Jekaterinenburg was vermoord.

En ze was vanavond hier, bij hen in Constantinopel. Een prinses die door het geluk in de steek was gelaten, slachtoffer van noodlottige gebeurtenissen – de omwenteling in haar land en haar leven, de dood van haar broer en de mysterieuze verdwijning van zijn vrouw en kind. Haar thuishaven was ze kwijt, een manier van leven was voorgoed verloren gegaan. Maar toch moest hem worden nagegeven dat hij voor haar, met al haar tegenslagen, niet angstig op de vlucht was geslagen. In plaats daarvan had hij haar leven een gunstige wending gegeven.

Plotseling bedacht Edward: als alles zo eenvoudig was, wat zou het leven dan gemakkelijk zijn. Mijn leven in het bijzonder; maar meestal zijn de dingen veel gecompliceerder.

Hij zou al snel te weten komen hoe gecompliceerd zijn leven werkelijk was.

Tweeëndertig

Kent

'Misschien weet je het niet, maar George drinkt weer, en behoorlijk veel de laatste tijd,' zei Elizabeth vanuit de deuropening tegen Edward.

Hij zat op een stoel bij de terrasdeuren in de bibliotheek van hun huis in Aldington. Hij legde het boek neer waarin hij had zitten lezen, zette zijn bril af en keek haar aan. 'Ja, dat merkte ik toen ik uit Constantinopel terugkwam. Maar George is nu eenmaal mateloos in alles, dat weet je.' Edward schudde zijn hoofd, en zijn gezicht verstrakte even. 'Toch beschikt hij over een behoorlijk sterk gevoel voor zelfbehoud, vind je niet?'

'Dat moet wel,' stemde Elizabeth in, terwijl ze de kamer in liep en tegenover Edward ging zitten. 'Maar wat bedoel je precies? Ik begrijp je niet helemaal.'

'George overdrijft altijd, en dan stopt hij er opeens mee en weet zichzelf weer in de hand te houden. Alsof hij... zijn leven betert en weer een braaf jongetje wordt dat zich weet te gedragen. Alsof er een duivel in hem zit... die hem iets influistert.'

'Integendeel, Edward,' kaatste Elizabeth terug. 'George is degene die de laatste tijd van alles rondbazuint.'

Omdat zijn belangstelling onmiddellijk was gewekt, ging Edward rechtop zitten en keek zijn vrouw met toegeknepen ogen aan. 'Wat bedoel je precies?'

'Hij is aan het roddelen. Mijn vriendin Olivia Davenport heeft het me verteld,' verklaarde Elizabeth. 'Ze was laatst bij iemand te eten en volgens haar brabbelde George zoiets als zou jij geen wettig kind zijn en dat je dus niet de rechtmatige erfgenaam van Deravenel zou zijn. Dat híj dat was. Of zoiets onzinnigs.'

Edward was totaal verbluft, en hij staarde haar met open mond aan, waarna hij siste: 'Het is inderdaad onzinnig!' Wederom was hij geïrriteerd door George. En toen ineens heel boos. 'Dat is een oud kletsverhaal dat jaren geleden door de Lancaster Grants is verzonnen! Dat waren een paar lasteraars die op mijn vader in hakten, hem te schande wilden maken, hem wilden kleineren en hem afschilderden als bedrogen echtgenoot. George zou beter moeten weten.'

Edward stoof overeind en beende de kamer door, terwijl zijn plotselinge boosheid overging in oprechte woede. 'George is zo dom. En het is behoorlijk schandelijk van hem om de reputatie van een vrouw als Cecily Deravenel te bezoedelen. Zijn eigen moeder nog wel! Hoe haalt hij het in zijn hoofd? Als ik hem op dit moment in mijn handen kreeg, zou ik hem een pak voor zijn broek verkopen dat hij nooit zou vergeten.'

Edward was nu echt ziedend en buiten zichzelf. Hoe kon George hun moeder uitmaken voor ontrouwe echtgenote die het kind van een andere man had gebaard?

Nu ze zag dat Ned verblind was door woede, stond Elizabeth op en pakte hem bij de arm. 'Kom, ga zitten, Ned. Ik ben het helemaal met je eens. Hij is vreselijk kwaadaardig over zijn moeder – jullie moeder – en je moet zorgen dat hij ophoudt.'

'Overduidelijk.' Ned liet zich weer naar de bank leiden, waar ze samen op plaatsnamen.

'Hij probeert jóú te kleineren,' sprak zijn vrouw verder, 'op de achterbakse manier die hem eigen is. En nog hoogst kwetsend ook, voor zover het je moeder betreft. Het is bijna ongelooflijk dat hij zich zo verlaagt.'

Edward knikte, nestelde zich weer op de bank en wist zijn kalmte te hervinden. Hij had geen zin om de dag te bederven of de vrede te verstoren die er momenteel in huis heerste. Elizabeth gedroeg zich aardig, zorgzaam en liefdevol, en al heel lang was er geen onvertogen woord tussen hen gevallen. Het was een pak van zijn hart dat er een vredige sfeer heerste en hij genoot van deze zomervakantie aan zee, samen met de kinderen en zijn moeder.

Met een blik op Elizabeth zei hij met gedempte stem, maar op dwingende toon: 'We moeten maar niets tegen haar zeggen. Ik wil haar niet overstuur maken. Mijn moeder kan het maar beter niet weten.'

'Ik begrijp het. Maar het is toch verschrikkelijk, als je erover nadenkt – ze heeft George altijd in bescherming genomen, hem verdedigd, al zijn hele leven. Hij heeft haar evenzeer verraden als jou.'

'Dat is er nou juist zo weerzinwekkend aan!' riep Ned uit.

Elizabeth wilde iets zeggen, maar hield plotseling haar mond.

'Wat wilde je tegen me gaan zeggen?' vroeg hij, terwijl hij haar vragend aankeek.

'Nou... er zijn die avond nog andere dingen gezegd. Vorige week, om precies te zijn. Door je broer. Volgens Olivia heeft hij een paar opmerkingen tegen haar man gemaakt. Je kent hem wel, Ned. Roland Davenport, de vermaarde strafpleiter.'

'O ja, een genie. En, wat zei broer George dan wel tegen Roland?'

'Hij zei dat jouw kinderen ook bastaards waren, net als jij, en dat ik niet je wettige vrouw ben. Hoewel Roland gechoqueerd was en zich aan George ergerde, besloot hij er maar om te lachen, omdat het allemaal kant noch wal raakte. Hij heeft tegen je broer gezegd dat hij te veel gedronken had. Kennelijk voegde hij daar, en heel streng ook, aan toe dat George maar beter kon uitkijken met wat hij over jou beweerde, dat hij anders wel eens in ernstige moeilijkheden zou kunnen komen.'

Elizabeth wachtte even, waarna ze, over haar woorden struikelend, besloot met: 'Schijnbaar mompelde George toen iets over Greenwich, of Norwich – misschien wel allebei de steden, dat weet ik nu even niet. En er was ook sprake van een man – Olivia zei dat ze zich zijn naam niet kon herinneren. Zij en haar man dachten dat George behoorlijk beschonken was, omdat hij zich afschuwelijk gedroeg. Als een echte ploert, volgens haar man. Ze denken ook dat hij uit zijn nek kletste, zoals dronken mensen zo vaak doen.'

Edward zei geen woord.

Hij zat volkomen roerloos. Hij voelde het bloed uit zich wegstromen en was zo verbluft dat hij niet helder kon denken. Het leek wel of hij verstijfd was, in een shocktoestand verkeerde, en hij zat daar zonder een spier te bewegen. Eén honderdste seconde leek hij zijn verstand te verliezen; toen zei hij tegen zichzelf dat hij moest nadenken. Denk na. Denk na. Ineens werden zijn hersens bestookt met vragen. Wat wist George werkelijk? Hoe zou hij iets kunnen weten? Wie zou hem iets verteld kunnen hebben? Het was zo lang geleden...

'Wat is er, Ned?' riep Elizabeth uit, met een stem die tot schrille hoogte steeg. Ze keek hem angstig aan. 'Je bent opeens krijtwit. Ben je ziek?'

Wetend dat hij zich zo normaal mogelijk moest gedragen, probeerde Edward zich te vermannen. En op dat moment trad er terstond een leven lang aan zelfbeheersing en onverbiddelijke discipline in werking. Hij dwong zich te glimlachen, schraapte zijn keel en zei, met iets wat op een lach moest lijken: 'Ik heb geen idee wat er aan de hand was, schat, echt geen idee. Ik werd ineens wat duizelig, licht in mijn hoofd of zo. Meer stelt het niet voor, echt, het is niets ernstigs.' Terwijl hij zijn verstijfde lichaam ontspande, zei hij met een warme glimlach: 'Het kan woede geweest zijn. Woede op George. Dat hij tijdens etentjes op die manier in het openbaar over onze moeder kan praten maakt me razend.'

'Ja, natuurlijk, dat zal het zijn!' Ze knikte en stond op. 'Ik ga Cook vragen om thee voor ons te zetten. Wil je iets eten? Heb je misschien ook honger?'

Hij schudde zijn hoofd en schonk haar opnieuw een ontspannen glimlach. 'Nee, maar die thee zou geweldig zijn.'

Terwijl Elizabeth haastig de kamer verliet, liet Edward zich achteroverzakken op de bank en deed zijn ogen dicht. Hij had geen idee wat hij aan deze kwestie ging doen. Eén ding wist hij echter zeker. Zijn broer George was te ver gegaan en moest de mond worden gesnoerd. Onmiddellijk. Hij was veel te gevaarlijk geworden. Hij moest weg.

De volgende morgen ging Edward Deravenel naar Londen. Dat was voor hem niets ongewoons, omdat hij altijd heen en weer pendelde wanneer zijn familie liever in het huis in Kent verbleef dan op Ravenscar. Terwijl hij samen met Elizabeth over de oprit naar de auto liep, zei hij: 'Ik moet bij de vergadering met Oliveri zijn, over de marmergroeven. Ik weet dat je er begrip voor zult hebben. Ik hoop over een paar dagen terug te zijn. Zeker rond vrijdag.'

'Goed. Probeer alsjeblieft het weekend hier te zijn, Ned. De kinderen zullen je de komende dagen missen.'

De woorden waren amper over haar lippen, of Bess kwam over de oprit aan hollen, gevolgd door Mary en Edward junior.

'Ach, papa, waarom gaat u nou naar de stad?' jammerde Bess, terwijl ze zijn arm vastpakte. 'U had beloofd dat u de hele week zou blijven.'

Terwijl hij haar glimlachend aankeek en Edward junior over zijn bol aaide, zei hij: 'Zaken gaan voor, helaas. Maar denk erom: ik ben wél in de gelegenheid om bij Harrod's langs te gaan. Ik weet zeker dat ik die dingen kan vinden waar jullie me de laatste tijd om hebben gevraagd. Iets voor jullie allemaal. Hoe klinkt dat, kinderen?'

Ze omhelsden hem alle drie, waarna hij Elizabeth op de wang kuste en in de Rolls Royce stapte. Vlak voor hij het portier dichttrok, zei ze zachtjes: 'Doe alsjeblieft iets aan George wanneer je in de stad bent, Ned.'

'Dat ga ik zeker doen,' beloofde hij – en hij meende het.

Zodra Edward bij de firma Deravenel op de Strand was aangekomen, riep hij zijn twee belangrijkste stafleden bij zich.

'Ik moet iets aan George doen,' zei hij, waarbij hij van Will Hasling naar Alfredo Oliveri keek. 'Hij heeft kwalijke geruchten verspreid, waarin hij mijn moeder en haar goede naam door het slijk heeft gehaald door te zeggen dat ik een onwettig kind ben en niet de rechtmatige erfgenaam van mijn vader. Dat ik daarom niet de man ben die de leiding over Deravenel hoort te hebben. Hij praat te veel en daar moet een eind aan komen.'

Noch Will, noch Alfredo bleek verbaasd over deze mededeling, en Will zei: 'Ik had al gehoord dat hij weer eens kwaadaardig bezig was. En ja, je moet er een eind aan maken. Hij kent geen scrupules, Ned. Ik hoop alleen maar dat die roddels je moeder niet ter ore komen. Ze zou er kapot van zijn.'

'Dat hoop ik ook. Maar eigenlijk denk ik niet dat ze iets heeft opgevangen. Elizabeth hoorde het laatst van Olivia Davenport, de vrouw van een befaamd strafpleiter, en die bewegen zich niet in onze kringen. Blijkbaar was George op een etentje zijn flauwekul aan het spuien, maar ik heb begrepen dat de Davenports het zo'n beetje hebben weggelachen. Naderhand heeft Roland Davenport George gewaarschuwd dat hij voorzichtig moest zijn met wat hij zei.'

'Ik heb altijd gezegd dat hij een gevaarlijke dronkenlap is,' mompelde Alfredo hoofdschuddend, terwijl er een verbeten uitdrukking op zijn gezicht verscheen. 'Ik denk zelfs dat het sinds de dood van Isabel erger met hem is geworden. Hij heeft te veel vrije tijd, dat is het probleem.'

Edward staarde Alfredo aan. 'Maar hij komt toch elke dag op kantoor? Want...'

'O, als dat niet zo was, had je het wel geweten! Want dan zou ik het je verteld hebben,' interrumpeerde Will. 'Ik hou hem de hele tijd in de gaten. Hij komt inderdaad op kantoor, maar hij voert niet zoveel uit. Het is een luie donder, als je het mij vraagt, en hij is in alle opzichten een verkwister – van tijd, van geld en van mensen.'

'Hoe zorgen we dat hij ophoudt met over mijn moeder te praten?'

'Door hem de stuipen op het lijf te jagen, als je het mij vraagt. Dat is de manier!' riep Will uit.

'Dat is gemakkelijker gezegd dan gedaan,' merkte Alfredo op, terwijl hij Will recht aankeek. 'Hij laat zich niet gemakkelijk afschrikken, en het lijkt wel of niets tot hem doordringt. Alsof hij er niets van snapt en het niet in de gaten heeft wanneer hij in de fout gaat. Hij is erg... nonchalant, wat zijn gedrag betreft.'

Edward ging rechter op zitten en keek Alfredo doordringend aan. 'Grappig dat je dat zegt. In het verleden heb ik wel eens gedacht dat George niet helemaal lekker was, dat er een schroefje bij hem loszat.'

'Ik zeg je toch voordurend dat hij ze niet allemaal op een rij heeft,' wees Will hem ongedurig terecht.

'Maar dat betekent alleen "niet erg slim". Ik ga een stap verder. Ik begin me af te vragen of hij soms... nou, of hij werkelijk geestelijk gestoord is.'

'U zou hem moeten wegsturen... hem in een krankzinnigengesticht moeten opbergen,' opperde Alfredo. 'Een paar weken in een dwangbuis zou hem naar mijn mening goed doen.'

Edward moest lachen om die opmerking en om Alfredo's strenge gezicht. 'Daar heb je gelijk in, maar ik ben heel serieus over zijn geestelijke toestand. Hij lijkt gewoon zo... onachtzaam wat zijn gedrag betreft, in de dingen die hij zegt, zoals hij de pias uithangt, dronken omvalt – naar ik heb gehoord, althans.'

'Het is merkwaardig,' zei Will peinzend. 'Het lijkt wel of hij zich niet bewust is van de schade die hij aanricht. Bijna alsof hij zich van niemand iets aantrekt en maar voortdendert en overal een puinhoop van wil maken.'

'Dat bedoel ik juist,' zei Edward, terwijl hij instemmend knikte. 'Zeg maar op, hoe kunnen we hem het zwijgen opleggen?'

'Ik weet niet of dat ons zal lukken... Hoe kunnen we hem in godsnaam de mond snoeren?' vroeg Alfredo aan Ned, om er even later aan toe te voegen: 'Er is namelijk maar één oplossing. Hij moet opgeborgen worden, in een gekkenhuis – anders moet hij weggestuurd worden. Hij kan niet in Londen blijven, dan wordt het alleen maar erger, omdat hij wordt verteerd door jaloezie op u, en u weet maar al te goed hoe vaak hij u in het verleden heeft verraden.'

Edward knikte, maar hij leverde geen commentaar.

'Denk eens aan alle streken die hij je door de jaren heen heeft geflikt,' zei Will. 'Hij heulde met Neville Watkins, raakte betrokken in het complot met Louis Charpentier. Vervolgens ging hij er met Isabel vandoor zonder jou om toestemming te vragen. Hij heeft jarenlang met Neville onder één hoedje gespeeld, samenzwerend en stokend, en is alleen maar op hangende pootjes naar je teruggekropen toen Neville op het punt stond over zijn rug op te klimmen. Al met al heeft hij zich niet bepaald loyaal opgesteld ten opzichte van jou, zijn eigen broer en werkgever. Hij is levensgevaarlijk, Ned, je had volkomen gelijk toen je dat zei.'

'Ik zou liever te maken hebben met een sluwe vijand dan met een vijand die gestoord is. Dat vraagt om moeilijkheden,' verkondigde Alfredo. 'George zorgt voor moeilijkheden, en dat zal nooit veranderen. Dat is de aard van het beestje.'

'Als we hem wegsturen – hem bij wijze van spreken verbannen – waar zouden we hem dan naartoe moeten sturen?' vroeg Will, zijn ogen op Edward gericht. 'Trouwens, hoe weten we of hij ook zal gaan?'

'O, die gaat heus wel als ik eenmaal met hem klaar ben!' riep Edward uit. 'En waar naartoe: ik heb geen idee. Dat zouden wij met z'n drieën moeten uitzoeken.'

'We zouden hem het land uit moeten sturen,' antwoordde Alfredo op besliste toon. 'Hem de provincie in sturen is niet afdoende. Hij moet weg uit Engeland.'

'Wat had je in gedachten?' vroeg Will.

'Om ervoor te zorgen dat hij op een vreedzame manier vertrekt, zou hij het idee moeten hebben dat hij een promotie krijgt,' opperde Alfredo. 'Je weet wel... "We willen dat je de leiding op je neemt over de suikerfabriek in Cuba, George. Niemand anders dan jij kan zorgen dat dat bedrijf weer overeind krabbelt." Of iets dergelijks. Wanneer we hem wegsturen, moeten we hem een zak toffees meegeven, en veel lof toezwaaien. Anders gaat hij tegenstribbelen en gaat hij gewoon niet.'

'Bedoel je werkelijk Cuba?' vroeg Edward.

Alfredo trok een grimas. 'Niet speciaal. Ik zou hem liever dichter bij huis houden, in de buurt, zodat we hem elk gewenst moment in de gaten kunnen houden. Hij zou toch ook naar de vestiging in Parijs kunnen gaan?' Maar meteen schudde Alfredo zijn hoofd. 'Ik zie aan uw gezicht dat dat niet handig is.'

'Handig is het eigenlijk nergens, omdat hij overbodig is,' antwoordde Edward. 'Maar volgens mij moeten we een reden bedenken voor we hem... waar dan ook heen sturen. Ik kan nu eenmaal geen andere manier bedenken om hem kwijt te raken.'

'Moord kan altijd nog,' zei Alfredo Oliveri met een enigszins demonische grijns.

Terwijl hij Alfredo wezenloos aanstaarde, riep Edward: 'Ik kan toch mijn broer niet vermoorden!'

'En als iemand anders het nou eens voor u zou doen?'

'Heb je soms ook een pasklaar idee?' vroeg Will, terwijl hij Oliveri aankeek.

'Ik heb er nog niet zo over nagedacht,' luidde Alfredo's reactie. Maar in werkelijkheid had hij dat wel degelijk.

Drieëndertig

Kent

Edward kon moeilijk de slaap vatten. Urenlang lag hij te woelen, tot hij ten slotte opstond, zijn kamerjas en slippers aantrok en naar beneden ging.

Het was stil in huis; iedereen sliep. Hij knipte een lampje in de bibliotheek aan en keek op de pendule op de schoorsteenmantel. Het was halfdrie.

Hij duwde de openslaande deuren open en liep het terras op, waar hij een ogenblik naar de lucht stond te turen. De nacht was als zwart fluweel waar een handvol sterren overheen was gestrooid. Ze flonkerden als diamantflinters. De maan was een zilveren scherf: een halve maan die de indruk maakte dat hij daar door een of andere vent uit Hollywood zorgvuldig was opgehangen, zo perfect op de juiste plek.

Het was zacht weer, warm zelfs, en hij ving vaag een vleugje zilte zeewind op, afkomstig uit Romney Marsh. Als hij het lange tuinpad af liep, wist hij, zou hij bij de strook land komen waar de kinderen zo graag speelden. Vanaf die uitkijkpost zou hij de vuurtoren van Dungeness zien, waarvan de lichtstralen reusachtige zilveren stralen over de zee wierpen. Hij vond het heerlijk bij het moeras, maar die nacht was hij niet in de stemming om er naartoe te gaan. Hij kwam zelfs absoluut niet in de verleiding.

Hij maakte zich zorgen, voelde zich bedrukt, en zijn gedachten keerden telkens terug naar Natasha Troubetzkoy en háár benarde situatie. Zij had dan ook niemand. Hij had haar hoop gegeven door haar geld te schenken, zodat ze op zoek kon gaan naar haar familieleden. Maar misschien zou ze die helemaal niet vinden. Misschien leefden ze niet eens meer.

In 1917 was haar leven vanwege de revolutie in haar land veranderd. Haar thuis, al haar bezittingen en kleren, juwelen en haar geld waren weg, in een oogwenk verdwenen. Omdat ze een veilig heenkomen voor zichzelf had moeten zoeken. Ze was gevlucht en een dakloze vluchteling geworden die asiel zocht en een manier om in haar onderhoud te voorzien.

Op een avond had ze hem verteld: 'Mijn wereld stond helemaal op zijn kop. Het leven zoals ik dat had gekend is door de Bolsjewieken wreed van me afgenomen. Dat kan ik nooit meer terugkrijgen, niets zal ooit meer zijn zoals het was.'

Ook voor mij zal niets meer zijn zoals het was, bedacht Edward, terwijl hij op de tuinbank ging zitten en nog altijd naar de donkere lucht staarde, terugdenkend aan het verleden... zijn verleden. En aan Elinor Burton.

Die beeldschone, betoverende Ellie. Ooit zijn minnares. O god, wat was hij al die jaren geleden een oen geweest. Waarom had hij haar ooit die belofte gedaan? Nu zou zijn leven in één klap verwoest kunnen worden, net als dat van Natasha, door een ander soort catastrofe.

Want dat was het, een catastrofe. Die hing als een zwaard van Damocles boven zijn hoofd. Zijn huwelijk, zijn kinderen, zijn bedrijf... alles wat hem dierbaar was, liep gevaar. Het was zijn eigen schuld. Daar kon hij niemand anders de schuld van geven, alleen zichzelf. Nou ja, daar was George, die praatjes rondbazuinde en achterbaks was. Zijn broer had al jaren geleden onder handen genomen moeten worden; ook dat was zijn schuld. Hij was te clement geweest, te vergevensgezind.

Nadat George er met Isabel vandoor was gegaan, allebei veel te jong om te trouwen, had zijn moeder hem gesmeekt mild voor George te zijn en hem te vergeven. Ze had er ook, toen hij uiteindelijk zelf te maken kreeg met het geïntrigeer van Neville, bij hem voor gepleit George een baan bij Deravenel te geven.

En, dwaas die hij was, hij had gedaan wat ze hem had gevraagd. Bij George had hij veel fouten gemaakt. Bij Ellie ook. Hij had niet mogen bezwijken voor haar serene schoonheid, dat Madonna-achtige gezichtje, en in haar web verstrikt mogen raken. Maar dat was gebeurd, en nu zou hij met zijn familie en zijn carrière voor zijn lankmoedigheid boeten. Hij zou alles kwijtraken.

Het eerste wat hij moest doen, was afrekenen met George. Snel en efficiënt. Alleen was zijn broer niet in Engeland. Hij was in Frankrijk, waar hij een week bij hun zuster Meg doorbracht. Dat had hij gistermiddag van Richard gehoord. Toen Richard Meg opbelde om te vragen of hij samen met Anne in september een paar dagen zou kunnen komen, had ze verteld dat George daar op dat moment was. Nadat ze Richards verzoek, overigens heel hartelijk, had ingewilligd, had hun zuster uitgelegd dat George momenteel op het chateau verbleef, 'om wat uit te rusten, de arme schat'. In die bewoordingen scheen ze het tegen Richard te hebben gezegd.

Edward had Richard verteld van de laster die George over hun moeder verspreidde en het feit dat hij en ook zijn eigen kinderen onwettig zouden zijn. Dat Visje van hem was razend geweest en had ook gevonden dat ze George moesten wegsturen. Maar Richard had het idee geopperd om hem naar Amerika te laten opkrassen.

Was dat de beste plek om hem naartoe te verbannen? Edward was er nog niet uit. Misschien was het te ver weg; Oliveri zou Amerika geen goed idee vinden, daar was Edward zeker van. Will en Alfredo wilden George dichter in de buurt hebben, zodat ze gemakkelijk een oogje op hem konden houden. Amos Finnister was het met hen eens.

Later die middag had Edward met Finnister overlegd, waarna ze 's avonds met z'n tweeën bij Withe's waren gaan eten. Het was in de zomer rustig in de club omdat veel leden met hun gezin op vakantie waren.

Amos had het beste idee gehad, die avond onder het eten. Hij had gesuggereerd dat George waarschijnlijk wel naar de wijngaarden in Frankrijk zou willen, aangezien hij graag wijn dronk en een kenner was, die prat ging op zijn kennis van rode en witte wijn en van wijnjaren.

'Maar dan zou hij de helft van de tijd dronken zijn,' had Edward prompt opgemerkt.

'Wie weet,' had Amos voorzichtig geantwoord. 'Maar misschien ook niet, Mr. Edward. Volgens mij is het geknipt voor hem. U zou hem niet eens hoeven over te halen. Hij zou hij uit vrije wil vertrekken, en nog snel ook, zou ik denken.'

Toen was Amos achterover gaan zitten, zonder zijn ogen van Edward af te wenden.

Edward had zijn blik beantwoord. Hij was de eerste die met zijn ogen knipperde en wegkeek. Het leek wel of Amos zijn gedachten had gelezen. Ze begrepen elkaar heel goed.

Elizabeth wist dat er iets heel erg mis was. Edward gedroeg zich zo eigenaardig dat ze zich urenlang zorgen over hem maakte – over zijn gezondheid, zijn gemoedsrust en wat hem dwarszat.

Hij was dinsdag naar Londen gegaan en had de Turkse marmergroeven als excuus gebruikt – wat ze maar half geloofde. Hij was geen leugenaar, had ze al lang geleden ontdekt, maar hij zette de dingen naar zijn hand om ze naar zijn persoonlijke leven te plooien. Op dat moment was ze er echter volkomen zeker van dat hij niet van plan was Jane Shaw of een andere vrouw te bezoeken. Ze was er vast van overtuigd dat hij naar Londen ging vanwege de situatie met George, die achterbaks was en grote wrok tegen Ned koesterde.

Met een zucht ging ze haar slaapkamer uit, ging naar beneden en liep de ontvangsthal van het huis door. Nadat ze een strohoed uit de gangkast had gehaald en die had opgezet, liep ze, voordat de kinderen haar zagen, ijlings het tuinpad af. Ze wilde alleen zijn. Om na te denken.

Het was augustus en schitterend weer. De hemel was strak azuurblauw, bezaaid met mollige witte wolkjes die zich in de zwoele zomerlucht nauwelijks verroerden. Ondanks het feit dat er die morgen geen wind stond, was de zilte zeelucht indringend en alom aanwezig. Ze keek om zich heen, trots op haar tuin, die er met al die bloemen schitterend bij stond: de felle tinten roze en rood, geel en oranje en diverse gradaties van blauw en paars die zich uitbundig met elkaar vermengden. Ze genoot hier in Kent; het was er zoveel warmer dan op Ravenscar, waar het zelfs in de zomermaanden kil was.

Elizabeth was graag in de omgeving van de Romney Marsh. Daar was iets wat haar fascineerde. Wat het was, wist ze niet eens, daar kon ze haar vinger niet op leggen. Niettemin had dit oeroude, vlakke moerasgebied haar in zijn ban.

Haar favoriete plek was het prieel dat Edward een paar jaar geleden had laten bouwen en waar ze nu haastig naarbinnen glipte. Ze ging op een van de comfortabele rieten stoelen zitten om naar de vuurtoren van Dungeness in de verte te staren. 's Avonds zaten ze hier dikwijls, onder het genot van een glas champagne of limonade – naargelang hun stemming, naar de brede lichtbundels te kijken die over Het Kanaal speelden. Nu staarde ze afwezig over de zee, nog steeds met haar gedachten bij Edward.

Hun huwelijk was beter dan het in lange tijd was geweest; ze deed haar uiterste best om niets verkeerds te doen of te zeggen. Bovendien leek Ned evenwichtiger, rustiger, sereen, en ze voelden zich met z'n tweeën op hun gemak op een manier die er sinds het prille begin niet meer was geweest.

En nu dit... dat gedoe met George. Het had Ned veel erger aangegrepen dan ze had verwacht. Hij was rusteloos, somber, humeurig en maakte af en toe de indruk dat hij zich tot gekmakens toe zorgen maakte. Hij vertikte het om haar er iets over te vertellen, en dat zat haar dwars. Meestal nam hij haar in vertrouwen, stortte hij zijn hart uit, zei wat hij te zeggen had en gebruikte haar als klankbord, waarna hij er weer even tegen kon. Ze kon zich niet voorstellen waarom hij zo weinig sprak en alles voor zichzelf hield.

Ze wist dat hij niet goed sliep. In al hun huizen hadden ze aparte slaapkamers en die stonden altijd met elkaar in verbinding. Dikwijls sliep hij, waar ze ook waren, bij haar in bed; hij had er wel degelijk behoefte aan om haar bij zich te hebben en bij haar binnen te kunnen lopen wanneer hij maar wilde, ongeacht waarom – om te praten, om de liefde te bedrijven... meestal voor het laatste. En omdat ze 's nachts zo dicht in elkaars nabijheid waren, wist ze dat hij in de kleine uurtjes opstond, naar beneden ging en buiten op het terras ging zitten of rondliep. Dit baarde haar zorgen; het was duidelijk dat hij niet kon slapen. Dat begon zichtbaar te worden. Hij had donkere kringen onder zijn ogen en hij zag er afgetobd uit. Omdat hij de hele tijd zat te piekeren, leek hij afstandelijk. Hij was in blakende gezondheid uit Turkije teruggekeerd, vol energie en geestdrift. Nu leek het ineens alsof hij een loden last op zijn schouders torste.

Ned was de vorige middag uit Londen teruggekomen, waarmee hij zich aan zijn belofte had gehouden om in elk geval op vrijdag terug te zijn. Hij was lief voor de kinderen geweest, had cadeautjes van Harrod's voor ze meegebracht en had onder het avondeten een ontspannen indruk gemaakt. Elizabeth was zich ervan bewust dat hij een voortreffelijke acteur was, vooral wanneer hij zijn ware gevoelens moest verbergen. De vorige avond had hij dan ook een schitterende vertolking ten beste gegeven – omdat zijn moeder erbij was.

Ze wist dat hij nog lag te slapen. Dat hij op tijd zou opstaan om samen met haar en de kinderen te lunchen, omdat hij dat altijd deed; hij genoot van hun gezelschap. Ze zou niets tegen hem zeggen over zijn probleem, of over zijn nieuwe nachtelijke gewoonte om in de tuin rond te dolen of naar de vuurtoren en de moerassen te wandelen. Die avond zou zijn moeder bij Vicky, Stephen en Grace Rose op Stonehurst Farm gaan eten. Zij en Ned zouden alleen met z'n tweeën eten, en ze was vastbesloten hem zover te krijgen dat hij haar zou vertellen wat hem zo bezighield.

Voor een Engelsman geldt: een man een man, een woord een woord. De handdruk van een Engelsman bezegelt een transactie. Een Engelsman loog en bedroog niet, en speelde geen dubbelspel. Dat waren de erecodes van een gentleman. Dat waren ook de regels in de City, het financiële bolwerk en de zakenwereld. Iedereen hield zich aan die regels; die regels zaten diepgeworteld: een Engelsman werd geboren met die regels in zijn genen. Althans: Edward Deravenel meende dat dat zo was.

Hij was trots op zijn staat van dienst in de zakenwereld. Hij had nooit een scheve schaats gereden, nooit, in de zeventien jaar dat hij de leiding had over de firma Deravenel. Hij was een kampioen, zowel in de ogen van zijn collega's en medewerkers van het bedrijf als in de ogen van andere zakenlieden in de City. Hij was trots op zijn prestaties en zijn uitstekende reputatie; het deed hem genoegen dat hij bij andere succesvolle mannen zo hoog in aanzien stond. Zijn bedrijf was zijn leven, zijn status-quo.

Als hij die wereld van financiën, zaken en onderhandelen en de kameraadschap van zijn collega's zou kwijtraken, zou dat zijn hart breken. En nu was de mogelijkheid daar dat hij dat inderdaad allemaal zou kwijtraken. Dat hij zelfs álles zou kwijtraken. Zijn erfgoed en zijn familie stonden op het spel. En dat allemaal vanwege George en zijn krankzinnige gedrag en zijn verlangen om Ned e vernietigen.

De vorige dag was hij in de Rolls naar Kent gereden, samen met Will Hasling, die bij Waverley Court, Neds huis, een villa had. Op een gegeven moment was Will in de auto, toen ze midden in een discussie over George zaten, zowat uit zijn vel gesprongen. Will had allang geen geduld meer met zijn broer, evenmin als hijzelf.

Op dit moment stond Edward bij het buffet in de eetkamer in Waverley Court. Hij schonk zichzelf een glas witte wijn in en liep toen naar buiten, waar hij naar het prieel slenterde. Het was een heerlijke avond met een hemel die was doorschoten met rood en roze door de zon die aan de horizon onderging. Avondrood, water in de sloot, mompelde hij in zichzelf. Een oud gezegde van zijn moeder. Hij wilde liever even niet aan haar denken. Zij was degene die George verdedigde en beschermde, en vanavond wenste hij niet bij dat feit stil te staan. Allerminst.

Hij was moe en uitgeput van de zorgen. Voor één keer in zijn leven had hij geen zin om de realiteit onder ogen te zien. Toch wist hij dat dat niet anders kon. De problemen staarden hem in het gezicht.

In het prieel zette Edward zijn glas wijn neer, haalde een doosje lucifers uit zijn zak en streek er een aan om de kaars in de stormlamp aan te steken.

Toen hij eenmaal in een stoel had plaatsgenomen, liet hij zijn gedachten de vrije loop, willekeurige gedachten die zijn hoofd binnen sijpelden. Even later sloot hij zijn ogen, waarna hij wederom de realiteit van zich af duwde...

'Ned, Ned, ik ben het...'

Vaag hoorde hij een stem. Toen hij zichzelf dwong om wakker te worden, zag hij zijn vrouw, die op de stoeptreden van het prieel naar hem stond te kijken.

Hij hees zich overeind in de stoel, met zijn ogen knipperend in het schemerige licht, en terwijl hij zichzelf terug naar het heden sleurde, drong het tot hem door dat ze er die avond bijzonder mooi uitzag – etherisch, buitenaards, in een jurk van wuivende witte mousseline.

'Ik vrees dat ik in slaap was gevallen,' mompelde hij. 'Het spijt me vreselijk... Ik denk dat ik maar beter naar binnen kan gaan voor het eten. We zijn toch alleen met ons tweeën?'

'Ja, en nee, je mag niet naar binnen. Nog niet.' Elizabeth stapte het prieel binnen en vervolgde: 'Het eten is nog niet klaar.' Terwijl ze verder liep, dichter naar hem toe, zag hij dat haar gezicht doodsbleek was en haar zilverblauwe ogen bezorgd stonden. Hij wist dat ze op het punt stond hem in een hoek te drijven door te vragen wat er mis was. Hij verroerde zich niet, wetend dat hij zijn problemen niet langer verborgen kon houden. Maar hij moest kalm blijven.

Ze stond stil en ging op de stoel aan de overkant van de tafel zitten, strekte haar arm uit en legde haar hand op zijn arm. 'Ik weet donders goed dat je van streek bent, helemaal in de war, Ned, dus ontken het alsjeblieft niet. Ik weet ook dat je niet kunt slapen... en dat iets je dwarszit. Vertel me alsjeblieft wat het is. Is het George? Ik vóél dat dat het is. Vanwege de dingen die hij over je moeder beweert. Is het niet zo?'

Edward gaf geen antwoord.

Enige ogenblikken later riep ze uit: 'Moet je luisteren! Hij is altijd jaloers op je geweest, dat weet iedereen, en als hij het je moeilijk kan maken, zal hij dat niet laten. Hij is een intrigant, een stoker, een verrader. Ik ben er zelfs stellig van overtuigd dat hij... kwaadaardig is. Slecht, Ned. In en in slecht.'

Nadat hij diep had ingeademd en al zijn zelfbeheersing aanwendde, zodat zijn stem niet ging trillen en zijn gedrag geen emotie zou verraden, zei Edward: 'Ik moet je iets vertellen, Elizabeth. Iets waarvan je het recht hebt het te weten.'

'Je klinkt zo serieus, zo ernstig,' zei ze met een lage stem, omdat ineens, zonder dat ze wist waarom, de angst haar om het hart sloeg. 'Is er nog iets mis?'

'Ik sta voor een catastrofe,' kondigde hij met zijn honingzoete stem aan, die tot zijn eigen verbazing vast klonk. Maar omdat hij innerlijk werd verscheurd door wanhoop en zijn zenuwen tot het uiterste waren gespannen, vroeg hij zich plotseling af of hij het haar wel kon vertellen, of hij er de moed voor had...

'O Ned, zo erg kan het toch niet zijn,' zei Elizabeth, waardoor ze hem vanuit zijn gemijmer met een schok terugwierp in de afschuwelijke realiteit.

Nog steeds zei hij niets. Hij kon het niet. Toen, eindelijk, mompelde hij: 'Het is nog erger.'

'Ik weet niet wat je bedoelt. Zeg me alsjeblieft wat er aan de hand is, Ned.'

Edward ademde diep in en ging enigszins verzitten, zodat hij haar recht kon aankijken. 'Weet je nog hoe ik me gedroeg toen we elkaar leerden kennen?' vroeg hij toen. 'Dat ik tegen je zei dat ik niet wilde trouwen? Dat ik nog te jong was?'

'Nou en of, en daardoor ging ik me schamen voor mijn leeftijd. Ik dacht dat je niet met me wilde trouwen omdat ik vijf jaar ouder was dan jij.'

'Dat was de reden niet. Leeftijdsverschil heeft me nooit parten gespeeld. Dat heeft niets te betekenen.'

'Ik vrees dat ik je nog steeds niet kan volgen.' Ze tastte duidelijk volkomen in het duister. 'Waar wil je naartoe?'

'Ik kon niet met je trouwen.'

Met een frons op haar gezicht schudde ze haar hoofd. 'Ik begrijp het niet.'

'Ik kon niet met je trouwen omdat ik niet vrij was. Ik was al getrouwd.'

Elizabeth zat hem met open mond en grote, glazige ogen aan te staren. Ze schudde met haar hoofd, alsof ze in een ontkenningsfase verkeerde. 'Nee, nee, dat bestaat niet! Dat kan niet. Zeg dat het niet waar is, Ned, alsjeblieft!' smeekte ze met een snik in haar stem.

'Dat kan ik niet. Omdat het waar is.'

Haar ogen weken niet van de zijne en ze fluisterde hees: 'Je hebt bigamie gepleegd, bedoel je dat soms?'

'Ja. Het is al zo lang geleden, dat ik het heb verdrongen... er jarenlang niet aan heb gedacht...' Zijn stem stierf weg.

'Waar is ze nu?' vroeg Elizabeth, voor hem nauwelijks verstaanbaar.

'Ze is dood.'

'Sinds wanneer?'

'Een jaar nadat jij en ik trouwden. Zij en ik waren al uit elkaar. We waren niet meer samen. Het is op een vriendschappelijke manier gegaan. Ze was ziek geweest en wilde opeens in... Norwich gaan wonen. Alleen.'

'Wie was ze?'

'Elinor Burton.'

Weer schudde Elizabeth haar hoofd; ze had de vrouw niet gekend en ze merkte dat ze geen woord kon uitbrengen. Het duizelde haar van wat hij had verteld. Hij had gelijk: het was een catastrofe.

'Ze was weduwe,' lichtte hij toe. 'De weduwe van sir Ellis Nutting. Haar vader was lord Kincannon.'

Elizabeth slikte moeizaam, terwijl ze haar tranen wegknipperde. 'Wie weet hiervan?'

Hij schudde machteloos zijn hoofd. 'Niemand, dacht ik. Tot jij me laatst vertelde over het gesprek tussen George en Roland Davenport.'

Elizabeth trilde, wat ze onmogelijk kon verbergen toen ze met grote moeite de volgende vraag stelde. 'Wie heeft jullie getrouwd?'

'Een priester. In Greenwich. Maar die zou nooit iets loslaten.'

'Hoe weet George het dan?' vroeg ze met trillende stem, terwijl er tranen in haar ogen opwelden en onbelemmerd over haar gezicht sijpelden.

'Ik denk niet dat hij het weet – niet de feiten, althans. Misschien heeft hij bepaalde geruchten opgevangen.'

'Hij moet toch íets weten,' kaatste ze terug, op een toon die opeens harder was.

'Misschien,' gaf hij kalm toe. 'Ik herinner me nog dat ik, toen Elinor overleed, een hele tijd bang ben geweest dat ze bij haar priester had gebiecht, om op haar sterfbed verlossing van haar zonden en vergiffenis te krijgen.'

'George weet het! Dat is het enige waar ik me zorgen over maak.' Elizabeth staarde hem aan en veegde met haar vingertoppen de tranen van haar gezicht.

Omdat hij niet wist wat hij moest zeggen, hield Edward zijn mond. Hij zat daar maar naar haar te kijken, met een krijtwit gezicht en met hevige wanhoop in zijn blauwe ogen.

Plotseling sprong ze op uit de stoel en riep, buiten zichzelf van woede: 'Hoe kón je? Hoe héb je met me kunnen trouwen? Terwijl je al getrouwd was? Ons huwelijk is niet wettig, en dat heb je al die tijd geweten. Onze kinderen zijn onwettig. Alle zeven. Je erfgenamen zijn je erfgenamen niet. George is je erfgenaam!' Elizabeth draaide zich met een ruk om en liep op de stoeptreden af, op het punt het prieel in alle haast te verlaten, maar toen bedacht ze zich, keerde zich weer om en keek hem aan.

Ook hij was opgesprongen en hij deed een stap in haar richting, terwijl hij zei: 'Elizabeth, luister alsjeblieft naar me...' Hij brak zijn zin af toen hij de afschuw op haar gezicht zag.

Ze stak haar armen voor zich uit, met haar handpalmen naar hem toe, alsof ze hem wilde wegduwen als hij nog dichterbij zou komen.

Hij bleef stokstijf staan. De moed zonk hem in de schoenen.

Ze schreeuwde het nu uit, luid en duidelijk: 'O god! O god! Wat moeten we doen? Dit is een ramp. Ons leven is een puinhoop. Je zaak ligt in puin. Ik word in het verderf gestort en onze kinderen, onze onschuldige kinderen, ze worden allemaal in het verderf gestort. En allemaal door jouw schuld, Edward Deravenel. Je hebt tegen me gelogen!'

'Ik heb niet gelogen. Ik nooit iets gezegd...'

'Je loog door te zwijgen!' Haar gezicht was vertrokken van verdriet en woede en ze was net zo bleek geworden als hij. 'Geen wonder dat je broer van alles over je roept en in zijn vuistje lacht. Hij heeft je beet – bij je ballen!' raasde ze, vol peilloos diepe haat voor hem.

'Ik denk dat ik een oplossing heb,' begon Edward. 'De enige oplossing...' Hij onderbrak zichzelf. Ze was de treden afgerend en het prieel ontvlucht. Hij rende achter haar aan en viel over een grote kei die uit de rotstuin stak. Hij krabbelde overeind en rende verder, de tuin door. Ze was nergens te bekennen. Hij holde naar het huis en rende de kamers door, op zoek naar haar, terwijl hij haar naam riep.

Ze was er niet. Nadat hij Faxton, de butler, had gealarmeerd, die hem met open mond aanstaarde, ging hij weer naar buiten, in de richting van het stuk moeras met uitzicht op de vuurtoren. Hij riep haar naam, keer op keer. Er kwam geen reactie. Ze was verdwenen.

Edward zocht bijna het hele moerasgebied af, dankbaar dat het pas acht uur was en nog licht. Maar hij wist dat weldra de schemer zou invallen en hij was dodelijk ongerust. Waar was Elizabeth?

Plotseling schoot hem te binnen dat ze misschien naar een strook land was gegaan die hij jaren geleden had ontruimd en waar de kinderen meestal gingen spelen.

Toen hij enkele minuten later bij het terrein kwam, kreeg hij haar onmiddellijk in het oog: ze zat in elkaar gedoken op de houten bank. Een immense opluchting maakte zich van hem meester, en hij ging nog harder rennen.

Ze keek niet op toen hij naast haar bleef staan. In een hoek van de bank, met haar benen onder zich opgetrokken, snikte ze het uit alsof haar hart zou breken. Het was al gebroken, dat wist hij. Maar hij kon het helen. Dat moest, ter wille van alles, vooral voor zijn kinderen.

Edward legde een hand op haar schouder, heel even maar. Ze schudde hem van zich af en mompelde: 'Ga weg. Raak me niet aan. Je zult me nooit meer aanraken. Ga maar weg. Laat me alleen.'

Hij week achteruit, niet meer dan een stap. Zachtjes zei hij: 'Elizabeth, het spijt me dat ik je zo veel pijn heb gedaan. Dat was dom van me. Ik eh... toen ik jou ontmoette was ze alleen nog maar een herinnering, en ik wilde jou zo graag. Ik hield van je.'

'Geilde op me, bedoel je dat niet?' siste ze.

'Ja, dat is waar, ik voelde inderdaad een razende lichamelijke begeerte voor je, meer dan voor welke vrouw ook. Geloof me, het is waar. En ik moest je hebben... Ik moest gewoon, Elizabeth. Maar jij was de deugdzame weduwe. Jij wilde trouwen, dus trouwde ik met je.'

'En ik heb je zeven kinderen geschonken. Allemaal bastaards.'

'Niet doen! Zeg dat niet. Ik kan het in orde maken, ik kan alles goedmaken.'

Iets in haar brak; ze stond op en keek hem recht in zijn gezicht. Haar ogen stonden vol haat. Voor hij zich kon verroeren, vloog ze op hem af en begon met haar vuisten op zijn borst te slaan, harder en harder, terwijl ze gilde: 'Je hebt mijn leven verwoest, en het leven van onze kinderen. Ik walg van je om wat je ons allemaal hebt aangedaan! Ik zal het je nooit vergeven, Edward Deravenel. Nooit!'

Hij wist haar handen te pakken te krijgen en hield haar bij haar polsen vast, terwijl hij haar aankeek. 'Ik ben fout geweest. Het spijt me verschrikkelijk. Ik kan alles goedmaken, als je maar zou willen luisteren.'

'Waarom zou ik naar jóú luisteren?' riep ze uit, maar ze voelde haar energie wegebben; ook waarschuwde haar innerlijke stem dat ze naar hem moest luisteren. Ze moest wel, er zat niets anders op. En toen begon ze te huilen, en de tranen rolden over haar wangen. Meteen sloeg hij zijn armen om haar heen en drukte haar dicht tegen zich aan. Ze huilde zonder ophouden; hij troostte haar, streelde haar haar, kuste haar gezicht en haar oogleden. Langzaam wist hij haar te kalmeren, en na een poosje bracht hij haar terug naar de tuinbank.

Nadat hij naast haar was gaan zitten, sloeg hij een arm om haar schouders en zei zachtjes: 'Ik weet dat ik je heb gekwetst, en dat spijt me. Maar als je wilt luisteren, zal ik je vertellen wat ik kan doen om ons probleem op te lossen.'

Ze knikte, omdat ze niet op haar eigen stem vertrouwde.

'Ik moet met je trouwen, en wel meteen. Om onze verbintenis wettig te maken. Dat is dringend.'

'Hoe kunnen we dat doen? Iemand zal erachter komen.'

'Welnee.'

'Maar we zullen naar een kerk moeten, of naar de burgerlijke stand. Hoe kan dat, zo zonder meer? Dat is onmogelijk. Je bent zo bekend.'

'Dat is maar al te waar, je hebt gelijk. Maar ooit ben ik in het geheim met je getrouwd, en nu moet ik nog eens in het geheim met je trouwen.'

'Waar?'

'In de kapel op Ravenscar.'

'Wanneer?'

'Zo snel mogelijk. We gaan er morgen met de trein naartoe en dan gaan we meteen trouwen. Qua tijd kan het niet beter. Mijn moeder en de kinderen zijn er. Zodra we er zijn, ga ik naar het dorp om met pater O'Connor te praten. Hij zal ons trouwen, daar ben ik van overtuigd.'

'Maar hij zal het vreemd vinden, en dan gaat hij praten. Je weet hoe dorpspriesters zijn... net oude wijven, roddeltantes.'

'Nee, pater Michael niet. Hij heeft de Deravenels altijd een warm hart toegedragen. Hij wordt op Ravenscar in de watten gelegd, dat kan ik je verzekeren. Bovendien is hij al meer dan dertig jaar onze familiepriester, vanaf het moment dat hij uit Ierland overkwam om bij ons de plaats van zijn oom in te nemen. Je moet me geloven, hij is uitermate betrouwbaar. En hij zwijgt als het graf.'

'Maar zal hij het niet eigenaardig vinden? Ons nog eens te trouwen, terwijl hij denkt dat we al getrouwd zijn?'

'Ik zal tegen hem zeggen dat we onze verbintenis opnieuw willen bezegelen – dat is heel romantisch... dat we nog een kind willen en dat ons verblijf op Ravenscar onze tweede huwelijksreis is.'

Terwijl ze zich van hem losmaakte, lachte ze hem in zijn gezicht uit.

Zonder acht te slaan op die abrupte opwelling van woede zei hij: 'Het is de enige oplossing, geloof me. Ik heb er mijn hersens op gepijnigd. We trouwen in de kapel, en alleen wij drieën zullen het weten. Als we eenmaal getrouwd zijn, mag George zeggen wat hij wil. Dan ben je mijn wettige echtgenote.'

Ze zei helemaal niets, maakte geen enkel geluid.

Ze bleven daar nog een hele tijd zitten, tot de schemer inviel. En toen daarna de hemel van kleur veranderde, pakte hij haar bij de hand en trok haar overeind. Samen liepen ze in volkomen stilte naar het huis.

Al had ze hem geen antwoord gegeven, Edward was er zeker van dat ze op zijn voorstel zou ingaan. Wat had ze voor keus? Er was geen andere manier om orde op zaken te stellen.

Vierendertig

Ravenscar

Het was een koele avond, al was het augustus, maar dat was nu eenmaal normaal weer voor de noordelijke kuststreek. Hoog boven Ravenscar stond een volle maan die haar zilveren gloed wierp op het oude stenen huis, de tuinen en het pad dat naar de kapel leidde. De kapel stond in een hoek van een groep hoge bomen, een klein eindje van het woonhuis af, en was even oud en in dezelfde tijd gebouwd.

Edward pakte Elizabeths hand beet en leidde haar naar de kapel. Daar waren hij en zijn broers en zusters gedoopt en was de herdenkingsdienst voor zijn vader en broer Edmund gehouden... zo lang geleden inmiddels: zeventien jaar. Wat vliegt de tijd, dacht hij. Terwijl hij om zich heen keek, schoot hem te binnen hoeveel Edmund van dit uit lichte Yorkshire-steen opgetrokken kapelletje had gehouden. Het had glas-in-loodramen, bewerkte eikenhouten kerkbanken en een schitterend altaar.

Pater Michael O'Connor, de familiepriester, stond hen al op te wachten en kwam haastig naar voren toen ze het middenpad af liepen.

Hij was een montere, bourgondische man, en er lag een hartelijke glimlach op zijn gezicht toen hij hen enthousiast begroette. Hij zei tegen Elizabeth: 'Het is prachtig, wat u vanavond gaat doen, Mrs. Deravenel, echt iets heel moois.'

Ze glimlachte terug en zei met gedempte stem: 'Het leek me wel leuk om onze verbintenis te vernieuwen, Pater. Hartelijk dank dat u op dit uur naar de kapel hebt willen komen.'

'O nee, graag gedaan, echt waar. Het is me een genoegen deze plechtigheid te voltrekken,' antwoordde de priester. Hij trok hen mee naar het voorgedeelte van de kerk en het altaar.

Toen ze voor hem stonden, las hij bij het licht van talrijke kaarsen de huwelijkse geloften voor en nadat ze die hadden nagezegd, verklaarde hij hen tot man en vrouw. 'Voor een tweede keer,' voegde hij er na afloop met zijn zangerige Ierse tongval aan toe. Nadat hij hun de zegen had gegeven liet hij hen gaan en keek hen vanaf de treden van de kapel na.

Edward liep met Elizabeth via de hangende tuinen naar de vervallen burcht, waar ze samen een paar minuten in stilte bleven staan en over de Noordzee uitkeken. Die blikkerde als een maliënkolder in het maanlicht, en op die oeroude plek daalde er een vredig gevoel over hen neer. Ze bleven een hele poos zwijgen, ieder verdiept in zijn eigen gedachten. In elk geval waren ze allebei blij dat ze zo gemakkelijk en zo snel waren getrouwd.

Uiteindelijk fluisterde Edward: 'Nu zijn we echt voor de wet getrouwd. Jij bent mijn enige echte vrouw, ik ben je enige echte man. Van nu tot in de eeuwigheid. En onze kinderen zijn onze kinderen.'

Een hele tijd zei ze niets, niet in staat een woord uit te brengen. Ze was nog steeds bezig de woede en de walging te bedwingen die dagenlang na de gruwelijke scène in Kent was blijven hangen. Een scène die ze nooit zou vergeten. Achteraf had hij geprobeerd hun relatie te lijmen door die afgrijselijke zaterdagavond de liefde met haar te willen bedrijven. Maar daar had ze zich aan onttrokken en hem niet in haar bed toegelaten. Ze moest hem nageven dat hij daar begrip voor had gehad en zich had gedragen als de heer die hij was. Hij was zonder meer weggegaan en had haar in haar kamer alleen gelaten.

Met een lichte zucht moest ze uiteindelijk toegeven dat hij had gewonnen. Hij had gewonnen omdat zij geen andere keus had – geen andere keus dan met hem te trouwen. Maar daarmee had ze haar gezin gered én ze had Ned gered van de catastrofe waarvoor hij altijd doodsbang was geweest.

Als ze eerlijk was, was ze voor een deel blij dat ze nog bij elkaar waren, dat dit huwelijk was voltrokken. Afgezien van zijn uiterlijk, zijn atletische lichaam, waar hij zo trots op was, en zijn enorme geslachtsdrift, was hij ook een heel lieve man. Hij was extreem vrijgevig en een buitengewoon goede vader. Helaas bewoog zich in zijn leven Jane Shaw op de achtergrond; aan de andere kant zorgde deze vrouw niet voor problemen.

Ze haalde diep adem en vlijde zich tegen hem aan. Zich bewust van het feit dat ze zich opeens gewonnen gaf, tilde hij haar gezicht op en drukte een kus op haar wang.

Omdat ze wist dat hij niet verder zou gaan, niet nadat ze hem die zaterdagnacht had afgewezen, sloeg ze haar armen om hem heen en keek omhoog in zijn aantrekkelijke gezicht.

Hij besefte dat ze op dat moment hun problemen achter zich had gelaten, boog zijn hoofd en kuste haar op de mond. Ze reageerde op de haar eigen vurige manier door haar lichaam tegen hem aan te drukken, waarna ze een hele poos dicht tegen elkaar bleven staan, terwijl ze elkaar met een verzengende hartstocht kusten.

Op het laatst maakte Edward zich los. 'Het komt allemaal goed.'

'Beloof je het?'

'Ik beloof het.'

Nu was het Elizabeths beurt om een stapje terug te doen, en toen ze hem diep in de ogen keek, rilde ze van begeerte. Wat was hij toch een schitterende man. Die avond waren zijn ogen heel diepblauw, bijna marineblauw, en ze stroomden over van de lust die ze ook zelf voelde.

'Laten we naar binnen gaan,' zei hij zacht. 'Laten we naar bed gaan.'

Ze knikte. Toen ze de burcht achter zich hadden gelaten, pakte ze hem plotseling bij zijn arm en zei: 'Ned, we zitten nog altijd met George. Wat ben je van plan aan hem te doen? Hij vormt een gevaar voor ons, dat weet je.'

'Dat weet ik. En ik zal de situatie oplossen, maak je daar maar geen zorgen over. We zullen korte metten maken met de situatie – met hem.'

'Ook al zijn we nu keurig getrouwd, je moet zorgen dat hij ophoudt met dat geklets over jou en de kinderen. Over ons.'

'Dat ga ik zeker doen.'

'Wanneer?'

'Zodra we in Londen terug zijn, zal ik George gaan aanpakken. Nu is het bedtijd. Het is onze huwelijksnacht, Mrs. Deravenel, en we gaan ons leven met z'n tweeën helemaal opnieuw beginnen.'

Het was stil in huis.

Cook had zich al een hele tijd geleden teruggetrokken, en toen ze eerder op de avond op weg naar de kapel waren gegaan, had Edward tegen Jessup gezegd dat ze een wandeling gingen maken en over een halfuur terug zouden zijn.

Toen ze door de vestibule liepen, dook de butler uit zijn pantry op en vroeg met gebogen hoofd: 'Wenst u nog iets, Mrs. Deravenel?' Hij keek naar Edward. 'En u, sir?'

'Nee, dank je wel, Jessup. Je mag afsluiten. Welterusten.'

'Welterusten, sir, en u ook welterusten, Mrs. Deravenel.'

'Welterusten, Jessup.'

Toen ze in haar kamer waren, draaide Edward haar naar zich toe en streek zachtjes met een vinger over haar wang. 'Dank je, Elizabeth, dank je dat je me hebt geholpen om... orde op zaken te stellen.' Er volgde een korte stilte, waarna hij glimlachte. 'Mag ik vannacht je bed delen?'

'Ja.' Na een lichte aarzeling voegde ze er met gedempte stem aan toe: 'Je weet best dat je hebt gewonnen, Ned.'

'Ik weet dat je onze problemen eindelijk van je af zette toen je in de burcht berusting vond. Maar ik ben geen arrogante man, en dat zou jij inmiddels beter moeten weten dan wie ook. Dat je me vurig kust en me dicht tegen je aangedrukt houdt hoeft nog niet te betekenen dat ik de liefde met je mag bedrijven. Of vanavond bij je in dit bed mag slapen. Wat ik eigenlijk bedoelde.'

'Je mag mijn bed delen,' antwoordde ze, iets luchtiger, waarna ze met een onverwachte nonchalance door de kamer liep. Ze trok haar jurk van lichtblauwe chiffon uit, schopte haar schoenen uit en ontdeed zich langzaam van al haar ondergoed. Vervolgens pakte ze de witsatijnen peignoir die over een stoel klaar hing.

Hij observeerde haar wellustig, waarbij hij terstond een erectie kreeg, brandend van begeerte, terwijl ze zich uitkleedde. Hij draaide zich op zijn hielen om, ging naar zijn eigen kamer en kwam al snel terug, gehuld in een marineblauwe kamerjas.

Elizabeth stond bij het raam over de inktzwarte zee uit te kijken en naar de donkere lucht die vanavond slechts bezaaid was met een handjevol sterren. Hij kwam achter haar staan, sloeg zijn armen om haar heen en begroef zijn gezicht in haar nek. Ze draaide zich naar hem toe en mompelde: 'Ik heb me gewonnen gegeven omdat ik geen keus had, Ned.'

Hij reageerde niet. Hij pakte haar bij de hand en leidde haar naar het bed, waar ze samen op gingen liggen, met hun gezicht naar elkaar toe. Een paar tellen later zei hij: 'Toch vind ik dat we onze verbintenis moeten consumeren, jij ook? Op die manier worden we echt man en vrouw.' Zijn onweerstaanbare glimlach flitste over zijn mond; zijn ogen waren intens blauw.

Terwijl ze hem aankeek, trok ze met een glimlach de ceintuur van zijn kamerjas los, waarna ze haar peignoir opendeed, dichter naar hem toe schoof en haar armen naar hem uitstrekte.

Hij boog zich over haar heen en kuste haar vurig, streelde haar borsten en daalde met zijn lippen af naar een van haar tepels. De andere hand gleed naar haar dijen en bleef tussen haar benen liggen. Het duurde niet lang, of ze slaakte een lang aangehouden, bevrijdende zucht, waarna haar hand zich om zijn erectie sloot. Binnen enkele seconde hees hij zich op een elleboog op en keek heel aandachtig op haar neer. 'Maar je hebt je ook gewonnen gegeven om dit... om mij, om ons, om dit soort geweldige seks die we samen hebben en waarvan we al veertien jaar samen genieten. Ik weet dat ik niet zonder je kan... hierom. En geef toe: jij kunt ook niet zonder mij, hierom.'

'Nee.' Haar ogen liepen over van haar begeerte. 'Dat is zo.'

Hij zweeg, en zonder verder nog iets te zeggen begon hij haar opnieuw te strelen, zonder één plekje over te slaan, terwijl hij bedacht hoe heerlijk ze was. En zij dacht aan zijn immense potentie en mannelijkheid. En uiteindelijk was het tussen hen weer zoals het altijd was geweest.

'Ah, ja,' steunde hij zachtjes, terwijl hij in haar kwam, aangetrokken door de hitte van haar lichaam en haar verzengende verlangen naar hem. 'O ja, Elizabeth,' kreunde hij. 'Mijn vrouw...'

Toen hij tegen haar aan begon te bewegen, reageerde ze meteen door haar lichaam naar hem omhoog te krommen. Ze klampten zich aan elkaar vast en vonden een gezamenlijk ritme, zoals altijd in volmaakte harmonie, tot ze samen als één klaarkwamen. Hij bleef op haar liggen en bewoog zich niet. Zij evenmin. En zo bleven ze een hele poos liggen.

Omdat hij op dat moment wist dat hij haar nooit zou verlaten, vroeg hij zich af waarom hij in godsnaam een scheiding had overwogen. Het idee alleen al was belachelijk. Ze had hem tot haar seksuele slaaf gemaakt. En op haar heel speciale manier maakte ze hem gelukkig.

Alsof ze zijn gedachten las, vroeg ze even later: 'Maak ik je gelukkig, Ned?'

Als antwoord begon hij haar opnieuw te kussen, waarna hij zijn hoofd optilde en op haar neerkeek. 'In extase, zo voel ik me wanneer we samen zijn, zoals nu. En jij ook, is het niet?'

'Ja, Ned, ik ook,' antwoordde ze, en ze meende het.

Hij nam haar in zijn armen en drukte haar tegen zich aan. En ze sliepen de hele nacht in elkaars armen.

Vijfendertig

Londen

'Ik heb sterk het gevoel dat het Lot ons goed gezind is,' merkte Will Hasling op toen hij Edwards kantoor binnen kwam dat in verbinding stond met het zijne, zodat ze gemakkelijk bij elkaar binnen konden lopen.

Edward keek met een ruk op, waarna zijn gezicht opklaarde. 'In welk opzicht?'

'Ik heb zojuist een lange brief van Vincent Martell ontvangen, en het schijnt dat hij aan zijn pensioen toe is en zelfs van plan is om zich terug te trekken. Hij heeft zich opgeworpen als adviseur voor ons te gaan werken, maar hij heeft geen zin meer de leiding te hebben over de wijngaarden in Mâcon.'

'Wat een verrassing. Ik heb altijd gedacht dat hij op de wijngaard zou sterven. Uiteindelijk heeft hij er bijna zijn hele leven gewerkt.'

'Laten we niet vergeten dat hij de zestig is gepasseerd. Ik heb het gevoel dat hij moe is, Ned.'

Even keek Edward bedachtzaam, maar toen vroeg hij: 'Heeft hij iemand aanbevolen om zijn plaats in te nemen?'

'Inderdaad. Marcel Arnaud, die al een jaar of tien op de wijngaard werkzaam is. Ik vind dat we Vincents advies moeten opvolgen en hem als adviseur moeten aanstellen. Maar ik zie hier ook een kans, een kans waarmee we ogenblikkelijk ons voordeel moeten doen.'

'*George*. Je wilt dat ik George naar Mâcon stuur, om hem kwijt te zijn, en ook omdat het in de Bourgogne niet uitmaakt wat voor onzin hij over ons uitkraamt omdat het niemand iets zegt – of er iets van begrijpt.'

'Zo is dat.'

'Waarom denk je dat hij zal gaan?' vroeg Edward. Hij keek even sceptisch, maar toen moest hij stilletjes lachen. 'Waarom zou hij bezwaar maken? Hij spreekt redelijk goed Frans en hij zal niet veel te doen hebben, aangezien hij niets weet over wijnbouw en hoe ze wijn maken. Het zal een luizenleventje worden en nu Vincent met pensioen gaat, zou het ons geen problemen opleveren – conflicten, geruzie, of zo. Volgens mij zal hij het zelfs heel goed kunnen vinden met Marcel. En de aanwezigheid van zus Meg, niet al te ver weg in Dijon, maakt het extra aantrekkelijk. Je weet dat ze altijd dol op hem is geweest.'

'Precies wat ik zelf ook dacht. Ik dacht ook dat het een goed idee zou zijn als ik hem naar de Bourgogne zou brengen, om hem rond te leiden en het chateau te laten zien. Toen ik er voor het laatst was, lag het er fraai bij, in onberispelijke staat. George zou daar heel gerieflijk kunnen wonen. Nee, ik kan geen enkele reden bedenken waarom hij die kans niet met beide handen zou aangrijpen,' besloot Will.

'Hij zou het kunnen vertikken, louter om dwars te zijn.'

'Daar zeg je zo wat,' sputterde Will. 'Enfin, ben jij het ermee eens dat het een kans uit duizenden is?'

'O, absoluut! Is hij vandaag op kantoor?'

'Ik geloof van wel.'

'Dan zal ik met hem in het Savoy gaan lunchen. Ik zou het fijn vinden als je met ons meeging. Uiteindelijk heb jij het overzicht op het reilen en zeilen op onze wijngaarden en weet je er meer over dan wie ook.'

'Nou, graag. Hoe laat?'

'Is één uur oké?'

'Dat komt me prima uit, Ned. Zal ik vragen of Oliveri mee gaat?'

'Goed idee.'

Will knikte, draaide zich op zijn hakken om en liep naar de tussendeur om naar zijn eigen kantoor te gaan.

Alfredo Oliveri zag dat George Deravenel door de Grill Room van het Savoy Hotel hun richting op kwam lopen. Opnieuw was hij onder de indruk van de verschijning van de jonge man. Al was hij niet zo lang en knap als zijn broer, George zag er niettemin goed uit. Hij had net zulk licht haar als Edward, hoewel zijn haar echt blond was in plaats van rossig goudkleurig, en zijn ogen hadden een aparte blauwgroene tint. Bijna turquoise, bedacht Alfredo, terwijl hij George aankeek toen hij bij de tafel bleef staan.

'Hallo, George, bedankt dat je ons gezelschap komt houden,' zei Edward vriendelijk.

'Bedankt dat je me hebt uitgenodigd,' luidde Georges kille reactie, waarna hij tegenover zijn broer plaatsnam.

'Wat wil je hebben?' vroeg Edward. 'Champagne?'

'Dat is prima, graag.' Hij keek eerst naar Oliveri en vervolgens naar Will, die hij allebei toeknikte. 'En, vanwaar dit samenzijn?' Terwijl hij dat vroeg streek hij zijn haar van zijn voorhoofd. 'Je had het over goed nieuws – goed nieuws voor mij, liet je doorschemeren. Dus kom er maar mee voor de dag, Ned.'

'Het is inderdaad goed nieuws, dat vind ik tenminste,' antwoordde Edward op effen toon, terwijl hij zich beheerste. George klonk net zo kribbig als altijd, en Ned bespeurde diezelfde vijandige houding die hij de laatste tijd aan de dag had gelegd. Een onmiskenbaar vijandige houding, onder de oppervlakte, tegen hem gericht. Zal George het ooit leren, vroeg Edward zich af, waarna hij tegen zijn broer zei: 'Vincent Martell gaat bijna met pensioen. Dat heeft Will vandaag pas van hem gehoord. Marcel Arnaud zal de leiding over de wijngaarden van Mâcon op zich nemen, maar ik dacht dat het voor jou een prima kans zou kunnen zijn. Om naar Frankrijk te gaan en zo veel mogelijk over de wijngaarden te leren. Aangezien Vincent beschikbaar blijft om ons te adviseren, zou jij zeer gebaat zijn bij zijn aanwezigheid. Van alle mensen die daar werken, weet hij het allermeeste van wijn af. Ik vind het jammer dat hij met pensioen gaat, maar ik heb begrip voor zijn motivatie. Hij is moe.'

Hoewel het idee in een chateau te gaan wonen en in Frankrijk te zijn hem best aantrok, was George niet van plan dat aan Edward te vertellen, dus vroeg hij enigszins strijdlustig: 'Waar haal je het idee vandaan dat ik naar Frankrijk zou willen? Om er te gaan wonen? Mij niet gezien.' Hij trok een gezicht om zijn mening kracht bij te zetten.

'Wijs het nou alsjeblieft niet zonder meer af,' mompelde Edward op verzoenende toon. Hij wilde George uit Engeland weg hebben en was bereid om zich redelijk maar overtuigend op te stellen om zijn doel te bereiken.

'Ik wijs het niet af. Ik wil alleen weten wat ik er beter van word.' Nu speelde George het klaar om zowel kribbig als inhalig te klinken, wat typisch voor hem was.

Edward keek zijn broer peinzend aan. 'Je wordt er heel wat beter van, George. Een fraai huis, een nieuwe start bij Deravenel en dicht in de buurt van de vrouw die alleen maar onvoorwaardelijk van je houdt – ons zusje Margaret. Eerlijk gezegd had ik verwacht dat je het fantastisch zou vinden.'

'Het zou best geschikt voor me kunnen zijn,' reageerde George na een paar minuten. 'Ik ben geïnteresseerd in wijn, en ik weet er heel wat van. En eigenlijk zou ik er nog wel meer van willen weten. Bovendien neem ik aan dat er een verhoging van mijn salaris inzit en dat er bovendien flinke bonussen bij zijn inbegrepen.'

'O, reken maar, George.' Edward wist niet hoe snel hij hem hiervan moest verzekeren. Het geld speelde geen rol, zolang het maar het gewenste resultaat opleverde. Maar toch vond hij George wel ontzettend gulzig.

George besloot voorlopig zijn mond te houden. Hij pakte zijn glas en hief het naar Edward. 'Op jou, broertje. Dat je wel mag varen, en Deravenel ook.'

'Proost, George,' zei Edward, terwijl ook hij zijn glas hief. 'Ik weet zeker dat je wel zult varen, George. Daar zal ik me volledig voor inzetten.'

De vier mannen klonken met elkaar, waarna Will degene was die vroeg: 'En wat is dus je antwoord, George?'

'Ik zal erover nadenken,' antwoordde hij gevat, waarna hij hun een poeslieve glimlach schonk.

'Wat is dat allemaal, dat je George erop uitstuurt om de leiding over de wijngaarden van Mâcon op zich te nemen?' vroeg Richard de middag erna, terwijl hij tegenover Edward aan diens bureau ging zitten.

'Ik stuur hem nergens op uit, Richard. Ik vroeg hem of hij er zin in had, en hij heeft me nog geen antwoord gegeven. Hij denkt erover na.'

'Ik vind niet dat hij het moet doen,' zei Richard.

'Waarom niet?'

'Dat is riskant voor hem. Hij drinkt zich nog dood, dat zul je zien.'

'Welnee, hij is niet stom. En ik zei je net, Richard: de keus is aan hem.'

Richard staarde Edward hoofdschuddend aan. 'Ik vind dit ongelooflijk.' Hij slaakte een diepe zucht. 'Het is niets voor jou om zo... zo traag van begrip te zijn. Je ziet de risico's toch wel?'

'Misschien heb je gelijk. Maar daar kan ik me het hoofd niet over breken. Ik wil hem hier weg hebben. Hij zegt de vreselijkste dingen over onze moeder, en beweert dat ik een bastaard ben. Dat wéét je.

Je hebt vast de roddels wel gehoord die hij verspreidt. Bovendien beweert hij ook dat mijn kinderen bastaards zijn. Ik heb hem de hand boven het hoofd gehouden en hem heel wat dingen vergeven, zo veel misstappen, en al zo vaak, Dick. Dat weet je. Hij leert het nooit en nu is mijn geduld met hem uitgeput.'

'Ik weet het en ik voel met je mee. George is absoluut niet loyaal geweest toen Neville tegen je samenspande, en zijn bedrog is behoorlijk... nou, ontstellend geweest, Ned. Aan de andere kant: hem een wijngaard aanbieden om in te spelen is alsof je een revolver in zijn hand legt.' Richard vertrok zijn gezicht. 'Hij zal geen weerstand kunnen bieden aan het zuipen.'

'Misschien dat hij gaat drinken, ja. Aan de andere kant denk ik dat hij verstandig genoeg is om zich niet te buiten te gaan. Trouwens, hij kan heel goed weigeren om te gaan. Uiteindelijk heb ik het hem áángeboden – ik wil niet met alle gewéld dat hij naar Frankrijk vertrekt.'

Richard stond op. 'Ik begrijp het,' mompelde hij en liep naar de deur. 'Laat me weten wat er gebeurt, wat George uiteindelijk zegt. Ik ga vanmiddag naar Yorkshire. Francis Lowell heeft me nodig met de fabrieken in Bradford. We zitten met een probleem.'

'Toch niet al te ernstig?' vroeg Edward, terwijl hij Richard vorsend aankeek.

'Nee. En wij zullen het wel weer fiksen.'

'Je hebt het bij de bedrijven in het noorden prima gedaan, Dick. Ik ben trots op je. Ik wil dat je dat weet.'

'Bedankt, Ned. Maar laten we niet vergeten dat ik een paar prima mannen heb die met me samenwerken. Francis Lowell, Robert Clayton en Alan Ramsey. Ik bof.'

Nadat Richard was vertrokken, draaide Edward rond in zijn stoel en staarde naar de grote landkaart aan de muur achter zijn bureau. De landkaart van zijn vader.

Op dat moment was Edwards blik op Frankrijk gericht, en in het bijzonder op de Bourgogne. De wijngaarden van Deravenel brachten uitstekende Mâcon-wijnen voort, waaronder een schitterende Pouilly Fuissé, een van de beste witte wijnen, en een paar prima beaujolais-wijnen die uitermate populair waren. Deze wijngaarden waren altijd winstgevend geweest, net als hun wijngaarden in de Provence.

Opeens vroeg hij zich af of ze de verkeerde plek hadden gekozen om George naartoe te sturen, waarna hij die gedachte ogenblikkelijk van zich af zette. De Provence zou het ergst zijn, gevaarlijk; dat lag te dicht bij de Rivièra. Er was geen twijfel mogelijk dat de Bourgogne de juiste plek was.

Margaret en Charles waren in hun chateau bij Dijon niet al te ver bij hem uit de buurt. De familie van Charles produceerde al een paar honderd jaar Nuits-St-Georges en nog enkele andere uitstekende rode wijnen, en George zou een poos bij hen kunnen gaan kijken. Hij was ervan overtuigd dat Meg haar lievelingsbroer te allen tijde met open armen zou ontvangen.

Broadbent had al op hem staan wachten om hem terug te rijden naar het huis aan Berkeley Square, en eenmaal op de achterbank van de Rolls zat Edward over zijn twee broers na te denken.

Zodra hij de voordeur met zijn sleutel had geopend en binnenstapte, kwam Mallet op hem af en zei met gedempte stem: 'Goedenavond, sir. Mrs. Deravenel wacht in de bibliotheek op u. Uw moeder, moet ik zeggen, sir.'

Hoe geschrokken hij ook was, Edward knikte slechts. 'Dankjewel, Mallet. Zeg tegen Cook dat ik op de gewone tijd wil eten, en ik zal je laten weten of mijn moeder met me mee eet.'

'Jawel, Mr. Deravenel.'

Edward liep met grote stappen de marmeren vestibule door en ging naar de bibliotheek. 'Goedenavond, moeder,' zei hij, terwijl hij op haar toe liep. 'Wat een aangename verrassing. Ik wist niet dat u in de stad was. Eet u straks met me mee?'

'Nee, nee, ik kan niet, Edward, maar toch bedankt.'

Hij ging voor de haard staan, al brandde er op deze mooie avond in augustus geen vuur. 'Wilt u soms iets met me bespreken, mama?' vroeg hij zacht.

'Inderdaad, Edward. Ik wil met je praten over je broer. George.'

'Aha.'

'Ik wil niet dat je hem naar de Bourgogne stuurt. Een verblijf in de wijngaarden in Mâcon zal zeker zijn dood betekenen. Dat weet ik gewoon.'

'Ik denk dat u George onderschat. Ik ben van mening dat hij zijn drankconsumptie zal beperken en enige mate van verstand aan de dag zal leggen. Hij weet dat drank zijn ondergang betekent, dus hij zal niet veel drinken, maakt u zich daar alstublieft niet bezorgd over.'

Cecily Deravenel keek haar oudste zoon aan en schudde toen vol ongeloof haar hoofd. 'Hij is alcoholist! Hij heeft zichzelf niet in de hand. En vanwege het grote verlies dat hij heeft geleden is hij er slecht aan toe. Hij mist Isabel.'

'De keus om al dan niet naar Frankrijk te gaan is aan hem, moeder, en voor zover ik weet, heeft hij nog geen beslissing genomen. Dus deze discussie is een ietsje prematuur, vindt u ook niet?'

'Nee. Natuurlijk zal hij gaan, daar kan hij geen nee tegen zeggen. Ik verzoek je het aanbod dat je hem hebt gedaan te herroepen. Verban hem, als je het niet laten kunt, maar stuur hem niet naar de wijngaarden, Edward. Alsjeblieft!'

'Ik zei u al: de keus is aan hem.'

'Je bent heel obstinaat, dat zie ik. Ik kan alleen maar zeggen dat je hem ter dood veroordeelt.' Ze stond op en liep langzaam op de deur af. Daar draaide ze zich om en keek Edward doordringend aan, met een ernstig gezicht en ogen waarin een verschrikkelijk verdriet te lezen stond. 'Ik heb je nooit om iets gevraagd, Ned, niet één keer in de zeventien jaar sinds je Deravenel hebt overgenomen. Ik heb je alleen maar altijd gesteund en achter je gestaan. Bij alles wat je deed. Ik smeek je om het aanbod aan je broer te herroepen. Ik sméék het je, Ned.'

'Ik heb u net gezegd, moeder: hij hoeft niet te gaan. We zullen ergens anders wel een plek voor hem vinden. We hebben vestigingen over de hele wereld.'

'Je begrijpt het niet, hè? Hij gaat nergens heen, niet nu. Hij is enthousiast over die promotie, zoals jij dat noemde – voor hem. Ik kan je verzekeren: hij zal je aanbod absoluut aannemen. Hij zal gaan. Opeens is hij trots en vol hoop, omdat jij... hem hebt uitverkoren om naar Mâcon te gaan.'

'Alstublieft, moeder, kijk me niet zo aan, alsof u me ineens veracht. Ik ga morgen wel met George praten. Hij kan echt overal naartoe, waar hij maar wil, dat zei ik al tegen u, zolang hij maar uit Engeland vertrekt.'

'Is het dan zo erg?'

'Ja. Hij heeft me te vaak en te lang bedrogen en hij heeft verraad gepleegd. George is niet te vertrouwen.'

'Ik weet dat hij een paar misstappen tegenover je op zijn geweten heeft, als je het zo kunt noemen. Niettemin is hij wél je broer. Kun je hem niet vergeven?'

'Nee, dat is onmogelijk. Wacht alstublieft, mama,' riep Edward, terwijl hij snel de bibliotheek doorkruiste, maar ze had de deur al geopend en was de vestibule in gestapt.

'Alstublieft, wacht nou en blijf mee-eten,' riep Edward nogmaals.

'Nee. Dank je. Ik zal mezelf wel uitlaten.' Terwijl ze dat zei, trok ze de deur open en stapte de stoep op. 'En maak je niet ongerust omdat ik te voet naar huis ga. Charles Street is vlak om de hoek, zoals je maar al te goed weet.'

Hij bleef perplex staan bij de deur die zijn moeder stilletjes achter zich had dichtgetrokken. Na een diepe, wanhopige zucht liep Edward weer naar de bibliotheek en ging aan zijn bureau zitten. Hij plantte zijn ellebogen op het blad en liet zijn hoofd in zijn handen zakken, terwijl hij hardop kreunde. Als George werkelijk naar de Bourgogne vertrok en aan zijn slechte drankgewoonten zou toegeven, zou zijn moeder hem de schuld geven. Ze had hem volkomen duidelijk gemaakt dat ze hem ter verantwoording zou roepen voor alles wat George deed. Dat moest dan maar, dacht hij treurig.

Zesendertig

Mâcon

Will Hasling en Alfredo Oliveri zaten met z'n tweeën in de rode eet-zaal van Chateau de Poret, waar ze grote koppen *café au lait* dron-ken en verse croissants aten waar ze gulle hoeveelheden boerenbo-ter en frambozenjam op hadden gesmeerd. Het was een zonnige ochtend aan het eind van augustus, de dag nadat ze na hun trein-reis uit Parijs in de Bourgogne waren aangekomen.

'Dus jij denkt dat George werkelijk komt opdagen?' vroeg Al-fredo, terwijl hij Will oplettend aankeek. Met een sceptische blik in zijn ogen leunde hij achterover in zijn stoel, in afwachting van een antwoord.

'Ik weet dat jij het betwijfelt,' antwoordde Will na even te heb-ben nagedacht. 'Maar ik denk dat hij wel komt opdagen, in zijn beste pak. Waarom zou hij niet komen? Hij heeft niets te verliezen en hij heeft geen keus – hij kan ja of nee zeggen op ons voorstel. Trouwens, volgens mij denkt hij dat het hier in feite... enfin... een van zijn eigen leendistrictjes is en ik ben ervan overtuigd dat hij het gevoel heeft dat hij heer en meester over iedereen kan spelen, mis-schien zelfs de baas is.'

'God verhoede!' riep Alfredo ontzet uit. Hij schudde zijn hoofd. 'Dat ontbreekt er nog maar aan: dat George die wijngaarden wil overnemen. Als dat gebeurt, zitten we pas echt in de nesten.'

'Dat zal niet gebeuren,' antwoordde Will pertinent. 'George is in feite aartslui, dat heb ik je al eens eerder gezegd. Hij wil een geza-pig leven, waarin hij niets hoeft uit te voeren, en potten vol geld. Hij houdt namelijk niet van werken.'

Will schonk nog een kop koffie voor zichzelf in en deed er schui-mige warme melk en suiker bij. Nadat hij er een slok van had genomen, vervolgde hij: 'Dit is de lekkerste koffie die ik ooit heb geproefd. Dat is een van de redenen dat ik hier graag kom. De koffie, het eten en het chateau.' Hij lachte. 'Ik weet niet wat er op de eerste plaats komt.'

Waarop Alfredo opbiechtte: 'Ik heb zelf ook altijd een bijzonder zwak gehad voor dit chateau, en ik moet zeggen dat Vincent Martell er geweldig in is geslaagd het sinds de dood van Madame de Poret in zo'n perfecte staat te houden.' En met een vragende blik naar Will merkte hij op: 'Ik heb nooit helemaal begrepen waarom hij hier na haar dood niet wilde wonen. Ik weet dat je hem hebt gevraagd om er te gaan wonen, maar je hebt me nooit verteld waarom hij dat weigerde.'

'In zijn ogen was het het huis van de Porets, en dat was het altijd geweest, zolang hij zich kon herinneren. Ook al was er geen enkel familielid meer in leven dat erin wilde trekken, hij hield voet bij stuk. Hij was in het dorp geboren en vóór hem werkte zijn vader op de wijngaarden. En daarom vermoed ik dat hij vond dat het verkeerd zou zijn, dat hij zijn boekje te buiten zou gaan. En vergeet niet: hij was toen net weduwnaar geworden. Ik weet zeker dat hij niet uit zijn huis op dit landgoed wilde vertrekken waar hij jarenlang met zijn vrouw Yvette had gewoond. Dat was zijn thuis en volgens mij stond het idee om daar verandering in de brengen hem niet aan. Er waren te veel herinneringen in dat oude huis.'

'Dat begrijp ik wel.' Alfredo keek Will even aandachtig aan, wetend wat een nette, zorgzame man hij was. 'Ik ben blij dat je tegen hem hebt gezegd dat hij na zijn pensioen hier in zijn huis kon blijven wonen. Per slot van rekening werkt hij dan als adviseur voor ons.'

'En hij woont al ruim dertig jaar in dit huis,' legde Will uit. 'Omdat ik hem zo goed ken, begreep ik dat hij ongerust was over de vraag waar hij anders moest gaan wonen. Daar heb ik meteen op ingespeeld.'

'Wat vond je van Marcel Arnaud? Mocht je hem?'

'Hij is wat zwijgzaam; hij zegt niet veel. Ik vertrouw echter op Vincents beoordelingsvermogen. Als hij er vrede mee heeft dat Arnaud de boel overneemt en de scepter gaat zwaaien over de wijngaarden, moet ik op hem afgaan. Hij is hier de echte expert. Sinds we deze wijngaard in 1906 kochten, is Vincent altijd rechtdoorzee tegen me geweest, op het botte af eerlijk soms.'

'Hij is inderdaad zwijgzaam, dat ben ik met je eens, en natuurlijk moet je op Vincents advies afgaan. Trouwens, als George hier is gearriveerd en de rondleiding heeft gehad, ga je dan naar onze wijngaarden in Mâcon?'

Will knikte en schoof wat heen en weer in zijn stoel. 'Ja, maar ik was niet van plan om George mee te nemen. Ik wil naar de Côte d'Or om een bezoek te brengen aan onze wijngaarden in Beaune. Je weet hoe belangrijk onze witte wijnen van Montrachet zijn. Goede beslissing van Edward in 1910, om juist die wijngaarden te kopen. Ze zijn zeer winstgevend voor ons.'

'Ik zou graag met je mee willen, als je het niet erg vindt. Dan ga ik daarna naar Italië. Ik wil een kijkje nemen bij de marmergroeven in Carrara.'

Er viel een korte stilte, waarna Will zijn keel schraapte en zacht opmerkte: 'Ik ben er een tijdje niet meer geweest. We waren er destijds om jou te spreken, na de dood van Richard Deravenel... zeventien jaar geleden. Zo hebben we elkaar leren kennen, weet je nog?'

'Het is voor mij ook een moeilijke reis,' zei Alfredo zachtjes, en hij slaakte een zucht. Toen schoof hij zijn stoel achteruit en vroeg op resolute toon: 'Zullen we Vincent gaan zoeken? Een wandeling over de wijngaarden maken?'

'Goed idee. En tussen haakjes: ik zal blij zijn met je gezelschap op mijn reis naar Beaune.'

Ze troffen Vincent Martell in een van de grote wijnkelders, en toen hij hen zag, liep hij haastig op hen af om hen te begroeten. Hij was een stevige man, gespierd, met een brede borst en een verweerd gezicht dat diep gebronsd was door de zon. Dat vormde een opmerkelijk contrast met zijn spierwitte haar. Zijn bruine ogen glinsterden helder en hij beschikte over een enorme kracht en heel wat energie.

'*Bonjour!*' riep hij toen hij eenmaal voor hen stond, terwijl hij zijn hand eerst naar Will uitstak en daarna naar Alfredo. 'Ik hoop dat u allebei goed hebt geslapen en dat Solange u van een lekker ontbijt heeft voorzien,' vervolgde hij in vrijwel accentloos Engels.

'Dank je, dat heeft ze zeker,' antwoordde Will en hij keek om zich heen. 'Deze kelder is een streling voor mijn oog, Vincent. Dat hier zo veel fusten staan, maakt me uitermate gelukkig.'

'*Ah, oui, et moi aussi!*' Vincent glimlachte breeduit. 'We hebben een goed jaar achter de rug.' Hij ging hen voor over een van de lange doorgangen tussen de fusten. Die lagen op hun kant op de grond, tot aan het plafond op elkaar gestapeld.

Alfredo volgde hen langzaam en bedacht dat hij nog nooit in deze ene enorm grote kelder was geweest. De fusten, ronde houten vaten die door ijzeren hoepels bij elkaar werden gehouden, lagen hoog opgestapeld.

Hij bleef staan en keek aandachtig naar een van de stapels fusten, terwijl hij zich afvroeg hoe ze op hun plaats bleven liggen. Deze stapel bestond uit acht vaten op de grond, met daarbovenop respectievelijk zeven, zes, vijf, vier, drie, twee vaten en ten slotte helemaal bovenaan één vat. Elke stapel fusten werd bij elkaar gehouden door een houten wig, die onder de voorste fust was geschoven en voorkwam dat die naar voren rolde en op de grond terechtkwam.

Een hele prestatie om dat op te bouwen, bedacht Alfredo, die nog een laatste blik op de fusten wierp voordat hij verder liep. Terwijl hij dieper in de kelder doordrong, merkte hij op dat er vaten waren die nog hoger waren opgestapeld, wat bij hem de vraag opriep of het opstapelen niet gevaarlijk was. Stel dat er één fust viel? Zouden ze dan niet allemaal vallen?

Omdat Will en Vincent inmiddels uit het zicht waren verdwenen, moest Alfredo er flink de pas in zetten om ze in te halen. Hij huiverde even, want het was hier kil. De heren waren een hoek omgegaan en liepen nu in een andere doorgang, geanimeerd in gesprek, zag hij.

'Ik zou denken dat het lastig is om al die fusten op elkaar te stapelen,' zei Alfredo toen hij hen eindelijk had ingehaald. 'Vooral omdat ze op hun kant worden opgestapeld. Bestaat er geen gevaar dat ze omrollen?'

Vincent moest lachen en schudde zijn hoofd. 'Nee. En het is niet lastig als je weet hoe je het moet doen. De fusten met bourgogne zijn gemakkelijk te hanteren, lichter dan die met bordeaux, die meestal worden gebruikt.' Vervolgens gaf hij verdere uitleg over het opeenstapelen, over de fabricage van de fusten zelf, en ook over de kurken en hoe het bottelen en etiketteren in z'n werk ging, waarmee hij Alfredo stap voor stap vertelde hoe een fles wijn tot stand kwam.

Will wist het allemaal al, omdat hij het op de knie van zijn leermeester had geleerd, en dus kuierde hij vooruit omdat hij het opeens koud kreeg. De gewelven waren eindeloos groot en koel, met die plavuizen vloeren en stenen muren, en met die hoge plafonds van hout en steen. Hij wilde zo snel mogelijk naar buiten, de zon in, waar het aanzienlijk warmer was.

Hij was al heel vaak op dit chateau en deze wijngaarden geweest, en ook op de andere die ze bezaten. Edward had hem al meteen de hele wijndivisie toevertrouwd toen hij bij Deravenel kwam werken, en hij was er trots op dat hij daar de leiding over had.

Gemotiveerd en gewetensvol als hij was, had Will er belang aan gehecht zo veel mogelijk te leren: over het kweken van de druiven, het rijpingsproces van de wijn, het bottelen en opslaan. Hij wilde het hele proces onder de knie krijgen. Uiteraard was Vincent degene geweest die hem alles had geleerd wat hij wist, en ze waren door de jaren heen zowel goede vrienden als collega's geworden. Hij kwam zes keer per jaar naar Frankrijk om alle wijngaarden te bezoeken die Deravenel in bezit had, en hij was van het land gaan houden.

Nu Will verder liep, schoot hem te binnen dat hij later een gesprek onder vier ogen met Vincent wilde voeren. Hij moest uitleggen dat George zich onder geen enkele voorwaarde mocht bemoeien met het beleid en beheer van de wijngaarden. Hij moest Vincent, maar ook Marcel Arnaud laten weten dat George eigenlijk meer een boegbeeld was, dat hij weliswaar met respect behandeld moest worden, maar geen enkele taak kreeg toebedeeld.

Een uur later zaten de drie mannen in de fraaie salon van het chateau, waar ze met elkaar proostten met de uitstekende Pouilly Fuissé waar de wijngaard vermaard om was, als inleiding tot de lunch.

Het vertrek straalde een zekere klasse uit die Will wel kon bekoren. Een pastelkleurige gebloemde stof – in zachte tinten, zoals perkament-beige, rood, roze met een vleug blauw – was gekozen voor de gordijnen en een deel van de banken en stoelen. Tegen deze pastelkleurige achtergrond kwam het fraaie antieke meubilair, waarvan het hout glanzend was opgepoetst, prachtig tot zijn recht. Het geheel straalde een gezellige warmte uit. De oude marmeren haard, het hoge plafond en de langwerpige ramen met uitzicht op de tuin verleenden de hele ambiance een extra cachet.

Will hoopte ineens dat George geen kritiek zou hebben op de oeroude charme van het chateau, en diep in zijn hart misgunde hij George dit prachtige huis dat uit de zeventiende eeuw dateerde.

Aan de andere kant: de man móest weg uit Engeland, om Neds veiligheid te garanderen, en dit was de beste plek om hem onder te brengen. Hij moest eens weten wat een bofkont hij was, bedacht Will, waarna hij naar de deur keek, die met een ruk openzwaaide.

In de deurpost stond George Deravenel. Hij was goed gekleed en zag er verzorgd en, uiteraard, even knap uit als anders.

Will was onmiddellijk opgesprongen en liep haastig op hem af om hem te begroeten. 'Daar ben je dus, George!' riep hij uit. 'We vroegen ons al af waar je bleef.'

'Ik heb een verschrikkelijke reis gehad,' stak George van wal, meteen weer met dat kribbige gezicht. 'En ik dacht...'

'Kom, ik zal je voorstellen aan Vincent Martell,' viel Will hem op besliste toon in de rede. 'Hij woont hier al zijn hele leven en ik ben ervan overtuigd dat hij je heel wat van wijn kan leren, mocht je besluiten hier je intrek te nemen.'

George knikte. 'Ik zou best zin hebben in een glas van het spul dat jullie drinken. Dat heb ik wel nodig na mijn gruwelijke reis.'

'Het is een elegante Pouilly Fuissé, afkomstig van deze wijngaard, Mr. Deravenel,' verkondigde Vincent, en hij liep op de nieuw aangekomene toe om hem te begroeten. Het ontging hem niet dat George Deravenel er uitstekend uitzag. Hij vertoonde een sterke gelijkenis met zijn broer Edward. Ongetwijfeld zouden enkele plaatselijke dames deze prille weduwnaar een hele aanwinst vinden, en een aantrekkelijke bovendien.

Nadat Will en Oliveri waren vertrokken om naar Londen terug te gaan, besloot George er in zijn eentje op uit te trekken. Hij zei tegen Vincent dat hij twee dagen voor zaken naar de Rivièra moest, waarna hij op de trein naar Monte Carlo stapte.

Vanaf het moment dat hij bij het Hotel de Paris naast het casino incheckte, voelde hij zich al een stuk beter. Monte Carlo was zijn meest geliefde oord van de hele Côte d'Azur. Ook al kende hij al die andere plaatsen en hun casino's – Cannes, Nice en Beaulieu-sur-Mer – en had hij er door de jaren heen met genoegen verbleven, Monte Carlo bleef zijn favoriete stad.

De avond na zijn aankomst kleedde hij zich met zorg om in zijn op maat gemaakte, goed gesneden en elegante smokingjasje, een kraakhelder wit overhemd en zwart strikdasje. Na een blik in de spiegel in de hal van zijn suite ging hij de trap af naar de lobby van dit uitermate statige hotel. Terwijl hij om zich heen keek, liep hij naar de kassiersbalie. Het hotel was bekend terrein voor hem, zoals voor de hele familie Deravenel, en toevallig kende hij ook de dienstdoende kassier. Nadat hij de man hartelijk en in vlekkeloos Frans had begroet, incasseerde hij een cheque van tweeduizend pond, stopte het geld in zijn zak en stak het plein over naar het befaamde casino.

Hij genoot van het moment dat hij de Grand Salon betrad; dat was voor hem altijd een magisch moment. Hij bleef doodstil staan om de omgeving in zich op te nemen: de enorme kristallen kroonluchters aan het plafond, het luxueuze rode tapijt, de statige crèmekleurige, met bladgoud opgeluisterde lambrisering langs de hoge wanden en die schitterende speeltafels. Hier kon hij roulette, chemin de fer en baccarat spelen... hij wist dat hij zich hier zou amuseren.

Zoals altijd genoot George van de heerlijk geurende parfums van de dames, de mannelijke dampen van sigaren- en sigarettenrook, en de kruidige zweem van aftershavelotions van de mannen in hun onberispelijk gesneden smokingjasjes. Ook de geluiden hadden iets magisch voor hem – het geratel waarmee de balletjes om de rouletteschijf stuiterden en in de gaatjes vielen nadat de croupier ze had rondgedraaid, het felle geklik waarmee fiches op de tafels op elkaar terechtkwamen en het geritsel van de kaarten.

George rechtte zijn schouders en kuierde via de Grand Salon in de richting van de kassier. Daar betaalde hij met het geld dat hij uit Londen had meegenomen, plus de tweeduizend pond die hij zojuist in het hotel had geïncasseerd en kocht voor vierduizend pond aan speelfiches.

Net toen hij zich van de *Caisse* afwendde, bleef een passerende ober bij hem staan. George glimlachte, knikte de man toe en pakte een kristallen roemer met champagne. Hij bleef allerminst onopgemerkt toen hij verder slenterde, deze lange, knappe jongeman met zijn opvallende uiterlijk en blonde haar: menig mooie vrouw draaide zich om en staarde hem aan.

Hij merkte het wel, al deed hij net of het hem ontging, en glimlachte in stilte. Nadat hij zijn pleziertje had gehad bij het gokken en nog wat van die verrukkelijke champagne had gedronken, zou hij proberen twee vrouwen te vinden die vanavond alleen in het casino waren en een van hen – of allebei – in zijn bed uitnodigen.

Na drie snelle glazen champagne voelde George zich absoluut fantastisch. Opgewonden, maar beheerst en vol vertrouwen. Hij liep regelrecht op een van de roulettetafels af, net op het moment dat de croupier riep: 'Rien ne va plus.' Dus moest hij wachten tot het balletje om de schijf heen stuiterde, stil kwam te liggen en opnieuw in beweging kwam. Pas dan kon hij meedoen.

Bij de volgende ronde speelde George mee en zette enkele van zijn fiches in op de nummers negen, elf en dertien. Tot zijn grote vreugde won hij. Nog eens won hij, en nog eens, waardoor hij zijn geld verdrievoudigde.

En zo ging het nog een paar uur door. Op het laatst verplaatste hij zijn aandacht naar de baccarattafel, waar hij langzaam verloor. Waarna hij nog meer verloor met chemin de fer. Maar hij wist van geen opgeven of ophouden. Hij begon helemaal opnieuw, met zijn laatste duizend pond, en tot zijn enorme ergernis raakte hij alles kwijt. Vierduizend pond weg, in lucht opgegaan!

Laat maar, dacht hij, terwijl hij naar het loket van de *Caisse* liep. Ik zal ervoor zorgen dat mijn geluk keert, ik weet het zeker. Opnieuw haalde hij zijn paspoort tevoorschijn en ondertekende een promesse voor vijfduizend pond. De naam Deravenel was in dit casino verre van onbekend, net als in het Hôtel de Paris, en hij was een graag geziene gast die met alle egards werd behandeld.

De avond bleek ongelukkig uit te pakken voor George Deravenel. Om twee uur 's morgens ging hij, enigszins aangeslagen, terug naar het hotel. En hij was alleen. Terwijl hij het plein overstak, voelde hij een steek van wanhoop. Hij had al het contante geld verloren waarmee hij naar het casino was gekomen en had voor nog eens vijfduizend pond aan promesses ondertekend. Nu was hij het casino geld schuldig. Dat niet alleen, het was hem evenmin gelukt een vrouw aan de haak te slaan en hij had zijn avondmaaltijd overgeslagen. Maar die dingen waren niet erg. Wat wel erg was, waren zijn speelschulden. Edward zou razend op hem zijn, en hij zou hem in geen geval helpen. Evenmin als Richard; hij wist niet eens of hij weer bij zijn moeder zou kunnen aankloppen. De moed zonk hem in de schoenen.

Toen kreeg hij een lumineus idee. Zijn zuster woonde in Dijon. Hij zou morgen Meg opbellen, en dan zou zij hem wel komen redden. Dat hoopte hij van harte, maar hij was op dat moment zelfs van háár niet zeker. Toen hij het hotel binnen kwam, voelde hij hoe hij plotseling werd bevangen door een depressie, en diep in zijn hart wist hij dat hij verdoemd was. Was hij niet altijd al verdoemd geweest?

Zevenendertig

Kent

'Wat heb je een enorm vreugdevuur aangelegd, Amos,' zei Grace Rose terwijl ze eromheen liep, op de voet gevolgd door Bess. Met z'n tweeën bekeken ze de enorme berg hout, takken en stokjes die midden op de met keitjes bestrate binnenplaats van Waverley Court lag opgestapeld. 'Dat wordt een gigantische vuurzee, wanneer we het vanavond aansteken.'

'Ik vrees dat het niet mijn prestatie is, kindje,' biechtte Amos lachend op. 'Joby, de tuinman, en zijn hulp Stew hebben er samen met de stalknecht zo'n brandstapel van opgebouwd. Ik stond erbij en keek ernaar, meer niet.'

'Dit wordt het beste vreugdevuur dat we ooit hebben gehad,' zei Bess, terwijl ze haar wollen sjaal strakker aantrok. 'Nanny zegt dat iedereen erbij mag zijn, behalve baby George, omdat hij pas één jaar is, en dus te klein. O, heb je er nog aan gedacht om het vuurwerk mee te nemen, Amos?'

'Jazeker, Bess. Vuurpropellers, sterrenregen en een heleboel sterretjes, omdat ik weet dat je die het mooist vindt.'

'Dankjewel. We hebben Cook geholpen,' vertrouwde Bess hem toe. 'We hebben gembercake gemaakt, en peperkoekmannetjes, en Cook heeft aardappels gepoft. Ze zegt dat we die straks in de haard mogen opwarmen, en we krijgen ook geroosterde kastanjes.'

'Asjemenou, we krijgen een heel feestmaal!'

Bij het horen van Edwards stem draaide Bess zich met een ruk om en rende over de binnenplaats op haar vader af. Hij sloeg zijn armen stevig om haar heen, legde toen een arm om haar schouders en liep samen met haar naar de brandstapel.

'Goedemiddag, Mr. Deravenel,' zei Amos, terwijl hij zijn hand uitstak.

'Hallo, Amos, ouwe jongen,' beantwoordde Edward zijn groet en schudde hem de hand. 'Ik ben blij dat je er bent. Wanneer ben je aangekomen?'

'Ongeveer een uur geleden. Ik ben met Broadbent meegereden.'

'Ik hoop dat er goed voor je is gezorgd en je iets te eten hebt gekregen.'

'O, zeker, sir. Daar heeft Cook voor gezorgd. Ze was heel attent en heel aardig. Ze heeft me een sandwich met zure zult gegeven en een heel lekkere kop thee.'

Edward knikte, waarna hij zich met een liefdevolle glimlach tot Grace Rose richtte. Ze kwam ogenblikkelijk naast hem staan en hij gaf haar een knuffel en zei: 'Ik hoop dat je ouders straks ook komen. Dat hebben ze beloofd.'

'O ja, oom Ned, ze verheugen zich erop en zouden het voor geen goud willen missen.'

Het was zaterdag, 5 november, in de vroege avond van Guy Fawkes Day, die de meeste mensen in heel Engeland kenden als Bonfire Night. Door het hele land werden vreugdevuren aangericht en afbeeldingen van Guy Fawkes in brand gestoken. Na het vuurwerk at iedereen gepofte aardappelen, geroosterde kastanjes en peperkoekmannetjes en gembercake. De oorsprong van Bonfire Night dateerde uit het jaar 1605, toen er door Guy Fawkes en zijn volgelingen een samenzwering werd bekokstoofd om het parlementsgebouw op te blazen.

'Ik kan me niet voorstellen waar Guy Fawkes het idee vandaan haalde dat het hem zou lukken,' zei Edward. 'Van wat ik me uit mijn geschiedenisboeken herinner, had hij toch niet eens genoeg buskruit?'

Amos schudde zijn hoofd. 'Ik dacht het niet. Het was verborgen in de kelders van het parlementsgebouw, en als ik het wel heb, was het voor een deel vochtig geworden. Althans, dat dacht ik me van mijn geschiedenisles te herinneren.'

'Hij wilde ook koning James opblazen,' kwam Bess tussenbeide. 'Hij hoopte de katholieken op te hitsen tot rebellie omdat ze kwaad waren over de nieuwe strenge wetten tegen hun geloof.'

'Heel goed, Bess,' riep haar vader uit, en hij glimlachte met gepaste trots.

'Geschiedenis vind ik leuk, vader,' zei ze, waarna ze vervolgde: 'Ik ga Grace Rose achterna.'

Hij moest lachen, evenals Amos en Grace Rose. Toen zei hij: 'Ik ga even naar binnen. Ik moet een paar dingen met Amos bespreken.' Toen keek hij naar de hemel en zag dat de zon was ondergegaan en de schemer viel. 'Over een halfuurtje is het donker en dan komen we naar buiten om het vreugdevuur te bewonderen.'

Edward liep met Amos achterom naar de bibliotheek. Daar hij trok de deur achter hen dicht en liep zoals altijd regelrecht naar de haard. 'Kom maar hier zitten, bij de haard,' zei hij tegen Amos. 'Je weet dat ik graag sta en wat om me heen kijk.'

Amos knikte. 'Dat weet ik, Mr. Edward.'

Edward bukte zich en gooide een paar houtblokken op het vuur, waarna hij met gedempte stem vroeg: 'Wanneer ben je uit Mâcon teruggekomen?'

'Vanmorgen. Ik ben met de nachttrein naar Parijs gegaan en heb de eerste boottrein genomen. Ik heb niets van me laten horen, omdat ik wist dat ik u vanavond toch zou zien.'

'Dat zit wel goed, Amos, geen probleem. Hoe ging het op de wijngaarden ging?' vroeg hij met een vorsende blik naar Finnister.

'Het leek me allemaal heel rustig. Mr. George was vrij vriendelijk, en toen Oliveri en ik daar met de kinderen en de *nanny* kwamen, was hij verrukt om ze te zien. En later op de dag kwam uw zuster uit Dijon over, en zij was net zo blij om ze te zien, vooral haar naamgenootje Margaret. Solange heeft een authentieke *English tea* bereid, en het was allemaal heel plezierig, we vonden het gezellig.'

'Ik ben blij dat Meg er een paar dagen is,' mompelde Edward, en één seconde staarde hij in de verte, waarna hij Finnister weer aankeek en vroeg: 'Is hij aan de drank?'

'Ik vrees van wel, Mr. Edward. Hij heeft een terugval... Maar zo te merken overdrijft hij het niet.'

'Volgens mij houdt hij zich in bijzijn van jou en Oliveri in. Wat had Vincent Martell over de wijngaarden te vertellen? Nog iets bijzonders?'

'Niet veel, en alles schijnt z'n gangetje te gaan. Mr. George heeft geen problemen veroorzaakt.'

'Nog niet,' interrumpeerde Edward met een wrange glimlach. 'Maar je weet het nooit bij George; hij kan plotseling losbarsten. En Marcel Arnaud? Kan hij met mijn broer opschieten?'

'Dat zou ik niet weten. Mr. Arnaud schijnt nogal zwijgzaam te zijn, in zichzelf gekeerd, dacht ik. Van Oliveri moest ik tegen u zeggen dat hij er vrij zeker van is dat uw broer hem niet mag. We zijn er natuurlijk maar drie dagen geweest – toch hebben we in die tijd heel wat opgevangen. Volgens Solange heeft Mr. George zich daar in de omgeving tot een soort Casanova ontpopt: er schijnen heel wat vrouwen om hem heen te zwermen. Ook heeft hij een paar tripjes naar Nice gemaakt. Daar maakte Oliveri zich nogal zorgen over, vanwege de casino's. Hij zei dat ik u daar attent op moest maken. Hij is bang dat Mr. George weer aan het gokken is geslagen.'

Edward knikte. 'Had Vincent nog iets te zeggen over het werkethos van mijn broer? Steekt hij iets op over de wijngaarden, naar je weet?'

'De eerste weken was hij blijkbaar heel fanatiek, maar volgens Vincent Martell heeft hij het de laatste tijd een beetje laten afweten.'

'Dus hij voert niet zoveel uit... zoals altijd. Tja, wat kun je ook verwachten? Hij is lui, Amos, dat is hij altijd geweest.'

Edward liep naar het raam en keek naar buiten, terwijl hij over George nadacht. Hij was een leegloper, geen twijfel mogelijk.

Toen hij zich omdraaide, keek hij Amos aan en zei: 'Het komt er dus op neer, dat hij achter de vrouwen aan zit, weer drinkt en dat hij naar alle waarschijnlijkheid tripjes naar de Rivièra maakt om in de casino's van Nice te gaan gokken. En ook in Cannes en Monte Carlo, daar twijfel ik niet aan.' Edward zweeg even, waarna hij zijn ogen samenkneep en vroeg: 'Maar heeft hij ook zijn mond opengedaan? Verspreidt hij kwalijke verhalen over mij en mijn familie?'

Amos staarde Edward een paar momenten in doodse stilte aan. Hij had eigenlijk niets willen zeggen over de vuile praatjes die George Deravenel over zijn broer vertelde, althans niet voor de volgende dag. Omdat dit een avond was waarop de kinderen behoorden te genieten, had hij Edward er niet mee willen lastigvallen. Maar omdat zijn enorme loyaliteit en toewijding jegens hem het onmogelijk maakten om te liegen, zei hij bedeesd: 'Ja, hij is weer terug bij zijn oude streken, sir.'

'Tegen wie heeft hij gekletst, Amos?'

'Zeker tegen Vincent Martell. Maar ik betwijfel of hij iets tegen iemand anders heeft verteld. Het zou Solange niets zeggen, en ik denk niet dat Mr. Arnaud er iets van zou begrijpen, of dat het hem iets zou kunnen schelen. Die schijnt nogal op zichzelf te zijn, niet iemand die zomaar verbroedert. Ik voelde dat Vincent heel geïrriteerd was en het vervelend vond dat uw broer op zo'n vreselijke manier kwaadsprak over u. Hij stond versteld en walgde ervan, en hij heeft het ons alleen maar verteld omdat hij vond dat we het moesten weten. Hij is u zeer toegenegen, sir.'

'Dat weet ik.'

'Naar onze mening, van Oliveri en van mij... Nou, we denken dat Mr. George zichzelf in een kwaad daglicht heeft gezet en het bij Vincent Martell heeft verbruid. Voor Oliveri naar Turkije vertrok, heeft hij me nadrukkelijk gevraagd u in te lichten over Mr. George en zijn praatjes. Volgens hem heeft uw broer u door het slijk gehaald, en ik denk dat dat hem zeer dwarszit.'

'Ik ben ervan overtuigd dat Oliveri het wat Vincent betreft bij het rechte eind heeft. We onderhouden al jarenlang een uitstekende relatie. Hij was heel blij toen ik al die jaren geleden, toen Madame de Poret weduwe was geworden en niet wist hoe ze het in haar eentje moest redden, de wijngaard in veiligheid bracht. Hij was zelfs reuze dankbaar.' Edward haalde zijn schouders op en voegde eraan toe: 'We praten er morgen nog wel over, Amos. Laten we ons nu maar op plezieriger dingen concentreren en bij de kinderen gaan kijken.'

Op dat moment werd er op de deur geklopt, waarna Edward riep: 'Binnen.'

Faxton, de butler, stak zijn hoofd om de hoek en zei: 'Neem me niet kwalijk dat ik stoor, sir, maar Mr. en Mrs. Forth zijn gearriveerd, samen met lady Fenella en Mr. Ledbetter. En Mrs. Deravenel is zojuist beneden gekomen.'

'Dank je, Faxton, we komen zo naar buiten.'

Edward gaf Elizabeth een kneepje in haar arm, waarna hij Vicky, Fenella, Stephen en Mark ging begroeten. Nadat hij zijn beste vrienden welkom had geheten zag hij, toen hij om zich heen keek, de tuinman Joby, zijn hulpje Stew en de stalknecht Elias. Die stonden allemaal, ruim voorzien van dozen lucifers, te wachten op zijn bevel om het vreugdevuur te ontsteken.

Hij liet zijn ogen verder over het groepje glijden, onder wie Cook, enkele leden van het huispersoneel en Faxton, die net haastig uit het huis was gekomen om zich bij de anderen te voegen. Vervolgens bleven ze rusten op het rijtje jongelui bij hem in de buurt.

Edward was reusachtig trots op zijn kinderen. Bess, een beeldschoon meisje, en zo lang voor haar leeftijd; naast haar Edward junior, een mooie jongen van acht, en zijn broertje Ritchie, die nu vijf was. Mary, die elf jaar was, hield Cecily's hand vast. Een kind met goudblond haar, net als haar broers, en een beetje verlegen, al was ze al negen. Nanny had de driejarige Anne op haar arm; naast haar stond zijn lieveling: Grace Rose. Een zeldzame schoonheid van eenentwintig, op wie iedereen dol was. Zelfs Elizabeth was tegenwoordig aardig tegen haar en zo te zien zeer op haar gesteld.

Zijn gezin. Zijn uitgebreide gezin, dat hij met heel zijn hart liefhad en koesterde. Goddank waren ze veilig. Hij en Elizabeth hadden er afgelopen augustus met hun geheime huwelijk voor gezorgd dat ze veilig waren. Hij zou altijd dankbaar zijn dat ze zonder al te veel omhaal opnieuw met hem was getrouwd; maar ja, eigenlijk had ze geen alternatief gehad.

Gedachten aan George verstoorden zijn gemijmer, maar hij schoof ze van zich af. Naar hij hoopte was hij zijn broer en diens verraderlijke intenties te snel af geweest. Wat maakte het eigenlijk uit als hij nog steeds laster over hem verspreidde? Hij kon alles ontkennen en naar waarheid bij hoog en laag volhouden dat hij met Elizabeth was getrouwd, want dat was hij nu ook.

Ineens stond Bess voor zijn neus, die iets zei wat hem uit zijn gepeins haalde. 'Vader, u moet het bevel geven, tegen Joby en de anderen zeggen dat ze het vuur moeten aansteken.'

'Ja, Bess, dat moet ik doen.' Hij deed een stap naar voren en riep: 'Oké, jongens, actie. Ontsteek het vreugdevuur.'

Binnen enkele seconden vatten de twijgen en takken vlam, en toen de vlammen huizenhoog oplaaiden en de beeltenis van Guy Fawkes in brand stond, verzamelde Bess haar broers en zusjes, waarna ze hand in hand, dansend om het verzengende vreugdevuur, het oude liedje inzetten:

Remember, remember, de fifth of November,
The gunpowder, treason and plot,
I see no reason why gunpowder treason
Should ever be forgot.
Guy Fawkes, Guy, 'twas his intent
To blow up the de King and the Parliament.
Three score barrels of powder below,
To prove old England's overthrow.

Toen de kinderen waren uitgezongen, applaudisseerden de volwassenen voor hen en juichten hen toe. Cook ging samen met enkele jonge dienstmeisjes rond met schalen peperkoekmannetjes, de gembercake en nog meer zoet gebak, terwijl Faxton met een dienblad met grote glazen limonade kwam. En Elias ging, gewapend met een lange grijper, het vuur langs om de hete aardappelen eruit te halen die er eerder in waren gelegd om op te warmen. Nadat iedereen van de bijzondere lekkernijen had gesmuld en de limonade op had, deelde Amos de sterretjes uit. De rest van de mannen ging rond om ze voor de kinderen aan te steken.

De kleintjes holden zwaaiend en lachend van pret met de sterretjes door de tuin, en genoten met volle teugen.

Edward stond met Elizabeth bij de andere volwassenen, van wie de mannen scotch met water dronken en de dames van een glaasje sherry nipten, terwijl ze in de vuurgloed met elkaar babbelden.

Ten slotte was het tijd voor het vuurwerk. Dat werd zorgvuldig afgestoken door Stephen Forth, Mark Ledbetter, Amos Finnister en Edward. Het was een schitterend vertoon van vuurpropellers, sterrenregen, regenbogen, vallende sterren en ander uniek vuurwerk. De vrouwen stonden aan de kant naar de kinderen te kijken en keken elkaar af en toe geamuseerd aan. Het was heerlijk de vreugde en het enthousiasme op hun gezichten te zien.

Achtendertig

Will stond bij Edward thuis aan Berkeley Square in de bibliotheek naar het schilderij van Renoir met de twee roodharige vrouwen te kijken. Het hing boven de haard. Will begreep volkomen waarom het een ereplaats in de kamer had. Het was wonderschoon, een meesterwerk, en hij zag waarom het Edward aan Bess en Grace Rose deed denken.

Hij had tegen Edward gezegd dat hij hem onder vier ogen wilde spreken en ze hadden afgesproken dat dat hier zou plaatsvinden. Elizabeth was met de kinderen op Waverley Court in Kent. Omdat er die middag verder niemand thuis was, heerste er een vredige stilte in huis.

Mallet kwam binnen en vroeg, nadat hij zijn keel had geschraapt: 'Wilt u iets gebruiken, sir? Een kop thee wellicht?'

'Nee, dank je, Mallet,' antwoordde Will. De butler knikte en vertrok.

Will ging verder met het bestuderen van de schitterende Renoir, maar toen kwam plotseling Edward binnengestapt met excuses omdat hij hem had laten wachten.

'Waar gaat het over, Will? Je kijkt zo ernstig, een beetje somber zelfs,' zei Edward.

Will bleef zwijgen. Hij ging op een stoel bij de haard zitten, liet zich achterover zakken en sloeg zijn benen over elkaar.

Edward nam plaats op de andere stoel, waarna hij hem doordringend aankeek. 'Is er iets mis?'

'Vincent Martell belde me op, vlak voor ik wegging om te lunchen. Blijkbaar had hij geprobeerd jou hier te bereiken, maar je was in gesprek. Hij heeft het zelfs diverse keren geprobeerd, maar tevergeefs. Vandaar dat hij uiteindelijk contact met mij heeft opgenomen.'

'Is er een probleem op de wijngaarden? O, nee, wacht even. Een probleem met George. Is dat het? Heeft mijn broer weer een van zijn streken uitgehaald?'

Will ademde diep in voor hij op sombere toon zei: 'George is dood, Ned.'

Edward schrok op, leunde achterover in zijn stoel en staarde Will met open mond aan. Hij was met stomheid geslagen. Met een frons schudde hij zijn hoofd. 'George... Is hij dood?'

'Ik vrees van wel. Vincent heeft hem vanmorgen gevonden. Toen hij merkte dat de deur van een van de grote wijnkelders door de wind heen en weer zwaaide, ging hij kijken wat er aan de hand was.'

Edward was bleek geworden en vroeg met lage, afgemeten stem: 'Waar is hij aan doodgegaan? Was hij ziek? Wat is er gebeurd, Will?'

'Naar het schijnt heeft zich vannacht een vreselijk ongeluk voorgedaan. Blijkbaar had George er een gewoonte van gemaakt naar de grootste wijnkelder te gaan als zijn wijn op was. Daar staat een proeftafel en achter in het gewelf heb je de wijnrekken. Vincent denkt dat George al dronken was toen hij er binnenging. Hij vond hem vanmorgen op de grond, met zijn gezicht in een plas rode wijn en te midden van kapotte fusten. Vincent vermoedt dat George, naar alle waarschijnlijkheid flink beschonken, tegen een stapel fusten viel – en nogal hard – zodat ze op hem zijn terechtgekomen. Vincent vertelde dat hij waarschijnlijk een van de vaten op zijn hoofd kreeg en dat dat zijn dood is geworden, want George had heel ernstige hoofdwonden. Van de hele piramide van fusten is nog maar een tiende over; sommige zijn kapot gevallen en de rest lag op de stenen vloer.'

'O mijn god... wat afschuwelijk.' Edward sloeg een hand voor zijn gezicht. 'Ik kan het amper geloven.'

'Ik weet het, het komt allemaal zo... plotseling, zo onverwacht.' Will schudde bedachtzaam zijn hoofd. 'Maar misschien is het niet eens zo'n verrassing, als je erover nadenkt. Ik heb het idee dat George het noodlot áántrok... hij slaagde er altijd in zich in de nesten te werken...' Zijn stem dwaalde af; hij zat om woorden verlegen.

De twee oude vrienden zaten een poos zwijgend bij elkaar, ieder verdiept in zijn eigen gedachten.

Edward was degene die uiteindelijk de stilte verbrak. 'Ik neem aan dat Vincent er een dokter bij heeft gehaald? Medische hulp heeft ingeschakeld?'

'Jazeker. Maar George was kennelijk al een paar uur dood. De rigor mortis was al ingetreden. De politie is eveneens op de hoogte gesteld en op het chateau geweest. Maar, zoals Vincent vertelde, het was vanwege al die kapotte wijnvaten en zijn hoofdletsel vrij duidelijk wat er was gebeurd.'

'Ze geven vast mij de schuld. Mijn moeder zal zeggen dat ik schuldig ben aan de dood van George... en Richard ook. Ze hebben me allebei gevraagd hem niet naar Frankrijk te sturen. Ze dachten al dat hij daar zou doodgaan, en ze hebben gelijk gekregen. Mijn moeder heeft me gesméékt, Will...' Edwards stem brak en werd opeens hees, een gefluister bijna.

'Nee, ze kunnen jóú niet de schuld geven. Luister naar me, Ned, het was jouw schuld niet. Geloof me. En ik heb nooit goed begrepen waarom je moeder altijd de kant van George koos... Ik weet dat je over de doden niets kwaads mag zeggen, maar je broer heeft zich zijn hele leven absoluut niet broederlijk tegenover jou gedragen.'

'Nee, dat is waar.'

Edward stond op, ging naar het dienblad met drank op de tafel bij het raam en schonk een glas cognac voor zichzelf in. 'Wil jij ook, Will?'

'Ja, graag.'

Een ogenblik later, toen Edward Will het glas gaf, mompelde hij: 'Ik zal hen moeten opbellen. Mijn moeder is op Ravenscar – o, en Richard ook, bedenk ik nu. En ik zal Meg op de hoogte moeten stellen.'

'Doe het morgen maar,' stelde Will voor.

'Nee, ik moet het nu doen. Ik moet op z'n minst contact opnemen met mijn moeder.' Edward ging achter zijn bureau zitten en draaide het nummer van Ravenscar. Jessup nam op, en even later hoorde Edward de stem van zijn moeder: 'Ja, Ned?'

'Mama, er is iets heel verschrikkelijks gebeurd. Een ongeluk. In Frankrijk. Op de wijngaarden.'

'Wat voor ongeluk?' vroeg Cecily Deravenel met licht trillende stem.

Hij vertelde haar dat George de wijnkelder in was gegaan, misschien was gestruikeld en zo de opgestapelde wijnfusten omver had gegooid. Nog voor hij was uitgesproken, viel ze hem in de rede.

'Hij is dood. George is dood, is het niet?'

'Ja.'

'Ik wist wel dat hij daar zou doodgaan,' zei ze, en ze hing op.

Mist. Buiten. Plotseling in de kamer. Hing om hem heen. Sloot hem in. Hij ging rechtop in bed zitten. Moest moeite doen om te zien. Met zijn ogen knipperend tegen de mist. Hoe was die zijn kamer binnen gedreven? Het raam zat dicht. Hij wierp het beddengoed van zich af. Zette zijn voeten op de grond. Schuifelde langzaam naar het raam. Hij botste tegen een ladekast op. Stootte zijn teen. Kromp van de pijn. Wie had die kast daar neergezet?

Hij ging naar de badkamer. Tastte naar de lichtschakelaar. Pas op dat moment drong het tot hem door dat hij niet op Ravenscar was. Hij was in Londen. In het huis aan Berkeley Square. Het felle licht deed pijn aan zijn ogen.

Edward tuurde naar zichzelf in de spiegel en knipperde opnieuw met zijn ogen, zag door een waas zijn gezicht. Hij leunde tegen de wasbak, een beetje duizelig, misselijk. Zijn hoofd bonkte. Hij vulde een glas met koud water en dronk het achter elkaar leeg. Toen plensde hij koud water in zijn gezicht, maakte een handdoekje nat en legde het op zijn ogen. Hè, hè. Dat was beter. De mist was opgetrokken. Hij kon weer zien.

Hij had barstende hoofdpijn. En hij had een kater. Hij ging terug naar de slaapkamer en kroop in bed, waar hij roerloos bleef liggen, vanwege zijn kater. En om na te denken.

Langzaam kwam alles bij hem terug. Hij herinnerde zich dat hij en Will urenlang cognac hadden zitten drinken. Hadden gepraat. Over George. Over zijn dood. Over het feit dat ze zijn lichaam terug moesten brengen naar Engeland. Dat ze hem in Yorkshire moesten begraven. Op Ravenscar. Ze hadden over anderen gesproken. Over zijn moeder. Over Richard. Over Neville Watkins en zijn hartsvriend Johnny Watkins, en ze hadden het verleden tot leven geroepen. En ze hadden het gehad over de kinderen van George, die zo snel mogelijk naar Engeland terug moesten. Misschien dat Meg met hen mee zou kunnen reizen.

Will was uiteindelijk weggegaan en door Broadbent naar zijn huis achter Marble Arch gereden. Dicht bij het huis van Jane. Jane. Hij moest haar opbellen. Nee, dat kon niet. Het was midden in de nacht.

George. Zijn broer. George was dood. Wat was hij een mooi kind geweest, en hij was een mooie jongeman geworden. Blond. Turkooisblauwe ogen. Die schoonheid ging niet dieper dan zijn huid. George. Soms een raadsel voor hem. Zo onzeker vanbinnen... hulpeloos. Hij rende altijd naar hun moeder, omdat hij haar bescherming nodig had. Als kind, als jongen, als man.

Ooit had Edward van hem gehouden. Die liefde was langzaam omgeslagen. In bezorgdheid, in wantrouwen, en uiteindelijk in ongeloof. Dat liegen en bedriegen van George, wat had het er dik bovenop gelegen. Het leek of het hem niet had kunnen schelen dat hij het wist. Zijn liefde voor George was omgeslagen in argwaan en uiteindelijk vastgelopen in totale afkeer.

Edward ging met een ruk overeind zitten, waarna hij de verduisterde kamer in staarde. En hij stelde zich dezelfde vraag die hij de vorige avond aan Will had voorgelegd, toen hij zich een stuk in z'n kraag had gedronken.

Was het een ongeluk geweest? Of moord?

Will had gezegd dat hij geen idee had. Evenmin als hijzelf. Maar nu liet het hem niet los, nu hij zich het een en ander afvroeg. Hij had geen antwoord voor zichzelf.

Hij lag wakker tot de dag aanbrak en licht door de gordijnen sijpelde, terwijl hij worstelde met die vraag die in zijn gedachten bleef hangen.

Later die ochtend had Edward zich nog maar net aangekleed, toen Mallet op de deur klopte. Hij wist dat het de butler was. Behalve Cook en de dienstmeisjes was er niemand anders in huis.

'Kom maar binnen, Mallet,' riep hij.

De butler deed de deur open. 'Goedemorgen, Mr. Deravenel. Mr. Hasling is hier. In de huiskamer.'

Met een frons trok Edward zijn colbert aan, knoopte het dicht en zei: 'Ik kom zo beneden, Mallet. En een kop koffie zou hoogst welkom zijn.'

'Zeker, sir.' De butler trok zachtjes de deur dicht.

Edward liep naar de kleerkast, bekeek zichzelf in de spiegel en knikte. Geen spoor van een kater. Hij zag er precies hetzelfde uit als gisteren. En toch... voelde hij zich vanbinnen anders. Hij voelde een leegte, een verschrikkelijk pijnlijk gemis, en iets wat ongrijpbaarder was... Toen besefte hij dat het een merkwaardig gevoel was van alleen zijn. Hij was nu inderdaad alleen. En dat zou hij altijd blijven... zijn hele verdere leven. Zijn moeder zou hem nooit meer op dezelfde manier behandelen als vroeger. Evenmin als Richard. Omdat ze hem schuldig zouden achten aan de dood van George.

En dus sta ik alleen. Zoals ik altijd alleen heb gestaan.

Will zat aan de ronde tafel in de huiskamer, waar hij een kop koffie dronk met naast zich *The Times*, nog opgevouwen en ongelezen.

'Goedemorgen,' zei Edward vanuit de deuropening, en terwijl hij zich dwong tot een glimlach liep hij de kamer in.

Will knikte. 'Goedemorgen, Ned. Je was het zeker vergeten? Dat we hadden afgesproken vandaag met z'n tweeën te gaan lunchen, en dat we plannen zouden maken voor mijn vertrek naar Frankrijk, morgenochtend? Samen met Oliveri. Om het lichaam van George terug te brengen. Ik heb in het restaurant van het Ritz gereserveerd. Is dat in orde?'

'Ja. Ik was het vergeten,' gaf Edward toe, waarna hij ging zitten en de zilveren koffiepot pakte. Terwijl hij een kop volschonk, vervolgde hij: 'Maar dat is geen probleem. Ik had toch geen andere plannen voor de lunch.'

Ze dronken samen van hun zwarte koffie en bespraken alle maatregelen die er getroffen moesten worden. Na hun tweede kop koffie verlieten ze het huis en staken langzaam het plein over naar Berkeley Street in de richting van Piccadilly.

Het was een zonnige ochtend met een helderblauwe hemel en een lichte bries, aangenaam voor november en helemaal niet koud. Ze liepen zwijgend verder, tot Edward opeens zei: 'Ik herinner me de wiggen, Will. En midden in de nacht moest ik er steeds aan denken. Ik werd wakker en kon niet meer in slaap komen. Ik begon over George te piekeren, waarbij ik me afvroeg of hij misschien vermoord was. Toen schoten me die wiggen te binnen.'

'Ik weet waar je op aanstuurt, Ned. Als iemand de wiggen zou verschuiven waarmee de fusten op hun plaats worden gehouden, zou de hele piramide in elkaar storten.'

Edward knikte zonder iets te zeggen.

'Maar wie zou de wiggen nou verschuiven? En hoe zou iemand kunnen weten dat George nou juist díe kelder in zou gaan?' vroeg Will zich hardop af.

'Iedereen was op de hoogte van zijn gewoonten. En er zijn een paar mensen die de wiggen verschoven zouden kúnnen hebben, Will. Als iemand dat inderdaad heeft gedaan, hoefde hij verder alleen nog maar met zijn armen over elkaar af te wachten. Het was onvermijdelijk dat er iets zou gebeuren, want George móest wel via dat tussenpad lopen om bij de flessen wijn aan de andere kant te komen.'

Nu was het Wills beurt om er het zwijgen toe te doen.

Uiteindelijk zei Edward: 'Wie weet dacht iemand dat hij me een gunst zou bewijzen door me van George te verlossen. God weet dat hij me door de jaren heen genoeg hartzeer en ellende heeft bezorgd.'

'Ik ben ervan overtuigd dat het een ongeluk was,' haastte Will zich daartegen in te brengen, al was hij er allerminst zeker van. Net als Edward vroeg hij zich af of George inderdaad was vermoord. Maar ze zouden er nooit achter komen wie de schuldige was, mocht dat het geval zijn. Van één ding was hij echter absoluut zeker: het vinden van de boosdoener was nog maar het begin. Er moest voor bewijs worden gezorgd. Sluitend bewijs. Vervolgens dacht hij aan Vincent Martell, en aan Amos Finnister, en uiteindelijk aan Alfredo Oliveri. Voorwaar, potentiële verdachten. Die drie waren Ned uitermate toegewijd – en tot zoiets in staat. Maar hadden ze het ook gedaan?

Negenendertig

Parijs

Parijs was in elk seizoen haar favoriete stad, wat voor weer het er ook was, maar Jane was er toch het liefst in mei. Terwijl ze door de Tuilerieën liep, voelde ze dan ook een golf van geluk door zich heen stromen omdat ze er vandaag was.

Het was heerlijk weer – zonnig en zacht – met een vaalblauwe lucht en zonlicht dat de takken van de bomen in een glinsterend licht hulde. Maar afgezien van Parijs en het fraaie weer waren er nog andere redenen voor haar vrolijke stemming en zorgeloosheid. Zij en Edward waren vijf dagen in Parijs en zij zou al heel gauw Grace Rose in het Louvre ontmoeten.

Grace Rose studeerde nu al een paar jaar aan de Sorbonne, en Jane popelde om haar te zien. Ze waren de afgelopen jaren dikke maatjes geworden, hadden een gemeenschappelijke voorkeur voor de Franse geschiedenis en een aantal andere Franse aangelegenheden en maakten er zelfs geen enkel geheim van dat ze echte francofielen waren. Na hun bezoek aan het Louvre zouden ze met Edward gaan lunchen bij het Grand Véfour, een restaurant waar zij en Edward graag kwamen. Op dit moment woonde hij een bespreking bij in de Parijse vestiging van Deravenel, waarna hij met hen in het restaurant van het Palais Royal had afgesproken.

Terwijl ze door de prachtige tuinen liep, oorspronkelijk aangelegd door André Le Nôtre, de fameuze hovenier van Louis XIV, concentreerden haar gedachten zich op Ned. Een maand geleden had hij zijn veertigste verjaardag gevierd, wat hem niet was aan te zien. Zelf liep ze nu tegen de vijftig; zij en Ned waren al achttien jaar bij elkaar, sinds 1907, en ze voelde zich werkelijk gezegend dat ze nog altijd met hem was.

Het was het jaar 1925, en Jane ging gekleed volgens de heersende mode en zag er chic en mooi uit als altijd. Haar pakje kwam van Chanel, de Franse ontwerpster die sinds het eind van de oorlog in 1918 een rage had veroorzaakt. Janes mantelpak was gemaakt van marineblauwe dunne wollen tweed en bestond uit een rok met plooien aan de voor- en achterkant, en een vierkant gesneden, losvallend jasje zonder knopen.

Tegenwoordig droeg Jane alleen nog maar Chanel. Ze vond de prachtig gemaakte haute-couturekleding van de ontwerpster elegant zonder omslachtig te zijn. Haar ontwerpen hadden souplesse, zaten comfortabel en waren praktisch. Coco Chanel had als eerste lange broeken voor vrouwen ontworpen, en Jane had er de vorige dag twee van aangeschaft – een van grijze flanel, de andere van botergele wollen jersey, die allebei met een witzijden herenmodel overhemd gedragen dienden te worden. Edward was met haar mee geweest naar de Chanel-boetiek in de Rue Cambon en had haar zo schitterend gevonden in haar grijze lange broek met het witte overhemd, dat hij haar had overgehaald het tweede ensemble aan te schaffen.

Hij was gisteren zichtbaar gelukkig, wat meer ontspannen en dat had haar goedgedaan. Sinds de dood van George was hij ten prooi geweest aan plotselinge vlagen van narrigheid; dat was het enige woord waarmee ze zijn gedrag kon omschrijven. Hij was niet gedeprimeerd, verre van dat; alleen melancholisch, en afwezig, alsof hij het verleden overdacht, in gedachten verzonken over de nogal vreemdsoortige dood van zijn broer. Hoewel George was overleden aan zijn hoofdletsel, dat zeer ernstig was, had Ned op een keer zoiets gemompeld dat zijn broer was verdronken in beaujolais. Maar toen ze vroeg wat hij daarmee bedoelde, had hij met een enigszins verward gezicht alleen maar zijn hoofd geschud en zijn mond gehouden.

Jane was om één ding blij: dat het ijs binnen de familie was ontdooid. Zijn moeder was sinds de dood van George, nu vier jaar geleden, afstandelijk en koud tegen Ned geweest, maar de laatste tijd gedroeg ze zich tenminste weer fatsoenlijk tegenover hem, hartelijk zelfs. Wat Richard betreft, die was al veel eerder bijgetrokken, deed ontzettend vriendelijk en stond weer op goede voet met zijn broer. Toch bleef hij zo veel mogelijk in Yorkshire, waar hij de firma's, werkplaatsen en fabrieken, maar ook de steenkoolmijnen in het noorden draaiende hield. Omdat Ned daarbij afhankelijk was van Richard, was ze blij dat de sfeer tussen die twee de laatste tijd enigszins was opgeklaard.

Ze was ontzet geweest toen zijn moeder, Richard, en ook zijn zusje Meg in de Bourgogne zich tegen hem keerden en de schuld bij hem legden. Ze wist maar al te goed dat George het allemaal over zichzelf had afgeroepen... Dat hij het Lot jarenlang had getart en zijn hele leven een hoogst achterbakse, trouweloze ellendeling was geweest. George had nooit een seconde aan een ander gedacht, omdat hij alleen maar met zichzelf bezig was.

Of George al dan niet was vermoord, was een heel andere kwestie. Niemand zou ooit iets kunnen bewijzen, en er was niemand die je de schuld in zijn schoenen kon schuiven. Maar daar had ze zo haar eigen ideeën over... en die wiggen die Ned zo hadden beziggehouden, bleken er inderdaad gedeeltelijk onderuit getrokken te zijn, had Edward van de politie in Mâcon gehoord. Bij diverse andere piramiden van wijnfusten hadden ze losse wiggen gevonden. En niemand had kunnen verklaren waarom die los lagen.

Jane besefte dat ze al voor het Louvre stond – een van de juwelen van Parijs, vond ze: een magnifiek museum met een aantal van de belangrijkste en schitterendste schilderijen ter wereld. Omdat ze wist dat Grace Rose binnen stond te wachten, versnelde ze haar pas. Ze popelde om Neds dochter te zien, van wie ze was gaan houden alsof het haar eigen kind was.

Grace Rose stond inderdaad in het museum te wachten, en zodra ze Jane zag binnenkomen, snelde ze op haar af om haar te begroeten. Nadat ze elkaar liefdevol hadden omhelsd, hield Jane de jonge vrouw op armlengte van zich af om haar aandachtig te bekijken. 'Grace Rose, je ziet er werkelijk schitterend uit! En die Franse allure die je je hebt eigengemaakt! Wat een prachtig ensemble.'

Grace Rose begon te lachen, ingenomen met de bijval voor haar enigszins onorthodoxe kleding. 'Het is helemaal geen ensemble, Jane, gewoon wat dingetjes die ik hier en daar in Parijs heb opgescharreld. In oude winkeltjes, op de vlooienmarkt en in verschillende boetieks waar ze uitverkoop hadden. Het ensemble, als je dat zo kunt noemen, heeft me amper iets gekost. Het was leuk om te doen en ik vind het wel grappig.'

Jane lachte met haar mee, terwijl ze het korte rode zijden jasje bekeek, de nauwe, enkellange rok van beige wol, de gigantische roos die ze op het jasje had gespeld, de gele baret met de blauwe veren die ondeugend schuin op het rossige haar stond. Ze was om te zoenen.

Terwijl ze haar arm door die van Grace Rose haakte, zei Jane:

'Kom mee, laten we onze ogen de kost geven. Wat weet je allemaal over het Louvre?'

'Niet zo veel, eigenlijk. Ik ben er een keer eerder geweest en toen kon ik niet zo lang blijven. Maar ik was onder de indruk van wat ik zag.'

'Dan zal ik je iets over enkele schilderijen vertellen: van Leonardo: de *Mona Lisa*, *Madonna in de grot* – werk van Rafaël, Titiaan, Veronese en Goya, en van een van mijn favorieten, Delacroix.'

Jane besprak de kunst, terwijl de twee vrouwen zigzag het museum rond liepen om al die meesterwerken te bekijken.

'Mijn hemel, ik kan bijna niet meer,' zei Grace Rose, terwijl ze een aantal van de mooiste schilderijen ter wereld bekeek. Ze was vol ontzag en geëmotioneerd door de schoonheid van de werken, ze was er helemaal verrukt van. 'Ik ben zo blij dat je erop stond dat ik vandaag met je meeging. Ik zal steeds weer gaan kijken, zo lang als ik in Parijs ben, en telkens wanneer ik hier terugkom.'

'Dat denk ik ook,' stemde Jane in. 'Ik wel, in elk geval.'

Edward, die in Le Grand Véfour op hen zat te wachten, stond op toen de twee vrouwen het restaurant binnen stapten, terwijl er een hartelijke glimlach op zijn gezicht verscheen.

Nadat ze elkaar hadden begroet en de dames hadden plaatsgenomen, schonk de ober glazen roze champagne in.

Terwijl hij zijn glas hief, zei Edward: 'Op jullie tweeën, mijn schoonheidskoninginnen.'

Glimlachend volgden ze zijn voorbeeld, klonken met hem en zeiden als uit één mond: 'Proost.'

Hij keek hen aan, knikte en zei: 'Het is nogal een interessante combinatie, Grace Rose, ik kan niet anders zeggen.'

Grace Rose glimlachte en vertelde hoe ze die had samengesteld, waar Jane aan toevoegde: 'Ik vind dat ze er *très chic* uitziet.'

'Vind ik ook.' Terwijl hij om zich heen keek, wendde Edward zich tot Grace Rose, toen hij uitlegde: 'Ik ben van mening dat Le Grand Véfour het mooiste restaurant van Parijs is. Ik kom hier altijd graag, en ik hoop dat je het hier net zo naar je zin zult hebben als wij.'

'Dat weet ik nu al. Het is al heel oud, nog van vóór de Franse Revolutie. Napoleon nam Josephine hier vroeger altijd mee naartoe, geloof ik.' Ze richtte zich tot Jane: 'Ik heb het toch goed?'

'Ja, die kwamen hier inderdaad, net als een heleboel andere beroemdheden. Ik geloof dat het in 1784 is opengegaan, toen het Café de Chartes heette,' antwoordde Jane. 'Ik hou van de ambiance, vooral de antieke spiegels langs de muren en aan het plafond.'

Grace Rose was het met haar eens en vertrouwde hun toe: 'Ik ben verslaafd aan het Palais Royal, en ik slenter graag tussen al die bogen.'

'Daar zijn heel wat boetieks waar je kunt rondsnuffelen,' zei Edward met een knipoog, waarna hij vroeg: 'Wanneer ben je hier klaar op de universiteit?'

'Volgende maand, oom Ned, en daarna kom ik terug naar Londen en vind ik hopelijk een baan in het onderwijs.'

'Ik dacht dat je boeken wilde gaan schrijven,' merkte hij verbaasd op. 'Je hoeft echt geen werk te zoeken, hoor, alleen als je het zelf wilt, Grace Rose. Misschien moet je je op een boek concentreren.'

'O, dat weet ik, van dat werk, bedoel ik. En nogmaals bedankt voor mijn trustfonds en alles wat u nog meer voor me hebt gedaan, oom Ned. U weet dat ik u erg dankbaar ben.'

Hij glimlachte alleen maar, informeerde bij Jane over hun ochtend in het Louvre en wenkte toen de ober, die hij vroeg om hun de menu's te brengen.

Toen ze hadden besteld bespraken Edward, Jane en Grace Rose hun plannen voor de komende paar dagen in Parijs. Pas toen ze klaar waren met de eerste gang begon Grace Rose over een kwestie die haar de laatste tijd had beziggehouden.

'Oom Ned,' begon ze bedeesd, voordat ze na een lichte aarzeling verder sprak: 'Ik wil met u over Amos praten.'

Edward keek haar opmerkzaam aan en vroeg: 'Hoezo?'

'Ik maak me een beetje zorgen over hem. Het lijkt wel of hij de laatste tijd uit zijn doen is en hij is vreselijk afwezig. Hebt u dat niet gemerkt?'

Edward leunde achterover en keek haar even aan. Toen knikte hij: 'Jawel, en ik heb me zelf ook afgevraagd of er iets mis was. Denk je dat hij ziek is?'

'Nee, eigenlijk niet, want zo te zien is hij in goede conditie – blakend van gezondheid zelfs.'

'Hij is in de zestig, maar ik ben het met je eens, hij is zo gezond als een vis. Bovendien heb ik hem diverse keren gevraagd of hij met pensioen wil, maar hij weigert steevast. Wil je dat ik nog eens met hem ga praten?'

'Ja, als u dat zou willen doen,' haastte Grace Rose zich te antwoorden. 'Maar ik wil niet dat hij het idee krijgt dat u hem eruit probeert te werken. Deravenel en u zijn zijn hele leven, dat weet u.

Ik denk dat hij doodgaat als hij bij u weg zou moeten.'

'Dat weet ik, lieve kind,' antwoordde Edward, en hij keek haar met een liefdevolle glimlach aan, omdat hij alle begrip had voor haar diepe genegenheid voor Amos. 'Maak je er maar geen zorgen over, ik zal heel voorzichtig zijn.'

'Heel hartelijk dank, oom Ned, en ik weet dat mijn moeder blij zal zijn dat ik het met u over Amos heb gehad. Zij vindt ook dat hij de indruk wekt dat hij... érgens over in zit.'

Edward en Jane verbleven in het hotel Plaza Athénée aan de Avenue Montaigne, en zodra ze in hun suite terug waren, trok Edward zijn colbert uit, trok zijn stropdas los en ging op een stoel bij het raam zitten.

Jane keek fronsend naar hem. 'Voel je je wel goed, lieveling?'

'Ja, natuurlijk. Waarom vraag je dat?'

'Je leek me vanavond onder het eten wat zwijgzaam. Ik dacht dat je je misschien zorgen maakte over Amos.'

'Nee, hoor. Wat Amos betreft, ik heb het gevoel dat ik weet wat hem dwarszit, en zodra we in Londen terug zijn, zal ik met hem gaan praten.'

'Wat hield jou dan bezig?' vroeg ze, terwijl ze tegenover hem plaatsnam.

'Ik was in gedachten de bespreking aan het herkauwen die ik vandaag op kantoor had, meer niet.'

'Was het een goede bespreking?'

'Ik denk het wel, ja.' Hij schudde zijn hoofd. 'Ik had een onderhoud met... een interessante man... Henry Turner, namelijk.'

Jane keek hem met open mond aan. 'De erfgenaam van Henry Grant?'

'Ja.'

'Maar waarom? Hij is de vijand!'

'Dat zou ik niet zeggen. Het is namelijk een tamelijk sympathieke jongeman, en heel intelligent. Een beetje aan de ernstige kant, zou ik zelfs durven zeggen.'

'Maar waarom had je een bespreking met hem?'

'Hij heeft mij geschreven, en een paar weken geleden verzocht hij me om een onderhoud – wat een van de redenen was dat ik naar Parijs wilde,' legde Edward uit, terwijl hij opstond en naar het blad met drankflessen liep. Hij pakte de fles Napoleon en goot een maatje in een cognacglas, waarna hij vroeg: 'Wil jij ook wat, Jane?'

'Nee, dank je. Ach, waarom ook niet? Ja, toch maar wel, graag,' zei ze.

Even later liep hij terug naar de stoelen, reikte haar een glas aan en ging weer zitten.

'Hij wilde een onderhoud omdat hij een baan wil. Bij Deravenel in Parijs. Hij werkte bij Louis Charpentier, maar kennelijk hebben ze een aantal keren ruzie en meningsverschillen gehad. Henry denkt er hetzelfde over als ik jaren geleden. Hij wil niet dat zijn bruid voor hem wordt uitgezocht. En Charpentier was van plan hem met zijn nicht Louise te laten trouwen.'

'Maar ooit heb je me verteld dat Charpentiers nicht zijn erfgenaam was.'

'Dat is volkomen waar, lieveling, je hebt gelijk. Maar Henry wil helemaal niet met haar trouwen. Dus is hij met lege handen bij Charpentier vertrokken, in de overtuiging dat ik medelijden met hem zou krijgen en hem in dienst zou nemen.'

'Waarom zeg je "medelijden zou krijgen"? Heeft hij dan geen geld?'

'Hij zit niet bepaald slecht bij kas, maar ik krijg de indruk dat hij het soort man is dat wíl werken, omdat hij dat nodig heeft. En aangezien hij en zijn moeder, Margaret Beauchard, in het bezit zijn van een groot aantal Deravenel-aandelen, besloot hij dat hij wilde werken voor het bedrijf waarin hij een zakelijk belang heeft... het familiebedrijf.'

'Is hij familie van je? Is hij een Deravenel, Ned?' vroeg Jane. 'Ik dacht dat hij van de Grant-tak was.'

'Dat klopt, maar vergeet niet wat Grants volledige naam was: Henry Deravenel Grant, van de Deravenel Grants uit Lancashire, en dat hij afstamt van de stichter van de dynastie, Guy de Ravenel. Net als ik. Hij en ik waren neven.'

'Wat is dan precies de positie van Henry Turner?'

'Zijn vader, wijlen Edmund Turner, was de halfbroer van Henry Grant – ze hadden dezelfde moeder, maar verschillende vaders. Edmund Turner was geen Deravenel, maar omdat Margaret Beauchard Turner, Edmunds vrouw en de moeder van Henry Turner, rechtstreeks afstamt van Guy de Ravenel, is dat de andere familieconnectie. De aandelen die ze bezitten zijn van Grant, want Henry Turner is de laatste Grant-erfgenaam. Alle anderen zijn inmiddels dood.'

'Héb je hem een baan aangeboden?' vroeg Jane met een bezorgde uitdrukking op haar gezicht.

'Jawel, hier, bij de vestiging in Parijs. In het begin gaat hij zich met algemene dingen bezighouden. Ik heb hem nog niet op een bepaalde divisie gezet.'

'Maar waaróm? Is dit niet een gevaarlijke zet?'

'Nee, echt niet, vertrouw me lieveling. Henry Turner weet dat hij mijn positie bij Deravenel op geen enkele manier in gevaar kan brengen. Het bedrijf is van mij, en dat weet hij. Hij heeft niet de ervaring, voldoende aandelen of invloed om ooit een overname te bewerkstelligen – of een coup te plegen, als je het zo wilt noemen. Hij wil alleen maar een baan.'

'Tja, natuurlijk weet jij het het beste, Ned,' zei Jane uiteindelijk. En al meende ze het en vertrouwde ze op Neds zakelijke inschattingsvermogen en inzicht, ze dacht het hare van Henry Turner en zijn motivatie. En ze zou in de niet al te verre toekomst aan dit gesprek terugdenken, vol wroeging omdat ze niet meer druk op Ned had uitgeoefend. En omdat ze haar bezorgdheid niet krachtiger tegen hem had geuit. Maar toen was het te laat.

DEEL DRIE

Bess

Uit loyaliteit zijn mijn handen gebonden

Het mensenhart heeft verborgen schatten,
Heimelijk gekoesterd, in stilte verzegeld
Charlotte Brontë
Evening Solace

Ik sliep en droomde dat leven schoonheid was.
Ik ontwaakte – en kwam tot de ontdekking dat leven plicht was.
Ellen Sturgis Hooper
Beauty and Duty

Ik bleef nog wat bij hen, onder die vriendelijke hemel: keek naar de
nachtvlinders die tussen de hei en de wilde hyacinten fladderden;
luisterde naar de zachte bries die door het gras fluisterde; en vroeg
me af hoe iemand zich ooit zou kunnen voorstellen dat in die vredige
wereld ooit onrustig werd geslapen.
Emily Brontë
Wuthering Heights

Veertig

Kent

'Wat mankeert je vader, Bess?' vroeg Will Hasling nadat hij haar met een hartelijke omhelzing had begroet. Hij deed een stap achteruit en keek haar aan. Haar gezicht was bleek en stond bezorgd. 'Een paar dagen geleden was hij alleen wat verkouden. Wat is er gebeurd?'

'Zijn kou is omgeslagen in bronchitis, zoals dat bij hem zo dikwijls gaat. Een familiekwaal, denk ik... zwakke luchtwegen, bedoel ik. Vandaar dat ik u heb opgebeld, oom Will. Hij lijkt er ontzettend slecht aan toe.'

'Ik ben blij dat je dat hebt gedaan, en ik ben helemáál blij dat ik heb besloten om gisteravond naar Kent af te reizen.'

Terwijl ze door de hal van Waverley Court in de richting van de trap liepen, vervolgde Bess: 'Volgens mij weet u dat mijn moeder voor de paasdagen naar Rome is. Ze heeft Cecily en de twee jongens meegenomen. Ik had geen zin om mee te gaan en ben achteraf blij dat ik hier ben gebleven, zodat ik voor mijn vader kan zorgen.'

'Ik neem aan dat je de dokter hebt gebeld?'

'Ja, hij zou gauw komen. Faxton en ik hebben vader zo goed mogelijk verpleegd. Hij heeft Friar's Balsam geïnhaleerd en zijn hoestdrank ingenomen. Ik vind echt dat het heeft geholpen.'

Toen ze na de laatste trap op de overloop kwamen, zagen ze Faxton Edwards kamer uit komen.

'Hoe maakt Mr. Deravenel het?' vroeg Will.

'Ongeveer hetzelfde, sir.'

'Als de dokter er is, wil je hem dan naar boven sturen?'

'Ja, natuurlijk, Mr. Hasling.'

Bess ging als eerste de kamer van haar vader binnen, terwijl ze riep: 'Papa, hier is oom Will.'

Edward zat met een stapel witlinnen kussens in zijn rug rechtop in bed. Hij schonk Will een zwak glimlachje en stak flauwtjes een hand op. 'Ik kan het niet geloven,' zei hij met een lage, hese stem. 'Ik heb Rome moeten afzeggen. Ik voelde me niet zo lekker, terwijl ik me er zo op had verheugd.'

'Dat weet ik,' antwoordde Will, terwijl hij een stoel bij het bed trok en ging zitten, waarna hij Ned onderzoekend aankeek. 'Maar hier heb je meer kans om beter te worden dan wanneer je door Rome loopt te sjokken. Je gezondheid gaat voor. Trouwens, wie is er met Elizabeth en de kinderen meegegaan?'

'Anthony is in mijn plaats gegaan. Hij vindt het niet erg om met zijn zus te reizen. En de nieuwe gouvernante van de meisjes, miss Coleman, is ook meegegaan, en het dienstmeisje van Elizabeth...' Hij hield even op, viste een zakdoek uit de zak van zijn pyjamasje en hield die voor zijn mond om erin te hoesten. Na een paar minuten hield de blaffende hoest eindelijk op, waarna hij zich uitgeput in de kussens liet terugzakken.

Toen Ned weer wat was bijgekomen, vroeg Will: 'Wil je een glas water, Ned?'

'Hete thee met citroen,' antwoordde hij. Hij keek Bess aan en fluisterde: 'Zou jij het willen halen, lieverd?'

'Natuurlijk, vader, en wilt u ook iets, oom Will?'

'Ja graag, hetzelfde.'

Ze knikte en haastte zich de kamer uit.

Toen ze eenmaal alleen waren, merkte Will op: 'Je ziet vreselijk bleek, Ned. Ik zou willen dat ik iets kon doen. Ik voel me zo machteloos.'

'Dokter Lessing is een goeie vent,' legde Ned hem snel het zwijgen op. 'Hij zal me binnen de kortste keren weer opgelapt hebben. Maar ik voel me een wrak. Vorig weekend ben ik met mijn jongens op Ravenscar gaan vissen, en toen heb ik kougevat. Het was fris aan de Noordzee, er stond veel wind en het stroomde van de regen. We waren op het laatst doorweekt. Maar toch hebben ze ervan genoten, dus het was de moeite waard.' Hij haalde diep adem en voegde eraan toe: 'Voor ik op kantoor kom, moet ik eerst beter zijn.'

'Maak je over Deravenel in godsnaam geen zorgen. Alles loopt op rolletjes, zoals jij het hebt georganiseerd. Alles verloopt prima... dankzij jou is alles tegenwoordig zo gestroomlijnd en efficiënt, en we hebben echt de beste stafleden ter wereld.'

'Dat weet ik...' Edward sloot een paar ogenblikken zijn ogen. Hij voelde zich uitgeput, maar er maalden zo veel verschillende gedachten door zijn hoofd. Dingen die hoognodig gedaan moesten worden.

Will zat er roerloos bij, terwijl hij hem in de gaten hield, bijna over hem waakte; hij was uitermate bezorgd, verdacht op complicaties. Hij had Edward Deravenel nog nooit zo ziek meegemaakt. Hij had wel tegen hem gezegd dat zijn gezicht bleek zag, maar hij vond dat het bijna grijs leek, en hij had hoge koorts. Hij legde zijn hand op die van Ned, die boven op het laken lag.

Ogenblikkelijk deed Edward zijn ogen open en keek Will recht aan. 'Je bent altijd mijn beste vriend geweest, Will. Mijn allerbeste vriend en bondgenoot...' Zijn stem klonk zwak.

Will schrok van deze woorden; ze klonken hem in de oren als een afscheid of iets dergelijks, en hij fronste zijn voorhoofd. 'Ik ben nog stééds je beste vriend, net zoals jij míjn beste vriend bent, en we zullen nog heel lang vrienden zijn.' Plotseling toverde hij een grijns op zijn gezicht. 'We zijn pas in de veertig, Ned, we hebben nog een heel eind voor de boeg.'

Edward keek hem glimlachend aan. 'Ja, natuurlijk, en vooral ik heb nog heel wat schade aan te richten.'

Op dat moment ging de deur open en kwam Bess binnen, gevolgd door een dienstmeisje, en achter het dienstmeisje kwam dokter Ernest Lessing. Hij was de plaatselijke plattelandsarts die de familie altijd raadpleegde tijdens een verblijf in het huis in Kent.

Will stond op, wendde zich tot de dokter, die een bekende van hem was, en begroette hem hartelijk. 'Hoe maakt u het, dokter Lessing?'

'Heel goed, dank u, Mr. Hasling,' antwoordde de man, waarna hij naar het bed liep, zijn zwarte tas op een stoel zette en zijn stethoscoop tevoorschijn haalde. Hij keek Edward een ogenblik aandachtig aan en zei toen zachtjes: 'Goedemorgen, Mr. Deravenel. Alweer bronchitis, hè?'

'Ik ben bang van wel, dokter. Ik ben er vatbaar voor, geloof ik.'

De dokter knikte, kwam nog wat dichter bij het bed en zette de stethoscoop aan zijn oren om naar Edwards borst te luisteren. Enkele ogenblikken later zei hij: 'Ik vrees dat ik u op de rand van het bed moet zien te krijgen. Ik moet uw longen nakijken.'

'Geen probleem.' Edward ging moeizaam rechter op zitten, waarna Will en de dokter hem helemaal overeind hesen. Will knoopte Edwards pyjamasjasje voor hem open en liet het van zijn brede schouders glijden.

Terwijl de dokter Edward onderzocht, liep Will naar de zithoek aan de andere kant van de slaapkamer, waar het dienstmeisje het dienblad had neergezet. Bess had naar de dokter zitten kijken, maar richtte nu haar ogen op Will en fluisterde: 'Het komt wel goed met hem, oom Will. Vader heeft het gestel van een os en wordt die bronchitisaanvallen altijd snel de baas.'

'Ja, dat weet ik.' Will pakte de kop citroenthee van het blad, deed er een suikerklontje in en roerde; hij bleef enkele ogenblikken zitten om zijn thee op te drinken. Hij begon zich plotseling ontzettend bezorgd te maken en vroeg zich af waarom hij zo'n... angst voelde om Ned. Wat Bess zojuist had gezegd, klopte: haar vader had een goed gestel, was zelden ziek en zo lang hij hem kende was Ned een en al levenslust geweest, energiek en sterk. Toch was Will buitengewoon ongerust en niet in staat dit plotseling opkomende voorgevoel voor zichzelf te verklaren. Het was een eigenaardig, knagend gevoel.

Will schrok op uit zijn overpeinzingen toen hij dokter Lessing tegen Ned hoorde zeggen: 'Het is zoals u al dacht, Mr. Deravenel, u heb een zware bronchitis. Vandaar dat u last hebt met ademhalen. Uw luchtwegen zijn ontstoken. Maar u wordt helemaal beter. Gaat u maar door met het inhaleren van Friar's Balsam en het innemen van de hoestonderdrukker. Ik zal u straks nog wat laten brengen. U hebt rust nodig en u moet veel drinken.'

Ned keek de dokter aan en mompelde: 'Dus het is weer hetzelfde liedje, dokter Lessing.' Hij deed zijn best om een glimlach te forceren, om het wat luchtiger te maken.

'Dat klopt. Ik zal morgen weer bij u komen kijken, Mr. Deravenel. Rust intussen lekker uit.' De dokter ging weg, na Will en Bess goedendag te hebben gezegd, met de opmerking dat hij zichzelf wel zou uitlaten.

Bess bracht haar vader de kop citroenthee, waarna Edward er een paar slokjes van nam en het kopje op het nachtkastje neerzette. 'Ik ben erg moe, Will. Ik denk dat ik even ga slapen.'

'Dat moet je vooral doen. Ik ga weg, maar mocht je me nodig hebben, ik kan binnen tien minuten terug zijn.'

'Ik red me wel.'

'Dan ga ik met u mee naar beneden.' Bess keek haar vader aan en zei zachtjes: 'Ik kom straks bij u kijken, papa. Ga nu maar wat rusten.'

Edward schonk haar een flauwe glimlach en sloot zijn ogen.

Terwijl ze samen naar beneden gingen, bleef Will plotseling staan en pakte Bess bij de arm. 'Je moet beloven dat je me opbelt, overdag of 's nachts, als het erger wordt of als je iets nodig hebt, wat dan ook.'

'Dat beloof ik, oom Will. Maar ik weet dat de dokter gelijk heeft. Trouwens, vader herstelt snel, en als hij zich aan de voorschriften houdt, zal hij gauw van zijn bronchitis genezen.'

'Wie is hier verder nog in huis, Bess, behalve Faxton?' vroeg hij, terwijl hij de trap verder af liep. 'Cook, neem ik aan, en de dienstmeisjes. Maar waar zijn je zusjes die niet naar Rome zijn gegaan?'

'Hier, bij Nanny, op de kinderafdeling op dit moment. Anne was wel gevraagd om met moeder en de anderen mee te gaan, omdat ze al acht is, maar Katharine en Bridget niet. Volgens moeder zijn ze nog te klein. Maar Anne wilde niet mee, oom Will, want zij moedert graag over haar zusjes. Ze mist kleine Georgie, over wie ze nog steeds verdriet heeft. Over Mary ook.'

Will knikte. Neds derde zoontje, kleine Georgie, was in 1922 overleden, vier jaar geleden nu, toen hij twee was. Hij was het tweede kind dat ze jong hadden verloren, net als baby Margaret, die enkele jaren eerder was overleden. Maar gelukkig hadden Ned en Elizabeth na die sterfgevallen nog twee kinderen gekregen: in 1922 Katharine, die hen over het tragische verlies van de kleine Georgie heen had geholpen, en vervolgens, in 1923 Bridget, die nu drie was. Mary, die als tweede dochter was geboren, was vorig jaar juli tot hun grote verdriet vroegtijdig aan acute reuma overleden. Ze was toen vijftien.

Will schudde zuchtend zijn hoofd, terwijl ze door de hal naar de voordeur liepen.

Na een tersluikse blik op hem vroeg Bess: 'Wat is er, oom Will?'

'Ik bedacht net wat een gelukkig paar je ouders zijn, in zo menig opzicht. Als je alleen al bedenkt met hoeveel kinderen ze zijn gezegend – tien in totaal, en slechts twee van hen zijn in hun vroegste jeugd gestorven, en dan Mary natuurlijk. Dat is echt een bijzondere prestatie, vind ik.'

'Ja, zeker.' Desondanks kreeg haar stem iets droevigs toen ze zachtjes zei: 'Ik mis Mary heel erg. We waren zo aan elkaar gehecht, en we waren bijna even oud.'

'Ik weet dat je haar mist. Wij allemaal. Hoewel het daardoor niet gemakkelijk voor me wordt om dit tegen je te zeggen, omdat je nog lang verdriet over Mary zult hebben: je moet maar troost putten uit je andere broers en zusjes.'

'Dat doe ik ook, en ze zijn allemaal ook nog mooi om te zien, net als kleine Mary vroeger, en zo lief. Echt fijne kinderen.'

'Ik vind dit kroost echt een opmerkelijke prestatie van je ouders, en kennelijk zijn de Deravenels een vruchtbare familie. Ik verwacht dat jij ook een groot gezin zult hebben als je groot bent en gaat trouwen,' vertrouwde Will haar toe.

'Ik wil écht geen tien kinderen!' riep ze uit, zo te horen gruwend van het idee, waarna ze grijnsde toen ze de geamuseerde uitdrukking op zijn gezicht zag. 'Bovendien bén ik al groot, oom Will. Bent u vergeten dat ik al zeventien ben?'

'En je hebt de leiding,' voegde hij eraan toe. 'Dat heb je van kleins af aan eeuwig lopen te verkondigen. "Ik heb de leiding," zei je altijd tegen me. En weet je, Bess? *Ik* heb je altijd geloofd.'

Bess trof Nanny op de kinderetage van Waverley Court, met een zitgedeelte, badkamers, een babykamer en slaapkamers voor de kinderen, maar ook voor Nanny en Madge, de hulpnanny.

Toen ze de gerieflijke, knusse zitkamer binnen stapte, zag Bess dat Nanny met een kop thee in haar hand aan de tafel zat, terwijl haar drie zusjes een glas melk dronken. Er stond ook een schaal met plakjes fruit – Nanny's tegengif voor zoete biscuitjes en chocovingers, waar ze allemaal dol op waren, maar die Nanny's goedkeuring niet konden wegdragen. 'Te veel suiker,' zei ze altijd, met opgestoken vinger.

'Ah, daar ben je, Bess,' zei Nanny, terwijl ze haar kopje neerzette. 'Hoe is het met je vader?'

'Dat gaat wel, Nanny, en het is bronchitis, zoals we al dachten. De dokter is net weg.'

'Ik zag zijn auto vanuit het raam, en ook Mr. Hasling.'

'Oom Will is naar huis gegaan, maar als we hem ergens voor nodig hebben, komt hij terug.'

'Komt dokter Lessing morgen bij je vader kijken, Bess?'

'Ja, Nanny, dat heeft hij gezegd. Intussen moeten we op dezelfde manier voor vader zorgen als anders wanneer hij bronchitis heeft.'

Nanny knikte ernstig. 'Ja, we zullen ons best doen. Het lijkt wel of het in de familie zit,' mompelde ze, denkend aan Edward junior, die er net zo bevattelijk voor was als zijn vader.

'Ik wil naar papa toe,' verkondigde Anne met een smekende blik op Bess. 'Mag ik? Toe! Ik wil hem een kusje geven – hij zei dat hij mijn kusjes lekker vindt.'

'Straks, lieverd,' zei Bess op haar meest autoritaire toon. 'Vader is nu aan het rusten... Je weet dat hij niet lekker is.'

'Maar hij heeft me een muntje van drie pence beloofd voor Goede Vrijdag. Dat is vandaag,' legde de achtjarige uit.

'Als hij dat heeft beloofd, zal hij zich aan zijn belofte houden, Anne, maar straks.' Ze keek naar Katharina, die vier was, en naar de één jaar jongere Bridget, en ze voegde eraan toe. 'Iedereen krijgt een muntje van drie pence voor Goede Vrijdag. Van papa. Dat beloof ik.'

Haar drie jongere zusjes keken haar glunderend aan, en er verscheen een glimlach op haar gezicht toen ze hen even een voor een bekeek. Ze waren allemaal blond en beeldschoon, net als haar broers en hun oudere zus Cecily.

Nu keek Katharine haar aan, met die verleidelijke turkooisblauwe ogen, en verkondigde: 'We krijgen vanavond warme paasbroodjes, zegt Nanny.'

'Dan kom ik met jullie mee-eten,' beloofde Bess.

'En papa?' informeerde Katharine gretig.

'We zullen zien.' Terwijl ze dat zei, keek Bess Nanny aan en schudde haar hoofd.

Eenenveertig

Londen

Bess zat aan het bed van haar vader, in de slaapkamer van zijn huis aan Berkeley Square. De vorige dag, eerste paasdag, had hij met alle geweld terug naar Londen gewild. Omdat zijn gezondheid er sinds Goede Vrijdag op was vooruitgegaan, had hij gezegd dat hij liever in de stad wilde zijn, en dus had Broadbent hem er laat in de middag naartoe gereden.

Nu ze hem zo zag, moest ze toegeven dat hij er inderdaad iets beter uitzag; zijn kleur was normaal, zijn ogen stonden minder glazig en de koorts daalde, waarvoor ze dankbaar was.

Terwijl hij haar peinzend aankeek, zei Edward: 'Dank je voor het voorlezen uit *The Times*, Bess. Luister, er is iets wat ik je wil uitleggen.'

Terwijl ze rechterop ging zitten, had zijn oudste dochter meteen haar oren gespitst. 'Wat is het, vader?' Haar nieuwsgierigheid was gewekt, omdat hij zo ernstig klonk.

Hij trok de la van zijn nachtkastje open en haalde er een vel papier uit, dat hij aan haar gaf. 'Eerst zou ik willen dat je dit las.'

Ze gehoorzaamde, en keek hem vervolgens met haar helderblauwe ogen aan. 'Die getallen, hier, die vormen een combinatie... Van uw kluis zeker?'

'Grote meid! Van de kluis, hier in mijn kleedkamer, en die op Ravenscar. Met die nummers gaan béíde kluizen open – het was veel eenvoudiger om één reeks samen te stellen. Ik wil dat je de kluis hier openmaakt en er de bruine envelop op de bovenste plank uit pakt.'

Ze sprong overeind en liep met het vel papier in haar hand haastig de kamer door. Even later was ze terug met de grote envelop.

Nadat ze die aan hem had gegeven, ging ze weer op de stoel zitten.

Edward hield de envelop een ogenblik in zijn handen, waarna hij hem op het bed neerlegde en zei: 'Deze papieren zijn voor jou, Bess. Die mag je houden. Dat zijn de reglementen van het bedrijf, van Deravenel, in 1918 door mij bijgesteld. Je herinnert je vast nog wel dat ik dat jaar op Ravenscar die smak maakte... met de kerst?'

'Nou en of ik dat nog weet, vader!'

'Ik heb die dag namelijk heel erg geboft. Ik had me behoorlijk ernstig kunnen verwonden – mijn rug of mijn nek kunnen breken. Ik had wel dood kunnen zijn. Gelukkig was dat niet zo. Die val heeft me de waarheid doen inzien... dat ik kwetsbaar ben, net als ieder ander. Het zette me aan het denken over de regels bij Deravenel, en ik besloot dat ik die moest zien te veranderen. Ik was dolblij dat de raad van bestuur het met me eens was. En wat de nieuwe regels duidelijk maken, is dat een vrouw die een gebóren Deravenel is er als directeur de leiding aan kan geven. Begrijp je?'

'Jawel, maar de mannelijke erfgenaam dan? Gaat die voor?'

'Absoluut! Maar stel dat mij en je broers tegelijkertijd iets overkomt. Stel dat we bij een ongeluk zouden omkomen. Of dat de beide jongens samen een dodelijk ongeluk zouden krijgen. Je weet maar nooit wat het leven zal brengen, Bess. Dus werd ik, zoals gezegd, aan het denken gezet en besefte ik dat, na je broers, jij de opvolger bij Deravenel zou zijn. En dus heb ik me over de oude reglementen gebogen en enkele nieuwe opgesteld en die bij onze jaarlijkse directievergadering van januari 1919 aan het bestuur voorgelegd. Ze werden onmiddellijk door mijn medecommissarissen goedgekeurd en vastgelegd.'

'De andere directieleden gingen ermee akkoord dat een vróúw Deravenel zou kunnen leiden?' riep Bess uit. 'Ik kan het bijna niet geloven!'

'Tja, we leven nou eenmaal in moderne tijden. Het is al 1926. Enfin, mocht ik doodgaan, of mochten je broers komen te overlijden of hoe dan ook buiten werking worden gesteld, dan ben jij de volgende in de lijn en zul je álles erven, ook de firma Deravenel. Afgezien van de fondsen die ik voor je zusters in het leven heb geroepen uiteraard. Grace Rose heeft ook een eigen fonds. Jij ook, en daar kan hoe dan ook niemand aankomen.'

Eén moment was Bess met stomheid geslagen, maar toen de betekenis tot haar doordrong, riep ze met trillende stem uit: 'Maar u gaat niet dood, papa! En de jongens gaan niet dood! Praat alstublieft niet over al dat doodgaan! Ik kan er niet tegen.'

'Dat weet ik, maar we moeten praktisch zijn, zakelijk – er is te veel mee gemoeid. Ik wil de firma veiligstellen. Dat moet. Ik heb haar opgebouwd tot wat ze heden ten dage is. Ik moet de firma Deravenel beschermen voor de toekomst van de familie Deravenel. Daar gaat dit gesprek over.'

Nu overhandigde hij de bruine envelop aan zijn dochter, en legde uit: 'Bij de bedrijfsreglementen zit een cheque die ik aan jou heb uitgeschreven, van vijfduizend pond. Ik wil dat je tante Vicky opbelt wanneer ze later in de week uit Kent terugkomt. Zij zal met je naar de bank gaan, waar jij een rekening gaat openen en een kluisje huurt. De cheque...'

'Vader, dit is veel te veel. Een kapitaal.'

'Met de cheque zul je een rekening kunnen openen, en die is bedoeld voor als er zich ooit een noodgeval mocht voordoen. Leg ze uit dat je een renterekening wilt, oké?'

Bess wist niet wat ze zeggen moest en knikte slechts.

'En je begrijpt zeker wel dat de bankkluis is bedoeld voor de papieren in de envelop?'

'Ja, vader, natuurlijk.'

'Lees ze straks alsjeblieft even door.'

'Dat zal ik doen.'

'Nog iets. Probeer de getallenreeks uit je hoofd te leren als je kunt, en vernietig dan het vel papier.'

'Ja, dat zal ik doen.'

Hij keek haar glimlachend aan. 'Kijk niet zo zorgelijk, liever. Er zal me nog een heel lange tijd niets overkomen, ook je broers niet. Ik ben nou eenmaal een pietje precies.'

Bess knikte, omdat ze niet op haar stem vertrouwde. Dat gepraat van haar vader over ongelukken, de dood en overlijden vond ze vreselijk beangstigend. Er viel een korte stilte tussen hen, maar uiteindelijk zei ze: 'U bent wel gauw een stuk beter geworden, vader, maar u moet nog steeds oppassen. Ik hoop niet dat u overweegt om dinsdag weer naar kantoor te gaan. Nee toch?'

'Zelfs ik ben niet zo gek. Nee, ik zal doen wat dokter Lessing zegt en in bed blijven, met mijn hoestsiroop en Friar's Balsam binnen handbereik.' Edward liet zich weer in de kussens zakken; als hij bronchitis had, voelde hij zich altijd beter wanneer hij rechtop zat. In die houding leek hij minder te hoesten.

Bess stond op, pakte de envelop op en liep naar de kluis van haar vader, terwijl ze zei: 'Dit kan ik beter achter slot en grendel opbergen tot ik ze later deze week naar de bank kan brengen.'

'Dat is een goed idee.'

Toen ze terug was, bleef ze naast het bed staan en keek naar Edward. Plotseling verscheen er een glimlach op haar gezicht, waardoor de ernstige uitdrukking verdween. 'Ik denk dat ik maar naar beneden ga om met Cook te praten, vader. Ik wil weten wat ze voor vanavond voor u kookt. Is er iets bijzonders waar u trek in hebt?'

'Ik heb niet zo'n honger, Bess. Iets lichts.' Hij legde zijn hoofd op de kussens. 'Ik ben moe. Wil je me over een uur wakker maken?'

'Dat zal ik doen.' Ze ging haastig de kamer uit, op weg naar de keuken.

Edward keek haar na, terwijl hij bedacht dat ze een wel heel bijzondere jonge vrouw was geworden. Als kind was ze al beeldschoon, maar nu had ze ook nog iets liefalligs. Het leek wel of ze een innerlijk licht uitstraalde dat hem dikwijls de adem deed inhouden. Ze had nog altijd dezelfde opmerkelijke kleurschakering als hij: het roodgouden haar, de opvallend blauwe ogen. Maar qua gezicht leek ze veel meer op haar moeder; ze had de sierlijke beenderstructuur en fijne trekken van Elizabeth, en ook haar klassieke schoonheid. Hij was erg trots op Bess, in zo veel verscheidene opzichten. Hij vertrouwde blind op haar; ze was altijd meer zijn kind geweest dan van haar moeder. Hij had zelfs de indruk dat Bess al jarenlang intuïtief haar moeder op een afstand hield.

Toen ze deur achter zich dichttrok, deed Edward zijn ogen dicht en sloot zich af voor zijn omgeving, terwijl zijn gedachten actief bleven. Hij sliep niet. Er schoot van alles door zijn hoofd... zijn broer George dook plotseling op, glashelder. Mooie jongen, knappe man. Te jong om te sterven... Daar was Neville, zijn neef en mentor, tegen wie hij zo had opgekeken... Ook hij was te jong doodgegaan. Dat gruwelijke ongeval op Ravenscar... zo lang geleden inmiddels... twaalf jaar. Zijn geliefde Johnny, Nevilles broer, die op het strand bij Ravenscar samen met Neville was omgekomen... Hij dacht terug aan hun jonge jaren samen, toen ze opgroeiden in Yorkshire, waar ze over de moerasgronden reden. Ze hadden het daar in augustus en september het fijnst gevonden; de tijd dat de hei in bloei stond: een zee van paars... golven van felle kleuren, deinend op het lichte briesje... de moerassen... meedogenloos... woeste, verlaten vlakten vol stilte en isolement... Hij had zich er nooit eenzaam gevoeld... de moerasgronden, die tot aan de onberekenbare noordelijke hemel reikten, waren zijn thuis...

Zijn gedachten maakten een onverwachte wending naar Amos Finnister. Vorig jaar in Parijs had Grace Rose zich zorgen over hem gemaakt, en dus was hij toen hij terug was in Londen met Amos gaan praten. Er was geen sprake van aarzeling geweest toen hij hem vroeg of hem iets dwarszat. Hij had meteen zijn hart uitgestort. Edward kon zijn stem op dit moment horen, laag en berouwvol. 'Het gaat om uw broer, Mr. George,' had hij opgebiecht. 'Oliveri en ik... enfin, we hebben het gevoel dat het onze schuld is dat hij dood is. Weet u, we hebben Vincent Martell van dat oude gezegde verteld – u weet wel, met verwijzing naar Thomas à Becket... waar koning Henry zoiets zei als: "Wie verlost me van deze opstandige priester?" – en dat er toen een paar schildknapen van de koning op uit waren getrokken om Thomas in de kathedraal in naam van de koning te vermoorden. Oliveri en ik hebben sindsdien aldoor in de veronderstelling verkeerd dat Vincent de wiggen heeft losgetrokken waarmee de fusten op hun plaats werden gehouden. Hij... eh, nou ja, heeft min of meer laten doorschemeren dat hij het had gedaan. En sinds die tijd voelen wij ons er verantwoordelijk voor, en schuldig. We hebben nooit iets kwaads in de zin gehad, maar misschien dacht hij dat we hem op een idee wilden brengen.'

Edward herinnerde zich dat hij Amos die dag had gerustgesteld door uit te leggen dat het noch zijn, noch Oliveri's schuld was en dat George het allemaal zelf over zich had afgeroepen. Waarna Amos had opgebiecht dat Vincent Martell een hartgrondige hekel aan George had gekregen, werkelijk allervreselijkst, omdat hij zulke verschrikkelijke dingen over zijn broer beweerde. Er zou natuurlijk nooit iets bewezen kunnen worden, en dat wilde hij ook niet. Trouwens, Vincent had kanker; hij was op dat moment heel ziek en zou hoogstwaarschijnlijk sterven.

Mijn schuld... Als het iemands schuld is, is het mijn schuld. Ik heb het te lang op z'n beloop gelaten... had George al jaren geleden moeten intomen, hem verantwoordelijk moeten stellen voor zijn daden, niet zo snel moeten vergeven.... Hem niet moeten terugnemen... Als ik hem in de hand had gehouden, het allemaal beter had aangepakt, zou hij vandaag misschien nog leven... Mama nam mij altijd onder handen en haalde me over om aardig voor hem te zijn, smeekte me om George te helpen en het verleden te vergeten. Zijn moeder had het hem nog niet vergeven, dat wist hij... Ze vond dat hij een moordenaar was, had ze op een dag tegen hem gezegd... 'je hebt mijn zoon vermoord'... ze had hem die woorden naar het hoofd geslingerd... Toen had hij gedacht: 'Maar ik ben óók je zoon.' Dat had hij niet tegen haar gezegd... soms, zoals nu... zou hij willen dat hij dat wel had gedaan...

Beneden, in de bibliotheek, zat Bess achter het bureau van haar vader, en sprak door de telefoon met Will Hasling. 'Het gaat beter met vader, echt waar, oom Will, geloof me toch. Ik vertel u de waarheid.'

Nadat hij aandachtig naar elk woord had geluisterd, zei Will: 'Ik vraag het maar, om er zeker van te zijn dat alles goed gaat, en ik wil je ook vertellen dat we vanavond weer in de stad zijn. Dus mocht je contact met me willen opnemen, dan kun je me in het huis in Londen vinden.'

'Fijn dat u het me laat weten, oom Will.'

'O, en Bess, nog iets... heb je je moeder verteld dat je vader ziek is, dat hij weer bronchitis heeft?'

Bess klemde haar hand wat steviger om de hoorn, terwijl ze haar voorhoofd fronste. 'Nee. Mijn vader heeft niet gevraagd of ik haar wilde bellen. Vindt u dat ik dat had moeten doen?'

'Nee, nee, dat is vast niet nodig,' haastte Will zich te zeggen. 'Als jij zegt dat het vanavond wat beter met je vader gaat, heeft het misschien geen zin.' Terwijl hij het zei, kreeg hij opnieuw dat rare gevoel; dat eigenaardige voorgevoel dat hij vrijdag had gehad, en hij nam zich voor om contact op te nemen met Anthony Wyland, die samen met zijn zus Elizabeth in Rome was. Hij vond echt dat ze moesten worden ingelicht.

'Oom Will, bent u er nog?' vroeg Bess.

'Ja, ja, ik ben er nog. Doe je vader de hartelijke groeten en zeg dat ik hem morgen kom opzoeken.'

Bess hing op en zat, nog steeds fronsend, een hele tijd voor zich uit te staren. Ging het minder goed met haar vader dan het zich liet aanzien? Onwillekeurig vroeg ze zich af of... Want waarom had Will Hasling haar dan gevraagd of ze haar moeder had gesproken? Wist Will meer dan zij? Was er echt iets mis met haar vader? Zo niet, vanwaar dan zijn bezorgdheid? Tja, hij was haar vaders beste vriend, en zijn collega.

Bess ging de bibliotheek uit en rende de trap op; ze vloog de gang door naar haar vaders slaapkamer, klopte aan en liep haastig naar binnen. Tot haar verbazing zat hij rechtop in bed.

'Ik kwam u wekken, vader,' zei ze, ineens enorm opgelucht. 'Maar ik zie dat u al wakker bent.'

Een flits van een glimlach. 'Wat heeft Cook vanavond voor me in petto?'

'Hete kippensoep met noedels, gegrilde forel met peterseliesaus en aardappelpuree. Het klinkt verrukkelijk.'

'Vind je? Eerder als een menu voor een zieke man.'

'Ik zal bij u komen eten, papa, hier boven, van een dienblad. Is dat goed?'

'Fantastisch.'

Edward werd midden in de nacht met een schok wakker. Hij had het gevoel dat er stalen banden om zijn borst vastgeklonken zaten. De pijn was ondraaglijk. Toen hij zich probeerde te bewegen, merkte hij dat het hem niet lukte. Hij wist zich op zijn zij te draaien, en dat voelde iets beter. Hij merkte dat zijn rechterzij pijn deed. En toen was daar opnieuw de verschrikkelijke, helse pijn in zijn borst. Verstopping, dacht hij, ik zit helemaal dicht, dat komt door de bronchitis.

Een stemmetje vertelde hem dat het niet door de bronchitis kwam, dat het iets anders was, iets ergers. Hij vroeg zich af of hij een hartaanval had; hij had geen idee.

Edward bleef roerloos liggen, terwijl hij probeerde regelmatig te ademen. Uiteindelijk nam de pijn in zijn borst af en verdween helemaal. Zijn rechterzij deed nog altijd pijn, maar zolang hij in één houding bleef liggen, zakte die ook. Toen hij zich prettiger voelde, doezelde hij eindelijk weg en viel algauw in diepe slaap.

In zijn dromen was hij bij Lily Overton, zijn dierbare Lily, de vrouw van wie hij als heel jonge man zoveel had gehouden...

Tweeënveertig

Bess zat in de bibliotheek te wachten op dokter Avery Ince, de Londense arts van haar vader. Hij was boven bij haar vader, al een hele poos, en ze begon nu toch wel buitengewoon bezorgd te worden. Waarom duurde het bezoek zo lang?

Toen ze even later zijn voetstappen in de vestibule hoorde, rende ze de bibliotheek uit. 'Wat denkt u, dokter Ince?' vroeg ze, waarbij haar bezorgdheid zich op haar ernstige gezicht aftekende.

'Laten we even naar de bibliotheek gaan, Bess,' zei hij, terwijl hij haar mee naar binnen nam. Hij kende haar al van kinds af aan en had de afgelopen paar jaar bewondering voor haar gekregen; haar vader kon trots op haar zijn.

'Gaat het wat beter met papa?' vroeg Bess, terwijl ze op het puntje van een stoel ging zitten.

'Nee, zo ongeveer hetzelfde,' antwoordde de dokter, die er ook bij ging zitten. 'Maar hij lijkt me vanmorgen nogal vermoeid.'

'Vader wilde gistermiddag een paar vrienden spreken, en die zijn toen op de thee gekomen,' legde Bess uit. 'Misschien heeft dat hem iets te veel uitgeput.' Ze ging nu goed op de stoel zitten, zonder de dokter over de avond te durven vertellen. Haar vader had Alfredo Oliveri en Amos Finnister gisteravond gevraagd of ze samen met oom Will wilden langskomen, en ze waren een hele tijd gebleven.

'Van nu af aan geen bezoek meer, Bess,' waarschuwde de dokter. 'Ik schrijf je vader totale rust voor. En wil je ervoor zorgen dat hij de slijmoplosser inneemt die ik vandaag voor hem heb meegebracht? Er zit heel veel slijm in zijn borst, en dat wil ik zo snel mogelijk weg hebben.' Hij stond op, pakte zijn tas en liep naar de deur.

Bess liep achter hem aan en vroeg: 'Komt u vader morgen bezoeken, dokter?'

'Ik kom morgen laat in de ochtend langs. O, tussen haakjes, wanneer komt je moeder uit Rome terug?'

'Morgen. Oom Will heeft oom Anthony opgebeld, die is met haar mee, en die heeft alles voor de reis in orde gemaakt.'

'Uitstekend.' Hij glimlachte hartelijk naar haar en voegde er geruststellend aan toe: 'Kijk niet zo zorgelijk, Bess, we hebben je vader weldra weer op de been. Over een paar dagen is hij weer helemaal de oude. Zorg ervoor dat hij veel drinkt, goed?'

'Ja, dokter Ince,' zei ze, waarna ze hem uitliet. Toen ze de voordeur op slot had gedraaid, rende ze de grote vestibule door en ging naar de salon. Daar zat Will met Grace Rose en Jane Shaw. Janes aanwezigheid in huis was mogelijk gemaakt door de afwezigheid van Mallet. Het was woensdag, de vrije dag van de butler.

'Wat zei dokter Ince?' vroeg Jane zenuwachtig toen Bess binnenkwam. Ze zag er afgemat uit en was duidelijk bezorgd.

'Dat vader ongeveer hetzelfde is, maar wel heel moe.' Bess schudde haar hoofd. 'Dat komt ongetwijfeld doordat hij gisteren bezoek heeft gehad, al hebben Vicky en Fenella hem wel opgevrolijkt.'

'Ik heb je vader nog nooit zo slecht meegemaakt, Bess,' zei Will. 'Zo ziek is hij nog nooit geweest van bronchitis. Hij moet rusten en jij moet ervoor zorgen dat hij in bed blijft. Hij zei tegen me dat hij volgende week weer aan het werk wil. Dat vind ik echter niet verstandig.'

'Ik ook niet,' zei Jane, en met een nog zorgelijker gezicht stond ze op. 'Mag ik nu naar hem toe?' Met een glimlach naar Bess, voegde ze eraan toe: 'Je beseft vast wel dat ik me een tikkeltje... opgelaten voel... hier in huis.'

'Dat begrijp ik. En natuurlijk mag je naar hem toe. Kom mee!' Bess ging haar voor de trap op.

Binnen enkele minuten was ze terug in de bibliotheek en ging naast haar halfzuster zitten. 'Vader zegt dat hij graag zou hebben dat je over een kwartier naar boven kwam, Grace Rose. Hij kijkt reikhalzend uit naar een bezoekje van je.'

'Ik popel om hem te zien.' Grace Rose schraapte haar keel, waarna ze het waagde te vragen: 'Zou oom Ned niet in het ziekenhuis horen te liggen?' Ze keek met ogen vol vraagtekens van Will naar Bess.

'Dat hebben we allebei al voorgesteld, en ook met dokter Ince besproken,' antwoordde Will. 'Ned wil er niet van horen en met alle geweld in dit huis blijven, en de dokter schijnt te vinden dat het beter is hem op zijn wenken te bedienen dan hem over te brengen naar een particuliere kliniek, zoals ik voorstelde.'

'Ik begrijp het,' verzuchtte Grace Rose. 'Dokter Ince is erg goed; hij is ook onze huisarts. Hij zal het wel het beste weten.' Toch was ze nog steeds van mening dat haar biologische vader écht naar het ziekenhuis moest en dat Edward niets te willen had. Hij was koppig en gewend zijn zin te krijgen. Ze was ongerust over zijn toestand.

'De dokter vroeg me wanneer moeder thuiskomt, en ik heb tegen hem gezegd dat ze morgen komt. Dat is toch juist, oom Will?'

'Volgens je oom zouden ze dinsdagmiddag aankomen.'

Bess keek hem veelbetekenend aan en zei somber: 'Ik hoop dat ze hem niet van streek maakt, waardoor hij zich nog slechter gaat voelen. Ze weet papa altijd tegen de haren in te strijken.'

Will hield zijn mond, wetend dat het waar was wat Neds dochter zei.

Grace Rose zei ook niets, omdat ze er zelf getuige van was geweest dat Elizabeth haar slechte humeur op oom Ned afreageerde. Ze stond op en zei zachtjes: 'Ik ga nu naar boven om bij hem te gaan kijken.'

Eindelijk was het stil in huis. Stil. De rust was weergekeerd.

Die middag was Bess' moeder thuisgekomen, een dag eerder dan verwacht, en even was alles in rep en roer geweest. Ze deed heel hautain toen ze het huis binnen stapte – als de koele, ingetogen schoonheid, de ijskoningin – gevolgd door Cecily, Edward junior, kleine Ritchie met de nieuwe gouvernante, miss Coleman, en haar dienstmeisje Elsie. De achterhoede, die zich over de bagage ontfermde, bestond uit oom Anthony, de knecht Flon en drie van de huishoudelijke hulpen en ook de nieuwe tweede butler Jackson.

Zonder zelfs maar te groeten was haar moeder langs haar heen geschoten en de trap opgegaan naar de kamer van haar vader, waar ze de deur stevig achter zich had dichtgetrokken.

Bess was gepikeerd omdat haar moeder had gedaan of ze lucht was. De zorg voor de andere kinderen werd aan haar overgelaten en ze moest oom Anthony op de hoogte brengen van alle bijzonderheden over de ziekte van haar vader, en ook nog verslag uitbrengen van de verbetering in zijn toestand.

Terwijl ze een kop thee voor haar oom inschonk, nadat ze zich ervan had vergewist dat haar broertjes en zusjes van een glas melk en pijlwortelkoekjes waren voorzien, dankte ze in stilte de Heer dat ze niet twee uur eerder waren aangekomen.

In dat geval zouden ze met z'n allen op heterdaad betrapt zijn – zijzelf, haar vader, oom Will en Grace Rose – omdat ze de maîtresse van haar vader trakteerden op een lunch van sandwiches met gerookte zalm en witte wijn. Dat zou een regelrechte oorlog tot gevolg hebben gehad... de oorlog aller oorlogen, en het einde van hun huwelijk. Maar omdat Jane – correct, voorzichtig als altijd, en uitermate goedgemanierd – een beetje zenuwachtig was en zich opgelaten voelde over haar aanwezigheid in het huis aan Berkeley Square, was het een korte lunch geworden. Wat was dat een geluk geweest.

Na een halfuur was haar moeder volkomen uitgeblust beneden in de woonkamer verschenen, maar ze had haar eindelijk gedag gezegd en haar een kus op de wang gegeven. Wat Bess vreemd vond, was dat ze met geen woord had gerept over haar man die een verdieping hoger ziek in bed lag. Pas toen haar broer Anthony vragen begon te stellen, had Elizabeth hem een boze blik toegeworpen en gemompeld: 'We zullen het er straks wel over hebben, maar niet nú.'

Op dat moment had de veertienjarige Cecily haar mond opengedaan en erop gestaan dat ze naar haar vader mocht, waarop Edward junior en kleine Ritchie hadden geroepen dat ook zij naar hun vader wilden. En zij kreeg de opdracht de kinderen direct naar de slaapkamer van hun vader te brengen.

Nu ze de middag overdacht drong het pas tot Bess door wat een krachttoer het voor papa was geweest om zo opgewekt de schijn op te houden, niet alleen voor zijn twee mannelijke erfgenamen, maar ook tegenover haarzelf en Cecily.

Meestal waren de jongens uitgelaten, en het liefst stormden ze op hem af om hem te omhelzen. Die middag hadden ze zich echter voor de gelegenheid ingehouden, misschien wel een beetje angstig hun vader, verre van vitaal, aan zijn bed gekluisterd te zien.

De jongens waren allebei erg zoet geweest, evenals Cecily, en toen haar vader informeerde waar de andere meisjes waren, was ze eigenlijk van mening geweest dat, nu hun moeder weer thuis was, ze er eigenlijk met het hele gezin hadden moeten zijn.

'Ze zijn samen met Nanny in Kent,' had ze hem helpen herinneren, waarop hij had geknikt en tegen haar zei dat ze de volgende morgen naar Londen teruggebracht moesten worden. En toen had hij op die onweerstaanbare manier geglimlacht – een glimlach zoals er in de hele wereld geen andere bestond.

Bess werd met een schok wakker.

Toen ze rechtop ging zitten, kwam ze tot de ontdekking dat ze in haar vaders stoel in de bibliotheek in slaap was gevallen. Ze keek op de pendule op de schoorsteenmantel en zag dat het al tien uur was. Zonder te weten waarom, werd ze bevangen door een plotseling angstgevoel – een eigenaardig, onheilspellend gevoel. Ze rende de bibliotheek uit en de trap op, en bleef bij de deur van haar vaders slaapkamer staan. Er was geen enkel geluid. Een ogenblik later deed ze de deur open en liep de kamer binnen. Het nachtlampje brandde en hij draaide zijn hoofd om toen hij zich bewust werd van haar aanwezigheid en keek haar recht aan. Onwillekeurig bedacht ze hoe intens blauw zijn ogen die avond waren – zo blauw had ze ze nog nooit gezien.

'Hallo, lieve schat.'

'Papa, hebt u nog iets nodig?'

'Will... roep Will.'

'Nu, papa?'

'Ja.'

Bess ging naar de telefoon in haar vaders kleedkamer en draaide het nummer van Will Hasling. Toen hij opnam, zei ze met zachte stem: 'Oom Will, met Bess. Mijn vader wil dat u komt. Nu. Kan dat?'

'Ik kom zo snel mogelijk. Is er iets mis?'

'Ik... ik weet het niet. Ik zal naar beneden gaan om u bij de voordeur op te wachten, zodat we... niemand wakker maken.'

'Ik begrijp het.'

Nadat ze de hoorn weer op de haak had gelegd, ging ze terug naar het bed van haar vader. 'Hij is onderweg, papa.'

Edward knikte, waarna hij zei: 'Doe de deur op slot.' Terwijl hij dat zei, wees hij in de richting van de kleedkamer.

'Van de kamer hiernaast?'

'Ja.'

Bess holde de kleedkamer in en draaide stilletjes de sleutel om in de deur die toegang gaf tot de slaapkamer van haar moeder.

'Hij zit op slot. Ik ga naar beneden, vader,' zei ze toen ze weer aan zijn bed stond. 'Om oom Will bij de voordeur op te wachten. Ik wil niet dat hij aanbelt en iedereen wakker maakt.'

'Mooi.'

Drieënveertig

Omdat Jackson, de tweede butler, al voor de nacht had afgesloten, ging Bess onmiddellijk aan de slag om de grendels weg te schuiven en de deur van het slot te halen. Vervolgens bleef ze staan wachten, haar oren gespitst op de komst van Will Hasling.

Ze hoefde niet lang te wachten.

Binnen een kwartier hoorde ze een auto voorrijden, het geluid van het dichtslaan van een portier en gedempte stemmen, gevolgd door voetstappen.

Toen ze de deur op een kier opende, stond ze oog in oog met Will. Hij glipte naar binnen en deed de deur achter zich dicht en op slot.

'Iedereen is in diepe slaap. Vader wilde niet dat iemand werd wakker gemaakt. Vooral de jongens en Cecily waren moe na zo'n lange reis,' vertelde Bess.

Will knikte. 'Hoe gaat het met hem?'

'Zo te zien gaat het ongeveer hetzelfde met hem, maar hij is erg stil. Moeder en ik hebben na het eten een poosje bij hem gezeten, en hij was... in zichzelf gekeerd. Ik denk dat hij is opgebrand. Toen, althans. Toen ik zo-even bij hem ging kijken, was hij weer iets meer zichzelf, en hij vroeg of ik u wilde opbellen om te vragen of u kwam.'

'Ik neem aan dat alles in orde is tussen je ouders? Er is toch niets vervelends gebeurd toen je moeder terugkwam?'

'Niet dat ik weet, oom Will. Moeder is direct na haar aankomst bij vader gaan kijken. Ze heeft niets tegen me gezegd toen ze beneden kwam voor de thee, maar uiteindelijk hebben we later wel met elkaar gepraat. Ze stelde me een heleboel vragen en wilde alles weten. Ze was erg van streek over vader en ze huilde. Ik heb gezegd dat ze voor het avondeten wat moest gaan rusten en toen ze om zeven uur weer bij ons kwam, leek het wat beter met haar te gaan.'

Will zei niets; hij pakte Bess bij de arm, waarna ze samen de vestibule door liepen en haastig de grote trap op gingen naar Edwards slaapkamer.

'Hier ben ik dan, Ned!' Will liep naar het bed om te zien of er blijken van een verslechtering in de toestand of emotionele problemen waren. Maar er was tot zijn grote opluchting die avond niets bijzonders aan Ned te zien. Elizabeth had Edward na haar thuiskomst best overstuur kunnen maken.

'Bedankt dat je bent gekomen, Will,' zei Ned. 'Denk je dat je me even overeind kunt helpen?'

Will deed wat hem werd gevraagd, zette hem rechtop tegen de kussens en ging toen op een van de stoelen bij zijn bed zitten.

Bess, die bij de deur was blijven staan, schraapte haar keel. 'Ik zal u alleen laten, papa en...'

'Nee, nee, je hoeft niet weg te gaan, Bess.' Ned gebaarde naar het zitje aan de andere kant van de kamer. 'Je kunt daar gaan zitten, als je wilt, terwijl ik met Will praat.'

Bess deed wat haar vader had voorgesteld.

Het was enkele minuten stil in de kamer, tot Will de stilte verbrak door te zeggen: 'Anthony vertelde me dat iedereen veilig en wel uit Rome was teruggekeerd, een dag eerder.'

Een flauwe glimlach speelde vluchtig om Edwards mond. 'Ja, en we zijn bijna op heterdaad betrapt, hè? Althans, zo drukte mijn Bess het uit.'

Will moest lachen. 'Dat is maar al te waar.'

'Elizabeth is erg uit haar doen sinds ze weer thuis is,' vertrouwde Edward hem toe. 'En ze heeft me een suggestie aan de hand gedaan die ik aan jou zou willen voorleggen. Ze wil dat ik drie maanden vrij neem bij Deravenel en op zo'n groot schip naar New York stap. Ze is van mening dat de reis me enorm veel goed zal doen – zeelucht, enzovoort. En om dat idee gemakkelijker verteerbaar en aantrekkelijker voor me te maken, wees ze me erop dat we vestigingen in New York hebben, en de olievelden in Louisiana. Wat vind je ervan?'

'Voor één keer heeft ze gelijk, Ned. Het is een schitterend idee. Je zou het moeten doen.'

'Wil jij Deravenel leiden tijdens mijn afwezigheid?'

'Natuurlijk, dat weet je toch.'

'Wanneer komt Richard terug uit Perzië?'

'Niet voor de volgende week. Vóór zijn vertrek zei hij tegen me dat hij je advies opvolgt en, nadat hij de olievelden heeft bezocht, naar Constantinopel gaat. Zoals je weet heeft hij Anne meegenomen. Hij wilde haar een vakantie bezorgen. Ze is flink ziek geweest.'

Edward zuchtte. 'Ze is nooit sterk geweest. Net zoals haar zuster Isabel heeft ze een zwak gestel. Is het niet eigenaardig dat de dochters van Neville van die tere poppetjes zijn, terwijl hun vader zo flink en sterk was?'

'Inderdaad.'

'Ik kan niet wachten tot morgen.' Edwards ogen lichtten op. 'Dan komen de meisjes met Nanny terug. Ik verheug me er erg op om die kleine schoonheden van me terug te zien.' Edward keek naar Bess, die op de bank bij de haard zat. Terwijl hij zijn beste vriend weer aankeek, zei hij zacht: 'Mijn dochter is geweldig geweest. Ze bleef maar voor me rennen om van alles voor me te doen, dag in, dag uit. Ik denk dat ik het advies van dokter Ince moet opvolgen en hem een verpleegster laat inhuren. Het is allemaal te veel voor Bess. Ja toch?'

Will keek Edward opmerkzaam aan, onderzoekend en zei: 'Vind je dat je een verpleegster nodig hebt, Ned?'

'Niet in de betekenis die jij bedoelt, nee. Niet dat ik me slechter voel, nee, maar ik kan mijn dochter toch niet voor verpleegster laten spelen?'

'Eigenlijk niet, nee. Wil je dat ik morgenochtend contact met dokter Ince opneem om te vragen of hij iemand naar het huis wil sturen?'

'Als je dat zou willen doen, graag. Er is nog iets...' Edward hield op, aarzelde, waarna hij Will zonder iets te zeggen vorsend lag aan te staren.

'Wat is het?'

'Het is eigenlijk een vraag. Ik heb je dit nooit verteld, maar vorig jaar sprak ik met Finnister... over de dood van George. Grace Rose had me attent gemaakt op het feit dat hij zich zorgen maakte. Ze wist niet waarover. Toen ik hem aan de tand voelde, zei hij dat hij en Oliveri zich schuldig voelden voor de dood van George. Hij legde uit dat ze Vincent Martell over dat oude gezegde hadden verteld en biechtte op dat Martell wellicht zelf die wiggen onder de vaten in de wijnkelder had losgetrokken.'

'Insinueerde hij dat Martell een situatie had veroorzaakt om George in gevaar te brengen?'

'Dat heeft hij inderdaad gesuggereerd.'

'Maar Ned, dan was het dus moord!'

'Ik weet het... Daar ik ben altijd bang voor geweest; ik heb me wel honderd keer afgevraagd of George was vermoord of niet. Dat houdt me voortdurend bezig als ik niet kan slapen. Vertel op, Will, wat denk jij? Is mijn broer vermoord?'

Will bedacht dat Finnister hoogstwaarschijnlijk gelijk had en dat Martell eigen rechter was gaan spelen vanwege al die kwalijke dingen die George over zijn broer had beweerd. Aan de andere kant had hij geen bewijs en hij wilde Edward niet nog meer van streek maken. Hij vond dat hij het idee de wereld uit moest helpen. En dus loog hij: 'Ik geloof niet dat het waar is, nee, absoluut niet. Om te beginnen: waarom zou Martell George vermoorden? Oké, je broer heeft je op de ergste manier voortdurend door het slijk gehaald. Maar je weet hoe pragmatisch Martell is. Hij zou weinig acht slaan op wat George beweerde. Hij zou hem simpelweg negeren en zich niet van zijn eigen besognes laten afleiden.'

'Ik weet het nog zo net niet...'

Will boog zich dichter naar Edward toe en zei zachtjes: 'Neem gerust dit van me aan, en luister naar wat ik zeg. Martell zou het niet riskeren honderden vaten uitstekende beaujolais te verspillen. En zoals ik net al zei: hij is zeer praktisch en verknocht aan de wijngaard en alles wat ermee te maken heeft.'

Er speelde een flauwe glimlach om Edwards mond, en hij knikte. Een ogenblik later zei hij: 'Maar immense haat kan iemands oordeel benevelen.'

'Dat is waar. Maar vergeet Martell. Je moet de dood van George uit je hoofd zetten en er niet meer bij stilstaan. En, alsjeblieft, Ned, voor je eigen gemoedsrust, vergeet Amos' verdenking.'

'Zoals altijd heb je gelijk... Je hebt altijd de waarheid tegen me gesproken. Ik weet niet wat ik al die jaren zonder jou had moeten beginnen, Will. Echt niet.'

Voor het eerst in dagen sliep Edward Deravenel een droomloze slaap. Geen spoken die hem kwamen kwellen; die lieten hem met rust. Hij sliep vredig.

De volgende morgen leek het veel beter met hem te gaan, en zelfs dokter Ince maakte een opmerking over zijn verbeterde conditie. Na hem te hebben onderzocht, zei hij: 'Beneden zit een verpleegster te wachten. Ze heet Margery Arkright, en ik heb haar ingehuurd om op verzoek van Mr. Hasling voor u te zorgen. Mag ik haar mee naar boven nemen om kennis met u te maken, Mr. Deravenel?'

'Ja, en dank u, dokter Ince. Hasling heeft u ongetwijfeld verteld dat ik veel te veel beslag op Bess heb gelegd. Dat is niet eerlijk tegenover haar.'

'Dat heeft hij inderdaad uitgelegd en u hebt gelijk: u bent beter uit met een beroepskracht. Waarom zou u uw dochter belasten? Excuseert u me even.'

Binnen enkele minuten keerde de dokter terug met zuster Arkright, een aantrekkelijke vrouw van in de dertig. Toen ze aan elkaar waren voorgesteld, zei Edward: 'Misschien zou u uw intrek moeten nemen in de kamer die met de mijne in verbinding staat, zuster Arkright. Er staan stoelen, een divan en een secretaire. U zult het er echt comfortabel hebben, en daar bent u in de buurt als ik u nodig heb.'

'Dank u wel, Mr. Deravenel,' zei ze en ze liep de dokter achterna toen hij, op weg naar de kleedkamer, wenkte dat ze moest meekomen.

Die nacht kon Bess de slaap maar niet vatten. Een paar keer stond ze op om de trap af te gaan naar haar vaders slaapkamer. Iedere keer dat ze bij hem kwam kijken, leek hij diep in slaap, en dan keek zuster Arkright op, die zwijgend een vinger op haar lippen legde. 'Er is niets aan de hand.'

Toen Bess tegen drieën opnieuw naar beneden ging, drukte de zuster haar nogmaals op het hart dat haar vader sliep als een roos. Nadat ze naar haar kamer was teruggegaan, doezelde ze eindelijk weg. Enige tijd later, net bij het aanbreken van de dag, toen het daglicht door de gordijnen naar binnen sijpelde, schrok Bess wakker. Ze ging rechtop zitten en knipte het bedlampje aan, waarna ze op de klok zag dat het vijf uur was. Terwijl ze zich in haar ochtendjas wurmde en haar slippers aantrok, voelde ze dat het inmiddels bekende ongeruste gevoel haar weer bekroop. Haar vader had haar nodig, daarvan was ze overtuigd.

Toen ze haastig de trap af liep en zag dat zuster Arkright uit de kamer van haar vader kwam, fluisterde ze: 'Zuster! Is er iets?'

De zuster wenkte haar en bleef bij de deur staan.

'Ik was net op weg naar uw kamer. Uw vader riep om u, miss Bess. En om Lily. Hij werd een kwartier geleden ineens wakker. Hij was koortsig. Ik geloof dat hij een nogal ernstige hartaanval heeft gehad. Kom mee.'

Bess was verschrikkelijk bang toen ze het gezicht van haar vader zag. Hij had donkere schaduwen onder zijn ogen en hij was doodsbleek, bleker dan ze hem ooit had gezien. Wat was hij mager en wat stond zijn mond strak. Toen zag ze het trillen van zijn handen, die op het laken lagen. Ze was met stomheid geslagen en angstiger dan ooit.

Ze knielde aan zijn bed neer, nam zijn hand in de hare en fluisterde: 'Papa, ik ben het, Bess. Ik ben hier.'

Enkele ogenblikken gaf hij geen reactie, maar toen sloeg hij plotseling zijn ogen op. Ze zag hoe diep verzonken die lagen, alsof ze in zijn hoofd waren teruggeduwd, en ze waren roodomrand. Hij zei niets, maar verstevigde zijn greep om haar hand.

'Papa,' zei Bess opnieuw, 'ik ben het. Ik kom u helpen. Bess.'

'Het spijt me, het spijt me zo verschrikkelijk, Bess.'

Wat er de afgelopen paar uur ook met hem gebeurd mocht zijn, hij was in elk geval bij bewustzijn, en ze wist dat hij haar had herkend. 'U hoeft nergens spijt van te hebben, papa,' fluisterde ze, terwijl ze naar zijn vermoeide gezicht keek. 'We zullen zorgen dat u gauw beter wordt.'

'Vergeef me... Ik wil jullie niet alleen laten...'

'Alstublieft, vader, zeg dat niet. Er valt niets te vergeven. En u kunt ons niet alleen laten, we houden zo veel van u.' Tranen drupten uit haar ogen en rolden over haar wangen, waarna ze op hun ineengestrengelde handen uiteenspatten. 'O papa, doe alstublieft uw best, vecht.'

'Ik ben moe... de pijn in mijn borst...'

'Papa, o papa, wat moeten we in godsnaam zonder u beginnen?'

Ineens leek hij op te leven. Hij deed zijn ogen verder open en keek haar recht aan... schitterend blauw zoog zich vast aan schitterend blauw. Toen zei hij rustig, heel helder: 'Jij redt het wel, mijn lieve Bess... jij moet voor mij voor hen zorgen...' Hij glimlachte haar toe, met die onweerstaanbare glimlach, waarvan er op de hele wereld geen tweede bestond; de glimlach die ze haar hele leven niet zou vergeten.

Bess legde haar hoofd op zijn borst, sloeg haar armen om hem heen en drukte hem tegen zich aan. Haar verdriet was oeverloos.

Toen ze na een paar minuten een zacht geruis hoorde, tilde ze haar hoofd op. Haar moeder stond in de deuropening van de kleedkamer naar haar te kijken. 'Bess,' zei Elizabeth met trillende stem. En toen nog eens: 'Bess...'

'Hij is dood,' fluisterde Bess, hees van de tranen. 'Mijn vader is dood.'

Elizabeth liep wankelend op het bed af. Haar gezicht was verstijfd van angst en haar ogen vulden zich met tranen.

Het was vrijdag 9 april 1926. Edward Deravenel was overleden aan een zware hartaanval, op de kop af negentien dagen voor zijn eenenveertigste verjaardag op 28 april.

Drie zoons had ze hier op Ravenscar begraven. Eerst Edmund, daarna George, en nu Edward.

Het was dinsdag, de dertiende dag van april in het jaar des Heeren 1926, en terwijl ze keek hoe zijn kist in het graf werd neergelaten had Cecily Deravenel het gevoel dat haar hart opnieuw brak. Tranen stroomden vrijuit over haar wangen, terwijl ze daar stond, overmand door verdriet.

Haar geliefde Ned was voor altijd van haar weggegaan. Ze had nog maar één zoon over: haar jongste kind, Richard. Hij was die dag afwezig, maar werd op het vasteland opgehouden door de plotselinge ziekte van zijn vrouw. Wat zou Richard er kapot van zijn. Hij had zijn oudste broer geadoreerd.

Op dat moment had Cecily met heel haar hart gewild dat ze openlijker met Ned had gesproken en ervoor had gezorgd dat hij goed begreep dat ze hem niet de schuld gaf van de dood van George. Niemand had schuld, behalve wellicht George zelf. Helaas had ze niets tegen Ned gezegd, en dus was hij het graf in gegaan zonder te weten hoe ze er werkelijk over dacht.

Cecily hief haar hoofd, waarna haar blik zich vestigde op Neds weduwe: doodsbleek, haar grootse schoonheid versluierd door haar pijn en verdriet. Heldere zonnestralen braken door de loodgrijze wolken heen, waardoor de roodgouden krullen van de kinderen oplichtten als glanzende aureolen rond hun jonge gezichten. Cecily, Anne, Katharine, Bridget, Edward junior en kleine Ritchie stonden met verwilderde ogen op een kluitje, met naast hen Bess en Grace Rose, die als schildwachten over hen leken te waken, terwijl ze probeerden hun eigen verdriet in toom te houden.

Toen Cecily een gesmoorde snik hoorde, draaide ze zich om naar Will Hasling en stak liefdevol haar arm door de zijne; omdat ze hem altijd als een zoon had beschouwd, wilde ze hem troosten. Ook hij ging onder verdriet gebukt. Bij hem stonden Mr. Finnister en Mr. Oliveri, en net zoals bij Will het geval was, was hun gezicht nat van tranen. Uit het feit dat volwassen mannen zonder enige gêne zo openlijk hun tranen lieten stromen, bleek hoe diep hun liefde zat, waardoor ze besefte hoe veel ze om haar zoon gaven.

'Tot as zult gij wederkeren,' reciteerde pater O'Connor, en terwijl handenvol aarde op Neds kist werden gestrooid, voelde ze hoe haar hart samenkromp. En toen ze licht op haar benen heen en weer zwaaide, sloeg Will zijn arm om haar heen om haar te ondersteunen. Terwijl ze naar hem opkeek, fluisterde Cecily: 'De kinderen, die arme kleine kinderen – zonder Ned zullen ze verloren zijn.'

'Ik zal wel op hen letten,' beloofde Will op zachte toon, met zijn hoofd dicht naar het hare gebogen. En Cecily voelde zich getroost, wetend dat hij zich aan zijn woord zou houden. Ze had Will altijd vertrouwd. Ja, uiteindelijk zou het allemaal goed komen.

Maar ze vergiste zich. Weldra zouden zich moeilijkheden aandienen, grotere moeilijkheden dan de Deravenels ooit hadden gekend.

Vierenveertig

'Waar ben je in godsnaam mee bezig, Richard?' vroeg Will Hasling, die, hoe woedend hij ook was, zijn stem vast en beheerst wist te houden. Hij staarde Edwards broer aan, die nu aan het hoofd van het bedrijf stond.

Richard, die achter Edwards oude bureau in het kantoor zat van wijlen zijn broer, keek op en beantwoordde Wills blik. 'Ik heb geen idee waar je het over hebt, Will.'

Will stond bij de tussendeur tussen de twee aanpalende kantoren, die Edward Deravenel er eenentwintig jaar geleden in had laten zetten, zodat hij en Will gemakkelijk bij elkaar konden binnenlopen.

Nu kwam Will voor Richards bureau staan zei: 'Ik hoorde net dat je Anthony Wyland hebt ontslagen, en dat hij zelfs al weg is.' Hij kneep zijn ogen samen en vroeg: 'Waarom?'

'Als hoofd van het bedrijf ben ik niemand een verklaring schuldig, zelfs niet aan jou. Maar je hebt vast wel eens van het oude gezegde gehoord: nieuwe bezems vegen het schoonst.'

'En daar ben je zeker mee bezig? Schoonvegen, je ontdoen van een bekwaam directielid, een fatsoenlijke, eerlijke en loyale man die jarenlang voor dit bedrijf heeft gewerkt en het heel veel goeds heeft gebracht. Ik moet bekennen dat ik op z'n zachtst uitgedrukt geschokt ben.'

'Niet doen, Will,' kaatste Richard op ijskoude toon terug. 'Wen maar vast aan veranderingen. Er zullen er hier nog heel wat volgen, en sneller dan je zou denken.'

'Begin niet aan de firma Deravenel te knoeien, Richard!' riep Will uit. 'Je broer heeft het bedrijf op een buitengewone manier georganiseerd. Het loopt gesmeerd, efficiënt en zoals het is, is het heel welvarend. Daar heeft Ned voor gezorgd. Laat alles bij het oude, anders krijg je er misschien spijt van.'

'Ben je me aan het bedreigen?' Richard rechtte zijn rug, en zijn gezicht stond strak.

Will bond enigszins in, van zijn stuk gebracht door de ijzige blik, de aanmatigende toon en de vraag op zichzelf, en schudde zijn hoofd. 'Doe niet zo belachelijk, Dick. Natuurlijk niet. Ik geef je alleen maar een goede raad.'

'Ik heb geen behoefte aan je goede raad. Ik weet wat ik doe. Ik werk al jaren voor dit bedrijf, of was je dat vergeten?'

'Nee, zeker niet. Evenmin dat je altijd de noordelijke divisie van Deravenel hebt geleid. Maar je hebt niet wereldwijd geopereerd, en dat is heel iets anders.'

'Wil je zeggen dat ik niet capabel ben om wereldwijd als hoofddirecteur te fungeren?'

'Absoluut niet! Ned heeft je altijd vertrouwd en hoog over jou en je capaciteiten opgegeven. Vandaar dat hij jou heeft benoemd om Deravenel te leiden, tot zijn oudste zoon oud genoeg is om het over te nemen. Ned heeft dat codicil aan zijn testament toegevoegd, en daar heb ik vrede mee. Luister, laten we het nog even over Anthony hebben... Ik begrijp eenvoudig niet waarom je zo'n belangrijk directielid hebt laten gaan.'

'Ik heb hem laten gaan omdat hij een Wyland is, en die heb ik nooit vertrouwd. Ik heb eigenlijk nooit begrepen waarom mijn broer hem die functie überhaupt heeft gegeven.' Richard stootte een kort, droog lachje uit. 'Dat zou ik niet moeten zeggen. Dat weet ik. Hij was gedwongen Wyland een baan te geven vanwege dat kreng van een vrouw van hem. Elizabeth heeft hem ertoe gedwongen. Een andere verklaring is er niet.'

'Daar weet ik werkelijk niets van. Ik weet alleen dat Wyland de financiële afdeling en de bankdivisies van het bedrijf uitstekend heeft geleid. Zou je je besluit niet willen herzien?'

'Nee, waarom zou ik? Alleen omdat jij wilt dat ik hem weer aanstel? Mijn god, je verbaast me, Will. Ik dacht dat je net zo de pest aan de Wylands had als wij allemaal al die jaren hebben gehad. Ben je soms naar hun kant overgelopen?'

'Ik wist niet eens dat ze een kant hadden,' antwoordde Will, die zich moest beheersen. 'Wat Anthony betreft, hij is een verdomd goede vent, door en door betrouwbaar en integer. Je zou hem moeten vertrouwen. Net als Ned deed.'

'Hij was een sukkel. Nee, ik blijf bij mijn beslissing.'

Will schudde zijn hoofd, terwijl er een zorgelijke uitdrukking op zijn gezicht verscheen. 'Ik weet niet wie je zou kunnen vinden om hem te vervangen, echt niet.'

'Die heb ik al gevonden,' verkondigde Richard met een vluchtige glimlach.

Al was hij nog zo uit het veld geslagen, Will wist zijn gezicht in de plooi te houden. 'Wie ben je van plan om te benoemen?'

'Alan Ramsey – en hij is al benoemd. Om precies te zijn, Will, op dit moment zit hij al in Wylands oude kantoor. Ik handel snel als ik eenmaal een besluit heb genomen.'

'Dat merk ik.' Will knikte en voegde eraan toe: 'Ramsey is een goede vent.'

'Dat hoef je mij niet te vertellen. Hij is al van jongs af aan een van mijn beste vrienden. Ik durf mijn hand voor hem in het vuur te steken.'

Will draaide zich om en deed een paar stappen in de richting van de deur.

Toen zei Richard: 'Nog één ding, Will.'

'Ja?' Will bleef staan, draaide zich weer om en keek Richard aan.

'Ik zou graag willen weten waarom je Neds begrafenis had geregeld voor ik uit Constantinopel terug was. Mijn god, binnen enkele dagen was mijn broer dood en begraven. Ik vind dat het had moeten worden uitgesteld tot ik weer in Engeland was.'

'Dat had niets met mij te maken, dat kan ik je verzekeren.' Will kwam de kamer weer in en posteerde zich voor het bureau, waarna hij kalm verder sprak. 'Ik stel voor dat je met je moeder over Neds begrafenis gaat praten. Ik ben zelfs van mening dat je dat hóórt te doen, en dan zal ze je waarschijnlijk vertellen dat ze ontstemd was omdat je niet eerder kon terugkomen. Ze begreep niet waarom je daar zo lang over deed. Dat heeft ze tegen Kathleen gezegd. Mijn vrouw vertelde me dat je moeder uitermate teleurgesteld was in ons allemaal, ook in Neds vrouw, omdat niemand erom heeft gedacht Ned het laatste oliesel te geven. Ze vond het schokkend dat niemand eraan had gedacht de priester aan Neds bed te roepen.'

'Dan zou ik ook wel willen weten waarom hem dat niet is toegediend.'

'Omdat geen van ons wist dat hij stervende was, daarom! Kun je je voorstellen hoe ziedend Edward Deravenel zou zijn geweest als een van ons dat had gedaan? Vooral omdat dokter Ince niet ongerust was en dacht dat hij aan de beterende hand was. Alleen Ned was op de hoogte van zijn ware gezondheidstoestand, en die heeft hij ons allemaal verzwegen.'

'Ik ben blij dat hij tenminste op het familiekerkhof van Ravenscar is begraven.'

'Waar zou hij anders begraven zijn? Maar zoals ik al zei: je moeder nam het over, dus zij heeft alles geregeld. Mocht je verder nog iets te kniezen hebben over Neds begrafenis, dan denk ik dat je bij haar moet zijn.'

'Bedankt voor die tip,' luidde Richards sarcastische reactie.

Will besloot geen verder commentaar te leveren, keek op zijn horloge en riep uit: 'Ik kom nog te laat. Ik moet weg. En het zal me een genoegen zijn Alan Ramsey te ontmoeten, wanneer je maar wilt.'

'Ik regel het wel.'

Will knikte, ging terug naar zijn eigen kantoor en deed de deur dicht.

Hij leunde ertegenaan en slaakte een diepe zucht. Hij trilde van woede. Omhooggevallen jonge hond, dacht hij. Richard is precies zoals Finnister had gezegd: arrogant, zelfingenomen, en ook nog eigenwijs. Hij hunkert naar macht en is ongelooflijk ambitieus. Will huiverde, al was het een warme dag in juni. Er liep net iemand over mijn graf, dacht hij, en hij voelde hoe de haren in zijn nek rechtop gingen staan.

Hij liep naar zijn bureau, pakte de telefoon en draaide het nummer van Oliveri. Toen Oliveri opnam, zei Will zacht: 'Mocht je een lunchafspraak hebben, zeg die dan onmiddellijk af. Ik moet je spreken, en Finnister ook. Ik ga wel bij zijn kantoor langs en dan loop ik tegelijk met hem het gebouw uit. Jij vertrekt tien minuten later.'

'Wat is er?' vroeg Oliveri bezorgd.

'Dat zal ik je moeten vertellen wanneer ik je zie.'

'Zal ik een tafel in het Savoy reserveren? Of heb je liever Rules?'

'Geen van beide. En ook niet het Ritz.'

'Wat vind je van White's, Will?'

'Goed idee. Reserveer een tafel voor één uur.' Will hing op en leunde achterover in zijn stoel. Richard was geen lid van White's en kon daar dus niet naartoe gaan. Hij kon er alleen maar worden geïntroduceerd, en dat was hoogstonwaarschijnlijk. Zelfs Ned had hem daar nooit mee naartoe genomen. Richard had een hekel aan White's.

Wills ogen schoten over zijn bureaublad: geen urgente papieren, wat moest worden afgehandeld had geen haast. Hij ging weg, liep de gang door naar Finnisters kantoor, klopte aan en stapte binnen.

'Amos, ik wil dat je ogenblikkelijk met me meegaat. Ik neem je mee naar White's om met Oliveri te lunchen, en als je een lunchafspraak hebt, moet je die afzeggen.'

'Moeilijkheden,' stelde Finnister vast en stond op, terwijl hij eraan toevoegde: 'En ik heb geen lunchafspraak.'

'Kom op dan, laten we gaan.'

De twee mannen liepen het gebouw uit in de richting van de Strand. Omdat het bloedheet was, vooral voor juni in Engeland, zei Will: 'Laten we een taxi nemen,' waarop hij er een wenkte die net langskwam.

Toen ze waren ingestapt en op weg gingen naar Wills club, wendde Will zich tot Amos en vroeg: 'Waarom verwachtte je moeilijkheden toen ik je voor de lunch uitnodigde?'

'Omdat ik ze al verwachtte: je manier van doen, de plotselinge urgentie. Ik heb ook gehoord dat Anthony Wyland is ontslagen. En ik ken onze nieuwe baas heel goed, van jongs af aan. Ik heb hem altijd doorgehad. Hij is niet van het kaliber van zijn broer... bijlange na niet. Je weet wat ze zeggen: stille wateren hebben diepe gronden en op de bodem ligt de duivel.'

Anthony Wyland zat met zijn zuster Elizabeth in de zitkamer van het huis aan Berkeley Square. Hij stak zijn hand uit, legde hem op haar arm en zei kalm: 'Niet boos zijn, en wind je niet op. Ik kan best voor mezelf opkomen, Lizzie.'

'Maar wat hij heeft gedaan is vernederend, Anthony. Ik ben gewoon geschokt dat jij niet bozer bent dan je bent.'

'Ik was razend, natuurlijk was ik razend. Maar ik kon niets doen. Hij heeft me uitgekotst – beleefd en ijskoud – en zei dat ik onmiddellijk het pand moest verlaten. Dus ik heb mijn bureau leeggehaald en ben tegen het eind van de middag vertrokken. Gisteren.'

'Wat ga je doen?' vroeg ze met een frons op haar voorhoofd en een zorgelijke blik in haar ogen.

'Een andere baan zoeken. Misschien ook niet. Ik heb geen haast om me in iets te storten wat me niet aanstaat. Ik heb bakken geld verdiend...'

'Ik begrijp het niet. Ik dacht dat je bij Deravenel mededirecteur was.'

'Dat ben ik ook, of liever gezegd: dat was ik. Ik moest terugtreden als directeur. Dat eiste hij.'

'Ik vind het zo erg... Ned zou zich in zijn graf omdraaien. Als hij het wist.'

'Dat zou hij zeker.'

'Wat moet ik aan het zomerprobleem doen?'

Anthony schudde zijn hoofd. 'Dat weet ik eerlijk gezegd niet. Daarin kan Will je misschien adviseren.'

'Ik kan niet bij Will aankloppen... We hebben elkaar nooit gemogen.'

'Misschien moet je Bess de situatie laten uitleggen. Zij is altijd heel dik met Will geweest. En hij houdt van haar als een oom, net zoveel als ik.'

'Wat een goed idee! Ik wist dat jij met een oplossing zou komen voor mijn dilemma.' De spanning op haar gezicht verdween even en haar ogen klaarden op. 'Ik ben blij dat je bent komen lunchen. Ik vereenzaam een beetje.'

'Dat is nergens voor nodig...' Hij keek haar grijnzend aan en veinsde een houding die niet zijn ware gevoelens weergaf. 'Waarschijnlijk heb ik binnenkort zeeën van tijd.'

Vijfenveertig

'Het is vandaag 3 juni, en Ned is pas zeven weken dood,' riep Alfredo uit, terwijl hij van Will naar Amos keek. 'Hij ligt amper koud in de grond, of Richard is al mensen aan het ontslaan. Zijn broer zou zich in zijn graf omdraaien als hij het wist. Het is gewoon godgeklaagd, als je het mij vraagt.'

'Mensen?' herhaalde Will, terwijl hij Alfredo vorsend aankeek. 'Ik had het over Anthony Wyland. Is er dan nog iemand weg? Iemand van wie ik het niet weet?'

'Ik dácht dat je het wist,' haastte Alfredo zich met een frons op zijn gezicht te antwoorden. 'Edgar Phillips is de laan uit gestuurd. Ik weet dat hij maar acht jaar voor ons heeft gewerkt, maar Ned gaf hoog over hem op en hij deed het erg goed in de oliedivisie. Een uitstekende manager.'

'Dat heeft niemand me verteld,' mopperde Will. 'Maar ja, over Wyland hebben ze me ook niet op de hoogte gebracht. Dat heb ik ook maar bij toeval vernomen... vanmorgen.'

'Richard heeft Anthony Wyland gistermiddag ontslagen, en toen was jij niet op kantoor. Je was toch naar St. Alban?' hielp Oliveri hem herinneren. 'Edgar Phillips is dinsdag eind van de dag vertrokken, een dag eerder dan Wyland. Wie denk je dat de volgende wordt?'

'Hoogstwaarschijnlijk zal ík dat zijn,' kondigde Amos aan. 'Hij heeft me nooit gemogen, me alleen getolereerd. En eerlijk gezegd ben ik ervan overtuigd dat ik, nu Mr. Edward dood en begraven is, weinig nut meer heb...'

'Ik zal me daarin met hand en tand tegen hem verzetten, Amos, geloof me,' onderbrak Will hem. 'Mr. Edward was buitengewoon op je gesteld en hij had respect voor je. Bovendien ben je nota bene al veertien jaar bij Deravenel!'

'Die dingen maken voor Richard Deravenel niets uit,' antwoordde Amos. 'Ik ken hem van haver tot gort. Hij lijkt wel zo rustig, slim en fatsoenlijk, maar achter die façade broeit heel wat meer.'

'Ik weet het,' zei Will, en hij pakte zijn glas witte wijn op. 'Weet je zeker dat je niet iets met ons mee wilt drinken, Amos?'

Finnister schudde zijn hoofd. 'Bronwater is prima, dank u, Mr. Will.'

De drie mannen zaten in de eetzaal van White's, de oudste herensociëteit van Londen. Het ruime, fraai ingerichte vertrek was tijdens de lunchperiode in juni halfleeg. Een groot aantal van de leden ging op donderdagmiddag naar hun buitenhuis en er heerste die dag een rustige atmosfeer.

De stilte aan de tafel was navenant. De drie oude vrienden en collega's waren op dat moment elk verdiept in hun eigen gedachten. Will dacht aan Ned en hoe hij hem miste; Oliveri vroeg zich af of binnenkort de bijl voor hemzelf zou vallen; Finnisters gedachten gingen uit naar Grace Rose. Hij was gisteren bij haar op de thee geweest en ze had hem verteld dat het niet zo goed ging met Jane Shaw en dat ze zich zorgen om haar maakte. Grace Rose had verklaard dat Jane vreselijk veel verdriet had om Ned, elke dag huilde en dikwijls last had van vreselijke depressies.

De ober kwam hun de menu's brengen en ging weer weg. Elk van de mannen boog zich over zijn spijskaart, waarna Will zei: 'Het is vandaag te warm voor soep. Ik denk dat ik ingelegde Morecambe Bay-garnalen neem, gevolgd door gegrilde schol. Hou het licht, luidt mijn motto de laatste tijd.'

'Dan neem ik ook de ingelegde garnalen,' zei Oliveri bedachtzaam. 'En de lamskarbonaadjes.'

'Dat lijkt me lekker,' zei Finnister en legde zijn menu op de tafel. Vervolgens vertelde hij Will en Oliveri van zijn bezoek aan Grace Rose, en wat ze hem over Jane Shaw had toevertrouwd.

'Van mijn zuster hoorde ik ook dat Jane zo ongelukkig was,' zei Will. 'Maar Vicky heeft niet verteld dat het zo erg was, Amos. Ik denk dat ik Mrs. Shaw maar eens ga opzoeken om voor te stellen dat ze met ons mee op vakantie gaat. Mijn vrouw en ik gaan later deze zomer naar Cap Martin, samen met mijn zus, haar man en Grace Rose. Het zou Mrs. Shaw misschien goed doen.'

'Dat is een uitstekend voorstel.' Amos knikte. 'Ik hoop dat ze op uw uitnodiging ingaat.'

De ober kwam terug om de bestellingen op te nemen, waarna hij haastig wegliep. Toen ze weer onder elkaar waren, stapte Will op een ander onderwerp over. 'Ik moet bekennen dat ik vandaag zeer opkeek van Richards houding tegenover mij. Hij was af en toe koud, kortaf en, nu ik erover nadenk, enigszins vijandig. Hij gaat voor problemen zorgen.'

Oliveri staarde Will met stomme verbazing aan, waarna hij somber zei: 'Ik heb het gevoel dat hij het ons allemaal erg lastig gaat maken.'

'Waarom zeg je dat?' vroeg Will.

'Hij wil de firma Deravenel voor zichzelf hebben. Voor zijn eigen zoon en erfgenaam: kleine Eddy, zoals zijn grootmoeder hem noemt. Je zult zien dat hij in een mum van tijd zal overgaan tot het grote graaien. Hij wil Deravenel bezitten met alles erop en eraan.'

'Maar dat is nauwelijks mogelijk,' beweerde Will. 'In het codicil van Neds testament heeft hij Richard aangesteld tot hoofd van de firma, tot zijn erfgenaam oud genoeg was om het over te nemen, op zijn achttiende. Dan zou hij door Richard worden begeleid tot hij eenentwintig was. Ned heeft Richard tevens aangesteld als voogd van zijn twee zoons.'

'En niet van de andere kinderen?' Oliveri leunde achterover, duidelijk verward, en keek Will fronsend aan.

'Nee, alleen van de twee mannelijke erfgenamen,' antwoordde Will. 'Ik ben de executeur-testamentair, dus ik kan het weten.'

Finnisters stem klonk verontrust toen hij opbiechtte: 'Dat is waar Grace Rose ongelooflijk over inzit. Ze zegt dat Mrs. Edward zeer ontstemd is over dat gedeelte van het codicil. Volgens haar is zíj voogd van de kinderen en heeft ze geen behoefte aan de bemoeienis van hun oom.'

Will staarde met een bezorgd gezicht en een afwezige blik in zijn ogen zwijgend de eetzaal in. Hij onderging opnieuw dat plotselinge onheilspellende gevoel, een boos voorgevoel bijna, van een onafwendbare doem. Edward Deravenel had zijn jongste broer immense macht op een blaadje aangereikt. En Will vroeg zich nu onwillekeurig af of Richard Deravenel broederliefde en plicht ondergeschikt zou maken aan zijn eigen ambitie en machtswellust. Die plotselinge, angstaanjagende gedachte bezorgde Will een misselijk gevoel. Hij zou het niet kunnen verkroppen als Richard Neds zoons opzij zou schuiven en het hem op de een of andere manier zou lukken om de firma Deravenel voor zichzelf en zijn eigen erfgenaam te verwerven.

Will schoof zijn stoel achteruit en stond op. 'Excuseer me even.' Hij liep haastig de eetzaal uit naar de herentoiletten. De bediende mompelde iets ter begroeting; Will knikte en liep naar een van de drie wastafels langs de wand.

Toen hij zichzelf in de spiegel bekeek, zag hij dat hij zo wit was als een doek; zweetdruppels stonden op zijn gezicht en hij voelde dat hij klam was. Hij haalde een paar keer diep adem om de misselijkheid te verdringen, waste zijn handen en plensde vervolgens koud water in zijn gezicht.

De bediende kwam naar hem toe en vroeg zacht: 'Voelt u zich wel goed, Mr. Hasling? Kan ik iets voor u doen?'

'Het gaat wel, Boroughs, dank je. Ik heb vandaag alleen wat last van de hitte.'

'Ik begrijp het, sir.' De man liet hem tactvol alleen.

Will wierp een paar munten in de zilveren schaal en verliet de toiletten.

Finnister en Oliveri hadden zich bezorgd over hem gemaakt en keken opgelucht toen Will weer aan tafel plaatsnam. 'Neem me niet kwalijk, heren,' verontschuldigde hij zich. 'Ik was een beetje misselijk, maar nu ben ik weer helemaal in orde.'

'Amos en ik hebben wat zitten praten toen je weg was,' stak Oliveri van wal. 'We hebben besloten dat wij goed op elkaar moeten passen, want we denken allebei dat Richard Deravenel de messen heeft geslepen en wij drieën best als volgende aan de beurt kunnen zijn om te vertrekken, aangezien we zo dicht bij zijn broer hebben gestaan.'

'Ik ben het er volkomen mee eens. Het zou heel goed kunnen dat het Visje, zoals Ned hem noemde, zich als de haai zou ontpoppen.'

Zesenveertig

Kent

'Ik ben zo blij dat je er bent, Will,' zei zijn zuster, terwijl ze naast hem door de ontvangsthal van Stonehurst Farm liep. 'Bess is behoorlijk uit haar doen – eigenlijk zou opgewonden er een beter woord voor zijn – en ze moet je hoognodig spreken.'

'Heeft ze ook gezegd waarover het ging?'

Vicky schudde haar hoofd. 'Niet met zo veel woorden, maar Grace Rose heeft me gisteren wel in vertrouwen genomen. Blijkbaar is Elizabeth ontzet over het feit dat Ned Richard als voogd van de jongens heeft aangesteld.' Ze keek haar broer veelbetekenend aan en voegde eraan toe: 'Ik heb het vreselijke gevoel dat Richard wel eens zou kunnen proberen iedereen... laten we zeggen zijn wil op te leggen.'

'Het zou me niet verbazen,' zei Will, terwijl hij een moedeloos gevoel kreeg. Richard was duidelijk bezig zich te laten gelden. 'Waar is Bess eigenlijk?' vroeg Will.

'In de tuin, bij Grace Rose. Ik breng je wel even naar hen toe, dan krijg je straks citroenlimonade. Of zou je liever een kop thee willen?'

'Die limonade lijkt me heerlijk, het is behoorlijk warm.'

Het was een schitterende zaterdag in juni. De lucht was volmaakt blauw, zonder een wolkje, en er stond een licht briesje dat door de vele bomen langs het geschoren gazon ruiste. De geur van de in volle bloei staande rozen was doordringend, en de tuin, de trots en glorie van Vicky, was één uitbundige kleurenpracht. Ze had er vele jaren werk aan gehad voor ze die had omgetoverd tot de huidige bloemenweelde, met exotische planten en bloeiende struiken en de fonteinen die water omhoog spoten.

346

Bess en Grace Rose zaten aan een tafel op het terras, beschut tegen de zon door een groen-wit gestreepte parasol. Ze wuifden toen ze Will met Vicky naar hen toe zagen komen.

'Hallo, schoonheden,' zei Will toen hij voor hen stond. Hij nam hen met een brede glimlach op en bedacht hoe beeldschoon ze er vandaag uitzagen, in die lichte zomerjurkjes.

'Hallo, oom Will,' riepen ze in koor, waarna Vicky vroeg: 'Hebben jullie zin in citroenlimonade, meisjes? Of iets anders?'

'Limonade graag,' zei Grace Rose, terwijl ze haar moeder glimlachend aankeek.

'Hetzelfde voor mij graag, tante Vicky.' Waarna Bess zich tot Will wendde die inmiddels ook aan de tafel had plaatsgenomen. 'Ik ben blij dat u bent gekomen. Ik moet echt met u praten.'

'Dat heb ik begrepen, en ik ben een en al oor. Ik zal je graag helpen, als ik kan. Waar gaat het allemaal over, Bess?'

Bess leunde achterover en keek de man aan die vanaf haar geboortedag deel van haar leven had uitgemaakt – de beste en oudste vriend van haar vader.

Omdat ze zich er plotseling van bewust was dat ze hem zat aan te staren, schraapte Bess haar keel en zei: 'Het gaat over oom Richard. Mijn moeder is boos omdat hij zich met de jongens bemoeit.'

'In welk opzicht?' vroeg Will, terwijl hij rechtop ging zitten, een en al aandacht voor Neds oudste kind en voorbereid op moeilijkheden.

'Hij wil met alle geweld dat ze de hele zomer naar Ravenscar gaan en daar in de herfst en de winter privéles zullen krijgen. Daar is mijn moeder het niet mee eens omdat ze vindt dat ze bij haar moeten blijven. Onze vader is net overleden en we zijn allemaal heel verdrietig. Ze zegt dat de jongens behoefte hebben aan haar troost en liefde, zoals alle kinderen. Bovendien was ze van plan de zomer samen met ons hier door te brengen en daarna eind augustus of begin september naar Zuid-Frankrijk te gaan. Moeder begrijpt niet waarom oom Richard de jongens van haar en van ons – zijn familie – wil wegrukken, terwijl we in deze verdrietige periode bij elkaar willen zijn.' Bess schudde haar hoofd. 'Het is mij ook een raadsel. Het is niets voor oom Richard om onaardig te zijn. Ik wil alleen dat u weet dat ik het met mijn moeder eens ben. De jongens horen bij ons te zijn.'

'Je hebt gelijk, en Richard absoluut niet. Natuurlijk, jullie vader heeft hem als voogd van de jongens aangesteld. Maar als ik me het codicil goed herinner, is jullie moeder eveneens voogd. Ik vind niet dat hij je moeder iets kan opleggen zolang ze zich volledig van haar taak kan kwijten. En ik weet dat haar niets mankeert.'

'Ik heb uw raad nodig, oom Will. Zal ik met oom Richard gaan praten? Mijn moeder denkt namelijk dat hij naar haar niet zal luisteren.'

'Daar heeft ze waarschijnlijk gelijk in. Luister eens, Bess, wil je soms dat ik een woordje met hem spreek? Ik zie hem volgende week bij Deravenel.'

'O, zou u dat willen doen? Ik zou het graag zelf willen uitleggen, maar ik heb het gevoel dat u meer zult bereiken dan ik.'

'Laat mij eerst maar mijn zegje zeggen, en als hij niet te vermurwen is, kun jij altijd zelf nog met Richard gaan praten. Ik weet dat hij van je houdt, Bess, en dat jij zijn favoriet bent.'

'Ja. Hij is altijd lief voor me geweest.'

'Hoe is het eigenlijk met de jongens?' vroeg Will, waarbij zijn ene wenkbrauw omhoogschoot. 'Ik weet dat ze nog verdrietig zijn, maar gaat het verder goed met ze?'

'O ja, en ze vinden het leuk om bij ons en hun andere zusjes te zijn, vooral hier in Kent. Eerlijk gezegd geloof ik dat ze Ravenscar een beetje deprimerend vinden.'

Ondanks zichzelf moest Will lachen. 'Dat begrijp ik wel! Maar je vader was graag op Ravenscar, weet je. Hij kon er geen genoeg van krijgen.'

'Ik ben er ook graag, en kleine Cecily ook, maar mijn moeder vindt het er niet prettig. Edward en Ritchie evenmin. Eerlijk gezegd zijn ze veel liever hier, op Waverley Court.'

'Ik kan het ze niet kwalijk nemen. Het is een heerlijk huis en de tuin is prachtig. En het is hier natuurlijk warmer.' Will keek haar glimlachend aan. 'Probeer je geen zorgen te maken, we zullen er wel uitkomen.'

Grace Rose onderbrak hem toen ze zei: 'Bess, je hebt niet gezegd welke reden Richard opgaf voor het feit dat hij wilde dat de jongens op Ravenscar verbleven, en er daarna waarschijnlijk tijdens de herfst en de winter blijven wonen.'

'Hij was niet erg toeschietelijk, zei mijn moeder. Maar grootmoeder wil het komende halfjaar op Ravenscar gaan wonen, en ik heb het gevoel dat oom Richard en tante Anne dat ook van plan zijn, in elk geval in de weekends.'

'Met hun zoon, met kleine Eddy?' vroeg Grace Rose, nieuwsgierig als altijd.

'Dat neem ik aan.' Bess richtte haar blik weer op Will en zei toen bedachtzaam: 'Misschien dat hij gezelschap voor zijn zoon zoekt?'

'Geen idee waar het om gaat, maar ik ga er niet op goed geluk naar raden,' antwoordde Will, terwijl hij haar een klopje op haar arm gaf. 'Maak je intussen geen zorgen. Ik zal het tot op de bodem uitzoeken, dat beloof ik je,' vervolgde hij met zijn warme, geruststellende stem.

Op dat moment kwam Vicky met een dienblad met glazen en de citroenlimonade aanlopen, en Will zorgde ervoor dat er van dat onderwerp op algemenere zaken werd overgestapt. Hij wilde niet dat Bess bleef stilstaan bij Richard en zijn motieven. Het was al erg genoeg dat hij zelf zo in paniek was geraakt, door de alarmsignalen die in zijn hoofd afgingen.

Met zijn twaalf jaar was Edward Deravenel junior, de erfgenaam, begaafd, praktisch en voor zijn leeftijd buitengewoon intelligent en bijdehand. Afgezien van die eigenschappen was hij welgemanierd en beschikte hij over een charme die hoogst vertederend was. Net als zijn uiterlijk. Hij was gewoon een heel mooi jongetje. Hij was blond, had blauwe ogen en was groot voor zijn leeftijd; het evenbeeld van zijn vader, dus wat betreft zijn afstamming was er geen twijfel mogelijk.

Helaas had Edward junior een kwaal aan zijn kaak, waarvoor hij werd behandeld wanneer hij in Londen was. Hij had dan ook voortdurend met kiespijn te kampen.

Omdat hij daar ook op deze zonnige dag in juni door werd bestookt, zat hij in de keuken bij Cook, van wie hij het lievelingetje was en die hem een zakje van kaasdoek had gegeven dat ze zelf had genaaid en met kruidnagelen had gevuld.

'Dat zou moeten helpen, lieve jongen,' zei Aida Collet, terwijl ze met een rode werkhand door zijn blonde krullen streek. 'Je moet gewoon je vinger op het zakje leggen en het op je kies drukken. Een ouderwets middeltje, maar het helpt.'

'Dank u, Mrs. Collet, heel aardig van u.' Terwijl hij heen en weer schoof op zijn stoel, vroeg hij: 'Zou u dat verhaal nog een keertje willen vertellen? Over uw moedige man, soldaat eerste klasse Percy Collet van het regiment Seaforth Highlanders? Hoe hij voorkwam dat hij en de andere soldaten in de modder in de loopgraven wegzonken toen hij in de Slag bij de Somme vocht?'

Het gezicht van Cook klaarde op. Ze was dol op dat joch, zo mooi en welgemanierd; hij was echt een kleine schat. 'Het ging zo... De blikjes cornedbeef waren zijn lumineuze oplossing. Mijn Percy, enfin, hij was de eerste die de bodem van zijn loopgraaf ermee belegde, en...'

De deur ging open en Bess kwam binnen. 'Ik heb goed nieuws! Oom Will gaat met oom Richard praten en gaat het allemaal oplossen, dat weet ik zeker!'

Edward haalde het zakje van kaasdoek uit zijn mond en schudde zijn hoofd. 'Dat denk ik niet, Bess. Nee, ik heb het vreselijke gevoel dat kleine Ritchie en ik volgende week om deze tijd op Ravenscar zullen zijn.'

Hij trok een gezicht en vervolgde met ernstige stem: 'We zullen er doorheen moeten bijten, maar ik zal je missen, Bess. En Cecily en Anne en de kleintjes, Katharine en Bridget, zijn me erg dierbaar.'

Bess sloeg een arm om hem heen en drukte hem tegen zich aan. Ze hield zo ontzettend veel van hem dat ze de gedachte niet kon verdragen van hem gescheiden te zijn. Hun moeder evenmin. Ze kneep haar ogen dicht en zei een schietgebedje, waarin ze God smeekte dat haar broertjes bij hen in Kent konden blijven.

Zevenenveertig

Londen

Amos Finnister klopte op de deur van Alfredo Oliveri's kantoor en liep zonder een reactie af te wachten naar binnen.

Oliveri, die hem verwachtte, keek op en zei: 'Ga zitten, Amos. Vertel me alsjeblieft alles wat je weet.'

Het was dinsdag, 8 juni. De vorige dag waren in het bedrijf de wildste verhalen rondgegaan. Volgens de geruchten zouden er op uitdrukkelijk bevel van Richard Deravenel nog meer topfunctionarissen voor de bijl gaan. Maar niemand wist wie, zodat de meeste mensen in paniek raakten en hun hart vasthielden omdat ze hun baan konden kwijtraken. Voor het eerst in meer dan dertig jaar hing er een angstige sfeer en op elke etage van het gebouw heerste somberheid.

Amos beschikte over alle informatie, zoals hij Oliveri zojuist telefonisch had laten weten. Nu boog hij zich dichter naar hem toe voordat hij hem toevertrouwde: 'Ik heb begrepen dat Frank Lane vrijdagmiddag zijn congé heeft gekregen. En deze week staat ons het vertrek te wachten van John Lawrence en Peter Stokes, eveneens twee prima mannen.'

'Mijn god, Frank Lane! Dit is vreselijk nieuws, Amos. Hij werkt hier al zolang ik me kan herinneren. Bijna even lang als ik. Hij was een van Mr. Edwards belangrijkste medestanders toen hij probeerde de firma van de Grants terug te krijgen. Frank heeft ons altijd gesteund en was een geboren vechter.' Oliveri was werkelijk geschokt, en dat was te zien. Hij voelde zich opeens heel bedroefd. De firma was veranderd vanaf het moment dat Richard Deravenel het heft in handen had genomen, en dat betreurde hij oprecht.

'Ik weet hoeveel respect iedereen voor Frank had. Mr. Edward noemde hem altijd door en door betrouwbaar,' merkte Amos op. 'Hij schijnt het manmoedig aanvaard te hebben: zaterdagochtend heeft hij zijn bureau leeggeruimd en het pand verlaten. Hem zullen we nooit meer terugzien. Des te betreurenswaardiger, want het was een aardige vent.'

'Er is hier iets grondig mis, Amos. Wat is er aan de hand? Weet jij dat?'

'Ik kan alleen maar onderschrijven wat je gisteren in White's zei. Onze nieuwe baas is bezig het pad voor zijn eigen mannen vrij te maken... Die jeugdvriendjes betekenen heel wat voor hem. Ik denk dat we Francis Lowell hier binnenkort zullen zien, en Robert Clayton en Robin Sterling ook. Die zijn al eeuwenlang dikke maatjes. Dat móét het zijn. Je weet wat ik bedoel... soort zoekt soort.'

'Hoe kom je aan die namen? Van wie heb je die gehoord?' Oliveri keek hem onderzoekend aan.

Amos stak waarschuwend een vinger op. 'Je moet niet zoveel vragen stellen, vriend. Dan blijf jij tenminste brandschoon. Hoe minder je weet, hoe beter dat voor je is. Laat ik hiermee volstaan: ik heb zo mijn eigen bronnen.'

Alfredo knikte alleen maar. Hij kende Finnisters reputatie dat hij overal wist binnen te komen, desnoods door het raam. Edward Deravenel had er dikwijls hoog over opgegeven.

'Mag ik binnenkomen?' vroeg Will Hasling, terwijl hij de deur opendeed en binnenstapte. 'Ik heb gehoord dat Frank Lane er vrijdag is uitgegooid. Ik was er niet; ik was naar Kent vertrokken. Wat weten we ervan?' Will ging naast Amos zitten en keek hem doordringend aan, waarna hij zijn blik op Oliveri richtte.

Alfredo haastte zich te zeggen: 'Amos zal het u allemaal vertellen en, tussen haakjes, de nieuwe baas was korte tijd geleden op zoek naar u.'

'O ja? Ik moet hem ook nodig spreken. Kom op, Amos, vertel me snel het slechte nieuws.'

Amos herhaalde wat hij zojuist aan Oliveri had verteld en Will luisterde met een ernstig gezicht, waarna hij bondig opmerkte: 'Hij is door het dolle heen.'

Nadat hij met Amos en Alfredo nog even de ontslagen had besproken, ging Will Hasling terug naar zijn kantoor en riep zijn secretaresse op. Toen ze verscheen, gaf hij haar een stapel dossiers om op te bergen en stond toen op. Hij liep het vertrek door en bleef staan bij de tussendeur die Edward daar jaren geleden had laten aanbrengen. Ze waren gewend geweest gemakkelijk elkaars kantoor in en uit te lopen, maar Will had algauw begrepen dat Richard dat soort intimiteiten niet zou goedkeuren. En dus was die deur sinds Neds overlijden gesloten gebleven.

Hij hief zijn hand, klopte aan en wachtte.

Een ogenblik later hoorde hij: 'Binnen.'

Met een brede glimlach zei Will: 'Goedemorgen, Richard. Heb je een fijn weekend gehad?'

'Ja. Eigenlijk was ik maandag op zoek naar je. Maar je was hier gistermiddag niet.' Richard keek hem koeltjes aan.

Vanwaar die vijandige houding? vroeg Will zich af, maar op minzame toon zei hij: 'Dat klopt, ik ben vóór lunchtijd vertrokken. Ik had 's middags een bespreking met Rice en Hepple betreffende de Montecristo-wijngaard in Italië. Omdat het allemaal wat was uitgelopen, ben ik niet teruggekomen. Het was al laat in de middag.'

'Aha, jij onderhandelt met ze. Hoe is het gegaan?'

'Er zit behoorlijk schot in. Ik zal je op de hoogte houden. Maar je zei dat je gisteren naar me op zoek was. Had je iets nodig?'

'Ik wilde je laten weten dat Francis Lowell hier met me komt samenwerken. Volgende week, of de week daarna.'

Hoewel Will dit al van Finnister wist, veinsde hij verbazing. 'Wat een goed nieuws! Hij heeft goed werk verricht in de fabrieken in Yorkshire en ik verheug me erop hem terug te zien, hem beter te leren kennen.'

'Hij is van onschatbare waarde,' mompelde Richard, waarna hij zijn ogen op de papieren op zijn bureau richtte, erdoorheen bladerde, en vervolgens weer opkeek naar Will die er nog steeds stond. 'Meer had ik niet te melden, Will.'

'Dat merk ik. Maar ik wil je iets vragen, Richard.' Terwijl hij op het bureau af liep, vervolgde hij: 'Bess vindt het vreselijk dat je van plan bent haar broers de komende zomer naar Yorkshire over te brengen. Ik vraag me toch af waarom je je met Neds kinderen bemoeit.'

'Daar heb je verdomme niets mee te maken,' snauwde Richard, terwijl hij hem dreigend aankeek.

'Daar heb ik wel degelijk mee te maken, als Bess bij me komt om te vragen of ik er met jou over wil praten. Als ze zowat in tranen uitbarst.'

'Waarom is ze bij jou gekomen en niet bij mij? Ik ben toch haar oom?'

'Het was in zekere zin heel toevallig,' zei Will behoedzaam, wetend dat hij op zijn tellen moest passen. 'Ze was afgelopen zaterdag op Stonehurst, op bezoek bij Grace Rose, en ik was er om met Vicky een paar familiekwesties te bespreken. Bess liet het zich terloops ontvallen.'

'Waar haalt ze het lef vandaan? Bess had zelf naar me toe moeten komen. Jij bent geen familie.'

'Dat is niet helemaal juist, Dick, dat weet je toch? Mijn vrouw is de nicht van je moeder, en jij bent haar volle neef.'

'En wat dan nog? Ik zei dat jíj geen familie was. Ik had het niet over Kathleen.'

Will bond in, aangeslagen door die kwetsende opmerking. Hij herstelde zich en zei kalm, omdat hij tot een vergelijk wilde komen: 'Elizabeth heeft sámen met jou het voogdijschap, vergeet dat niet, Dick.'

'Nee! Ned wilde dat ík over hen zou beslissen. Geheel zelfstandig, kan ik je verzekeren.'

'Ik denk dat het zijn wens was dat jij over zijn zoons zou beslissen als hun moeder daar niet toe in staat was, niet voor hen kon zorgen of dood was. In alle oprechtheid denk ik niet dat hij wilde dat je... zou voorschrijven hoe ze hun leven moeten leiden.'

'Je gaat te ver, let op je woorden!'

'Richard, waarom doe je zo vijandig tegen mij, de beste vriend van je broer? Dit is zo'n onzin, we hebben het over twee kleine jongens, de zoontjes van je broer. Ze zijn verscheurd van verdriet om hun vader, ze horen juist nu, in deze verdrietige periode van hun leven, bij hun moeder te zijn. En bij hun zusjes. Die kinderen horen de komende zomer niet van elkaar gescheiden te zijn. Zet deze belachelijke kwestie alsjeblieft niet door.'

'Ze gaan naar Ravenscar en ze zullen daar van de zomer samen met hun grootmoeder en mijn zoon hun intrek nemen. Anne en ik zullen in de weekends bij hen zijn. Ravenscar is de familieresidentie van de Deravenels, eeuwenoud. Ze moeten daar zijn om te leren wat het betekent om een Deravenel te zijn, om onze familiehistorie te leren en om te leren wat hun verantwoordelijkheden zijn.'

'Dick, die jongens zijn nog maar klein. Hou daar in godsnaam rekening mee.'

Zonder op die opmerking in te gaan, riep Richard: 'En noem me in godsnaam geen Dick, dat haat ik.'

Will beheerste zich en zei zo vriendelijk mogelijk: 'Alsjeblieft, Richard, doe het voor Ned. Laat de jongens met rust, vooral dit jaar. Ze zijn ziek van verdriet, ze hebben hun moeder nodig.'

'Doe niet zo sentimenteel tegen me. Ze moeten leren voor zichzelf op te komen en zich als een man te gedragen.'

Ontzet staarde Will hem aan, terwijl zijn respect voor Richard met de seconde afnam. 'Is dat je laatste woord over dit onderwerp?'

'Ja.'

'Dan zal ik tegen Bess zeggen dat je onvermurwbaar bent en dat haar broertjes naar Ravenscar moeten; dan is het verder aan Elizabeth. Als hun moeder en voogd, heeft ze...'

'Waarom dringt het niet tot je kop door? Ik ben hun voogd!'

'Een van de voogden, Richard, niet de enige voogd. Ik ben de executeur-testamentair van Neds testament, dus ik weet dat het op die manier in het codicil staat. Elizabeth kan de kwestie met Neds advocaten bespreken, mocht ze dat wensen.'

'Ben je me alweer aan het bedreigen?' brulde hij, met een rood hoofd van woede.

'Ik heb je helemaal niet bedreigd,' antwoordde Will. 'Schei uit met dit stomme gedoe. Ik ken je al vanaf dat je een jongetje in een korte broek was.'

Nu raakte Richard zijn zelfbeheersing volledig kwijt. Hij sprong op, pakte Will bij zijn arm en probeerde hem met harde hand zijn kantoor uit te werken.

Geschrokken en overrompeld verzette Will zich en probeerde zich los te wurmen. Richard liet hem los, om zich even later opnieuw nog agressiever op hem te storten. Hij gaf Will een harde duw door hem hard op zijn borst te rammen. Omdat hij zo'n gewelddadige aanval niet had verwacht, verloor Will zijn evenwicht en viel met een dreun op de grond, waarbij hij zijn hoofd tegen de rand van de open deur stootte.

Buiten adem en hijgend torende Richard boven hem uit, terwijl hij op hem neerkeek. 'Kom, sta op en laten we verdergaan met de dagelijkse gang van zaken,' riep Richard uit.

Toen Will zich niet verroerde en niets zei, fronste hij zijn voorhoofd en boog zich over hem heen.

Toen zag hij pas de bloeddruppels op de vloerbedekking, onder Wills hoofd. In paniek voelde Richard aan zijn pols. Al klopte die zwak, het was voor hem een teken dat Will Hasling nog leefde, maar hij was kennelijk bewusteloos. Hij pakte Will bij zijn voeten beet en sleepte hem weg bij de deur. Vervolgens ging Richard naar zijn bureau en drukte de intercom in. 'Eileen?'

'Ja, Mr. Deravenel?' vroeg zijn secretaresse.

'Mr. Hasling is zojuist flauwgevallen. Hij voelde zich al niet zo goed toen hij bij me op kantoor kwam. Zou je alsjeblieft een ambulance willen bellen? Zo te zien heeft hij het bewustzijn verloren. We moeten zorgen dat hij naar het ziekenhuis wordt gebracht.'

Veertien jaar geleden, toen Amos Finnister bij Deravenel kwam werken, om 'mijn welzijn te bewaken,' zoals Edward tegen hem had gezegd, werd hem de titel Hoofd Bewakingsdienst verleend. Dat was zijn hoofdtaak geweest, evenals de zorg voor de veiligheid en het welzijn van Edward Deravenel.

Hij werd zeer gewaardeerd, was bij iedereen zelfs behoorlijk geliefd en had door het hele bedrijf heen zijn eigen kleine netwerk van spionnen en informanten opgebouwd. Vandaar dat hij er binnen enkele minuten heimelijk van op de hoogte werd gebracht dat Will Hasling in het kantoor van Richard Deravenel was flauwgevallen en buiten bewustzijn was. De informant voegde eraan toe dat er een ambulance onderweg was.

Amos was niet alleen verbijsterd, maar ook hoogst achterdochtig. Twintig minuten geleden, tijdens het gesprek met hem en Oliveri in diens kantoor, blaakte Will Hasling nog van gezondheid.

Wat was er in die korte tijdsspanne gebeurd? Hij had geen idee, maar hij was van plan het tot op de bodem uit te zoeken. Nadat hij Alfredo had verteld dat Will 'onwel was geworden' – welke woorden hij ironisch had uitgesproken – begaf hij zich naar de kamer die hij nog altijd 'Mr. Edwards kantoor' noemde.

De deur stond wagenwijd open; Richard hing maar wat rond; zijn secretaresse zag er ontdaan uit en twee ambulancebroeders tilden Will voorzichtig op een brancard.

Nadat hij het kantoor binnen was gekomen, ging Amos onmiddellijk op Richard af en vroeg: 'Wat is er met Mr. Hasling gebeurd, Mr. Deravenel?'

Richard staarde hem geïrriteerd aan. 'Geen idee eigenlijk.'

'Ik heb anders gehoord dat hij in uw kantoor is flauwgevallen,' kaatste Finnister terug.

'Inderdaad. Hij kwam iets bespreken, klaagde vervolgens dat hij zich niet goed voelde en viel opeens op de grond. Hij klapte in elkaar, zomaar. Het was hoogst eigenaardig, Finnister, hoogst eigenaardig.'

Dat durf ik te wedden, dacht Finnister, maar hij zei: 'Nou, hij is in elk geval in goede handen. Deze heren zullen voor hem zorgen. Ik loop wel met hen mee naar buiten.'

Richard keek alsof hij wilde protesteren, maar bedacht zich kennelijk. 'Zoals je wilt, Finnister, zoals je wilt.'

'Zal ik Mrs. Hasling opbellen? Of wilt u dat doen?'

'O, maak je daarover maar geen zorgen, dat zal ik wel doen,' zei Richard geërgerd, terwijl hij Amos de deur uit duwde, achter de ambulancebroeders aan.

Zoals vooraf was afgesproken stond Oliveri in de hal op Amos te wachten, waarna ze samen met Will naar het ziekenhuis gingen. Die kwam onderweg langzaam bij en deed, toen hij Amos en Alfredo naast zich zag zitten, zijn best om te glimlachen.

'Hoe voelt u zich, sir?' vroeg Amos, terwijl hij zich bezorgd over hem heen boog.

'Ik heb hoofdpijn,' mompelde Will. 'Waar gaan we naartoe?'

'Naar het ziekenhuis, Mr. Hasling. Naar Guy's, het dichtstbijzijnde,' legde Alfredo uit.

'Aha.' Hij keek Amos aan en zei: 'Mijn vrouw, Amos... Wil je haar opbellen, alsjeblieft?'

'Zal ik doen, sir, gaat u nou maar rusten. Als we in het ziekenhuis zijn, hoeft u zich nergens zorgen over te maken. Daar zal ik uw vrouw opbellen.'

Will deed zijn ogen dicht en gleed weer weg.

In Guy's Hospital werden Amos Finnister en Alfredo Oliveri naar een wachtkamer gebracht, waar ze, terwijl ze zaten te wachten op bericht over Wills toestand, bespraken hoe hij opeens zo onwel had kunnen worden dat hij was flauwgevallen.

'Flauwgevallen... fabeltjes,' sputterde Finnister, terwijl hij Alfredo veelbetekenend aankeek. 'Er zat bloed op de vloerbedekking in Mr. Edwards kantoor, en van een val op zulk dik tapijt is hij vast niet gaan bloeden. Of hij is ergens mee geslagen, of hij is tegen een meubelstuk terechtgekomen dat daarna is verschoven.'

Alfredo knikte, wetend dat tegenspreken zinloos was. Finnister was degene die politieman was geweest, en een heel goede, niet hij. 'Wat wil je daarmee zeggen, Amos? Dat onze kersverse baas de schuldige is?'

'Precies. Ik hoop alleen dat Mr. Will zal opknappen.'

Na een uur verscheen er eindelijk een dokter om te vertellen dat Mr. Hasling hoofdletsel en een hersenschudding had opgelopen. Hij zei hen dat ze hadden besloten hem een nacht ter observatie in het ziekenhuis te houden.

Oliveri keek de dokter aan en vroeg: 'Mogen we hem bezoeken?'

'Momenteel niet, vrees ik. We zijn nog wat onderzoeken aan het doen.'

'U zei toch dat Mr. Hasling een hoofdwond heeft opgelopen, is het niet?' zei Finnister. 'Ik bedoel een bloedende wond, is dat juist?'

'Dat is juist, ja. Dat heeft ons beziggehouden. Wij denken dat hij tijdens zijn val met zijn hoofd tegen iets hards is aangekomen. Dat is de enige verklaring.'

'Ja, ik begrijp het,' zei Finnister tegen de dokter, waarna hij en Oliveri het ziekenhuis verlieten.

Will Hasling bleek snel op te knappen en enkele dagen nadat hij naar het ziekenhuis was gebracht, kon hij weer naar huis. Op zaterdag 12 juni, de dag van zijn vertrek, klaagde hij dat hij zich niet goed voelde. Een uur later kreeg hij een ernstige hersenbloeding, die fataal uitpakte.

Amos Finnister, net als iedereen kapot van verdriet, heeft nooit kunnen achterhalen wat er die dag in het kantoor precies tussen Will Hasling en Richard Deravenel is voorgevallen. Maar zijn hele verdere leven weet hij de voortijdige dood van Will Hasling aan Richard. Net als iedereen. Het wierp een blaam op Richards reputatie, en die zou hem altijd achtervolgen.

Achtenveertig

Ravenscar

De twee jongens liepen met een hengel in de hand de treden af die bij Ravenscar in de rots waren uitgehouwen en van het moerasland naar het kiezelstrand leidden. Ze waren op weg naar hun geliefde stekje op het strand, de Cormorant Rock.

Toen ze voor het eerst met hun vader gingen vissen, had hij verteld dat dit de beste plek was om te vissen, en om dat te bewijzen had hij die dag diverse kabeljauwen gevangen. Sinds die tijd kwamen ze er vaak hun geluk beproeven.

Edward junior droeg de viskorf en hoopte dat die tegen de tijd dat ze naar het huis terugkeerden, vol zou zitten. Hij had Cook beloofd een goede vangst voor haar te zullen meebrengen en op haar beurt had zij beloofd om voor het avondeten vis voor hen te bakken. Hij was net zo op Mrs. Latham gesteld als zijn vader vroeger. Ze was inmiddels al op leeftijd, zoals zijn grootmoeder telkens zei, maar zijn vader had haar niet met pensioen willen sturen. 'Ze is pas negenenvijftig en in uitstekende gezondheid,' had zijn vader de laatste tijd, vlak voor zijn dood, keer op keer gezegd en als oma steeds maar bleef sputteren dat Cook moest worden vervangen, was zijn vader gewoon weggelopen, omdat hij het vertikte naar haar te luisteren. Mrs. Latham hoorde haar hele leven te blijven, volgens papa. Hij begreep wel waarom zijn vader zo op Cook was gesteld; ze was moederlijk en hartelijk, en erg lief tegen iedereen, en ze maakte speciale hapjes voor hen klaar die verrukkelijk waren. En, net zoals Mrs. Collet in Kent, hielp ze hem wanneer hij kiespijn had, wat de laatste tijd erg vaak voorkwam.

Edward duwde het hengsel van de viskorf over zijn schouder en sjokte, om zich heen kijkend, naast kleine Ritchie voort, op weg naar het brede, rotsachtige platform dat het befaamde Cormorant vormde. Het strand was die dag helemaal verlaten, maar op zee dobberde een aantal vissersboten en in de verte zag hij hoe de vissers hun lijn uitgooiden.

Ondanks het feit dat het een zonnige morgen in augustus was, was het, zoals altijd, zelfs hartje zomer fris op Ravenscar. Omdat er een niet-aflatende wind vanaf de Noordzee waaide, had Nanny hen ingepakt in warme wollen visserstruien over hun flanellen hemden heen en hun broek in hun regenlaarzen ingestopt. Uit voorzorg, voor het geval het ging regenen, hadden ze van haar donkergroene, waterdichte jacks moeten aantrekken.

Ritchie keek naar hem op en zei: 'Mogen we straks naar fossielen, zeewier en schelpen gaan zoeken, Ed? Ik heb de kleintjes beloofd dat ik een paar schatten voor ze zal meenemen.'

'Natuurlijk mag dat, Ritch,' antwoordde hij, terwijl hij zijn broertje, die nu tien jaar was, met een liefdevolle glimlach aankeek. 'Ik zal je er zelfs mee helpen.'

'Ik zou willen dat ze van Nanny met ons mee mochten. Ik weet niet waarom ze vindt dat het voor meisjes verkeerd is om te gaan vissen, jij?'

'Volgens mij denkt ze dat het niet fatsoenlijk is, niet netjes,' antwoordde Edward junior. 'Je weet hoe Nanny is...'

'Het hoort niet,' viel Ritchie in, waarbij hij een hoog stemmetje opzette om Nanny te imiteren met haar geliefde uitdrukking, waarna hij er smakelijk om lachte.

Met een toegeeflijke glimlach sloeg Edward junior een arm om zijn schouders. 'Ze vindt het ook gevaarlijk, omdat wij onderweg over de rotsen klauteren. Ze is bang dat Bridget en Katharine zich zullen bezeren.'

'We hadden Nanny vorige week nooit moeten meenemen naar het strand, dan had ze nooit geweten dat we over de rotsen moeten klimmen.'

'Dat is zo.' Edward zweeg; de twee broers liepen verder zonder iets te hoeven zeggen, blij met elkaars gezelschap en volkomen gelijkwaardig. Al vertoonden ze, met hun blonde krullen en blauwe ogen, een grote gelijkenis, Edward, die bijna dertien was, was de grootste van de twee. Ze hadden de fraaie klassieke trekken van hun moeder geërfd en leken sprekend op hun zuster Bess.

Vlak voordat ze bij de Cormorant Rock waren, zei Ritchie opeens: 'Ik heb honger. Zullen we iets gaan eten voor we gaan vissen?'

'Waarom niet?' Edward zette de vismand op de grond, deed het deksel open om er het pakje worstenbroodjes uit te halen dat Cook had meegegeven. Toen hij het vetvrije papier eraf haalde, riep hij uit: 'Jeetje, ze zijn nog warm!'

De twee jongens gingen zitten op de kiezels, met hun rug tegen de rotsen, en smulden van de heerlijke warme worstenbroodjes.

'We hadden kleine Eddie kunnen meenemen, als hij niet met zijn moeder naar Ripon was gegaan om zijn grootmoeder op te zoeken. Hij wil al een hele tijd zo graag eens op de Cormorant staan, vertelde hij me laatst.'

'Hij kan volgende week met ons mee, als je wilt... als hij terug is van Manor Thorpe. Ik weet zeker dat hij het leuk zal vinden... Het is een aardig ventje, vind je niet, Ritch?'

Zijn broertje knikte, maar vervolgens fronste hij zijn voorhoofd en schudde zijn hoofd. 'Waarom noemen ze ons steeds kleine Ritchie en kleine Eddie – en jou Edward junior? Ik vind het stom.'

Edward junior barstte in lachen uit, meer om de toon waarop hij het zei dan om wát hij zei. Even later legde hij uit: 'Dat komt omdat jij naar oom Richard bent vernoemd; en om jullie uit elkaar te houden, heeft grootmoeder "kleine" voor je naam gezet, zodat iedereen zou begrijpen wie ze bedoelde. Kleine Eddie is naar onze vader vernoemd, net als ik, dus werd ik Edward junior, en hij zit vast aan "kleine Eddie". Om ons goed uit elkaar te kunnen houden. Het is allemaal een beetje verwarrend, vooral voor andere mensen buiten de familie.'

'Ik snap het. Maar als ik groot ben, wil ik van dat woord "klein" af, en gauw ook. Dan noem ik me Ritchie, en dan kun jij Edward zijn, zonder dat "junior", want vader is dood...' Kleine Ritchie maakte zijn zin niet af, maar terwijl hij zijn broer aankeek, vroeg hij met een bibberstemmetje: 'Waarom moest vader eigenlijk doodgaan? Hij was nog jong, Ed. Ik hoorde dat moeder dat tegen oom Anthony zei... "Hij was te jong om te sterven," zei ze. Dus waaróm?'

Edward junior werd ineens door verdriet overmand en kreeg een brok in zijn keel. Eén ogenblik kon hij niets uitbrengen, maar toen zei hij zacht: 'Hij had bronchitis, daarna kreeg hij een hartaanval... Maar dat heb ik je al eens verteld, Ritch.' Toen hij naar zijn broertje keek, zag hij tranen in zijn ogen. Hij sloeg zijn armen om hem heen en trok hem tegen zich aan. 'Niet huilen, Ritch. We moeten sterk zijn, flinke jongens, heeft Bess tegen ons gezegd. En denk erom: ze komt vanmiddag naar Ravenscar om een week bij ons te logeren. We zullen een fijne tijd met haar hebben.'

'O, dat weet ik! Daar ben ik erg blij om,' riep Ritchie uit, terwijl hij met zijn knokkels langs zijn vochtige ogen wreef en zichtbaar opfleurde.

Toen ze hun worstenbroodjes op hadden liepen de twee jongens verder, op weg naar de vissershut die hun vader op een verharde richel van een smalle reep moerasgrond vlak boven zee had gebouwd. Ze liepen vanaf het strand een smal pad op, en daar aangekomen haalde Edward junior de sleutel van de hut uit zijn jaszak. Toen de deur open was, gingen de jongens naar binnen, waar ze om de diverse bootjes heen liepen. Edward begon aan een van de grotere roeiboten te sjorren.

'Wat doe je nou?' vroeg Ritchie met wijd open ogen. 'Gaan we vissen... op de Noordzee?'

'Daar zit de schelvis, dat heeft vader ons verteld.'

'Hij zei ook dat we niet zonder hem de zee op mochten,' merkte kleine Ritchie op.

'Dat weet ik, maar het is een zonnige dag en het is mooi weer – vooral voor schelvis. Ik durf te wedden dat er een heleboel vis zit.'

'Vast niet,' zei Ritchie, ineens met een sip gezicht, maar hij hielp zijn broer toch het bootje het strand op te dragen. 'Wil je echt de zee op?' vroeg hij even later.

Edward aarzelde, en mompelde toen: 'Nou, laat ik er nog maar eens heel even over nadenken, en de lucht in de gaten houden om te kijken of het weer omslaat. Je weet het hier in Yorkshire maar nooit. Ik moet voorzichtig zijn.'

'Dat is een heel goed idee! Kom op, Ed, laten we naar de Cormorant gaan.'

'Wie er het eerste is!' riep Edward.

Ze renden met z'n tweeën met hun hengel over het strand, onder het roepen van: 'Joepie! Joepie-ie-ie!', waarbij hun stemmen op de wind werden meegevoerd.

De Cormorant Rock was hoog en breed, zodat er voor de twee jongens plaats genoeg was om er samen op te kunnen staan. En dat deden ze ook, waarna ze hun lijn uitgooiden, terwijl het optimisme van hun jonge gezichten straalde.

De man roeide op de kust af en doorkliefde, geholpen door de wind in zijn rug, soepel de loodgrijze zee. Hij zou sneller het strand bereiken dan hij aanvankelijk had gedacht. Geen slechte dag om op zee te zijn, had hij geconcludeerd, echt een uitstekende dag om te vissen. Heldere lucht, geen spoortje van slecht weer. En nog zonnig ook. Ik ben benieuwd of ik iets zal vangen. Toch op z'n minst wel een paar kleine visjes?

Zijn vissersboot, de *Gay Marie*, was behoorlijk groot en van degelijke makelij, en er konden wel zes vissers in, zoals wel eens was voorgekomen. Eigenlijk moest je met twee man roeien, maar hij was stevig gebouwd, met een brede borst en gigantische armen. Hij had de boot goed onder controle, en binnen tien minuten was hij de kustlijn genaderd. De man roeide vastberaden voort, krachtig en energiek. Op het moment dat hij het begin van het strand in het oog kreeg, legde hij de roeispanen in de boot en sprong, blij dat hij zijn regenlaarzen aanhad, het ondiepe water in. Eerst duwde hij de boot het zand op, waarna hij hem over de kiezels sleepte en uiteindelijk onder de overhangende rotsen manoeuvreerde.

Hij ging bij de boot zitten, haalde zijn sigaretten tevoorschijn, stak er een met een lucifer aan en nam, met de warme zon op zijn gezicht, een eerste trek.

Niet ver daarvandaan bevond zich de Cormorant Rock waarop Edward junior en kleine Ritchie naar kabeljauw stonden te hengelen. Ritchie was dolenthousiast toen hij er eindelijk een ving, en even later had zijn broer eveneens geluk.

Na een uur was Edward ervan overtuigd dat ze de enige vis hadden gevangen die zich die dag in het water ophield, en hij merkte ook dat zijn broertje moe werd. Bang dat Ritch zó in het water kon vallen of, erger nog, op de rotsen terecht zou komen en zich zou bezeren, zei hij: 'We kunnen beter gaan, Ritch. Dit is zinloos. Iedereen uit het dorp komt naar de Cormorant, dus waarschijnlijk zijn de wateren leeggevist.'

Ritchie knikte. 'Maar ik denk niet dat we de zee op moeten,' zei hij, wijzend naar de onafzienbare Noordzee. 'Papa zou boos zijn geworden.'

'Ja, dat weet ik. Nou dan gaan we niet op schelvis uit. Kom, laten we van de Cormorant af gaan...'

'Wat hebben we daar? Een paar piepjonge vissers zie ik,' sprak de man, die grinnikend naar de twee knappe blonde jongens keek.

'Hallo!' zei Edward junior, en hij glimlachte terug. 'We hebben twee vissen gevangen, hè, Ritch?'

Kleine Ritchie knikte, zijn jonge gezicht straalde. 'Ja! Twee lekkere kabeljauwen.'

'Dat hoop ik nou ook te doen. Twee lekkere visjes vangen. Denk je dat het me zal lukken?'

'Weet ik niet,' antwoordde Richard junior, terwijl hij van de rots af sprong en vervolgens zijn broertje hielp door hem een hand te geven.

'Waarschijnlijk niet,' vulde Ritchie aan, waarna ook hij op het strand neerkwam.

'Dat moeten we dan maar eens zien, hè?' mompelde de man, die hen opnieuw glimlachend aankeek.

Negenenveertig

'Wat ben ik blij dat je er bent, Bess,' riep Nanny, terwijl ze op een holletje uit het butlerverblijf naar de vestibule kwam. Ze klonk gespannen en ze was duidelijk in paniek.

Bess was zojuist uit Londen aangekomen, waar ze de trein naar York had genomen, en stond nu met haar bagage in de hal. Maar omdat ze ogenblikkelijk Nanny's ongerustheid opmerkte, liep ze haastig op haar af en zei: 'Nanny, wat is er in hemelsnaam? Is er iets aan de hand?'

'De jongens,' antwoordde Nanny wanhopig. 'We kunnen ze nergens vinden. Ze worden vermist.' Ze was bijna in tranen.

'Vermist,' herhaalde Bess, die er zo te horen niets van begreep. 'Ik kan u niet volgen, Nanny.'

Jessup kwam uit het butlerverblijf naar hen toe en legde uit: 'Ze zijn vanmorgen gaan vissen, Miss Bess. Aan het strand bij Ravenscar. Ze gaan altijd graag naar de Cormorant Rock. Hun vader, eh... eh... Mr. Deravenel nam ze daar altijd mee naartoe. Cook had ze een lunchpakket meegegeven, dat Edward junior in zijn viskorf heeft gestopt, en toen gingen ze ervandoor. Ze zijn hier niet meer geweest sinds...'

'Maar zijn ze dan niet op het strand?' kapte Bess hem af, terwijl ze Jessup vorsend aankeek, duidelijk in de war.

Nanny zei: 'Nee, daar zijn ze niet. Toen ze om elf uur weggingen, heb ik nog tegen ze gezegd dat ze om een uur of twee, uiterlijk halfdrie, weer thuis moesten zijn. Je weet dat Edward junior geen onverantwoordelijke dingen doet, Bess, en kleine Ritchie ook niet. Ze komen altijd op tijd naar huis, ze zijn nooit te laat. Het is nu vier uur. Een halfuur geleden werd ik ongerust. Ik heb Jeremy, die aardige tuinknecht, gevraagd of hij naar het strand wilde gaan om ze voor me te gaan halen. Toen hij terugkwam, was hij behoorlijk van streek en zei dat ze er niet waren. Er was zelfs geen spoor van hen – geen hengels, geen vismand, niets. Het strand was uitgestorven.'

'Heel eigenaardig,' mompelde Bess. 'Zouden ze ergens in huis kunnen zijn, Nanny?'

'Nee, Bess, ze zijn er niet.' Nanny schudde haar hoofd. 'Ik heb overal gekeken. Trouwens, je weet net zo goed als ik dat het altijd gehoorzame jongens zijn geweest en dat ze me nog nooit last hebben bezorgd. En anderen ook niet.'

'Zouden ze ergens anders naartoe zijn gegaan, naar het dorp?' vroeg Bess aan Nanny, waarna ze de butler aankeek. 'Wat denk jij, Jessup?'

'Het is te ver naar het dorp, miss Bess. In elk geval is het niets voor hen om Nanny ongehoorzaam te zijn. Maar als u wilt, zal ik een van de stalknechten vragen een paard te zadelen en naar het dorp te rijden om te informeren.'

'Ja graag, Jessup, dank je wel. Dan ga ik nu met mijn grootmoeder praten. Over een paar minuten kom ik boven bij de meisjes kijken, Nanny.'

Het drietal ging elk zijns weegs, en Bess holde via de vestibule naar de bibliotheek, waar iedereen altijd zat, vooral 's middags.

Cecily Deravenel had twee weken geleden haar been gebroken en zat nu in het gips. Ze zat in een rolstoel bij het raam en keek uit over de zee. Toen ze voetstappen hoorde, draaide ze zich met stoel en al om, en haar gezicht lichtte op toen ze haar kleindochter zag. 'Bess! Eindelijk, mijn lieve kind. Ik ben zo blij dat je bij ons komt logeren.'

Bess liep haastig naar haar toe. De bibliotheek was zo vol met herinneringen aan haar vader, dat het haar bijna te veel werd. Deze kamer was van hem, en zou altijd van hem blijven. Zijn aanwezigheid was overal. En het schitterende schilderij van hem, vlak voor zijn veertigste verjaardag voltooid, hing boven de haard, waar het de kamer domineerde.

Zich dwingend tot een glimlach, liep Bess naar haar grootmoeder en kuste haar op de wang. 'Wat vind ik het fijn om hier te zijn, grootmoeder,' zei ze en nam plaats op de leuning van een stoel. Volkomen beheerst zei ze met heel vaste stem: 'Grootmoeder, er schijnt een probleem te zijn.'

Cecily keek haar vragend aan. 'Wat voor probleem?'

'De jongens worden vermist. Edward junior en kleine Ritchie

schijnen verdwenen te zijn... zomaar, in lucht opgegaan.'

Ogenblikkelijk was Cecily's gezicht een en al somberheid; ze was plotseling in paniek. 'Hoe kunnen ze nu verdwenen zijn? Ik begrijp het niet. Ze zeiden tegen me dat ze op het strand gingen vissen, waar Ned ze altijd mee naartoe nam. Ze zeiden zelfs dat ze zich erop verheugden vanavond met mij te eten, en met jou en de kleintjes, zoals ze de meisjes noemen. Ik heb gezegd dat ze niet te laat mochten komen en op tijd terug moesten zijn. Waar zouden ze kunnen zijn?'

'Ze waren niet op het strand en ze zijn niet in huis. Nanny is verschrikkelijk overstuur, maar ik moet zeggen dat ze toch de tuinknecht eropuit heeft gestuurd om ze te gaan zoeken, en hij was al heel gauw terug. Er is geen spoor van hen en hun spullen zijn ook niet op het strand.'

Cecily leunde achterover; er trok een schaduw over haar gezicht. 'Was Richard maar hier,' zei ze uiteindelijk, waarna ze met een hand over haar mond streek. 'Hij zou wel weten wat we moeten doen.'

'Waar is oom Richard dan?'

'Hij is voor een paar dagen naar Ripon, op Thorpe Manor, samen met Anne en kleine Eddie. Voor het weekend, om precies te zijn. Hij is gisteren naar Londen gegaan.'

'En Anne en haar zoontje zijn nog op Thorpe Manor bij Nan Watkins?'

'Dat is juist.'

Er viel een korte stilte waarin geen van de vrouwen iets zei.

'Neem me niet kwalijk, grootmoeder, maar ik ga de politie bellen...'

'Maar je hoort eerst met Richard te praten,' viel Cecily haar in de rede.

'Waarom? Hij zit in Londen. Ik ben híér. En hoe sneller we handelen, hoe beter.' Bess liep haastig de bibliotheek uit, ging naar de voormalige werkkamer van haar vader en schoof daar achter het bureau. Nadat ze even had nagedacht, belde ze lady Fenella in Londen op. De butler van het huis in Curzon Street nam op en even later zei lady Fenella in hoogsteigen persoon: 'Hallo, Bess, hoe gaat het met je?'

'Hallo, tante. Ik bel u op omdat ik met een vreselijk probleem zit en uw raad nodig heb. Ik ben net op Ravenscar aangekomen. Mijn broertjes worden vermist.' Snel stelde Bess haar op de hoogte en herhaalde alles wat ze had vernomen, waarna ze besloot met: 'Ik dacht erover de plaatselijke politie te bellen, maar toen besloot ik eerst eens met u te praten. Ik zou het erg op prijs stellen als u Mark zou willen vragen wat hij ervan vindt, wat ik moet doen.'

'Dit is ontstellend nieuws, Bess,' zei Fenella. 'Zou het een ont-voering kunnen zijn, denk je? Om een losprijs? Iedereen weet dat de Deravenels een voorname familie zijn, en rijk.'

'Het is mogelijk... Ik weet gewoon niet wat er ik op dit moment van moet denken.'

'Is Richard daar?'

'Nee, kennelijk is hij in Londen. Anne is met haar moeder in Ri-pon, en ik ben hier bij mijn grootmoeder, die met een gebroken been in een rolstoel zit.'

'Dat spijt me te horen. Wens haar het allerbeste, namens mij. Is je moeder niet naar Monaco?'

'Ja, met Cecily en Anne. Ik wil niet dat ze zich zorgen gaat ma-ken, nog niet.'

'Dat is op dit moment ook niet nodig. Laat mij maar met Mark gaan praten, dan zal een van ons je heel gauw terugbellen.'

Bess leunde achterover in haar stoel en staarde voor zich uit, in afwachting van het telefoontje van Mark Ledbetter. Ze was ervan overtuigd dat hij dat absoluut zou doen zodra Fenella de situatie had uitgelegd.

En ze had gelijk. Tien minuten later ging de telefoon, en ze nam ogenblikkelijk op, nog voor Jessup daar de kans voor kreeg.

'Met Mark, Bess. Ik vind dit heel erg.'

'Hallo, Mark.'

'Vertel me wat je weet.'

Nadat ze dat had gedaan, vroeg ze: 'Moet ik contact opnemen met de politie?'

'Nee, dat zal ik wel voor je doen. Het zal voor iedereen gemak-kelijker en veel sneller gaan als ik ze opbel. Scarborough is jullie plaatselijke politiedistrict, maar ik zal ook naar York opbellen: dat is een groter korps.'

'Dank je, Mark.'

'Moet je horen, Bess, en luister goed. Als de jongens rond mid-dernacht nog niet zijn gevonden, wil ik dat je onmiddellijk contact met me opneemt, hoe laat het ook is. En mocht er een telefoontje komen, of een brief over een losprijs, bel dan ook op. Dan kom ik meteen naar jullie toe. Niet als hoofd van Scotland Yard, maar als vriend van de familie. Ik wil niet op lokale tenen gaan staan. Dat begrijp je vast wel. Probeer je geen zorgen te maken. We zullen ze wel vinden.'

Bess bleef achter het bureau van haar vader zitten, terwijl haar hersens op volle toeren werkten. Even later kwam ze tot een conclusie: omdat de jongens waren verdwenen zonder een spoor achter te laten, moest iemand ze van dat strand hebben meegenomen, misschien om een losprijs – of ze waren in een boot de zee opgegaan en hadden een ongeluk gehad. Waren ze misschien een roeispaan kwijtgeraakt en afgedreven? Was de boot soms omgeslagen? Of gezonken? In dat geval waren haar broertjes hoogstwaarschijnlijk verdronken. Ze rilde bij het idee. Het was te erg om aan te denken.

Toen ze plotseling een ingeving kreeg, sprong ze overeind, rende de vestibule door, ging met twee treden tegelijk de trap op en holde haar slaapkamer binnen. Ze deed haar lichtgewicht reispakje uit, trok een tweedrok en een blouse aan, vond een warm vest en deed wandelschoenen aan. Pas toen ging ze naar de kinderkamer.

Nanny keek op toen ze binnenkwam en vroeg bezorgd: 'Nog nieuws, Bess?'

'Op dit moment niet. Maar ik heb wel met Fenella gesproken en Mark Ledbetter belde zonet terug. Hij zal contact opnemen met de plaatselijke politie, zowel van York als van Scarborough. En ik ga naar het strand om zelf een kijkje te nemen.'

Nanny knikte en keek naar Katharine en Bridget, de twee jongste kinderen.

Bess had Nanny's bezorgde blik opgemerkt en ging even naar de meisjes toe, die aan de tafel zaten met hun melk en stukjes fruit.

Katharine hief haar gezicht op voor een kus en pakte Bess' arm vast toen ze zich over het kind heen boog. 'Waar zijn de jongens?' fluisterde ze.

'Niet zo ver weg, lieverd, dat weet ik zeker,' antwoordde Bess, en ze drukte het meisje tegen zich aan.

Vervolgens liep ze om de tafel heen, gaf Bridget een knuffel en een kus op de wang, waarbij ze fluisterde: 'Ik ben over een paar minuutjes terug, goed?'

'Ja, Bess,' zei Bridget.

Toen ze weer beneden was, bedacht Bess dat ze haar oom op Deravenel moest opbellen. Dus ging ze terug naar de werkkamer van haar vader. Zijn secretaresse nam op, en toen Bess naar hem vroeg, vertelde Eileen dat hij weg was voor een vergadering in de City.

Bess dacht even na, waarbij ze zich afvroeg of ze de reden van haar telefoontje kon uitleggen, maar zag daarvan af. 'Wil je vragen of hij me opbelt, Eileen? Ik ben op Ravenscar en ik moet hem spreken. Dringend.'

Het strand was verlaten.

Dat zag Bess al toen ze de in de rots uitgehouwen treden af holde. Zodra haar voeten de kiezels raakten, rende ze naar de overhangende rotsen die de Cormorant Rock aan het zicht onttrokken. Omdat ze enigszins buiten adem was, schakelde ze op wandeltempo over toen ze om de rotspartij heen liep en uiteindelijk voor de beroemde rots stond. Beneden kabbelde de donkere zee, kolkend en schuimend, zoals dat jaar in jaar uit doorging.

Ze richtte haar blik op de kiezels onder haar voeten en liet haar ogen over de hele omgeving gaan, op zoek naar... naar wát? Ze had geen idee... iets wat haar een aanwijzing zou geven van wat er was gebeurd. Maar er was niets. Pas toen ze haar hoofd oprichtte en omhoog keek, zag ze de vissershut op het hoger gelegen moerasland. Daarvan zwaaide de deur heen en weer in de wind. Waarom stond die deur open? Natuurlijk, Edward. Hij had hem waarschijnlijk een tijdje geleden opengezet.

Bess volgde het pad omhoog naar de hut, ging er naar binnen en keek om zich heen. Hier lagen altijd vier vissersboten. Twee grote en twee kleine. Nu waren er nog maar drie: één grote en twee kleine. Kennelijk hadden haar broers een van de twee grotere meegenomen. Ze keek naar de namen van de boten die er nu nog lagen: *Sea Dog, Meg O' My Heart* en *Macbeth. De Dappere Bess* was de boot die ontbrak, de boot die door haar vader naar haar was vernoemd. Ze bleef roerloos staan, terwijl haar hart in haar borst samenkneep. Als ze ermee waren uitgevaren, de Noordzee op, konden ze heel gemakkelijk een ongeluk gehad kunnen hebben. En verdronken zijn.

Bij die gedachte vloeide het laatste restje energie uit haar weg. Ze leunde enkele minuten tegen de deurpost en deed haar best om zich te beheersen. Toen draaide ze zich om, ging naar buiten, sloot de deur en draaide hem op slot. Ze stopte de sleutel in haar zak en liep met een gevoel van verslagenheid het pad weer af.

Toen ze op het kiezelstrand terug was, bleef ze overal zoeken. Er was geen boot, en ook geen teken dat hij naar zee was gesleept. Maar dat had je nooit kunnen zien – vanwege de kiezels.

Verslagen en bezorgd beklom Bess de treden naar het moerasland en ging terug naar Ravenscar, biddend dat haar broertjes ergens anders naartoe waren gegaan en dat ze snel zouden terugkomen. Of gevonden zouden worden.

'Ik ben op het strand geweest, grootmoeder,' vertelde Bess, terwijl ze in de bibliotheek ging zitten. 'Er is niets – geen sporen van wat er gebeurd kan zijn.'

'Aha.' Cecily Deravenels gespannen, bleke gezicht en de vonk van angst in haar blauwgrijze ogen verraadden haar bange vermoedens.

Zoals gewoonlijk was de middagthee opgediend, maar haar kopje was nog vol, onaangeroerd, en haar bord was leeg. Ze had met geen mogelijkheid iets door haar keel kunnen krijgen. 'Richard heeft voor je gebeld, Bess. Ik heb hem verteld dat de jongens worden vermist. Als ze om middernacht nog niet zijn gevonden, komt hij direct naar Ravenscar, zei hij.'

'Daar ben ik blij om, grootmoeder. Ik heb met tante Fenella gesproken, en zij heeft ervoor gezorgd dat Mark Ledbetter me opbelde. Hij schakelt de politie van Scarborough in, omdat het hier onder hún district valt. Maar hij legde uit dat hij ook de politie van York erbij wil hebben, omdat die over een groter korps beschikt, en over meer manschappen.'

Cecily bracht heel even haar hand naar haar ogen. Met een sombere, trillende stem zei ze: 'Waar kunnen ze toch zijn, Bess? Waar kunnen ze in 's hemelsnaam zijn?'

Die avond om zes uur krioelde het om het huis, op het erf en op het het strand bij Ravenscar van de plaatselijke politie, die elk hoekje en gaatje afzocht. Inspecteur Wallis van het politiebureau van Scarborough was later gekomen en had met Bess en alle anderen gepraat, evenals hoofdinspecteur Allison uit York. Net als Bess en haar grootmoeder en het voltallige personeel, stonden deze twee ervaren rechercheurs voor een raadsel.

De verdwijning van de twee jongens was een mysterie. Het grootste mysterie waarmee ze ooit te maken hadden gehad.

Vijftig

Amos Finnister had vanuit Londen de hele nacht doorgereden, en nu hij via de oprit op de stallen van Ravenscar afkoerste, was hij enorm opgelucht dat hij eindelijk op zijn bestemming was aangekomen.

Hij parkeerde zijn auto op de binnenplaats bij de stallen en liep, volgens de instructies die hij de vorige avond van Bess had gekregen, over de straatsteentjes naar de achterdeur van het huis.

Hij stak net zijn hand uit naar de koperen deurklopper, toen er prompt werd opengedaan en Bess daar stond. 'Goedemorgen, Amos,' zei ze, terwijl ze de deur verder opende.

'Goedemorgen, Bess,' zei hij en hij stapte de gang in, waarna hij de deur achter zich dichttrok. 'Nog nieuws?'

Ze schudde haar hoofd. 'Helaas niet. Kom, dan gaan we ontbijten. Jessup wacht op ons en Cook heeft alles al klaar.'

'Dat is heel fijn, graag.'

'Je zult wel moe zijn na je lange reis.'

'Een beetje,' zei hij, terwijl hij met haar meeliep naar de ontbijtkamer.

Jessup stond daar in de deuropening en deed een stap in hun richting, terwijl zijn gezicht opklaarde toen hij Amos Finnister zag. 'Goedemorgen, Mr. Finnister,' riep hij uit, waarna hij hen voorging. 'Miss Bess heeft reikhalzend naar u uitgekeken, zoals wij allemaal. U zult wel doodmoe zijn. Het is een heel eind, uit Londen.'

Hij keek de butler glimlachend aan en zei: 'Fijn je te zien, Jessup, en eerlijk gezegd valt het wel mee om 's nachts te rijden. Er is niemand op de weg, en ik heb het snel gedaan.'

De butler nam Amos mee naar het buffet, waar zoals altijd een keur aan warme en koude gerechten stond. 'Wat kan ik voor u opscheppen?' vroeg Jessup, terwijl hij de deksels van diverse zilveren schalen oplichtte. 'We hebben hier worstjes met spek, in deze schaal liggen niertjes, hier tomaten en daar zijn kippers, mocht u daar de voorkeur aan geven. En we hebben ook roereieren, maar als u wilt, zal Cook een ei voor u bakken.'

'Worstjes met spek, graag, en misschien wat geroosterde tomaten, Jessup. Dat zal wel genoeg zijn.'

Amos begaf zich naar de tafel waar Bess al aan had plaatsgenomen en ging tegenover haar zitten, terwijl Jessup het eten van zijn keuze op een bord legde en naar Amos bracht, die hem bedankte.

'Het gebruikelijke recept voor u, miss Bess?' vroeg de butler, die zich, toen ze knikte, naar het buffet spoedde en even later terugkwam met geroosterde tomaten. Binnen enkele minuten had hij warme toast en brood met een keuze aan jams op tafel gezet, waarna hij thee voor hen inschonk.

Toen ze alleen waren, zei Bess: 'De twee plaatselijke rechercheurs zeiden dat dit het grootste mysterie is waar ze ooit mee zijn geconfronteerd.'

'Het is zeker een mysterie, Bess, een heel zorgwekkend mysterie. Vertel nog eens over de vissershut. Je zei dat de deur heen en weer zwaaide.'

'Ja, vandaar dat ik die opmerkte. Doordat de deur in de wind klepperde. Omdat ik meteen wist dat Edward junior hem had opengelaten, ben ik ernaartoe gegaan, en toen ik daar wat rondkeek, zag ik dat er een grote vissersboot ontbrak.'

'De *Dappere Bess*, zei je?'

'Ja. Die heeft vader naar mij vernoemd.'

'Het is goed om een naam te weten...' Amos zweeg abrupt, boos op zichzelf. Hij had zijn tong wel willen afbijten.

'In geval van schipbreuk,' zei Bess. 'Dat is toch wat je bedoelt? Een naam is handig bij het identificeren van een boot die is vergaan.'

Hij knikte met een schuldbewust gezicht. 'Ik ben bang van wel.'

'Wees maar gerust... Ik heb er zelf ook aan gedacht.' Ze schudde haar hoofd en plotseling welden er tranen op in haar helderblauwe ogen, die zo aan haar vader deden denken. Ze probeerde ze weg te knipperen. Ze had een brok in haar keel en haar hart deed pijn.

'O Bess, lieve kind,' zei Amos, die met haar meevoelde. Hij stond op en wilde naar haar toe komen.

Ze schudde haar hoofd. 'Nee, nee, het gaat wel, ik red het wel.

Aan tranen hebben we niets.' Ze haalde een zakdoek uit haar zak en depte haar ogen. Toen ze de zakdoek weer in haar vestzak stopte, stuitten haar vingers op de sleutel. 'O, en Amos, de sleutel zat nog in het slot van de deur van de hut. En kijk, ik heb hem nog altijd bij me.' Ze stak hem omhoog om die aan hem te laten zien.

'Ik heb mijn spullen voor vingerafdrukken bij me, dus ik zal straks eens kijken of ik er afdrukken op kan vinden. Vertel jij me intussen nog eens stap voor stap hoe het allemaal is gegaan, zoals je me gisteravond door de telefoon hebt verteld.'

'Cook, er loopt een man door de tuin die er heel eigenaardig uitziet,' zei Polly, terwijl ze uit het keukenraam tuurde.

Cook draaide zich met een ruk om, met een pollepel in haar hand, terwijl ze het keukenmeisje fronsend aankeek. 'Wat is er, kind? Wat zeg je?'

'Die man buiten. Kom eens kijken.'

Toen Mrs. Latham naar het raam liep, zag ze meteen wat Polly bedoelde. Er scharrelde inderdaad een raar uitziende man bij de stallen rond, en die was nu op weg naar de keukendeur.

Cook legde de pollepel neer, veegde haar handen aan een keukendoek af, trok haar witte kapje recht en liep haastig de keuken uit naar de gang. Ze deed de deur open en stond al op de stoep toen de man dichterbij kwam.

Toen hij voor haar bleef staan, wist ze onmiddellijk wat voor werk hij deed. Er hing zo'n sterke vislucht om hem heen dat ze terugdeinsde en op hetzelfde moment besefte dat hij waarschijnlijk een van de plaatselijke vissers was – óf uit het dorp Ravenscar, óf uit het nabijgelegen Scarborough.

Hij tikte beleefd met een hand tegen zijn pet en zei: ''Môge, *mum*, is de meester thuis?'

'Ik vrees van niet. Wat kan ik voor u doen?' vroeg Cook, die meteen in het plaatselijke dialect gleed.

De man tuitte zijn lippen en vertrok toen zijn gezicht. 'Ik hoopte de meester te kunnen spreken. Ik moet 'm iets vertellen.'

Cook schudde haar hoofd. 'Ik kan hem toch niet als een konijn uit mijn hoed toveren? De baas is weg. Vertel het maar aan mij, en zeg snel wat je te zeggen hebt. Ik moet aan het werk.'

'Het gaat over die kleine kereltjes, die van Deravenel, die vermist worden.'

Toen ze dat hoorde, verstijfde Cook ter plekke, en ze bekeek de visser eens wat beter. Ze kneep haar ogen tot spleetjes. 'Als je iets weet, kun je het me maar beter vertellen... Kom op dan, zeg op.'

'Het ging zo... Ik zag ze op Cormorant Rock vissen. Toen zag ik een vissersboot die op dat stukje kiezelstrand afvoer. Ik zie dat de man hem op het land sleept, over het strand.'

'En toen?'

'Niks, ik was aan het vissen... Ik roeide de zee op, op zoek naar vis, die was gisteren schaars. Op zoek naar schelvis.'

'Wacht hier... Niet weggaan. Ik ben zo terug.'

De man knikte en Cook ging pijlsnel de gang door om Jessup te zoeken. Toen ze hem in het butlerverblijf had gevonden, vertelde ze hem zachtjes over de visser, gaf de informatie door die hij haar had gegeven en besloot met: 'Ik moet hem een shilling geven of zo, Jessup, voor zijn moeite. Het is nuttige informatie, is het niet?'

'Wie weet. Hou jij die visser even aan de praat, Cook. Zorg dat hij niet weggaat. Ik ga Mr. Finnister vragen om met hem te komen praten.' Met die woorden verdween Jessup en Cook liep haastig naar de keukendeur.

'Wil je even wachten? De butler is iemand gaan halen die... gezag heeft. Kom je hier uit de buurt?'

'Ik woon hier al mijn hele leven. Tom Roebottom is de naam.'

'Noem mij maar Cook, dat doet iedereen.'

Jessup kwam terug met Finnister en Bess. Snel ging Cook opzij, zodat Finnister buiten op de stoep met de man kon praten.

'Ik ben Finnister,' zei Amos. 'En ik heb begrepen dat u informatie hebt over de twee jongens die gistermiddag van het strand bij Ravenscar zijn verdwenen. Kunt u me alstublieft vertellen wat u weet? Het is van vitaal belang.'

De visser vertelde hetzelfde verhaal dat hij tegen Cook had opgedist. Toen hij was uitgesproken zei Amos: 'Hebt u hem met de jongetjes zien praten?'

'Nee.'

'Maar hebt u de man wél op het strand gezien, toen hij de boot erop sleepte?'

'*Aye*. Hij sleepte hem over de kiezels, tot dicht bij de grote rotsen.' Tom zweeg even. 'Toen ging hij zitten.'

'En dat is het enige wat u hebt gezien?'

'*Aye*. Ik ben de zee op geroeid. Naar diepere wateren. Ik was op zoek naar schelvis.'

'Kunt u de man beschrijven? Was u zo dichtbij dat u hem goed kon zien?'

De visser schudde zijn hoofd. 'Hij was te ver weg om hem beter te kunnen bekijken. Tja, een grote man. Breed, sterk. Het was een grote vissersboot.'

'Hoeveel vissers konden erin?'

Tom Roebottom haalde zijn schouders op. 'Vijf, zes misschien.'

'Ik begrijp het. Nu komt een heel belangrijke vraag. Hebt u de man in zijn vissersboot van het strand zien vertrekken?'

'Nee. Ik was helemaal bij de diepe wateren. Ver weg.'

'Aha. Vertelt u eens...' Finnister wachtte even en vroeg: 'Hoe is uw naam, overigens?'

'Tom... Roebottom, sir.'

Finnister stak zijn hand uit. 'Aangenaam kennis met je te maken, Tom, en bedankt dat je met deze informatie naar dit huis bent gekomen.'

Ze schudden elkaar de hand, waarbij Tom beleefd knikte.

Amos keek hem een ogenblik aandachtig aan, waarna hij vroeg: 'Waarom ben je hiernaartoe gekomen, Tom? Je dacht waarschijnlijk dat het belangrijk was dat je de man had gezien, is het niet?'

'*Aye*. Het kwam door mijn vrouw, Betty. Die zag gisteren overal politie en ze vertelde me dat die jongens werden vermist. Daardoor dacht ik eraan, en ik vertelde het aan Betty. Mijn vrouw zei tegen me dat ik eens met de meester moest gaan praten.'

'Welnu, hartelijk dank, ik ben u zeer dankbaar,' zei Amos, en hij haalde een paar munten tevoorschijn.

'Nee,' zei Tom, 'Ik wil niks. Ik deed gewoon mijn plicht. Mr. Deravenel, Mr. Edward bedoel ik, is altijd goed geweest voor ons in het dorp. Te vroeg heengegaan.' Hij schudde zijn hoofd. 'Misschien is het niks, dat ik die man heb gezien. Ik dacht dat ik het Mr. Richard beter kon vertellen, zoals mijn vrouw zei.'

Bess deed een stap naar voren. 'Ik ben de dochter van Mr. Edward, Tom, en het zijn mijn broertjes die zijn verdwenen. Dank u dat u naar het huis bent gekomen. Ik ben u dankbaar... dat zijn we allemaal.'

Amos wist vrijwel meteen dat ze op het strand niets zouden vinden – geen aanwijzingen, geen sporen van de jongens, of wat dan ook. De kiezels waren namelijk het probleem, en ook het wisselen van de getijden. Het strand, bestaande uit kiezels, schelpen en fossielen, werd dagelijks enkele keren overspoeld door de zee en was daardoor ongerept.

Toen ze over het strand naar de Cormorant Rock waren geploeterd en daar rondkeken, had Bess hem naar de vissershut op de richel gebracht. Eerder had ze hem de sleutel gegeven en had hij zonder veel resultaat geprobeerd er vingerafdrukken van te krijgen. De laatste tijd hadden te veel mensen de sleutel in handen gehad.

Toen ze met z'n tweeën op de drempel stonden, wees Bess naar de drie resterende vissersboten, waarbij ze verklaarde: 'Vader had hier altijd vier boten liggen, maar een heleboel extra roeispanen.'

'Dat zie ik,' luidde Amos' reactie, waarna hij een paar minuten in de hut rondspeurde. Opnieuw vond hij niets wat ook maar enigszins bruikbaar was – of verdacht. Hij keek Bess aan en zei: 'Tom, de visser, vertelde dat hij een man heeft gezien die een boot over de kiezels sleepte en hem vervolgens naar de overhangende rotsen manoeuvreerde. Zullen we daar even een kijkje nemen?'

Daar stemde Bess gretig mee in, en na een paar minuten waren ze terug op het strand, op weg naar de reusachtige rotspartij die aan één kant over de Cormorant Rock heen hing.

Het was een zonnige dag met een blauwe lucht, zonder een zuchtje wind. Een mooie dag. Maar geen van beiden hadden ze oog voor het weer, daarvoor waren ze veel te geconcentreerd bezig met hun speurtocht. Toen hij, vanwege het oorverdovende gekrijs van de meeuwen, even omhoogkeek, zag Amos de meest sierlijke vogels door de lucht buitelen en rondcirkelen. 'Wat zijn dat voor vogels?' vroeg hij.

'Drieteenmeeuwen,' antwoordde Bess. 'Er zijn er hier honderden – ze huizen in de kliffen, waar ze zelfs nestelen. Zijn ze niet mooi, met hun zwarte vleugelpunten en gele snavels?'

Amos knikte. 'Ze zijn inderdaad mooi.' Plotseling bleef hij staan en wees naar de kiezels onder hun voeten. 'Kijk eens hier, Bess. Ik geloofde Tom toen hij zei dat de man die hij had gezien de boot na zijn landing over het strand sleepte... Moet je zien hoe afgesleten deze kiezels zijn. En je kunt de afdrukken zien van de kiel toen hij eroverheen werd gesleept.'

'Ja, ik zie het. Tom Roebottom heeft heel goed gekeken.'

'Ja.' Amos kwam weer overeind, waarna hij opeens een lange, diepe zucht slaakte, waardoor Bess hem prompt aankeek, maar hij zei geen woord.

Uiteindelijk zei Amos: 'Ik weet dat we hier niets zullen vinden... al blijven we eeuwig zoeken. Ik kan het je beter opbiechten, Bess: ik geloof dat je broertjes gisteren inderdaad van het strand zijn meegenomen. Door wie en waarom, ik heb geen idee.'

Bess stond hem aan te staren met ogen die donker waren van verdriet. Haar stem trilde enigszins toen ze zei: 'Ik kan niet anders dan het met je eens zijn. Denk je dat het die vent was die Tom hier zag landen?' Ze deed haar best om kalm te blijven, omdat ze niet hysterisch wilde doen.

'Ik ben bang van wel. Bovendien zei Tom dat er wel vijf vissers in de boot konden. Je broers zijn maar twee kleine jongens. De boot was groot genoeg voor hen en de man.'

'Maar wie zou ze nou willen meenemen?' vroeg ze met onvaste stem.

'Geen idee. Ik kan het niet verklaren. Kon ik het maar. Wanneer komt je oom?'

'Rond lunchtijd, zei hij gisteravond. Hij is dol op vliegtuigen en heeft er een gecharterd om hem en Mark hiernaartoe te vervoeren. Een heleboel mensen beginnen een chartermaatschappij, heeft hij me verteld, en hij had wel oren naar één bepaalde, omdat de twee eigenaars in de Grote Oorlog piloot zijn geweest. Ze kunnen met hun vliegtuig op het nieuwe vliegveld bij Scarborough landen.'

'Schitterende dingen, vliegtuigen. Ze zijn de toekomst van het reizen.'

'Denk je echt? Grootmoeder zegt dat ze vreselijk gevaarlijk zijn en dat ze uit de lucht kunnen vallen. En meestal is ze heel erg vóór moderne uitvindingen.'

'Ik zet mijn geld op luchtreizen,' zei Amos.

Ze liepen samen verder, in de richting van de in de rotsen uitgehouwen treden, waarbij ze een poosje bleven zwijgen. Plotseling zei Amos: 'Hebben jullie niet een hond gehad die Macbeth heette? Net als de boot?'

'Ja, een terriër. De kleine Macbeth is vorig jaar overleden, en Edward junior was zo overstuur dat hij zei dat hij nog een tijdje geen andere hond wilde. En toen heeft mijn vader de boot naar Mac vernoemd, zoals we hem noemden.'

'Ik begrijp het.' Amos en Bess beklommen de treden, achter elkaar aan. Amos stopte op een gegeven moment en pakte Bess bij de arm. 'Wanneer ga je je moeder vertellen dat de jongens sinds gisteren worden vermist?'

'Vandaag, denk ik, als oom Richard er is en we allemaal de kans hebben gehad om de situatie te bespreken.'

Richard Deravenel en Mark Ledbetter kwamen om halfeen in de bibliotheek bij Cecily Deravenel, Bess en Amos zitten. Het was een zorgelijk en bedrukt groepje dat zich daar had verzameld.

Richard Deravenel opende de discussie over de jongens toen hij zich tot zijn moeder wendde en zei: 'Ik neem aan dat er geen nieuwe werknemers in het huis of op het erf zijn, mama? U hebt toch niet iemand aangenomen zonder het te vertellen?'

'Nee, Richard. O, we hebben Polly, het nieuwe keukenmeisje, maar haar moeder heeft hier jarenlang bij ons gewerkt. Ze komt uit het dorp.'

'Geen nieuwe mensen op het landgoed?'

Cecily schudde haar hoofd, terwijl ze hem enigszins afkeurend aankeek. 'Ik zou trouwens nooit mensen aannemen over wie ik mijn twijfels heb.'

Richard ving meteen haar kribbige toon op en zei: 'Ik moest het vragen, mama.'

'Ik weet het.'

Op dat moment mengde Mark Ledbetter zich in het gesprek, door te verklaren: 'Ik heb met de twee rechercheurs gesproken die hier gisteren waren, en ze waren werkelijk met stomheid geslagen. Net als wij allemaal.'

'Ik heb wel enige informatie, voor wat die waard is,' merkte Amos bedaard op, waarna hij van de visser vertelde die eerder die morgen aan de achterdeur was verschenen.

Richards gezichtsuitdrukking veranderde een fractie, en toen Amos was uitgesproken, vroeg hij prompt op heftige toon: 'Denk je dat die vent die op het strand aan land ging de jongens heeft meegenomen?'

'Ik ben bang van wel,' moest Amos met spijt in zijn stem toegeven.

'Maar waarom?' vroeg Mark. Hij kende Amos al jaren en hij vertrouwde hem. Hij vertrouwde ook op zijn ervaring als oud-politieman, maar hij voelde zich genoodzaakt deze vraag in het belang van de familie te stellen. Hij wilde van Amos de reden voor zijn conclusie horen.

'Omdat er geen andere verklaring is,' antwoordde Amos prompt. 'Tenzij ze met de boot de Noordzee op zijn gegaan. Bess vertelde me trouwens dat de boot *De Dappere Bess* ontbreekt.'

'Wat je zegt is dus, dat het mogelijk is dat ze de Noordzee op geroeid zijn, door een storm overvallen, een aanvaring hebben gehad en zijn verdronken? Of dat ze zijn meegenomen,' stelde Mark vast. 'Onder bedreiging.'

'Waarom zou iemand mijn broertjes willen meenemen?' vroeg Bess met trillende stem, omdat ze elk moment opnieuw in tranen kon uitbarsten en haar hart vasthield.

Richard keek haar warm en meelevend aan en zei voorzichtig: 'Er lopen op deze aardbol gewetenloze lieden rond, mijn lieve Bess. Lieden die... nou ja, in mensen handelen, kinderen stelen – om losgeld, ten behoeve van anderen die een kind willen en geen kinderen kunnen krijgen, of voor... prostitutie.'

'O god, nee, zeg dat niet!' riep Cecily uit, terwijl ze haar hand voor haar mond sloeg. 'Dat niet, Richard.' Ze staarde haar jongste geschokt aan.

'Er lopen heel wat verdorven lui rond, Mrs. Deravenel,' viel Amos Richard bij. 'Meedogenloze, harteloze, op geld beluste mensen die naar mijn mening weinig menselijks hebben.'

Cecily knikte. 'Wat denk jij, Mark?'

'Ik zou voor de aanvaring hebben gekozen, Mrs. Deravenel, ware het niet dat de visser uit het dorp op het strand een man aan land heeft zien gaan. Op dit ogenblik... sta ik enigszins in dubio, moet ik bekennen. De jongens zijn erg mooie kinderen en...' Hij brak zijn zin af toen hij zag dat Bess en Cecily hem met open mond aangaapten, en met grote ogen van angst.

'O god, nee, dat niet. Ik kan het niet aan,' fluisterde Cecily, en ze kneep haar ogen dicht. Bess ging naar haar grootmoeder toe en sloeg een arm om haar heen, met de bedoeling haar te kalmeren.

Richard vroeg op bezorgde toon: 'Mark, kun jij íets bedenken wat we kunnen doen? En jij, Amos?'

Amos schudde zijn hoofd. 'Ik heb het hele strand afgestruind en geen enkele aanwijzing gevonden, behalve diepe voren in de kiezels die van de kustlijn naar de overhangende rotspartij lopen, voren die waarschijnlijk zijn veroorzaakt toen de boot erheen werd gesleept. Meer niet. Ik heb vanmorgen uitvoerig met Jessup gesproken en het grootste deel van de mensen ondervraagd die op het landgoed werken, zoals de tuinlieden en stalknechten. Niemand heeft een vreemdeling op het erf zien rondhangen, en kennelijk is er ook in het dorp niemand geweest die daar vreemd was. Ik ben tegen een muur opgelopen. Net als de politie gisteren. Die was overal, en het heeft ze niets opgeleverd.'

Richard keek Mark aan en vroeg: 'Als iemand de jongens om losgeld had ontvoerd, zouden we toch al iets van de daders hebben gehoord?'

'Absoluut! Die laten er geen gras over groeien alvorens contact op te nemen met de familie van het slachtoffer of, in dit geval, slachtoffers. Ze willen de boel snel afhandelen om het kind uit, en het geld ín hun handen te krijgen. En over de politie gesproken: inspecteur Wallis uit Scarborough en hoofdcommissaris Allison uit York zijn beiden geneigd te denken dat de jongens zijn meegenomen.'

'Wat heeft hen tot die conclusie gebracht?' vroeg Richard.

'Pure intuïtie, dat hebben ze die avond gezegd. Een gemeenschappelijke intuïtie.'

'Wij staan machteloos, Mark,' merkte Richard op. 'Wat kunnen we in godsnaam doen?'

'Ik heb een suggestie.' Amos keek van Richard naar Mark. 'Waarom schakelen we het volk niet in? De Engelse bevolking. Ik bedoel het volgende: waarom roepen we de pers er niet bij? Door een... nou ja, persconferentie te geven, het verhaal te vertellen en te vragen of ze foto's van de jongens in de kranten willen zetten. Om hun hulp te vragen bij het oplossen van deze misdaad?'

'Geniaal!' riep Mark. 'En je moet een beloning uitloven, Richard. Een fikse beloning voor de terugkeer van de jongens en kleinere beloningen voor informatie die ons in de goede richting zou kunnen sturen, naar Edward junior en kleine Ritchie.'

'Ja, laten we dat doen!' zei Richard enthousiast, met een gevoel van opluchting. 'Ik denk dat het echt het enige is wat we kúnnen doen. Degene die de jongens heeft meegenomen kan ze toch niet eeuwig verborgen houden? Iemand zal hen ooit ergens opmerken, daar ben ik van overtuigd, en ze bij ons terugbrengen.'

Maar hij had het mis. En niet eens zo heel veel later zou hij de schuld krijgen van de verdwijning van zijn neefjes, en voor die daad worden gestraft.

Eenenvijftig

Londen

Elizabeth Deravenel stond voor haar slaapkamerraam in het huis aan Berkeley Square. Buiten sneeuwde het, en dat deed het op deze ijskoude middag in december al urenlang.

Over het parkje midden op het plein lag al een deken van sneeuw, en ook op de kale takken van de bomen hadden zich sneeuwvlokken genesteld... die zielige bomen.

Ziélig. Zo voelde ze zich zelf ook. Zielig en verscheurd. Al bijna vijf maanden werden haar jongens vermist, waren ze, zoals Bess het uitdrukte, in rook opgegaan.

Ze waren nooit teruggevonden.

Ze legde haar hoofd tegen de ruit, terwijl ze naar de sneeuwvlokken staarde die buiten neerdwarrelden... als tranen. Ze had sinds augustus elke dag gehuild. Op een gegeven moment had ze gedacht dat ze geen tranen meer over had, maar die had ze nog wel degelijk; die nacht had ze zich opnieuw in slaap gehuild.

Overdag deed ze haar best om sterk te zijn voor haar meisjes, haar vijf dochters – Bess, Cecily, Anne, Katharine en Bridget. Hun gezin bestond nu uit vrouwen, zonder Ned, en nu de jongens weg waren – God mocht weten waarheen.

Ze deed haar ogen dicht en zag ze nu in gedachten voor zich. Waar waren haar zoons? Ze moest er niet aan denken dat ze nog leefden en in een of andere vreselijke hel verbleven... ergens op de wereld, waar ze zich afvroegen waarom ze hen nooit was komen redden. Maar was het niet oneindig veel erger te geloven dat ze dood waren?

Haar kleine jongens... Edward en Ritchie... die mooie kinderen, en zo lief en vertederend... achteloze wezens die nooit iemand kwaad hadden gedaan. Nadat ze het maanden geleden voor het eerst van Bess had gehoord, was haar hart gebroken – op woensdag 18 augustus, een datum die ze nooit zou vergeten. Ze was onmiddellijk naar huis gesneld en twee dagen later, op vrijdag, in York aangekomen, om te worden geconfronteerd met een somberheid, pijn en verschrikkelijke wanhoop waar nooit een eind aan zou komen. Het was een verdriet dat niet te dragen was.

Haar lieve, lieve jongens... Tranen welden op in haar ogen. Elizabeth veegde ze weg, terwijl ze een paar keer diep in- en uitademde. Ze moest proberen er niet aan toe te geven, wat meer stoïcijns te zijn, maar het viel haar zwaar.

1926. Een jaar dat in haar hart was gekerfd. Op 9 april was Ned overleden. In juni was Will Hasling hun ontvallen. Zij en hij waren nooit vrienden geweest, maar diep vanbinnen had ze altijd geweten dat Will te allen tijde voor haar zou hebben klaargestaan, zodra ze hem nodig had. Omwille van Ned, en van haar broer. Hij was een goede vriend voor Anthony geweest.

Haar hart kneep samen. Haar broer was in september dood neergevallen, door een hartaanval. Ze had eigenlijk niemand meer bij wie ze terecht kon. Nou, dat was niet helemaal waar. Amos Finnister stond altijd klaar wanneer ze hem nodig had, en Alfredo Oliveri. Ze waren goed voor haar vanwege hun niet-aflatende liefde voor Ned en de vele jaren die ze met hem hadden samengewerkt. En dan was er nog Grace Rose, natuurlijk. Ze had zich een attente, liefdevolle vrouw betoond, die na de verdwijning van de jongens naar haar toe was gekomen om haar te laten weten dat ze haar op alle mogelijke manieren wilde bijstaan. Die geste, wist ze, kwam weliswaar voort uit Grace Rose' liefde voor Ned en voor Bess, maar ze was echt een oprecht en warm mens. Dat had Elizabeth altijd al in haar onderkend.

Er werd op de slaapkamerdeur geklopt, en toen Elizabeth 'binnen' riep, stak Mallet zijn gezicht om de deur.

'Neem me niet kwalijk, Mrs. Deravenel, maar Mrs. Turner is er. Ze wacht in de woonkamer op u.'

'Dank je, Mallet. Ik kom zo beneden.'

'Jawel, *madam*.'

Elizabeth keek op de pendule op de schoorsteenmantel. Het was klokslag vier uur. Nou, ze was in elk geval stipt, dacht Elizabeth, en ze ging haar neus poederen, terwijl ze zich afvroeg waarom Margaret Beauchard Turner precies deze afspraak had gemaakt om haar te spreken.

Hoewel Margaret Beauchard Turner een aristocrate van voorname afkomst was die in Londen een prominente status genoot, had Elizabeth Deravenel haar nooit ontmoet. Dus toen ze een paar minuten na vieren haar zitkamer binnen liep, was ze verbaasd toen ze zag hoe frêle Mrs. Turner was; ook was ze aantrekkelijk en uitermate chic, en volgens de laatste mode gekleed.

Haar zwart-witte ensemble was van Chanel en ze droeg sieraden met het Chanel-logo – diverse lange parelsnoeren, een Maltezer kruis aan een gouden ketting en paarlen oorknoppen.

Terwijl ze op haar toe liep, concludeerde Elizabeth dat ze waarschijnlijk midden veertig was.

'Goedemiddag, Mrs. Turner,' zei Elizabeth, en ze stak haar hand uit.

Toen Elizabeth binnenkwam, was Margaret Turner opgestaan en ze deed een stap naar voren, pakte haar hand en zei op gedistingeerde toon: 'Het is me een groot genoegen kennis met u te maken, Mrs. Deravenel. Ik stel het op prijs dat u me wilde ontvangen.'

Elizabeth neeg haar hoofd, gebaarde naar de bank en zei: 'Neemt u alstublieft plaats.'

De twee vrouwen zaten tegenover elkaar, terwijl ze elkaar inschatten; Elizabeth vroeg zich nog steeds af wat de bedoeling hiervan was; Margaret Beauchard Turner vroeg zich af hoe ze moest beginnen.

Nadat ze glimlachend haar keel had geschraapt, nam Margaret uiteindelijk het initiatief en zei: 'Ik begrijp dat u zich waarschijnlijk afvraagt waarom ik u heb geschreven met het verzoek mij te ontvangen, maar daar zal ik het zo meteen over hebben. Omdat ik zelf moeder ben, kan ik me goed voorstellen hoe u zich moet voelen. Ooit was ik, buiten mijn schuld, jarenlang gescheiden van mijn enige kind en dat was uitermate pijnlijk. U moet elke dag verscheurd zijn van verdriet.'

Elizabeth was ontroerd, ontroerd door de meelevende woorden en de vriendelijke stem van deze vrouw, en zei: 'Inderdaad, Mrs. Turner. Soms heb ik het gevoel dat ik geen tranen meer over heb, maar dat is niet waar, vrees ik. We lijden er allemaal onder in de familie, mijn dochters in het bijzonder. Erg vriendelijk van u. Ik stel uw gevoelens op prijs.'

'Ik heb de krantenartikelen hoogst zorgvuldig bijgehouden en ik moet zeggen: ik moet de Engelse pers alle eer geven voor de manier waarop die heeft geprobeerd u te helpen. Ze hebben werkelijk heel wat plaats ingeruimd voor de desperate situatie waarin u verkeerde. Al die krantenkoppen, de onophoudelijke stroom van verslagen, de foto's van uw zoons. De campagne is wel diverse maanden doorgegaan, is het niet?'

'Inderdaad, en de kranten zijn een grote steun voor ons geweest, evenals de BBC. Er is op de radio erg veel aandacht aan besteed.' Elizabeth schudde haar hoofd en er trok een schaduw van verdriet over haar gezicht. 'De beloning geldt nog altijd...' Haar woorden stierven machteloos weg, en ze ging zitten, vechtend tegen haar tranen.

Op dat moment klopte Mallet op de deur, waarna hij de serveerwagen met de thee de zitkamer binnen reed.

'Dank je, Mallet,' zei Elizabeth, terwijl ze zich herstelde. 'Zet hem maar naast mijn stoel. Ik dien straks zelf wel op.'

'Jawel, *madam*.' Hij knikte en verliet de kamer.

Vastbesloten om het ritueel van de middagthee zo snel mogelijk achter de rug hebben, stond Elizabeth op en vroeg, toen ze bij de serveerwagen stond, aan Margaret Turner: 'Gebruikt u melk? Of wilt u soms liever citroen, Mrs. Turner?'

'Citroen, graag,' antwoordde Margaret, die Elizabeth aandachtig observeerde en bedacht dat ze eigenlijk een mooie vrouw was. Nog iets aan de magere kant misschien, en haar gezicht stond wel erg gespannen, maar ze leed dan ook intens onder het verlies van haar vermiste zoons. Wat treurig, dacht Margaret, die met haar te doen had. Het leven van deze vrouw was geruïneerd.

Elizabeth bracht de kop thee naar haar gaste, waarna ze zelf met haar thee naar haar stoel terugliep en ging zitten. 'Ik heb u niets te eten aangeboden, Mrs. Turner. Wilt u iets gebruiken?'

'Nee, nee, dank u hartelijk.'

Ze zaten een poosje zwijgend van hun thee te nippen. Elizabeth deed haar best om kalm te blijven, terwijl Margaret over haar gastvrouw nadacht.

Margaret Beauchard Turner was een verstandige, begripvolle vrouw die veel had meegemaakt. Ze ging achterover zitten en dronk van haar thee – zonder iets te zeggen, om Elizabeth de gelegenheid te geven om tot zichzelf te komen. Onwillekeurig vroeg ze zich af wat Elizabeth over de roddels had opgevangen, en met name de roddels over haar zwager Richard Deravenel. Op dat moment kon Margaret onmogelijk weten of iemand haar had verteld hoe gehaat hij bij de firma Deravenel was en dat zoveel mensen van mening waren dat hij de hand had gehad in de verdwijning van zijn neefjes.

Even later zette Elizabeth haar kopje neer en zei aarzelend: 'Zoals ik al zei, ik stel uw vriendelijke woorden op prijs, Mrs. Turner. In uw brief liet u echter blijken dat u iets belangrijks met me wilde bespreken.' Elizabeth keek haar veelbetekenend aan.

'Dat is juist.' Margaret zette haar kopje op een bijzettafeltje en zei: 'Mag ik u eerst een vraag stellen, Mrs. Deravenel?'

Elizabeth knikte.

'Tot welke conclusies bent u gekomen na bijna een halfjaar zonder taal of teken van uw zoons? En wat zegt uw familie daarvan?'

Gechoqueerd staarde Elizabeth haar met open mond aan, verbijsterd dat een zo welopgevoede vrouw als Margaret Turner een dusdanig persoonlijke vraag stelde. Ze antwoordde niet, maar sloeg haar handen ineen zodat ze ophielden met trillen.

Met haar zachte, beschaafde stem vervolgde Margaret bedachtzaam: 'Ik ben me ervan bewust dat u dit een impertinente vraag vindt van een vrouw die u totaal niet kent, een wildvreemde die in zekere zin uw privéleven is binnengedrongen. Maar ik heb een reden om het te vragen. Het zal pijnlijk voor u zijn om ermee geconfronteerd te worden. Maar ik moet verdergaan... Als uw zoons de komende paar maanden niet worden gevonden, denk ik dat u ervan kunt uitgaan dat ze nooit zullen worden gevonden. Hoe onverkwikkelijk dat ook is, ik ben werkelijk van mening dat het de waarheid is, Mrs. Deravenel. In dat geval zal uw oudste dochter, Bess, de opvolger van uw echtgenoot worden. Zeg ik het juist?'

'Ja, dat is zo,' antwoordde Elizabeth nauwelijks hoorbaar.

'Er wordt in Londen enorm geroddeld over uw situatie, en over uw familie. En ik neem aan dat u dat weet.'

'Praatjes,' merkte Elizabeth geïrriteerd op. Nu ze zich wat meer ontspande, was ze ineens blij met de volslagen eerlijkheid en directheid van deze vrouw. Ze was duidelijk niet iemand die om de zaken heen draaide.

'Om verder te gaan: aangezien uw oudste dochter de wettige erfgenaam van de nalatenschap van uw man is, kan zij uitvoerend directeur van de firma Deravenel worden. Ik weet dat dat zo is. Ziet u, iedereen bij het bedrijf weet dat Edward Deravenel in 1919 dat eeuwenoude reglement heeft gewijzigd. Mijn zoon Henry werkt bij Deravenel in Parijs. Hij is recentelijk zelfs hoofd van de Parijse vestiging geworden. Vandaar dat ik weet dat het reglement is gewijzigd. Dat heeft mijn zoon me verteld. Uw echtgenoot was degene die mijn zoon zijn huidige aanstelling gaf en bij het bedrijf heeft gehaald. Hij heeft het daar erg goed gedaan.'

'Ik wist uiteraard dat mijn echtgenoot de regels had gewijzigd, maar niet dat uw zoon bij Deravenel in Parijs werkte.'

'Hij is er heel gezien en wordt zeer gewaardeerd. Henry is een uitstekend zakenman en een reuze aardige jongeman. Op een dag zal hij ongetwijfeld een goede echtgenoot worden.'

Elizabeth staarde haar aan, en opeens viel alles op z'n plaats en begreep ze waarom Margaret Turner in haar woonkamer zat. Elizabeth haalde diep adem en zei: 'U denkt aan een huwelijk tussen mijn dochter en uw zoon. Dat is de reden dat u bij me op bezoek bent gekomen, is het niet?'

'Inderdaad. Zal ik u over zijn referenties vertellen? Hij is dan wel geen Deravenel via zijn vader, wijlen Edmund Turner, maar via mij stroomt er wel degelijk Deravenel-bloed door zijn aderen. U weet vast wel dat ik een Beauchard ben en dat ik direct afstam van John Grant Deravenel, de vierde zoon van Guy de Ravenel, de stichter van de Deravenel-dynastie. Tevens is mijn zoon erfgenaam van Henry Grant, waardoor hij alle Grant-aandelen in het bedrijf heeft geërfd.'

'Dus u zegt dat uw zoon aanspraak op het bedrijf maakt?'

'Nee, niet met die woorden... Maar laat ik u dit vertellen: hij zou wellicht met succes aanspraak op de firma kunnen maken als hij was getrouwd met de erfgename van Edward Deravenel.' Margaret boog zich acuut voorover, terwijl haar donkere ogen zich in die van Elizabeth boorden. 'Stelt u zich eens voor, Mrs. Deravenel: uw dochter en mijn zoon zouden een nieuwe dynastie kunnen stichten – de Túrner-dynastie. En dan zouden hun kinderen zowel Deravenel- als Turner-bloed in hun aderen hebben. Het overwegen waard, vindt u niet?'

Elizabeth knikte, waarna er een flauw glimlachje om haar mond speelde. Haar verdriet over haar vermiste zoons werd er niet minder door, maar ze zag een sprankje hoop voor Bess.

Margaret Beauchard Turner, een van de meest gewiekste vrouwen die men zich kon voorstellen, glimlachte eveneens. 'Zullen we dan maar openhartig met elkaar praten?'

En dat deden ze, urenlang, waarna ze plannen voor een huwelijk gingen smeden.

Tweeënvijftig

Londen

Bess zat aan het bed van haar tante Anne Deravenel en hield haar hand vast omdat ze haar wilde troosten. Anne was al enkele weken ziek, sinds haar kind, kleine Eddie, onverwacht was overleden aan een blindedarmontsteking. Anne en Richard waren radeloos geweest, krankzinnig van verdriet en ontroostbaar. Anne was volledig ingestort en aan bed gekluisterd. Ook Richard was ziek van verdriet, maar wist er op het ogenblik mee om te gaan. De firma Deravenel hield hem op de been.

Opeens draaide Anne haar hoofd en keek Bess recht in de ogen, waarna ze met bedrukte stem zei: 'Ik moet steeds maar aan 9 april denken, de dag waarop kleine Eddie op Ravenscar overleed. Waarom heeft God hem op die dag van me afgenomen? Dezelfde dag waarop Ned een jaar geleden is overleden? Precies op dezelfde dag, Bess. Wilde God Richard straffen?'

Bess boog zich dichter naar haar toe, terwijl ze haar tante vol verbazing aanstaarde. 'Wat bedoelt u, tante Anne? Waarom zou God oom Richard willen straffen?'

Anne lag in de kussens, bleek en lusteloos, en zweeg, omdat ze spijt had van haar woorden, nu ze de schrik en verbazing op het gezicht van haar nichtje zag. Waarschijnlijk had Bess haar niet goed begrepen.

'Wat bedoelt u nou?' drong Bess aan, stomverbaasd en angstig door de opmerking van daarnet.

Anne keek naar Bess op en glimlachte zwakjes. 'Richard wilde met alle geweld dat de jongens naar Ravenscar kwamen om bij ons en kleine Eddie te zijn. Toen we dat weekend naar mijn moeder gingen, hebben we ze alleen gelaten en daarna is Richard naar Londen gegaan. Ze werden aan hun lot overgelaten, Bess, afgezien van Nanny en het personeel. Iedereen spreekt kwaad over Richard, beweert dat hij in gebreke is gebleven en daardoor verantwoordelijk is voor hun verdwijning... Maar dat was niet zo. Hij hield van die jongens. En wie had in godsnaam kunnen denken dat ze op Ravenscar niet veilig zouden zijn en dat een of ander slecht mens ze van het strand zou meenemen?'

Anne barstte in tranen uit en Bess boog zich over haar heen, gaf haar een schone zakdoek en fluisterde zachtjes: 'Toe, niet huilen, tante Anne, u moet uzelf niet zo van streek maken. U moet uw best doen om beter te worden. Oom Richard heeft u nodig. Hij treurt net zo erg om kleine Eddie als u. Zal ik naar beneden gaan en vragen of Cook een pot thee voor ons zet? Denkt u dat u iets kunt eten?'

Anne veegde haar ogen droog en schudde haar hoofd. 'Ik heb geen trek, ik heb het bloedheet.' Haar ogen vestigden zich op de wekker op het nachtkastje, waarna ze met zachte stem vervolgde: 'O hemel, kijk eens hoe laat het is. Het is al zes uur. Richard komt zo thuis van Deravenel.'

'Waarom probeert u niet op te staan, tante Anne, om vanavond samen met oom Richard te eten? Dat zou hem opfleuren.'

'Ik denk niet dat ik het kan opbrengen... Misschien dat ik me morgen beter voel.'

Bess keek naar haar en dacht dat ze lag weg te kwijnen. Anne at bijna nooit en omdat ze vrijwel nooit uit bed kwam, waren haar benen verzwakt. Atrofie, dacht Bess, waarna ze die gruwelijke gedachte van zich af zette.

Op dat moment vloog de deur open en stond haar oom plotseling in de deuropening. Hij zag er moe en uitgeblust uit, maar hij forceerde een glimlach op zijn gezicht toen hij de kamer in liep. 'Bess, fijn je hier te zien. Dank je dat je Anne bent komen opzoeken, je bent ontzettend goed voor haar.'

'Ik ben hier al de hele middag,' antwoordde Bess, en ze glimlachte naar hem. Ze waren altijd dikke maatjes geweest en hij was haar echt dierbaar. 'Ik probeerde tante Anne over te halen om op te staan voor het eten.'

'En waarom niet?' Hij kwam aan het bed staan en bukte zich, streek teder Annes lichtblonde haar uit haar gezicht en drukte een kus op haar wang. Terwijl hij op haar neerkeek, vervolgde hij: 'Kom nou beneden, lieveling. Je hoeft je niet aan te kleden en ik zal je dragen. Het zou zo fijn zijn om vanavond samen met je te eten.'

Uit Annes ogen sprak een enorme adoratie voor hem toen ze zei: 'Ik ga even een tukje doen. Ik beloof dat ik straks naar beneden kom.' Haar ogen zwierven naar Bess, en ze keek haar nicht glimlachend aan. 'Blijf eten, lieve Bess. Misschien kun je me straks helpen met aankleden.'

'Natuurlijk zal ik u helpen, tante Anne,' antwoordde Bess, waarna ze zich tot haar oom wendde en eraan toevoegde: 'Dan ga ik nu naar beneden en laat u tweeën samen alleen.'

Bess ging de tuin in rond het huis van haar oom in Chelsea en liep via het brede terras naar de muur waarachter de Theems stroomde.

Met haar ellebogen op de muur geleund keek ze uit over de rivier. Jarenlang had Amos haar en Grace Rose geanimeerd verteld over het wel en wee van de Theems; dat was ze even boeiend gaan vinden als hijzelf, en Grace Rose ook. Er voeren deze namiddag in mei een paar boten op, waardoor ze onwillekeurig aan de *Lady Bess* moest denken. Wat zou er met die vissersboot gebeurd zijn? Het lag voor de hand dat haar broers hem het strand op hadden gesleept. Maar waren ze er werkelijk mee het water op gegaan? Waren ze in moeilijkheden gekomen en verdronken? Of had de man die Tom Roebottom had gezien hun boot aan zijn eigen vissersboot vastgemaakt toen hij de jongens meenam?

Nog niet zo lang geleden had ze die vraag aan Amos voorgelegd, en hij had toen geknikt en verklaard: 'Als ik twee jongens zou ontvoeren, zou ik natuurlijk hun boot meenemen. Door de ontbrekende boot, de *Lady Bess*, is er bij iedereen twijfel gezaaid. Iedereen denkt dat het heel goed mogelijk is dat de jongens in zee zijn verdronken.' Toen ze Amos had gevraagd wat hij zelf eigenlijk dacht, zei hij dat hij dacht dat haar broertjes waren meegenomen, maar dat hij geen idee had welk lot hen had gewacht.

Bess zuchtte toen ze aan dat gesprek terugdacht. Ze was geneigd het met Amos eens te zijn. Niemand wist wat er met haar broertjes was gebeurd. Dat was nog het allerwreedste, het niet-weten. Ze werden al bijna een jaar vermist. Vandaag was het de laatste dag van mei 1927. Ze was achttien, en in maart had ze haar verjaardag gevierd. En Grace Rose was al zevenentwintig. Ze waren dikke maatjes en erg vaak samen; Grace Rose was een echte zus voor haar en als een dochter voor Elizabeth, wat Bess waardeerde.

'Ik heb je overal gezocht,' zei Richard, die over het tuinpad naar haar toe liep.

Bess draaide zich met een ruk om, met een glimlach op haar lippen, en ze zei: 'Ik had me onzichtbaar gemaakt, oom Richard.'

'Nogmaals dank, lieve Bess,' zei hij, terwijl hij haar vorsend aankeek, met een arm op de muur leunend. 'Het helpt echt dat je probeert om Anne op te vrolijken. Ze maakt een broze, lusteloze indruk, maar de dokter kan niets vinden.' Hij schudde zijn hoofd. Er stond een gespannen uitdrukking op zijn gezicht.

'Ze is ziek van verdriet,' zei Bess zachtjes.

Even bleef hij zwijgen, maar toen zei hij fluisterend: 'Misschien sterft ze aan een gebroken hart.'

'Misschien,' stemde Bess in, en ze pakte zijn hand en kneepje erin. 'Ik weet hoe u over Anne piekert, u tot ziekmakens toe zorgen maakt, maar ik zal haar komen opzoeken zo vaak ik kan.'

Richard legde zijn hand over de hare. 'Ik dank God dat jij er bent. Je doet haar goed. En mij doe je ook goed. Wat zou ik zonder jou moeten beginnen, Bess?' Hij bracht haar hand naar zijn mond en kuste haar vingers. 'Je bent een schat.'

Bess boog zich naar hem over en gaf hem een kus op zijn wang. 'Ik wil jullie zo veel mogelijk helpen. Ik hou van u alle twee, oom Richard. En waar heb je anders familie voor?'

Hij keek haar nieuwsgierig aan en zei: 'Dat vraag ik me soms af, vooral wat onze familie betreft.'

Hij keek in de verte, alsof hij iets zag wat zij niet kon zien. Zijn ogen waren licht, blauwachtig grijs en met zijn donkere haar en fijngesneden gezicht, besefte ze opnieuw, leek hij ontzettend op haar grootmoeder, zijn moeder. Richard Deravenel had dat uiterlijk geërfd van de Watkins-tak van de familie. Hij was niet zo groot en verblindend knap als haar vader, en hij had een heel ander kleurgamma. Toch zag hij er goed uit en bij tijden deed hij haar wel degelijk aan haar vader denken.

Het was opvallend dat zijn zeven jaar oude zoontje, kleine Eddie, op dezelfde dag was overleden als haar vader, maar dan een jaar later. Ze dacht aan wat Anne had gezegd; het hield haar bezig.

Opeens flapte ze eruit: 'Oom Richard, waarom zeggen de mensen van die vreselijke dingen over u?'

Hij wendde met een ruk zijn hoofd af van de rivier en staarde haar met open mond aan, stomverbaasd. Zijn gezicht veranderde voor haar ogen. Zijn mond verstrakte, zijn ogen, net nog lichtblauw, werden donker en namen een leigrijze kleur aan.

'Ik heb geen idee, Bess,' zei hij, en zijn stem klonk aarzelend. 'Echt niet... Ik sta er net zo versteld van als jij. Ik heb je broertjes niet meegenomen. Waarom zou ik? Ik was trouwens in Londen, zoals je weet. Maar ik geloof dat er mensen zijn die denken dat ik heb geregeld dat ze werden ontvoerd... vermoord? Maar ik draag geen schuld voor die wandaad, Bess, als die al heeft plaatsgevonden. Dat moet je geloven.'

'Dat doe ik ook. Ik weet dat u van die jongens hield, en ik weet hoe loyaal u altijd ten opzichte van mijn vader bent geweest... Ik kan me niet voorstellen dat u hen een haar zou krenken... Ze leken zoveel op hem.'

Tranen welden op in Richards ogen en opnieuw pakte hij haar hand. 'Kijk me aan, Bess, alsjeblieft. Kijk me alsjeblieft aan. Ik zweer tot God dat ik Edward en Ritchie niets heb gedaan. Je móét me geloven.'

Toen Bess hem in de ogen keek, de afspiegeling van zijn oprechtheid erin zag en hoorde hoe oprecht zijn stem klonk, wist ze dat hij niet loog. Ze geloofde hem, al waren er mensen die walgelijke dingen over hem beweerden. Ze kende hem al haar hele leven en vertrouwde hem volkomen. Hij was de broer van haar vader, haar vaders favoriet, en haar vader had innig van Richard gehouden.

'Ik geloof u echt,' zei ze ten slotte. 'Ik steek mijn hand voor u in het vuur.'

'Dank je, Bess. Dank je dat je vertrouwen in me hebt.' Hij vestigde zijn blik weer op de rivier, en zij ook, en hij sloeg zijn arm om haar schouders, terwijl ze, elk verdiept in hun eigen gedachten, keken hoe de Theems voorbijstroomde. Maar aan de toekomst dachten ze geen van beiden.

Amos Finnister stond in de bibliotheek van het huis aan Berkeley Square. Net als iedereen die dit fraaie vertrek betrad, keek hij omhoog naar het schilderij van Renoir dat boven de haard hing. Het deed hem denken aan Bess en Grace Rose. Dat was ook de voornaamste reden waarom Mr. Edward het had aangeschaft, wist hij.

'Hallo, Mr. Finnister,' zei Elizabeth.

Hij draaide zich met een ruk naar haar toe. 'Goedenavond, Mrs. Deravenel.'

Elizabeth zweefde de ruimte binnen en schudde zijn uitgestoken hand, waarna ze samen op de stoelen bij de haard af liepen.

'Dank u wel dat u bent gekomen,' zei Elizabeth, terwijl ze plaatsnam. 'Ik wilde u spreken over de firma Deravenel.'

'Ik dacht al dat dat de reden zou kunnen zijn dat u me vroeg te komen. Maar ik heb niet zoveel te melden, Mrs. Deravenel. Anders zou ik contact met u hebben opgenomen.'

'Dat weet ik, u bent dit afgelopen jaar heel vriendelijk geweest, Mr. Finnister, een grote steun. Evenals Mr. Oliveri. Komt hij trouwens ook?'

'Jazeker. Hij werd opgehouden op kantoor, maar hij zal waarschijnlijk over een paar minuten hier zijn.'

'Daar ben ik blij om. Ik vroeg me af hoe het op de Parijse vestiging ging.'

'Heel goed, bij mijn weten. Maar daarover kan Oliveri u beter informeren, omdat hij er permanent mee in contact staat.'

Ze knikte, terwijl ze haar handen ineensloeg. 'En wat gebeurt er hier in Londen?' Ze trok een gewelfde wenkbrauw op en vroeg: 'Zijn er nog meer ontslagen gevallen?'

'Ja, diverse, vrees ik. Verder heeft Mr. Richard nog een paar veranderingen aangebracht.'

'Maar met het bedrijf gaat het goed, nietwaar?' vroeg ze, terwijl er ineens een wolk over haar lichtblauwe ogen trok. Nerveus bracht ze een hand naar haar hals. 'Hij richt het bedrijf toch niet te gronde, hoop ik?'

'Dat zou moeilijk gaan, Mrs. Deravenel. Mr. Edward... Welnu, hij heeft gezorgd dat het bedrijf zéér stabiel is.'

'*Madam*, neem me niet kwalijk, Mr. Oliveri is hier,' zei Mallet vanuit de deuropening.

'O, dank je. Laat hem maar binnen, Mallet.'

Elizabeth stond op om Alfredo te begroeten toen hij haastig binnenkwam, zich uitvoerig verontschuldigend omdat hij zo laat was. 'O, dat geeft niet,' stelde ze hem gerust, terwijl ze zijn hand schudde. 'Komt u bij ons zitten? O, en neem me alstublieft niet kwalijk dat ik zo onbeleefd ben om u niets aan te bieden. Wilt u iets drinken, Mr. Finnister? En u, Mr. Oliveri?'

Beide mannen sloegen haar aanbod beleefd af, waarna Elizabeth achteruit leunde in haar stoel en zei: 'Ik was zojuist met Mr. Finnister de firma Deravenel aan het bespreken, en hij verzekerde me dat, wat mijn zwager ook doet, het bedrijf altijd veilig zal zijn vanwege de manier waarop mijn man het heeft georganiseerd.'

'Dat is juist, Mrs. Deravenel. Mr. Edward was een genie. Zijn broer is niet van hetzelfde kaliber, moet ik tot mijn spijt zeggen, maar niettemin is hij niet dom. Hij mag dan zo nu en dan een paar mensen wegwerken, hij zal geen deining veroorzaken, gelooft u mij,' zei Oliveri vol vertrouwen.

'Ik had het met Mr. Finnister over de vestiging in Parijs. Daar gaat het toch goed, is het niet?'

'Jazeker, voortreffelijk. Turner zwaait er al een hele poos heel bekwaam de scepter,' luidde Oliveri's reactie. 'Hij is een aanwinst gebleken. We waren allemaal nogal verbaasd toen Mr. Edward hem een paar jaar geleden aanstelde, maar hij heeft het bedrijf veel goeds gebracht.'

'Dat hoop ik, aangezien hij aandeelhouder is. U weet allebei vast wel dat hij de erfgenaam van wijlen Henry Grant is en dat hij al Grants aandelen in het bedrijf heeft geërfd.'

'Mr. Deravenel... eh, Mr. Edward had me al zoiets verteld,' zei Oliveri. 'Zelf scheen hij groot vertrouwen te hebben in het zakelijk inzicht van Henry junior.'

'Dat heb ik begrepen. Ik wil u beiden iets vragen, en ik wil dat u zich vrij voelt om me een eerlijk antwoord te geven. Wat u ook zegt, het zal in strikt vertrouwen zijn.'

Beide mannen knikten.

'Ik heb,' vertrouwde Elizabeth hun toe, 'de laatste tijd heel wat geroddel gehoord over mijn zwager. Het valt me op dat Richard Deravenel niet erg geliefd is binnen het bedrijf... Is dat juist?'

'Dat is juist. Ik durf zelfs zo ver te gaan te zeggen dat hij wordt gehaat. Intens gehaat,' antwoordde Oliveri.

'Behalve door de mannen met wie hij is opgegroeid en die hij na de dood van Mr. Edward heeft ingebracht,' legde Amos uit. 'Die gaan voor hem door het stof.'

'Maar dat is waarschijnlijk maar een handjevol?' onderbrak Elizabeth.

'Absoluut, Mrs. Deravenel, dat is juist,' haastte Oliveri zich te zeggen.

'Is men van mening dat hij verantwoordelijk is voor de verdwijning van mijn zoons?' Eindelijk bracht ze de belangrijkste vraag naar voren.

'Dat denken vele mensen, ja,' gaf Finnister grif toe. Hij was vastbesloten haar de waarheid te vertellen. Ze verdiende het te weten hoe ernstig de roddels de laatste tijd waren. 'Ik zou zeggen dat tachtig procent van de werknemers van Deravenel van mening is dat uw zwager de hand had in hun verdwijning. Vraag me niet waarom, maar het is zo.'

'Ze denken waarschijnlijk dat hij hen heeft weggewerkt om de macht over het bedrijf naar zich toe te trekken, ook voor zijn zoon,' stelde Oliveri vast, waarmee hij Finnisters voorbeeld volgde.

'Die nu dood is,' mompelde Elizabeth. 'Is het niet eigenaardig, dat zijn zoon op dezelfde dag is overleden als mijn man, op de kop af een jaar later?'

Geen van de twee mannen zei iets; ze waren het allebei met haar eens. Dat vonden de meeste mensen nog het vreemdst. Een soort godsoordeel, dachten en zeiden sommigen.

Elizabeth keek van Finnister naar Oliveri. 'Mijn dochter Bess is in feite de erfgenaam, weet u, niet haar oom. U weet vast ook dat mijn man in 1919 die verouderde reglementen heeft gewijzigd en ervoor heeft gezorgd dat een vrouw, een geboren Deravenel, uitvoerend directeur zou kunnen worden wanneer ze de juiste leeftijd heeft bereikt.'

'Ja, dat wisten we,' antwoordde Alfredo namens hen allebei.

Elizabeth zat even peinzend voor zich uit te kijken voor ze zei: 'Ze is wat jong om zich met de zaak bezig te houden. Op dit moment.'

'Maar ze zou bij Deravenel kunnen komen werken om stage te lopen,' riep Alfredo uit, dolenthousiast bij het vooruitzicht.

'Over een paar jaar zóú dat kunnen, ja. Denkt u dat ze met open armen ontvangen zou worden?' vroeg Elizabeth.

'Zeer zeker,' stelde Alfredo vast, die zich vervolgens afvroeg of hij gelijk had. Een heleboel mannen zouden niets van haar willen weten.

Finnister zei: 'Ze is heel rijp en volwassen voor haar leeftijd, Mrs. Deravenel, en ze is uitermate intelligent, net zo slim als haar vader. Ik ken haar al haar hele leven en ze heeft al zijn eigenschappen – en ze is heel pragmatisch.'

'Dat is waar, ja. Om het even over iets anders te hebben, wat vindt u ervan als Turner bij de vestiging in Londen zou komen werken? Zou hij met open armen worden ontvangen?' Elizabeth keek van Oliveri naar Finnister.

Alfredo wisselde een blik met Amos, waarna ze allebei knikten. 'Ik denk van wel,' zei Amos. 'Zeker door de werknemers, want uiteindelijk is hij in zekere zin toch... welnu, een Deravenel, nietwaar? Althans: dat heb ik gehoord.'

'Ja, via zijn moeder Margaret Beauchard Turner, en zoals ik al eerder zei: hij is een van de belangrijkste aandeelhouders.'

Nu zei Amos Finnister somber: 'Hij zou niet met open armen worden ontvangen door Mr. Richard, verre van dat.'

'Hij zou hem niet eens over de drempel laten komen,' verkondigde Alfredo met een vertrokken gezicht.

'Ik begrijp het,' zei Elizabeth.

Amos keek haar aan, in een poging de uitdrukking op haar gezicht en haar toon te peilen, en zei samenzweerderig, bijna op fluistertoon: 'Denkt u soms aan een... laten we zeggen, alliance, Mrs. Deravenel? Een alliance tussen Bess en Henry Turner?'

Elizabeth glimlachte alleen maar.

Amos glimlachte terug.

Na een korte stilte stond Elizabeth op, liep naar de haard en ging er met haar rug naartoe staan, zoals Edward vroeger altijd deed. Ze keek van de een naar de ander – twee mannen die aan Richards kruistocht hadden weten te ontsnappen en nog steeds voor Deravenel werkten.

Ze rechtte haar rug en zei: 'Verandering. Het enige wat permanent is, is verandering. En alles verandert nu eenmaal keer op keer, dat weten we allemaal. Maar een mens heeft niet het eeuwige leven, is het niet zo?'

Drieënvijftig

Ravenscar

Rampspoed. Dat was iets waar zijn broer Ned altijd bang voor was geweest, en hij had gedaan wat in zijn macht lag om die uit de weg te gaan, tot elke prijs te voorkomen, omdat hij geloofde dat het zijn ondergang zou worden. En daar was Ned in geslaagd. Hij was te jong gestorven, dat was waar, maar hij was vredig in zijn eigen bed heengegaan, op het toppunt van zijn succes.

Maar zelf was hij er niet in geslaagd rampspoed te voorkomen. Hij zat er tot aan zijn nek in. En hij was verloren. Zijn huiselijke leven was naar de knoppen; zijn zakelijke carrière hing aan een zijden draadje. Bij Deravenel was alles misgegaan en dat had hij in zekere zin alleen maar aan zichzelf te wijten. Hij had de verkeerde mensen vertrouwd, naar de verkeerde mensen geluisterd, fouten gemaakt... Ze waren een gouden familie geweest, maar ze waren verdoemd.

Richard Deravenel stond in de bibliotheek van Ravenscar uit te kijken over de Noordzee, terwijl zijn blauwgrijze ogen het magnifieke uitzicht in zich opzogen. Het was augustus 1928, en hij was tweeëndertig jaar. En weduwnaar. Zijn vrouw was in maart overleden nadat ze tuberculose had opgelopen. Maar Richard geloofde dat ze eigenlijk aan een gebroken hart was gestorven, van verdriet om hun zevenjarig zoontje, kleine Eddie.

Richard zuchtte toen hij aan zijn oogappel dacht. Hij had niet alleen zijn innig geliefde kleine jongen verloren, maar ook zijn erfgenaam. Alle mannen van de familie Deravenel waren dood en begraven, behalve hijzelf en Georges zoontje, dat bij zijn tante in Dijon woonde, Richards zuster Meg. Een onwaarschijnlijke opvolger.

Geen mannelijke Deravenel om de firma over te nemen als hem

iets overkwam. De enige volwassen erfgenaam die er over was, was zijn nicht Bess, Neds beeldschone oudste dochter en eerstgeborene. Ned had het wettig mogelijk gemaakt dat een vrouw de leiding kreeg over Deravenel, maar hoe zou Bess dat kunnen? Het was gewoon niet haalbaar: ze had geen zakenervaring en was met haar negentien jaar nog steeds te jong. De mannen zouden zich niet op hun gemak voelen door haar aanwezigheid in het bedrijf – nee, allerminst.

Bess. Hij hield van haar omdat ze het kind van zijn broer was en omdat ze een echte Deravenel was. Maar hij hield niet van haar als een lustobject, zoals sommigen dachten. Er deden de laatste tijd praatjes over hem de ronde, praatjes die weerzinwekkend en onwaar waren... Zijn vijanden maakten hem en haar zwart door te zeggen dat ze geliefden waren, dat hij Anne had vergiftigd om met zijn nicht te kunnen trouwen en dat ze met hun tweeën de scepter over de firma Deravenel gingen zwaaien. Daar was allemaal niets van waar. Hoe maakte je een eind aan dat geroddel? Hoe veegde je de modder van je gezicht? Die bleef voor altijd kleven. En dat was maar al te waar.

Hij liep weg van het raam en bleef midden in de bibliotheek staan, waar hij omhoogkeek naar het portret van zijn broer Ned, die tegenwoordig bekendstond als de grote Edward Deravenel. Dat klopte ook; groot was hij zeker geweest, en er zou nooit een andere man komen als hij. Ze hadden de mal weggegooid toen ze Ned hadden gemaakt. Hij was uniek.

Het portret van Ned was levensgroot en daarop was hij staande voor deze zelfde haard afgebeeld: in een rijbroek, glimmend gepoetste rijlaarzen en een blauw overhemd dat de kleur van zijn ogen weerkaatste. Het overhemd stond open aan de hals, waardoor nog net zijn medaillon zichtbaar was, met de geëmailleerde witte roos van York.

Richard tastte naar zijn borst om zijn eigen medaillon onder zijn overhemd te voelen; hij droeg de roos altijd op zijn huid – met de achterzijde, met daarop de zon in volle glorie, naar voren gekeerd. Ned had de medaillons laten maken toen hij in 1904 de firma Deravenel overnam en hij had er het familiemotto in laten graveren: *Trouw tot in eeuwigheid.*

Het portret, geschilderd toen Ned negenendertig was, was vlak voor zijn veertigste verjaardag voltooid. Het leek sprekend en domineerde in dit vertrek, Neds creatie en favoriete ruimte. Het was zo levensecht dat Richard het gevoel had dat Ned er echt stond en van bovenaf glimlachend op hem neerkeek...

Ineens voelde hij de behoefte om met zijn broer te praten.

'Ik heb het niet gedaan, Ned,' zei Richard heel zacht. 'Ik heb je kinderen niet meegenomen of vermoord. Ik hield van ze, Ned, net zoals wij van elkaar hielden. Ik zweer bij God dat ik jouw bloed geen schade heb toegebracht... ze waren ook mijn bloed... Deravenels.'

Richard veegde met zijn vingers langs zijn ogen en slikte moeizaam omdat hij die ochtend niet wilde huilen. Bess logeerde hier bij Grace Rose, en in het bijzijn van deze twee jongen vrouwen wilde hij geen zwakte tonen. Opeens kreeg hij een benauwd gevoel in zijn borst, zoals hij dat de laatste tijd zo dikwijls voelde wanneer hij aan zijn neefjes dacht. Ze waren nu al twee jaar vermist... spoorloos verdwenen. Een verschrikkelijk mysterie, nog altijd niet opgelost... en iedereen gaf hem daarvan de schuld.

Toen hij voetstappen hoorde en zich met een ruk omdraaide, zag hij dat Bess met Grace Rose de bibliotheek binnen kwam gelopen.

'Ik stond net het portret van jullie vader te bewonderen,' zei hij met een stem die hem vreemd in de oren klonk, door tranen verstikt.

Omdat Bess hem zo goed kende, had ze onmiddellijk door hoe hij eraan toe was. Ze liep snel op hem af en pakte hem liefdevol bij de arm. 'Oom Richard, gaat het een beetje?' Ze keek aandachtig naar zijn gezicht.

'Ja, hoor, Bess, waarom vraag je dat?'

'U klonk een beetje raar, meer niet.' Ze keek hem glimlachend aan. 'Ik dacht dat u al weg was voor uw strandwandeling.'

'Ik ben bang dat ik werd opgehouden door het knappe, glimlachende gezicht van je vader,' antwoordde hij, waarna hij Grace Rose naderbij wenkte. 'En waarom sta jij zo achteraf? Geen begroeting voor je oude oom vandaag?'

Grace Rose kwam bij hen staan. Net als haar halfzuster was ze dol op Richard, en ze geloofde in hem; ze had geen moment gedacht dat Richard Deravenel de verdwijning van Edward junior en kleine Ritchie op zijn geweten had. Het idee alleen al vond ze ondenkbaar. Ze walgde van die weerzinwekkende roddelaars in Londen die zijn naam door het slijk haalden.

'Was hij niet de knapste man die er rondliep?' mompelde Grace Rose, die nu eveneens naar het portret van Edward omhoogkeek.

Richard wendde zich nu tot haar. 'Ik dacht een paar minuten geleden precies hetzelfde.'

'Een betere man als vader was er gewoonweg niet. Een echt goed mens.' Bess keek van Richard naar Grace Rose en voegde eraan toe: 'Net zoals wij drieën.'

'Zo is dat.' Richard wendde zich van het portret af en liep de bibliotheek door. Halverwege bleef hij staan en draaide zich om. 'O, tussen haakjes, meisjes, ik heb vanmorgen jullie grootmoeder gesproken. Ze belde me op en liet jullie de hartelijke groeten doen.'

'Is alles goed met haar?' vroeg Grace Rose.

'Heel goed. Ze heeft het heerlijk in het klooster van Hampshire.'

'Daar ben ik blij om,' zei Grace Rose, en dat meende ze. Vanaf het moment dat ze elkaar leerden kennen had Cecily Deravenel haar als deel van de familie behandeld en ze was dol op haar.

'Wanneer komt ze terug?' vroeg Bess. 'Of blijft ze daar? Mijn moeder zei dat grootmoeder non wilde worden of zoiets.'

Richard grijnsde. 'Dat betwijfel ik. Ik weet zeker dat ze een grapje maakte. Goed, nu ga ik wandelen. Dan zie ik jullie tweeën bij de lunch.'

Zijn nichtjes keken hem na. Bess ging op de bank zitten. Terwijl ze Grace Rose aankeek, zei ze: 'Het was ontzettend lief van je om deze week bij me te komen logeren, om mij en Richard gezelschap te houden. Dankjewel.'

'Doe niet zo mal, Bess. Ik kom hier graag. Het is echt geen opgave.' Grace Rose zwaaide met het schrift in haar hand en vervolgde: 'Ik heb hier veel aan mijn boek kunnen werken. Het is hier zo stil en vredig. Ik ben degene die jou zou moeten bedanken.'

'Je bent altijd welkom. Ik wilde gewoon naar Yorkshire gaan om Richard gezelschap te houden. Hij is de laatste tijd zo eenzaam en neerslachtig.'

Grace Rose knikte, ging op een stoel zitten en keek Bess aan. 'Van wat ik van Amos heb gehoord, denk ik niet dat het bij Deravenel erg goed gaat.'

'Wat zei hij dan?' vroeg Bess prompt, omdat haar nieuwsgierigheid was gewekt.

'De meeste mensen mogen Richard niet. Ze vinden hem niet sympathiek. Hij heeft niet de gave om vrienden te maken zoals vader had.'

Waarop Bess bondig samenvatte: 'Helaas slaagt hij er veel beter in vijanden te maken.'

Richard had bijna de Cormorant Rock bereikt, toen hij twee mannen op zich af zag komen. Aanvankelijk dacht hij dat het lokale vissers waren die toevallig zijn kant op liepen, maar toen hij dichterbij kwam, herkende hij een van hen en zwaaide met zijn hand. De man zwaaide terug. Richard vroeg zich af wie de andere man was; hij had geen idee, had hem nooit eerder gezien.

'Gaat u vissen?' vroeg Richard toen hij voor hen stilstond.

'We denken van wel,' antwoordde de man die hij kende en die nu een paar stappen in zijn richting deed.

Richard schrok en wilde net een stap achteruit doen, toen hij een scherpe pijn in zijn zij voelde en daarna in zijn borst. Met grote ogen staarde hij de andere man aan en zag het mes in zijn hand. Toen hij naar beneden keek, zag hij het bloed op zijn vest.

'Jack, waarom ík?' riep Richard en hij strompelde achteruit, terwijl de man keer op keer op hem in stak. Zijn benen begaven het onder hem en met een dreun viel hij op het strand, geveld door het steekwapen.

'Laten we maken dat we wegkomen,' zei de man met het mes, en hij draaide zich al om om op de vlucht te slaan. Toen hij Richards pet op het strand zag liggen, gaf hij er nog snel een trap tegen. Het ding zeilde de lucht in en kwam op een lager stuk van het moerasland onder een doornstruik terecht.

De moordenaar en zijn maat renden het strand over. Ze sleepten hun boot onder de overhangende rotspartij vandaan het ondiepe water in, sprongen erin en roeiden weg. Het was woensdag, 22 augustus 1928, en Richard Deravenel was dood.

'Is Mr. Deravenel al terug, miss Bess?' vroeg Jessup vanuit de deuropening van haar vaders werkkamer, waar ze aan een tentamen zat te werken.

Bess keek fronsend op. 'Dat weet ik niet, Jessup. Heb je in de bibliotheek gekeken?'

'Jawel, maar daar is hij niet. Miss Grace Rose ook niet. Ik zal tegen Cook zeggen dat ze een paar minuten met de lunch moet wachten, dan ga ik ze wel zoeken.'

'Dank je, Jessup,' zei Bess en ze stond op. Ze wierp een blik op de klok en zag dat het al kwart over één was. Ze liep de butler achterna naar de vestibule, waar ze Grace Rose de trap af zag komen. 'Heb jij oom Richard gezien?' riep Bess, terwijl ze haar tegemoet liep.

'Nee,' zei Grace Rose. 'Ik denk dat hij nog niet terug is van zijn wandeling. Ik heb de hele tijd in de bibliotheek gezeten om mijn aantekeningen door te nemen, vrijwel sinds hij wegging. Nee, hij is nog niet terug, want dan zou ik hem wel gezien hebben.'

'Hij is altijd zo stipt,' mompelde Bess, meer tegen zichzelf, en plotseling was ze ongerust. Dat gevoel zakte naar haar maag. 'Ik zal wel naar het strand gaan om hem wat achter z'n broek te zitten.'

'Dan ga ik met je mee,' bood Grace Rose aan.

Toen Jessup haastig uit zijn werkkamer kwam, zei Bess: 'Wij gaan naar het strand om hem te halen. Mijn oom is waarschijnlijk de tijd vergeten.'

'Hij is anders altijd heel stipt, miss Bess,' luidde de reactie van de butler. 'Het is niets voor Mr. Richard om te laat te komen.'

'Ik weet het,' antwoordde Bess, waarna zij en Grace Rose snel naar buiten gingen, via het terras naar de hangende tuinen. Ze waren op weg naar de treden die in de rots waren uitgehouwen, aan het uiterste eind van het erf, ver voorbij de tuin en de gazons.

Grace Rose zag hem als eerste toen ze boven aan de treden stond en riep: 'Bess, kijk! Daar ligt hij, op het strand. Hij is waarschijnlijk gestruikeld en gevallen... Ik hoop dat het niets ergs is, een hartaanval of zo.'

'O, mijn God!' riep Bess uit. Samen renden de twee vrouwen de treden af en vlógen de kiezels over, die onder het rennen overal om hun schoenen omhoogschoten.

Bess was sportief en snel, waardoor ze als eerste bij het lichaam van haar oom was. Hij lag op zijn rug. Ze zag onmiddellijk het bloed op zijn vest en bracht een hand naar haar mond om de gil die in haar keel opwelde tegen te houden. Ze knielde neer, pakte zijn pols om zijn hartslag te controleren. Er was geen hartslag, en meteen wist ze waarom ze plotseling zo ongerust was geworden, waar die vlaag van paniek van zo-even vandaan was gekomen. Hij was dood; ergens had ze altijd geweten dat Richard voortijdig zou doodgaan.

Grace Rose boog zich naast haar voorover en keek in Richards spierwitte gezicht. Zachtjes zei ze: 'Zijn ogen, Bess. Kijk eens hoe blauw ze zijn. Zo blauw heb ik ze nog nooit gezien.'

Bess keek nu ook. Richards ogen waren inderdaad héél blauw, en dat leek haar vreemd. Maar wat haar het meest opviel, was de geschrokken uitdrukking op zijn gezicht. Toen hij werd belaagd, was dat als een verrassing gekomen, daarvan was ze overtuigd.

Uiteindelijk ontsnapte haar toch een snik, en toen ze teder zijn oogleden over zijn ogen schoof, stroomden de tranen over haar wangen. Ze drukte een kus op zijn wang, gevolgd door Grace Rose, waarna ze fluisterde: 'Goede reis, Richard. Mijn vader wacht u op.'

Getweeën renden ze terug naar de treden en begonnen aan de klim. Op een gegeven moment richtte Bess haar ogen op de hemel. Die was knalblauw, en de zon straalde. En voor één keer was het warm op Ravenscar. Wat een mooie dag, bedacht Bess, wat een mooie dag om achter te laten. En weer kwamen de tranen, die langs haar wangen sijpelden.

Toen ze bij het terras waren aangekomen, stond Jessup hen op te wachten. Zijn gezicht was spierwit en zijn ongerustheid stond er duidelijk op af te lezen. 'Wat is er gebeurd, miss Bess?' vroeg hij, en ineens klonk hij oud.

'Mijn oom is dood... zijn hele borst zit onder het bloed.' Bij die laatste woorden brak haar stem. Ze ademde diep in en vervolgde met vastere stem: 'Zou je de tuinlieden alsjeblieft het strand op willen sturen om het lichaam op te halen, Jessup? Ze moeten wel een laken om hem heen slaan. Intussen ga ik de politie bellen.'

Grace Rose en Bess gingen naar het kantoor en de butler holde weg om de tuinlieden het lichaam op te laten halen. Grace Rose pakte Bess bij de arm en zei kalm: 'Als de politie komt, zullen ze niets vinden. Iemand is per boot gekomen, stak Richard neer en is weer weggegaan. Het is woensdag, en iedereen in het dorp is aan het werk. Er is de hele ochtend geen mens op het strand geweest: sinds ik hier vrijdag aankwam, heb ik er zelfs nog niemand gezien.'

'Ik weet het,' zei Bess en ze draaide het nummer van het politie-bureau in Scarborough. Toen ze iemand aan de lijn kreeg, vroeg ze naar inspecteur Wallis. Hij kwam direct aan de lijn, waarna ze hem vertelde wat er was gebeurd.

Er viel abrupt een korte stilte aan de andere kant van de lijn, waarna hij op meelevende toon zei: 'We zullen er zo snel mogelijk zijn. Het spijt me verschrikkelijk dat u op Ravenscar alweer met een probleem te kampen hebt, Miss Deravenel. Gecondoleerd met uw oom.'

Nadat ze hem had bedankt, hing Bess op en zei tegen Grace Rose: 'Ik denk niet dat ik ooit weer dat strand op kan gaan.'

'Ik kan het je niet kwalijk nemen.' Grace Rose schudde haar hoofd. 'Nu zitten we met twee onopgeloste raadsels, neem dat maar van me aan.'

Bess was alleen op Ravenscar.

Iedereen was naar Richards begrafenis gekomen en naar zijn bij-zetting in het familiegraf. Daarna was iedereen weggegaan. Ze had ervoor gekozen te blijven omdat ze alleen wilde zijn, wilde nadenken over haar leven en haar toekomst, en over de zaken die ze met haar moeder had besproken.

Nu ze in de bibliotheek zat na te denken, was het al medio september. Ze dacht aan de laatste paar jaar. Er was zoveel gebeurd... Oom George was onder de vreemdst denkbare omstandigheden omgekomen op de wijngaard in Mâcon. Daarna was haar vader heel onverwacht overleden. Haar broertjes waren verdwenen en nooit teruggevonden. En vorige maand was oom Richard door een onbekende dader doodgestoken. De politie had niets kunnen vinden, precies zoals Grace Rose had voorspeld. Het was de zoveelste onopgeloste moord in hun boeken, had inspecteur Wallis haar toevertrouwd. Iedereen geloofde inmiddels dat Richard was vermoord door een vijand uit de zakenwereld, of door een vriend van haar vader die wrok koesterde.

Haar familie was gedecimeerd. Alle mannen waren dood. Er waren alleen nog vrouwen over. Richard had gezegd dat er een vloek op de familie rustte. Wie weet...

Ze stond op en ging voor het raam staan, waar ze uitkeek over de zee. Wat was haar leven veranderd... Nog niet eens zo lang geleden was ze zo gelukkig geweest, zo onbezorgd. Nu had ze het gevoel alsof de dood om haar heen hing... en het ongeluk als een deken om haar heen zat.

Haar gedachten versprongen naar haar moeder. Elizabeth was voor de begrafenis overgekomen, samen met haar vier zusjes en haar grootmoeder. Bess had gevonden dat Cecily Deravenel er afgetobd en uitgeput uitzag, en nog steeds maakte ze zich zorgen om haar. Cecily was naar Londen teruggegaan, omdat ze bij hoog en bij laag volhield dat ze een aantal artsen moest bezoeken en afspraken had. Bess had het gevoel dat haar grootmoeder het op Ravenscar niet meer uithield... Zeker niet op dit moment.

Bess hield van dit huis. Misschien omdat haar vader er zoveel van had gehouden. Ze was echter niet meer op het strand geweest; wel liep ze wel eens de tuin in en ging dan vaak naar de vervallen burcht die zo'n betekenis voor haar vader had gehad.

Omdat ze er ineens de behoefte toe voelde, sprong Bess op en ging naar buiten, waarna ze zo hard ze kon naar de burcht rende om er zo snel mogelijk te zijn.

Eenmaal binnen, stond ze tegen de muur geleund en keek naar buiten, denkend aan haar vader, terwijl ze zich afvroeg wat hij zou willen dat ze deed. Ze had twee opties. Ze kon blijven wie ze was: een vrije vrouw. Of ze kon trouwen en kinderen krijgen, een eigen leven leiden als echtgenote en moeder; haar eigen gezin stichten om voor te zorgen.

Haar moeder had voor ze naar Londen terugging uitgebreid met haar gesproken en het onderwerp Henry Turner opnieuw aangeroerd. Haar moeder had hem sinds de verdwijning van de jongens steeds opnieuw ter sprake gebracht; dat was twee jaar geleden begonnen, in december, om precies te zijn. Ze had haar moeder duidelijk gemaakt dat ze geen interesse in een huwelijk had, met wie dan ook.

Vorige maand had haar moeder uitgelegd dat dit een kans was om het bedrijf Deravenel veilig te stellen. Richard Deravenel was dood. Zij was de erfgenaam. Het lag voor de hand dat zij geen leiding aan het familiebedrijf kon geven en worden wat haar vader en Richard waren geweest. Ze was te jong, een vrouw die niet in het bedrijf thuishoorde en dus met scheve ogen aangekeken zou worden. Haar moeder was echter van mening dat Henry Turner wél de leiding op zich zou kunnen nemen, met haar aan zijn zij om er geloofwaardigheid aan te geven – en de naam Deravenel. Ze had hem nog nooit ontmoet en ze had geen idee of ze hem aardig zou vinden. Zou ze van hem kunnen gaan houden? Uiteindelijk was dit een gearrangeerd huwelijk – mocht het ooit worden voltrokken. Maar wat had ze anders voor keus?

Toen ze op haar horloge keek, drong het tot haar door dat Elizabeth en Henry elk ogenblik konden komen. Die gedachte was nog maar amper in haar opgekomen, of ze hoorde dat haar moeder haar naam riep.

'Bess! Bess, schatje! Ben je in de burcht?'

'Ja, moeder,' antwoordde ze plichtsgetrouw, en ze draaide zich om.

'Mogen wij ook komen? Ik heb Henry bij me.'

Even kon ze geen woord uitbrengen. 'Goed, hoor,' zei ze uiteindelijk, terwijl ze steun zocht bij de kantelen van de muur. Haar knieën knikten en ze trilde, van de zenuwen, van angst zelfs.

Toen stond haar moeder daar, gehuld in een elegant beige reiskostuum. Naast haar stond een lange, slanke jongeman met lichtbruin haar, hazelnootbruine ogen en een innemend gezicht. Hij was gekleed in een donkergrijs pak met een grijze zijden das.

Haar moeder bracht hem naar haar toe en zei: 'Bess, dit is Henry Turner. Henry, mijn dochter Bess.'

Hij stak zijn hand uit en pakte de hare, terwijl hij haar glimlachend aankeek. Ze zag dat hij zachte, begripvolle ogen had. Hij zei:

'Ik ben blij eindelijk kennis met je te maken.'

'Ik ben ook blij jóú te leren kennen,' mompelde ze en trok razendsnel haar hand terug, waarna ze een stap naar achteren deed.

'Ik zal jullie een poosje alleen laten,' kondigde Elizabeth aan. 'Ik moet me verkleden. Ik zie jullie tweeën bij de thee.'

Toen ze alleen waren, stonden ze elkaar een poosje aan te staren; geen van beiden had de moed om iets te zeggen. Uiteindelijk zei Henry vriendelijk: 'Ik weet dat je je bedenkingen hebt om met me te trouwen, en ik begrijp heel goed waarom. Maar ik ben niet zo'n slechte vent, hebben ze me verteld. En ik zou echt dolgelukkig zijn als je me wilt aanvaarden. En ik beloof dat ik je zal koesteren. Bovendien weet ik vrij zeker dat ik van je zal gaan houden.'

Plotseling, zonder dat ze er iets aan kon doen, barstte Bess in lachen uit.

Henry Turner keek haar wezenloos en stomverbaasd aan.

Toen ze weer op adem was gekomen, slikte Bess haar lach in en zei: 'Ik vind het leuk van je dat je dat zegt, Henry Turner. Echt waar.'

'Wat zegt?'

'Dat je eerlijk bent, dat je zegt dat je er vrij zeker van bent dat je van me zal gaan houden. Zo denk ik ook over jou – ietwat onzeker, onbeholpen, er niet zeker van of we ooit van elkaar zullen houden...'

Henry knikte. 'Ik wil wel graag met je trouwen, zoals ik al zei. Nou ja, dat wist je trouwens, van onze samenzwerende moeders.' Hij grinnikte. 'Ik wil je gelukkig maken... Bess. Ik denk dat ik het kan. Ik zal er mijn uiterste best voor doen.'

Ze zweeg. Ze kwam tot de ontdekking dat ze hem heel leuk vond. Hij was niet de knapste man, maar ook weer niet echt lelijk, en zo te merken had hij een innemend, warm karakter. In elk geval was hij eerlijk, op het botte af. Dat was belangrijk voor haar. Ze ademde diep in en pakte zijn hand vast. 'Nu we elkaar eindelijk hebben ontmoet, zou ik graag even alleen willen zijn. Vind je het erg?'

'Nee, natuurlijk niet. Ik begrijp het. Ik zal binnen op je wachten.'

Hij ging weg zonder nog een woord te zeggen.

Bess leunde met haar hoofd tegen de stenen muur en staarde over de Noordzee. Wie zou haar bijstaan als ze met hem trouwde? Er was niemand. Zelfs haar moeder niet. Ze was alleen. Moederziel alleen.

Dan zal ik wel voor mezelf opkomen, dacht ze. En dat zal me best lukken.

We zullen kinderen krijgen... En minstens een van hen zal een jongen zijn... Ik móét een jongen krijgen. Ik moet zorgen voor een mannelijke erfgenaam voor de firma Deravenel. En ik zal hem helpen. Ik zal zijn ambitie stimuleren. Hem de weg wijzen.

Ze glimlachte, terwijl ze aan haar knappe vader dacht. Mijn zoon zal als de grote Edward Deravenel worden... en op papa's stoel zal altijd Deravenel-bloed zitten om het bedrijf te leiden. En ik zal via mijn man en mijn zoon helpen de zaken te behartigen.

Bess Deravenel draaide zich om en liep terug naar het huis, vastbesloten.

Ze trof Henry Turner in de bibliotheek, waar hij naar het portret van haar vader stond te kijken.

'Hij was de knapste, sympathiekste en intelligentste man die ik ooit ben tegengekomen,' zei Henry tegen haar.

'Dat weet ik,' antwoordde Bess. 'En wij krijgen een zoon, precies als hij. Dat zul je zien.'

DEEL VIER

De familie Turner

Harry's vrouwen

Ongemeen wijs, rechtvaardig en overtuigend;
Laatdunkend en bitter voor wie niets van hem moest hebben;
Maar voor hen bij wie hij in de gunst stond zoet als het voorjaar.
William Shakespeare:
Henry VIII
Akte IV, toneel III

Ik heb dikwijls dezelfde vreemde, ontroerende droom
Over een onbekende vrouw, van wie ik houd en die van mij houdt.
Paul Verlaine
Poèmes Saturniens
'Mon Rêve Famillier'

Ik wens niet naar rede te luisteren... Rede houdt altijd in
wat iemand anders te zeggen heeft.
Elizabeth Gaskell

Een ongeluk, dat weet je, komt nooit alleen.
Cervantes

Vierenvijftig

Ravenscar 1970
Hij stond in de bibliotheek van Ravenscar en keek vol bewondering omhoog naar het schilderij boven de haard. Wat een bijzonder portret was het toch, van een knappe man in de bloei van zijn leven.

De grote Edward Deravenel. Zijn grootvader.

Zijn moeder, Edwards oudste dochter Bess, had hem altijd verteld dat hij, als hij groot was, op haar vader zou lijken, en ze bleek gelijk te hebben gehad.

Het schilderij was vlak voor Edwards veertigste verjaardag voltooid, en over een paar dagen zou hij zelf veertig worden. Hij leek als twee druppels water op zijn grootvader: bijna twee meter lang, een brede borst, haar als rood goud en blauwe ogen. Hij wist dat als Edward Deravenel uit het portret kon stappen en naast hem kwam staan, ze een tweeling zouden kunnen zijn, zo leken ze op elkaar.

Uiteindelijk draaide Harry Turner zich om en liep het terras op, op weg naar de hangende tuinen en de ruïne van de burcht. Zijn moeder was er, toen hij nog klein was, keer op keer met hem naartoe gegaan en dan vertelde ze dat het altijd zijn vaders lievelingsplek op Ravenscar was geweest, en dus ook van haar. En nu natuurlijk die van hem.

Zij had hem volgens Deravenel-tradities opgevoed, en daarvan was het grootste deel afkomstig van zijn grootvader. Wat had ze haar vader verafgood; net zoals hij op zijn beurt een heel bijzondere liefde voor zijn moeder koesterde. Hij had ook van zijn vader gehouden, maar de wat zwijgzame Henry Turner was niet zo warm, open en liefdevol geweest als zijn moeder. Hij was eigenlijk een vrij kleurloze, saaie man. Bess Deravenel was een uitzonderlijke vrouw geweest. Van haar had hij zijn lichte teint geërfd, en ook haar onverzettelijkheid, haar wilskracht, haar ambitie en positieve instelling. Bij haar was het glas altijd halfvol, nooit halfleeg, en daar dacht hij exact hetzelfde over. Morgen zou het altijd beter worden, wat hem betrof.

Vreemd toch, dat er dingen in zijn leven waren die zo'n duidelijke afspiegeling waren van het leven van Edward Deravenel. Ook hij was getrouwd met een vrouw die vijf jaar ouder was dan hij. En ondergedompeld te worden in rampspoed, was voor hem een even groot schrikbeeld als voor zijn grootvader. Edward had dat altijd weten te voorkomen.

In dat opzicht zag zijn eigen leven er minder geslaagd uit. Op dit moment, 23 juni 1970, leek hij zelfs op het punt te staan in een bodemloze put van rampspoed te vallen. En al was dat niet helemaal het geval, toch zat hij tot zijn nek in de problemen, zowel in zijn persoonlijke leven als in zakelijk opzicht. De firma Deravenel kon hij wel aan. Maar of dat ook het geval was met zijn persoonlijke leven, betwijfelde hij.

Hij moest scheiden... een andere vrouw zoeken... hij moest voor een stamhouder zien te zorgen. Maar zijn vrouw gaf geen strobreed toe. Niets kon haar ertoe bewegen hem uit zijn lijden te verlossen. Geen scheiding, dat was haar eeuwige credo.

Hij werd achtervolgd door de laatste woorden van zijn vader. Op zijn sterfbed had zijn vader tegen hem gezegd dat hij voor een mannelijke erfgenaam van de firma Deravenel moest zorgen. Dat had hij keer op keer gezegd.

Maar Harry had alleen een dochter, en hij wist maar al te goed dat een vrouw nooit de baas kon zijn. Catherine en hij waren al meer dan twintig jaar getrouwd, en helaas was Mary hun enige nakomeling. Zo veel dode baby's, zo veel miskramen.

De tijd haalde hem in. Op 28 juni, over vijf dagen, zou hij veertig jaar oud zijn en Catherine was al vijfenveertig. Hoe zouden zíj nog een baby kunnen maken? Zij was te oud, dat was zeker. Ja, het was onmogelijk. Bovendien, hij begeerde haar niet meer. Anne was degene naar wie hij hunkerde, smachtte, die hij met heel zijn hart wilde hebben en voor altijd bij zich zou willen houden. Ze eiste een huwelijk en weigerde zijn officiële maîtresse te worden. De afgelopen zeven jaar had ze zijn plannen gedwarsboomd en het vertikt bij hem in te trekken... Zo lang duurde deze toestand al, dat geklungel van hen. Het had hem soms tot het uiterste gedreven.

Hij was zich er terdege van bewust dat hij klemzat tussen de ijzeren wil van twee zeer onverzettelijke vrouwen. Ze waren bezig het leven uit hem te persen.

Harry legde zijn hoofd tegen de stenen borstwering en sloot zijn ogen, terwijl hij zich afvroeg wat hij moest doen... De woorden herhaalden zich in zijn hoofd: ga scheiden, zorg dat je een stamhouder krijgt, dat je een grote transactie voor Deravenel binnensleept... Zorg dat het allemaal voor elkaar komt voor het te laat is.

'Harry! Harry! Ben je beneden?' riep Charles Brandt, terwijl hij de laatste treden afrende die naar de ruïne van de burcht voerden.

Harry rukte zich los uit zijn sombere overpeinzingen en rechtte zijn rug. Hij richtte zijn blik op Charles, van kinds af aan zijn beste vriend, terwijl hij plotseling bedacht: Charles is mijn Will Hasling.

Harry wist alles over de beste vriend en meest naaste medewerker van zijn grootvader, een man op wie zijn moeder dol was geweest en die bij haar zo hoog in aanzien had gestaan. Ze had hem keer op keer verteld dat Will onder verdachte omstandigheden was omgekomen...

Al die verdachte sterfgevallen in zijn familieverleden... dat zette je toch wel aan het denken. George, de oom van zijn moeder, getroffen door wijnfusten en verdronken in beaujolais op hun wijngaard in Mâcon. Haar oom Richard, neergestoken door een onbekende belager op het strand hier bij Ravenscar. En al die anderen die, jaren vóór haar geboorte, op eigenaardige manieren waren omgekomen. Waren dat moorden geweest? En waren er moordenaars onder de Deravenels geweest? Inderdaad, het zette je aan het denken...

Charles Brandt liep over de tegelvloer van de burcht, ooit een ronde toren, waar geen dak meer op zat en weer en de wind aan deze noordelijke kuststrook nu vrij spel hadden. Op deze dinsdagmorgen aan het eind van de maand juni scheen de zon, en Charles voelde de warme stralen op zijn gezicht. Hij bedacht dat hij niet kon wachten tot hij de volgende week naar zijn huis in Zuid-Frankrijk kon gaan. Hij was aan rust toe.

Nu hij oog in oog met Harry stond en hem aandachtig aankeek, voelde Charles plotseling een vlaag van irritatie. 'Kom op, man, kijk eens wat vrolijker!' riep Charles uit. 'Je ziet er verschrikkelijk uit. Wat is er nou weer?' Charles glimlachte flauwtjes en schudde zijn hoofd. 'Alsof ik het niet wist... Je denkt aan de twee vrouwen in je leven die je bij je nekvel te pakken hebben.'

'Je slaat de spijker op z'n kop.'

'Au!' kaatste Charles lachend terug. 'Ongelukkige woordkeus, Harry, gezien de omstandigheden.'

Harry stootte een hol lachje uit. 'Je hebt gelijk, Charles – over die vrouwen, bedoel ik. Maar het gaat evengoed over mij. Ik weet dat ik zo niet veel langer kan doorgaan. Toen ik hier dit weekend was, heb ik veel nagedacht, en over vijf dagen word ik veertig. Jezus, veertig! In mijn persoonlijke leven ben ik nergens. Absoluut nergens. Mijn geduld is echt op, met allebei.'

'Ik kan je verdomme geen ongelijk geven. Die twee zijn keihard. Catherine heeft jarenlang het vrome, toegewijde, heilige vrouwtje uitgehangen en is nu de martelares – in háár ogen althans. En wat Anne Bowles betreft: ze is een echte droogneukster, en dat weet je. Geen wonder dat je radeloos bent. Ik vind dat je ze allebei moet dumpen en wat anders moet gaan zoeken, nu meteen. Je kent dat oude gezegde: er is meer vis in de zee dan er ooit uit is gekomen.'

Harry leunde tegen de borstwering en keek Charles aan. Ze hadden elkaar leren kennen toen ze pubers waren. Charles' grootvader had voor zijn vader gewerkt, bij Deravenel, en was omgekomen bij een mijnramp in India. Na de dood van zijn grootvader was Charles in één klap wees, want zijn ouders waren al dood. En dus had Henry Turner hem bij het gezin ingelijfd, omdat hij zich verantwoordelijk voor hem voelde. Charles en Harry waren samen opgegroeid.

Charles was zes jaar ouder en net zo knap, lang en goedgebouwd als Harry, en hij was behalve zijn beste vriend ook zijn zwager. Charles Brandt was met Mary getrouwd, Harry's lievelingszusje. En hij was de enige die ronduit tegen Harry Turner wilde en kon spreken en hem onomwonden de waarheid kon zeggen zonder dat Harry zich beledigd voelde.

Harry haalde diep adem en zei: 'Het is echt niet zo gemakkelijk als het uit jouw mond klinkt.' Hij voelde in de zak van zijn jasje en keek Charles aan. 'Heb jij sigaretten bij je?'

Charles knikte en haalde een pakje tevoorschijn, gaf het aan Harry en haalde er toen zelf ook een sigaret uit.

De twee mannen stonden zwijgend en al rokend over de Noordzee uit te kijken, ieder verdiept in zijn eigen gedachten.

Charles concentreerde zich op het belachelijke van de situatie waarin Harry Turner tegenwoordig verstrikt zat. Hier had je een van de grootste magnaten van de Britse zakenwereld, zo niet van de hele wereld, en die zat gevangen in een ingewikkelde driehoek, vanwege de nukken en het gemanipuleer van twee vrouwen en zijn eigen zwakte.

Harry dacht vergelijkbare gedachten, en hij vervloekte zichzelf in stilte en vroeg zich tevens af waarom Anne hem op zo'n verschrikkelijke manier in haar macht had. De waarheid was, dat ze beschikte over een seksuele aantrekkingskracht zoals hij nog nooit had meegemaakt.

Plotseling zei Charles: 'Zo zie je maar hoe twee uitgekookte vrouwen een man in hun greep kunnen krijgen... een sul van een man, mag ik wel zeggen.'

Harry draaide zich met een ruk naar hem om, terwijl er woede in zijn lichtblauwe ogen opflitste. Hij was trots, dikwijls arrogant en dominant van aard; hij werd niet graag een sul genoemd, zelfs niet door iemand die hem zo dierbaar was als Charles Brandt.

'Noem me geen sul. Daar heb ik de pest aan, en dat weet je,' snauwde Harry.

'Sorry, ouwe makker.' Charles weerstond Harry's blik en vervolgde op mildere toon: 'Je bent de slimste, intelligentste en geniaalste man die ik ooit heb gekend. Helaas ben je een sul waar het op deze twee vrouwen aankomt. Waarom zeg je niet tegen die twee dat ze naar de hel kunnen lopen? Ik zal wel een andere vrouw voor je zoeken, een beeldschone, plooibare, liefhebbende vrouw die al je behoeften zal bevredigen en je niet in de maling neemt.'

'Dat is niet helemaal waar,' wierp Harry hoofdschuddend tegen. 'Dat van in de maling nemen, bedoel ik.'

'Dat weet ik. En ik weet al wat je gaat zeggen, dus laat maar. Het is allemaal zo'n ontzettend gezeik tussen jullie tweeën. Jezus! Het is toch niet te geloven, in deze eeuw! Het is 1970, Harry, het zijn de middeleeuwen niet. Anne zou met je moeten samenwonen. Ik weet niet wat haar probleem is.'

Harry knikte met een treurig gezicht. 'Ze wil die laatste stap niet zetten.'

'Jammer dan.' Charles pakte hem bij de arm. 'Kom, we gaan. Bradley heeft je koffers gepakt, en ook de mijne, en ze staan al in de Rolls. We bespreken dit op weg naar de stad wel, oké?'

'Goed idee. Laten we gaan.'

De twee vrienden liepen terug naar het huis, staken het terras over en gingen de bibliotheek in. Voor het portret van Edward bleef Charles staan en hield Harry tegen.

'Kijk nou naar hem. Kijk eens naar je grootvader. Hij zou geen genoegen hebben genomen met een dergelijke situatie, en hij leefde in de jaren twintig, toen er andere normen en waarden waren dan vandaag de dag. Edward Deravenel stelde zijn eigen regels, dat zou jij ook moeten doen. Je moet dit oplossen, voor eens en voor altijd, Harry, anders komen ze je nog in een dwangbuis ophalen, over niet al te lange tijd.'

Harry zei niets en keek een hele poos naar het portret, waarna hij zich door Charles liet meetrekken, via de vestibule naar de voordeur.

Bradley, de butler, stond op de stoep en keerde zich om toen hij voetstappen hoorde. 'Ah, daar bent u.' De butler knikte glimlachend en liep naar buiten, waar de discrete zwarte Rolls-Royce voor hen klaarstond, en opende de portieren.

Terwijl hij instapte, nam Charles de leiding. 'Ik rijd.'

Harry knikte slechts en stapte aan de passagierskant in, opgelucht dat Charles achter het stuur zat. Ineens was hij moe – van de zorgen, wist hij.

Toen ze hun veiligheidsgordels hadden vastgegespt, startte Charles de motor en de Rolls gleed soepel de lange oprit af.

Op een gegeven moment mompelde Charles: 'Ontspan je nou maar, dan zal ik je vertellen wat je gaat doen en hoe je die twee... laten we bij gebrek aan een beter woord "dames" zeggen, gaat aanpakken.' Charles grinnikte. 'Hoewel ik best een paar andere benamingen zou kunnen bedenken die hen beter zouden omschrijven.'

Harry lachte, voor het eerst die dag.

Vijfenvijftig

Londen

'Ik weet niet waarom je met alle geweld hier wilt wonen, Catherine,' zei Mary Turner Brandt, terwijl ze haar schoonzuster nieuwsgierig aankeek. 'Harry zou een veel mooier huis voor je hebben gekocht, dat weet ik bijna zeker.'

Catherine knikte en zei prompt: 'O, dat weet ik wel, Mary. Hij biedt zelfs doorlopend aan om er een voor me te kopen – een villa, als ik wil – maar ik hou van mijn huisje. Het is knus. En het is van mij.'

'Ik weet dat je het zelf hebt gekocht,' zei Mary glimlachend. 'En dat je dat belangrijk vindt.' Ze was altijd erg gesteld geweest op haar schoonzuster; ze gaf zelfs innig veel om haar. Maar ook had ze alle begrip voor haar broer; ze wist heel goed wat hem motiveerde en voelde intens met hem mee. Bovendien had ze nooit kunnen begrijpen waarom een vrouw zich aan een man zou vastklampen die geen trek meer in haar had. Vandaar dat Catherine zo'n raadsel voor haar was. Maar ze ging geregeld bij haar op de thee, omdat ze wist hoe eenzaam Catherine was.

Nu haalde ze diep adem en vroeg: 'Waarom ga je niet van Harry scheiden? Jullie leven nu al ruim zeven jaar je eigen leven, Catherine, en je weet dat hij niet bij je terugkomt. Het spijt me dat ik het zeg, maar ik weet dat het de waarheid is.'

'Waarschijnlijk heb je gelijk. Maar ik ben rooms-katholiek, net als jij. Jij bent de enige die me begrijpt, die begrijpt hoe ik in elkaar zit.'

'O, natuurlijk... maar ook weer niet.' Mary fronste haar wenkbrauwen en er stond verwarring in haar ogen te lezen. 'Ik moet bekennen dat ik niet helemaal begrijp waarom je je vastklampt aan

417

een man die niet meer met je getrouwd wil zijn. Ik denk dat mijn trots dat in de weg zou staan. Heb jij dat dan niet?' besloot ze zachtjes.

'Mijn geloof gaat vóór mijn trots,' antwoordde Catherine koeltjes.

Wat klinkt ze zelfingenomen, ontzettend paaps, dacht Mary. Charles had gelijk. Toen hij gisteravond uit York terug was, zei hij tegen haar dat Catherine de martelares uithing. Ze moest haar man uitleggen dat haar schoonzuster een zelfingenomen martelares aan het worden was en dat die rol haar kennelijk beviel.

'Harry moet een stamhouder hebben,' zei Mary zachtjes, terwijl ze Catherine aankeek, die tegenover haar aan de tafel zat, waarna ze een slok van haar thee nam. 'Hij zit te springen om een erfgenaam, dat weet je. Hij denkt aan de firma, en ik geloof niet dat ik je daaraan hoef te herinneren.'

'Nee, natuurlijk niet. Maar hij heeft al een erfgenaam. Hij heeft onze dochter Mary, die naar jou is vernoemd. Ze zal er binnenkort oud genoeg voor zijn: ze is al bijna achttien. En ga me niet vertellen dat een vrouw niet kan opvolgen om leiding aan het bedrijf te geven, want dat heeft je grootvader Edward Deravenel mogelijk gemaakt.'

'Dat ontken ik ook niet.' Mary voelde zich uitermate verslagen. Catherine leek wel een stenen muur. En zelf zat ze haar adem te verspillen. Ze leunde achterover en keek de zitkamer van het huis rond. Het was gezellig, fraai gemeubileerd en minder klein dan het van buiten leek. Mary wist waarom het Catherine zo beviel. Dit huis was geknipt voor twee personen. Denkend aan haar nichtje vroeg ze: 'Hoe is het tussen haakjes met Mary? Het lijkt eeuwen geleden dat ik haar heb gezien.'

'Het gaat heel goed met haar, maar ze mist haar vader.' Catherine boog zich voorover, met een hoopvol gezicht. 'Denk je dat Harry dit weekend bij ons op de thee zal komen, Mary? Meestal komt hij immers bij ons op bezoek als hij jarig is. O, en geeft hij een feest? Per slot van rekening wordt hij veertig.'

Overdonderd ging Mary even verzitten en dacht razendsnel na. 'Ik heb niets over een feest gehoord,' zei ze. 'En ik heb geen idee of hij jullie komt opzoeken, lieverd. Harry neemt zijn kleine zusje nooit in vertrouwen.' Ze forceerde een lach. 'Hij is net als je vader, en onze grootvader: bij hem gaan de zaken voor.'

'Jij staat aan zijn kant, hè?' zei Catherine ineens en haar stem klonk hard.

Mary gaapte haar aan, opnieuw overdonderd, en ineens besloot ze open kaart te spelen. 'Tot op zekere hoogte sta ik aan zijn kant, ja. Ik vind echt dat je hem moet vrijlaten, zodat hij kan trouwen en kan proberen een stamhouder te verwekken.'

'En Anne Bowles, die teef, die kan je goedkeuring wegdragen?'

'Of ze mijn goedkeuring kan wegdragen of niet, dat is niet aan de orde, Catherine. Ik vind alleen dat mijn broer, na al die jaren dat jullie apart wonen, recht heeft op zijn vrijheid.'

'Ik kan niet zomaar tegen mijn geloof ingaan.' De vrouw van Harry Turner schudde haar hoofd, waarna ze er met nadruk aan toevoegde: 'Nooit. Ik zal nooit van hem scheiden.'

Toen ze Eaton Square overstak, probeerde Mary Brandt het gevoel van verslagenheid en frustratie van zich af te schudden. Niemand kon tot Catherine doordringen; ze was ongelooflijk stijfkoppig en ouderwets. Bovendien was ze Spaanse van geboorte, en al woonde ze al vanaf haar zestiende in Engeland, in vele opzichten was ze nog echt een buitenlandse. Ook was ze diepreligieus, en dat was echt een probleem: het was de reden waarom ze Harry geen scheiding verleende.

Mary besefte maar al te goed hoe haar broer zich moest voelen. Catherine gaf geen strobreed toe en haar houding was meer dan frustrerend – gewoon om razend van te worden. Geen wonder dat Harry's geduld op was. Hij verlangde zo naar een mannelijke erfgenaam, en de laatste woorden die hun vader tot hem sprak hadden zo'n indruk op hem gemaakt dat ze in zijn hersens waren gegrift. Soms dacht ze dat hij getraumatiseerd was door het feit dat hun vader er zelfs al vóór zijn sterfbed op had gehamerd dat hij voor een stamhouder moest zorgen.

Charles had hem de vorige avond overgehaald bij hen te komen eten, toen ze eindelijk terug waren uit Ravenscar. Kennelijk was de A-I een nachtmerrie geweest; de auto's hadden bumper aan bumper gereden. Ze had direct de wanhoop van haar broer opgemerkt en ze had vreselijk met hem te doen. Harry was zo'n genereuze, liefdevolle man; niets was hem ooit te veel. Hij was uitermate attent, en ook aardig tegen iedereen.

Nadat hij was teruggegaan naar het huis aan Berkeley Square, waar ze een deel van hun jeugd hadden doorgebracht, had Charles nauwkeurig uitgelegd hoe Harry er de laatste tijd aan toe was.

Dat was niet al te best, kwam ze tot de conclusie toen Charles was uitverteld.

Dus was ze vandaag, op eigen initiatief, Catherine gaan opzoeken, in de hoop door de stenen muur heen te kunnen breken, maar dat was haar niet gelukt. Ze was benieuwd of het ooit íémand zou lukken.

Diep in haar binnenste was ze het er wel mee eens dat Anne Bowles, die Harry in haar klauwen had, een beetje een haaibaai was. Maar ze wist ook dat dat niets zou oplossen. Harry had zijn zinnen gezet op Anne. Hij was haar slaaf en totaal door haar behekst, zei Charles. Hij was gewoonweg niet van plan haar op te geven, voor zo ver ze dat kon inschatten.

Blijkbaar had Charles op weg naar Londen tegen hem gezegd dat hij allebei de vrouwen moest dumpen en op zoek moest gaan naar iemand anders, maar of Harry daar oren naar had? En zou hij dat doen? Ze had geen idee.

Mary hield van haar broer. En niets was erger dan vast te zitten in een slecht huwelijk, een ongelukkig huwelijk met een partner die niet te genieten was. Dat wist ze maar al te goed.

Haar eerste huwelijk was afschuwelijk geweest. Antoine was te oud voor haar geweest, een lastige man bovendien, en toen was hij ook nog ziek geworden. En zij was verliefd geworden. Tot over haar oren, straalverliefd. Op Charles Brandt, toen hij voor Deravenel op zakenreis in Parijs was. Het grappige was, dat ze Charles al haar hele leven had gekend, omdat hij Harry's jeugdvriend was. Pas toen hij in Parijs was aangekomen en haar mee uit lunchen had genomen in het Ritz aan de Place Vendôme, was ze tot de ontdekking gekomen dat ze over haar hele lichaam trilde van begeerte en knikkende knieën kreeg als ze hem zag.

Vrij toevallig was Antoine Delacroix, haar eerste man, plotseling overleden, en ze was opeens vrij – gek van geluk, vanwege die vrijheid. Vrij om de man te trouwen die ze al eeuwen kende maar toch ook helemaal niet had gekend: Charles Brandt, met wie ze al naar bed ging vóór de zeer welkome dood van haar echtgenoot, de man voor wie ze absoluut compleet in vuur en vlam stond. Ze had geluk gehad, veel geluk zelfs. Ze kregen twee dochters en ze waren het gelukkigste koppel dat ze kende.

Nadat ze Catherines huis vlak achter Eaton Square had verlaten, was Mary van plan geweest om naar Harvey Nichols te gaan om zomerkleren te kopen voor hun reis naar Frankrijk. Nu bedacht ze zich en bleef op de stoeprand van het plein staan om een taxi te wenken. Binnen één tel stopte er een, waarna ze instapte en de chauffeur haar adres in Chelsea opgaf. Wat kon haar dat winkelen schelen, ze wilde naar huis, om er te zijn wanneer Charles thuiskwam. Hij vond het vreselijk om in een leeg huis te komen.

'Ik wil een scheiding, en zo snel mogelijk,' zei Harry Turner, terwijl hij zijn advocaat Thomas Wolsen aankeek, die achter zijn bureau zat. Harry's ogen waren als blauw ijs en zijn mond stond strak, als een grimas bijna, en hij straalde een acuut ongeduld uit.

Drieëntwintig jaar lang was Thomas Wolsen al de advocaat die hem in allerlei kwesties adviseerde, die niet eens altijd iets met juridische zaken te maken hadden, waardoor hij Harry door de jaren heen als een zoon was gaan beschouwen. Terwijl hij zijn vingertoppen tegen elkaar zette en Harry aankeek, zei Thomas op kalme toon: 'Ik zou werkelijk alles voor je doen, en ik geloof dat je dat weet. Ik zou zelfs mijn leven voor je geven, Harry. Maar zelfs jij kunt de wet niet veranderen, of de regels van de rooms-katholieke Kerk.'

Harry zat met een verontwaardigd gezicht op zijn stoel, zonder iets te zeggen.

Thomas zweeg ook, maar zonder dat de bezorgde uitdrukking van zijn innemende gezicht week.

De twee mannen bevonden zich in Thomas' advocatenkantoor in Upper Grosvenor Street en hadden de afgelopen twintig minuten diverse juridische kwesties doorgenomen. De sfeer was uiterst hartelijk en vriendschappelijk geweest, zoals altijd. Maar nu Harry over een scheiding was begonnen, sloeg de stemming op slag om en werd aanmerkelijk koeler. Thomas wist dat Harry met zijn hoofd tegen een stenen muur aan liep, al wilde Harry dat niet toegeven. Geen moment.

Opeens zei Harry, en zijn stem steeg een octaaf: 'Er moet toch íéts zijn wat we kunnen doen. Kunnen we er niet iemand voor betalen? Iemand omkopen?'

'Er is niemand, Harry.'

'Waarom kan ik niet van Catherine scheiden? We zijn al jarenlang uit elkaar.'

'Omdat jij bij háár bent weggegaan, niet andersom. Zíj zou van jóú kunnen scheiden, op grond van moedwillige verlating, maar dat wil ze niet. Vandaar dat we in een impasse zitten.'

'Misschien zou ik haar kunnen overhalen.'

'Harry, wees redelijk. De katholieke Kerk erkent geen scheiding, en als zij een gescheiden vrouw wordt, zal ze worden geëxcommuniceerd en mag ze geen heilige communie meer ontvangen. Omdat ze uitermate vroom is, zou ze zich nooit in een dergelijke positie willen manoeuvreren. Dat kan ik je zonder enige twijfel verzekeren. Ik ken haar al jaren en ze zal haar geloof niet in opspraak brengen.'

'Ze mag alles hebben wat ik bezit, Thomas, wat ze maar wil. Geld. Zoveel als haar hartje begeert. Zelfs Waverley Court mag ze hebben. Niet het huis aan Berkeley Square, maar dat in Kent, ja. Een schéíding... dat is wat ík moet krijgen, en tot elke prijs! Help me daar nou bij.'

'Scheiding tot elke prijs. Dat is een hele mondvol, Harry.' Thomas schudde zijn hoofd. 'En een zin die sommige advocaten als muziek in de oren zou klinken... vooral die van de andere partij. Maar ik vind dat ik daar wat, laten we zeggen, behoedzamer mee moet omspringen. Ik kan er niet in het wilde weg mee schermen, zeker niet in gesprek met Catherines advocaten.'

'Doe wat je kunt. Verzin iets, Thomas!' riep Harry, waarna hij opstond en aanstalten maakte om het vertrek te verlaten. Bij de deur aangekomen, draaide hij zich om. 'De tijd dringt voor mij...' Hij keek Thomas veelbetekenend aan en voegde eraan toe: 'Ik móét een scheiding krijgen... Anders word ik gek. NU! Ik wil het nú, Thomas. Hoor je me?'

Harry wachtte geen reactie af en groette zelfs niet; hij stormde de gang op en smeet de deur met een klap achter zich dicht.

Thomas Wolsen keek er hoofdschuddend naar. Toen leunde hij achterover om alles een paar minuten te verwerken, waarna hij zich afvroeg wat hij in godsnaam kon doen. Volgens hem zou hij met een wonder op de proppen moeten komen – en dat behoorde, tegenover iemand als Catherine, niet bepaald tot de mogelijkheden.

Even later drukte Thomas de intercom in en riep een van zijn jongere partners bij zich.

John Upstone liep regelrecht naar binnen en vroeg: 'Hebt u me nodig, sir?'

Thomas knikte verwoed.

'Ik zag Harry Turner zonet weggaan, dus er valt ongetwijfeld iets te bespreken... over hem.' John keek hem gretig en afwachtend aan.

'Dat is inderdaad het geval. Harry zat weer eens te zaniken over een scheiding met Catherine. Hij zegt dat hij die nu wil hebben. Ik benadruk het NU.'

'Hij heeft geen grond voor een scheiding, dus dat zal niet gebeuren,' stelde John prompt vast.

'We moeten ons best doen het te laten gebeuren. Ik denk dat het voor ons erop of eronder is, John, en dat meen ik. Voor het kantoor. Als we niet iets uit onze hoed toveren, raken we hem misschien kwijt als cliënt.'

John Upstone stond versteld. 'Na al die jaren? Ondanks jullie hechte relatie?'

'Hechte relaties, heb ik ontdekt, zijn van weinig belang voor onze oude vriend Harry. Alleen Harry is voor Harry van belang.'

'Goed, dan zullen we proberen er iets op te vinden. Hoe dan ook.'

'Ik ben blij dat te horen,' mompelde Thomas. Terwijl hij zich vooroverboog, voegde hij eraan toe: 'Het maakt niet uit wat je doet. Zolang hij maar een scheiding krijgt. Behalve moord, uiteraard.'

Zesenvijftig

Sir Tommy Morle, journalist, auteur, filosoof en jurist, zat op deze mooie avond in juni samen met Harry Turner aan een hoektafel bij Rules te genieten van een aperitiefje.

Nadat hij het afgelopen halfuur aandachtig naar zijn oude vriend had geluisterd, zei hij: 'Harry, luister alsjeblieft naar me, en luister goed. Dit is een hersenschim, ijdele hoop die je koestert. Je krijgt nooit een nietigverklaring. Geen sprake van.'

'Dat heeft Wolsen ook al tegen me gezegd, maar sommige mensen die lang getrouwd zijn geweest, is het wel gelukt...'

'Laat het me uitleggen,' kapte Tommy hem ongeduldig af. 'Onder het canoniek recht zijn bestaande gronden voor een nietigverklaring: huwelijksbeletselen – zoals het niet consumeren van het huwelijk – of bigamie. Of gevallen van gedwongen verbintenissen en van emotionele of geestelijke ontoerekeningsvatbaarheid. Nu weet ik dat jij en Catherine volledig bij je verstand waren toen jullie trouwden, dat niemand jullie heeft gedwongen, en dat jullie het huwelijk wel degelijk hebben geconsumeerd – als bewijs daarvan hebben jullie een volwassen dochter.'

Harry knikte en zuchtte. 'Dat weet ik,' sputterde hij. 'Ik weet het eigenlijk allemaal. Ik heb het van voren naar achter en van binnen naar buiten bestudeerd. Ik zit verdomme muurvast.'

'Dat zit je zeker.'

'Ik moet een stamhouder hebben, Tommy, dat weet jij beter dan wie ook. Je hebt mijn vader gekend, en je weet hoe hij was. Maar afgezien daarvan: ik hou van Anne, en zij houdt van mij, en ik wil met haar samen zijn. Ik wil mijn kind. Mijn erfgenaam.'

Tommy leunde achterover, waarna er een peinzende blik in zijn ogen kwam, maar toen trok er een schaduw over zijn gezicht. 'Je hebt me keer op keer om advies gevraagd, Harry, maar helaas heb ik je niets te bieden. Toen niet, en nu niet. Je bent met een rooms-katholiek getrouwd, en ook nog iemand die uitermate godvruchtig is.'

'Ik heb evenveel kans om een scheiding te krijgen als een sneeuwbal in de hel. Ik zal gewoon met Anne moeten gaan samenwonen, en als ze zwanger wordt, dan wordt ze maar zwanger. Dan wordt de stamhouder dus onwettig.' Hij stak zijn handen in een gebaar van hulpeloosheid omhoog. Hij stond verbaasd van zichzelf, en plotseling keek hij Tommy grijnzend aan. 'Zo! Ik heb het eindelijk gezegd. Dit is de enige oplossing. We gaan samenwonen.'

'Nee, dat is niet echt de enige oplossing. Je zou ook Anne kunnen opgeven en je neerleggen bij het feit dat je wél een erfgenaam hebt,' kaatste Tommy terug, zij het op milde toon.

'Je bedoelt Mary?'

'Precies. Zij is je wettige erfgenaam.'

'Maar ze is een vrouw. Ik wil...'

'Laat geëmancipeerde vrouwen van tegenwoordig maar niet horen dat je dat zo snerend zegt. Ze zullen je met huid en haar verslinden. Dit is 1970, niet 1907. We leven in een nieuwe tijd... een moderne tijd. En heel wat vrouwen nemen in het bedrijfsleven de teugels in handen. En ook in de politiek. Ik hou in elk geval die jonge minister in het kabinet in het oog, Margareth Thatcher.'

'Mensen die het kunnen weten, zeggen dat we nog heel wat van haar zullen horen,' merkte Harry op. 'Ik geef je gelijk dat je haar in het oog houdt.'

Opeens glimlachte Tommy. 'Die stevent regelrecht op de top af, let op mijn woorden. Wie weet wordt ze op een dag wel premier, over niet al te lange tijd.'

'Een vrouw als premier?' Harry keek sceptisch en schudde zijn hoofd. 'Dat weet ik nog zo net niet, absoluut niet.' Hij lachte.

Tommy lachte met hem mee. 'Alles is mogelijk op deze wereld.'

'Behalve scheiden van een katholiek.'

'Absoluut waar.' Tommy pakte zijn glas whisky, nam een slok en vervolgde: 'De wereld gaat tegenwoordig in razend tempo vooruit, Harry. Je weet maar nooit wat er kan gebeuren. Wie weet zegt Catherine wel ja. Wie had ooit kunnen denken dat we een man op de maan zouden neerzetten, twee mannen, om precies te zijn... Neil Amstrong en Buzz Aldrin? Maar het is gebeurd, dat hebben de Amerikanen vorig jaar toch maar geflikt... Echt een buitengewone prestatie. Dus naar mijn mening is alles mogelijk.'

'Wist jij dat de meisjesnaam van Buzz Aldrins moeder Moon is?'

'Nee maar! Dat is buitengewoon toevallig,' zei Tommy, en hij hief zijn glas. 'Op Miss Moon, wier zoon op de maan heeft gelopen. Enfin, om terug te komen op vrouwen in de zakenwereld, hoe zit dat met Mary?'

'Mijn dochter heeft nooit belangstelling voor de firma getoond, Tommy. Luister, ik verzeker je dat Edward Deravenel het mogelijk heeft gemaakt om een vrouw op de hoogste post bij Deravenel te zetten, maar eerlijk gezegd denk ik niet dat Mary dat zou willen. Ze is meer geïnteresseerd in beeldende kunst en muziek.'

'De meeste jonge vrouwen zijn geïnteresseerd in beeldende kunst, muziek en dergelijke, maar ze zou best de hersens kunnen hebben voor de zakenwereld. Heb je haar ooit gevraagd om bij de firma te komen werken?'

'Nee, en ik ben van mening dat een vrouw echt de zakenwereld in moet wíllen om er te slagen, vind je niet? Bovendien zou dat op verzet stuiten.'

Tommy knikte. 'En een vrouw moet ook nog ambitieus zijn, wil ze succes boeken.'

Harry wilde af van het onderwerp Mary, omdat hij geen zin had erop door te gaan. Dus zei hij: 'Anne is ambitieus.'

Alsof ik dat niet wist, dacht Tommy, maar hij hield zijn mond. Hij nam met een peinzende blik nog een slok van zijn whisky. Hij had nog nooit een vrouw meegemaakt die zo ambitieus, hard, berekenend, halsstarrig en slim was als Anne Bowles. Hij mocht haar niet, en diep vanbinnen keurde hij Harry's relatie met haar af; hij had veel liever de zachtere en kalmere Catherine. Maar hij was Harry's vriend, en hij bleef door dik en dun solidair met hem en hoopte invloed op zijn vriend te kunnen uitoefenen door Harry, wanneer hij dat nodig achtte, een zetje in de goede richting te geven.

Harry legde zijn hand op Tommy's arm en zei: 'Terugkomen, Tom, je dwaalt af. Anne heeft echt feeling voor zaken, zoals ik al zei. De antiekwinkel in Parijs doet het de laatste tijd uitermate goed, en die in Londen ook. Ze heeft een ongelooflijk goede smaak. En ze heeft er kijk op als geen ander. Ze barst van het talent, al zeg ik het zelf.'

Tommy werd gered van het bedenken van een geschikte oplossing toen twee kelners met de eerste gang kwamen: gerookte forel, vers uit de beken in de Schotse Hooglanden, opgediend met mierikswortelsaus en dunne bruine boterhammen met boter.

'Nou, dat ziet er aanlokkelijk uit... Heel smakelijk, moet ik zeggen,' mompelde Tommy met een blik op Harry, en hij hoopte dat

Anne Bowles onder het eten verder geen gespreksonderwerp zou zijn. Het was het saaiste onderwerp dat hij kon bedenken en Harry was niet te houden als hij eenmaal op gang was.

Nu hij het onder het eten hardop tegen Tommy had gezegd, had Harry Turner meer vertrouwen gekregen in het idee om met Anne te gaan samenwonen. Eigenlijk had hij er nooit anders over gedacht; Anne was degene die het probleem vormde. Ze leek moeite te hebben om die stap te zetten. Maar hij zou haar wel over kunnen halen, daar was hij zeker van.

Charles Brandt had hem er op de terugweg uit York toe aangezet orde in zijn hoofd te scheppen. Charles was ook degene geweest die de beweegredenen had opgesomd waarmee hij Anne zou kunnen verleiden en ervan overtuigen dat hij haar nooit in de steek zou laten, wat er ook gebeurde.

Wanneer hij zondag naar Parijs zou gaan om samen met Anne zijn veertigste verjaardag te vieren, zou hij ze haar stuk voor stuk voorleggen. Hoe zou ze weerstand kunnen bieden aan wat hij haar allemaal te bieden had? Al die materiële voordelen, en ook nog hijzelf! Het pleit was gewonnen. Dat geloofde hij oprecht.

Bovendien kon hij in alle eerlijkheid tegen Anne zeggen dat hij in een wanhoopspoging nogmaals met Thomas Wolsen was gaan praten en met hem uit eten was geweest om de belangrijke kwestie van de scheiding te bespreken. Zondag zou hij, voor hij naar Parijs vertrok, zijn trots inslikken, diep ademhalen en voor zijn verjaardag bij Catherine op de thee gaan. Maar dat zou niet zijn eigenlijke doel zijn; voor de zoveelste – en laatste – keer zou hij zijn vrouw vragen hem te laten gaan. Mocht ze weigeren, dan zou hij de zaken in eigen hand nemen en met Anne gaan samenwonen. Maar door met Catherine te gaan praten zou hij Anne tenminste naar eer en geweten kunnen vertellen dat hij zijn uiterste best had gedaan om een scheiding te bewerkstelligen.

Harry stond op en liep naar de tafel met drank in de hoek van de bibliotheek, waar hij een glas cognac voor zichzelf inschonk. Dat nam hij mee naar de bank, ging zitten en liet zich, terwijl hij aan zijn glas nipte, op zijn gedachten meedrijven.

Op het laatst keek hij omhoog naar het portret boven de schoorsteenmantel, naar de beroemde Renoir met de roodharige zusjes. Het hing al vele jaren in dit huis aan Berkeley Square, sinds de dag dat Edward Deravenel het had aangeschaft omdat het hem aan zijn dochters Bess en Grace Rose deed denken.

Bij de gedachte aan Grace Rose glimlachte Harry in zichzelf. Ze was zijn lievelingstante... ze leefde nog – zeventig jaar inmiddels, al leek ze half zo oud – een befaamd schrijfster van historische bestsellers. Ook haar man Charles Morran was vitaal en sterk, in de tachtig nu en een levende legende. Wat was hij een schitterende acteur geweest, vedette van de Londense theaterwereld en op Broadway.

Van zijn moeder had hij alles gehoord over Charlie en zijn gehavende gezicht, ernstig verbrand tijdens de Eerste Wereldoorlog, en wat een werk de plastisch chirurgen eraan hadden gehad; dat Grace Rose zich over hem had ontfermd nadat zijn vrouw Rowena vroegtijdig aan kanker was overleden. Uiteindelijk waren Grace Rose en Charlie met elkaar getrouwd, tot grote verrukking van de vermaarde Amos Finnister. Niet lang na hun huwelijk was Amos overleden, waarover zijn moeder had verteld: 'Omdat hij eindelijk kon loslaten, Harry. Zie je, hij wist dat zijn aanbeden Grace Rose bij Charlie altijd in veilige handen zou zijn.'

Ja, Bess Deravenel Turner, zijn bijzondere moeder, kon ongelooflijk goed vertellen; ze had zijn hoofd volgestopt met fascinerende verhalen over de Deravenels en hem de geschiedenis van de familie bijgebracht. Ze hamerde er altijd op dat hij voor de helft een Deravenel was, voor de andere helft een Turner, en dat er altijd Deravenel-bloed door hun geweldige handelsmaatschappij moest blijven stromen.

Hoewel ze samen met zijn vader het fundament had gelegd voor een nieuwe dynastie, de Turners, had ze het begrip Deravenel voor hem levend gehouden. Bess was degene die hem samen met zijn jongere zuster Mary had opgevoed en veruit de grootste invloed op hem had gehad.

Harry had van zijn vader gehouden, maar ze hadden allerminst een hechte band met elkaar gehad. Henry Turner had in de jaren dat hij opgroeide de grootste moeite moeten doen de firma Deravenel draaiende te houden en veilig te stellen. Zijn vader had het bedrijf behoedzaam door de problemen heen gemanoeuvreerd van de grote crisis op Wall Street, de Depressie in Amerika en Groot-Brittannië en de zorgelijke jaren dertig, om nog maar te zwijgen van de Tweede Wereldoorlog. Vanwege de talrijke zakelijke lasten die op zijn schouders rustten, was Henry heel vaak de grote afwezige geweest. Omdat hij urgente kwesties moest oplossen, liet hij het grootbrengen van zijn vier kinderen aan Bess over.

Terwijl hij ging verzitten en aan zijn cognac nipte, overdacht Harry het huwelijk van zijn ouders. Het was een gelukkig huwelijk geweest, al was het een gearrangeerde verbintenis, bekokstoofd door zijn twee grootmoeders: Elizabeth Deravenel en Margaret Beauchard Turner.

Van beide kanten was er nooit sprake van ontrouw geweest, en toen zijn oudste broer Arthur onverwacht overleed, had het verdriet zijn ouders nog dichter bij elkaar gebracht. Samen met zijn zusters Margaret en Mary was hij een steun voor hen geweest, toen ze met z'n allen om dat smartelijke verlies hadden gerouwd. Dat was ook het moment waarop hij de rechtmatige erfgenaam werd, voorbestemd om het bedrijf van zijn vader over te nemen.

Toen zijn moeder op haar zevenendertigste in het kraambed overleed, was zijn vader ontroostbaar geweest, zoals zij allemaal. Dat Bess zo jong moest sterven was het grootste drama van de familie. Hij was zijn moeder altijd blijven missen, met haar prachtige gezicht, haar heerlijke lach en haar positieve instelling. Bij Grace Rose had hij de grootste troost gevonden. Omdat Grace Rose, net als zijn moeder, haar vader Edward Deravenel had aanbeden, werd zij, nu zijn moeder er niet meer was, de fakkeldraagster.

Wat hadden die Deravenels ongelooflijke drama's doorstaan. Jane Shaw, de maîtresse van zijn grootvader, die doodging van verdriet en, toen ze niet lang na Edward overleed, al haar geld en bezittingen aan Bess en Grace Rose had nagelaten. En dan had je het trauma van zijn moeder, na de mysterieuze dood van haar oom. Blijkbaar had Richard veel voor haar betekend. En dan was er nog de mysterieuzere verdwijning van haar broers, die nooit waren teruggevonden – dood noch levend. Eigenaardig was dat toch. De zoveelste onopgeloste misdaad.

Het eenzame leven van Elizabeth Deravenel na de dood van haar man was zijn moeder altijd blijven achtervolgen. Hij had haar eigenlijk nooit gemogen; zijn andere grootmoeder, Margaret Beauchard Turner, evenmin. Zij had geprobeerd hem in zijn jeugd in haar macht te krijgen en te manipuleren, maar hij had zich uit haar klauwen weten te bevrijden. Sindsdien had hij een afkeer gehad van manipulatieve vrouwen met macht.

Aan de andere kant was hij werkelijk dol geweest op zijn andere tantes, wijlen zijn moeders zusters Cecily, Anne, Katharine en Bridget, voor wie zijn moeder zo goed mogelijk had gezorgd. Zijn vader was in zijn ogen niet altijd even aardig geweest voor de vrouwelijke Deravenels, en de houding van zijn vader had hem altijd tegengestaan omdat zijn moeder erdoor werd gekwetst.

Zijn gedachten keerden terug naar de broers van zijn moeder, en toen hem even later iets te binnen schoot, zette hij het glas cognac op de salontafel neer en liep haastig de bibliotheek uit naar de grote trap.

In zijn kleedkamer draaide Harry de kluis open en haalde er het gouden medaillon uit. Het had aan zijn grootvader toebehoord. Zijn moeder had het in de kluis bewaard voor haar broer Edward, omdat hij er recht op had. Maar Edward junior had het nooit om gehad... omdat hij verdween toen hij twaalf jaar was. Nu was het van hem. Zijn moeder had het aan hem gegeven, hem de geschiedenis ervan verteld en waarom het was gemaakt.

Harry draaide het rond in zijn handen. Daar had je de zon in volle glorie op de ene kant, en op de andere kant de geëmailleerde witte roos van York, en langs de rand was het familiemotto van de Deravenels gegraveerd: *Trouw tot in Eeuwigheid.*

Hij hield het een hele poos in zijn hand, denkend aan zijn moeder, de kracht van de Deravenels en de immense macht die Edward Deravenel had uitgeoefend. En op dat moment deed hij zichzelf een belofte. Zodra hij alles met Anne had geregeld, zou hij een manier vinden om de firma Deravenel nog groter te maken... Híj zou een ware erfgenaam zijn, het evenbeeld van zijn grootvader.

Zevenenvijftig

Vanaf het moment dat hij Catherines huis binnen stapte, wenste Harry dat hij niet was gekomen. De woning, hoewel redelijk groot, bezorgde hem op de een of andere manier een claustrofobisch gevoel en hij kreeg de vreselijke neiging om onmiddellijk weg te vluchten.

Maar dat kon hij niet maken. Hij moest het zien uit te zingen en op z'n minst een paar uur blijven. Bij die gedachte verschrompelde hij vanbinnen; hij had haar eigenlijk helemaal niets meer te vertellen.

Hij had Catherine bijna acht maanden niet gezien en kon zijn ogen nauwelijks geloven toen hij de verandering in haar verschijning zag. Ze was vijfenveertig, maar leek wel een vrouw van in de zestig. Het rossig gouden haar uit haar jeugd was nu een met grijs doorschoten dof soort blond en haar ooit stralende lichtblauwe ogen, die vroeger altijd zo expressief waren, leken vaal en glansloos. Ook was ze veel te mager, uitgemergeld zelfs.

Toen ze hem voorging naar de zitkamer kon hij nauwelijks geloven dat zij de mooie jonge vrouw was met wie hij ruim twintig jaar geleden trouwde. Hoewel Spaanse van geboorte en afkomst, had ze vroeger een teint als van een Engelse roos, geërfd van de overgrootmoeder van haar moeder, die uit de Engelse aristocratie stamde, maar van het Engelse in Catherines dynamische uitstraling was niets meer over. Ze was... kleurloos geworden.

'Wat zit je me aan te staren, Harry,' zei ze terwijl ze op een stoel tegenover hem ging zitten. 'Zit er iets op mijn gezicht?'

'Nee, nee, helemaal niet,' riep hij uit, betrapt, waarna hij al improviserend snel vervolgde: 'Het lijkt alleen of je veel magerder bent geworden, en ik vroeg me af of je weer op dieet was.' Die laatste opmerking liet hij klinken als een vraag. 'Dat moet je niet doen, hoor.'

Catherine schudde haar hoofd. 'Ik ben helemaal niet op dieet, Harry.' Ze had erbij willen zeggen dat ze hem gewoon miste en zich opvrat over hem, maar dat kon ze niet opbrengen. Ze was niet van plan zich tegenover hem te verlagen.

Alsof hij haar gedachten kon lezen voelde hij een vlaag van medeleven, van tederheid door zich heen stromen, en hij keek haar glimlachend aan. 'Je moet het me vertellen als je iets nodig hebt, Catherine, zodat ik je kan helpen. Ik wil niet dat je je verwaarloosd voelt.'

Ze staarde hem met open mond aan, verbijsterd door wat hij te zeggen had, en voor ze zichzelf kon tegenhouden, riep ze uit: 'Natuurlijk voel ik me verwaarloosd, Harry! Ik zie je nooit, en Mary ook niet. We voelen ons allebei verwaarloosd, eerlijk gezegd.'

Omdat hij zijn vergissing inzag en wist dat het zijn eigen schuld was dat dit aspect van haar bestaan ter sprake was gekomen, was hij zo galant om een treurig gezicht op te zetten. 'Het spijt me. Dat komt door mijn zaken. Je weet toch dat ik vreselijk in beslag word genomen door mijn projecten?' Hij zuchtte schuldbewust.

'Maar al te goed,' zei ze, en keek vervolgens over haar schouder toen de huishoudster binnenkwam met een groot dienblad waarop de thee klaarstond. 'Zet maar op de salontafel, Mrs. Aldford,' zei Catherine, en ze voegde eraan toe: 'Hartelijk dank.'

De huishoudster glimlachte naar haar, gaf Harry een knikje, zette het blad neer en liep haastig de kamer uit.

Catherine keek Harry aan en vervolgde: 'Ja, ik weet maar al te goed dat zakendoen altijd je grootste liefde is geweest, Harry. Dat heb je nooit voor iets of iemand laten wijken. En aangezien je het vraagt: ik zou het prettig vinden als Mary en ik in de zomer ergens naartoe zouden kunnen... Een huisje aan zee misschien?' Haar ogen lieten hem niet los en haar gezicht kreeg ineens iets hards, terwijl ze hem vorsend aankeek.

'Jullie mogen Waverley Court hebben, als je wilt. Ik zal de akte meteen op jou laten overschrijven.'

Eén moment lichtte haar gezicht op, waarna het weer betrok. 'Wat moet daar tegenover staan?'

'Een scheiding, Catherine. Op die vraag zou je het antwoord toch moeten weten.'

'Nou en of. En jij kent mijn reactie. Dat is uitgesloten. Maar ik heb wél alle juwelen die je me tijdens ons huwelijk hebt gegeven, waaronder erfstukken uit jouw familie, de juwelen van je moeder, en ik was van plan ze te laten veilen. Of ze zelf te verkopen. Dan zou ik een huis op het platteland voor je dochter kunnen kopen – en voor mezelf.'

Zijn hart kromp, en plotseling voelde hij zich schuldig... over háár. Ooit was hij straalverliefd op Catherine geweest, en zij op hem; ze was destijds de weduwe van zijn broer; ze was maar een paar maanden met Arthur getrouwd geweest, en toen was Arthur haar ontvallen. Zijn vader had geopperd dat hij met Catherine, de weduwe, zou trouwen. Hij had er allerminst mee gezeten dat ze weduwe was. Hij was als jongetje al verliefd op haar geweest en liep achter haar toen ze naar het altaar liep, waar zijn broer stond te wachten om met haar te trouwen. En dus waren ze getrouwd en ze waren gelukkig met elkaar geweest; het was echt een gelukkig huwelijk geweest, dat viel niet te ontkennen. Hij en Catherine hadden zoveel gemeenschappelijk en een hele tijd had de wereld aan hun voeten gelegen. Na de miskraam van een zoon, waarnaar ze zo hadden verlangd, kregen ze uiteindelijk een meisje, Mary, en hadden hun geluk niet op gekund.

Maar er waren geen andere kinderen gekomen... wel doodgeborenen en miskramen. In zekere zin had het Catherine opgebroken, dat besefte hij. Omdat hij er zelf ook door was aangeslagen. Helaas had het feit dat ze niet voor een zoon kon zorgen hem van haar verwijderd. Harry Deravenel Turner had zijn zinnen gezet op een mannelijke erfgenaam, daar verlangde hij wanhopig naar, en kennelijk kon zijn vrouw niet aan zijn verlangen voldoen.

Uiterst berekenend was hij op zoek gegaan. En op een dag had hij zijn oog laten vallen op een mysterieuze beeldschone vrouw, een vrouw die zestien jaar jonger was dan hij en die hem met haar verlokkende glimlach en bekoorlijke verschijning in haar netten had verstrikt. En toen hij eenmaal van haar charmes had geproefd, was hij voorgoed verloren. Toen bestond alleen zij nog maar, zijn Anne.

Harry liet zich achteroverzakken op de bank en keek hoe Catherine thee inschonk: elegant en stijlvol als altijd. Ze was zonder enige twijfel een beschaafde, erudiete vrouw, van wie hij tijdens hun huwelijk veel had geleerd. Ze waren altijd aan elkaar gewaagd geweest, op hun gemak in elkaars gezelschap, en er was nooit sprake geweest van heftige ruzies of gekibbel. Hun gemeenschappelijke interesses hadden hun veel genot geschonken. Maar langzamerhand was Harry's leven verdord, net als zijn liefde voor zijn vrouw.

Diep vanbinnen had hij geweten dat het onvermijdelijke zou gebeuren, en dat was uitgekomen. Hij werd zo verschrikkelijk verliefd op de verleidelijke Anne Bowles, met haar amandelvormige ogen, dat hij haar niet kon loslaten. Hij kon haar wellust niet weerstaan. De seks droop haar poriën uit. Hij was in haar ban. Catherine was kansloos, absoluut kansloos, sinds hij in Annes hebzuchtige armen terecht was gekomen, overspoeld door haar wellust, verrukt van haar begeerte naar hem, een willige partner in bed en daarbuiten een fantastische kameraad.

Terwijl al deze gedachten door zijn hoofd schoten, dacht Catherine na over de man die tegenover haar zat. Haar aanbeden echtgenoot. Hij was dikker geworden en hoewel hij dat bij zijn lengte best kon hebben, had hij er veel beter uitgezien toen hij slanker was, vond ze. Maar ondanks het feit dat hij wat kilootjes zwaarder was, had hij niets aan aantrekkelijkheid ingeboet: hij was nog altijd de knapste man die ze ooit had gezien, met zijn rossig gouden haar en blauwe ogen, zijn grote gestalte, zijn brede borst en lange benen. Hij was krachtig en aantrekkelijk.

Terwijl ze steels naar hem zat te kijken, herinnerde ze zich hoeveel ze ooit op elkaar hadden geleken, wat betreft de kleur van hun ogen en haren. Ze vroeg zich af hoe het kwam dat Mary precies het tegenovergestelde van hen was: donker van haar en ogen. Misschien de genen van haar eigen Spaanse voorouders.

Harry Turner was een magnaat, een van 's werelds grootste ondernemers, al had ze de laatste tijd weinig over hem in de krant gelezen. Nu ze hem over de tafel heen de kop thee aanreikte, vroeg ze: 'Hoe gaan de zaken bij Deravenel, Harry? Geen grote transacties in het verschiet?'

Hij nam de thee van haar aan, vertrok zijn gezicht en keek haar spijtig aan. 'Nee, er gebeurt niet veel, Catherine, maar je kent me: ik zal zorgen dat er iets gebeurt. En snel ook. Ik heb mijn oog laten vallen op een aantal bedrijven.'

'Om over te nemen zeker?' vroeg ze, en ze nipte van haar thee, waarna ze in de richting van de amandelkoekjes gebaarde. 'Dat zijn je lievelingskoekjes, Harry.'

'Weet ik. Bitterkoekjes. Heb je ze zelf gemaakt?'

'Ja, speciaal voor jou, voor je verjaardag.' Er viel even een stilte, waarna ze vervolgde: 'Je bent een kei in het overnemen van bedrijven, weet je. Goddank koop je ze niet om ze vervolgens te ontmantelen. Jij maakt ze weer rendabel.'

Hij keek haar aan, terwijl hij zijn ogen samenkneep. Hij was vergeten hoe graag ze met hem over zijn zaken sprak en dat ze er zo veel verstand van had. Toen dacht hij aan zijn dochter, terwijl hem te binnen schoot wat Tommy had gezegd. Hij vroeg: 'Waar is Mary, tussen haakjes? Ik dacht dat ze ter gelegenheid van mijn verjaardag hier zou zijn.'

'Ze kan elk moment beneden komen. Ze wilde ons een beetje tijd met z'n tweeën geven. Gelegenheid om te praten.'

'Aha.' Nadat hij twee bitterkoekjes had gegeten en de kop thee had opgedronken, zei hij: 'Ik heb me af zitten vragen... wat denk jij dat ze wil gaan doen? Denkt ze wel eens na over een carrière?'

'Ze is geïnteresseerd in kunst, zoals je weet, Harry, maar op het moment heeft ze nog niets definitief besloten. Misschien moet jij eens met haar praten.'

Hij knikte. 'Dat zal ik doen, wanneer ik uit Parijs terug ben.'

'Wanneer vertrek je?'

'Morgen.'

'Om je verjaardag te vieren, neem ik aan.' Ze keek hem met een ijskoude blik aan.

Automatisch schudde hij zijn hoofd. Waarom zou je met een rode lap naar een stier zwaaien, dacht hij en zei met een luchtige glimlach: 'Nee, nee, helemaal niet. Ik ga voor zaken naar Parijs. Behoorlijk dringende zaken, eerlijk gezegd.'

Catherine volstond met een knikje, waarna ze met een ruk haar hoofd naar de deur draaide en een glimlach haar gezicht plotseling deed stralen.

Harry volgde haar blik: daar stond zijn dochter Mary – slank, lang en werkelijk een schoonheid. Ze kwam de kamer binnen met een paar pakjes in cadeaupapier, met een glimlach van oor tot oor en ogen die schitterden van blijdschap.

Hij keek haar glimlachend aan, en merkte dat hij het fijn vond haar te zien.

'Hallo, vader,' zei ze. 'Ik ben zo blij dat u er bent. Alvast gefeliciteerd voor morgen!'

'Kom hier, lieverd, geef je vader een kus.' Terwijl hij dat zei, stond hij op en spreidde zijn armen wijd open.

Mary legde de verjaarscadeaus op een stoel, rende naar haar vader toe, wierp zich in zijn armen en klampte zich een ogenblik aan hem vast, vervuld van liefde voor hem.

Harry bleef nog een paar uur, omdat hij genoot van Mary, en af en toe zelfs van Catherine. Ze had altijd geweten hoe ze hem kon boeien en ze maakte hem die middag keer op keer aan het lachen. Op een gegeven moment bedacht hij onwillekeurig dat hij nooit bij

Catherine weg zou zijn gegaan als ze hem een zoon had kunnen schenken. Dan zouden ze een gelukkig gezin hebben gevormd en had zijn leven er anders uitgezien. En het hare ook. Dan zouden ze samen alle ellende hebben omzeild.

Achtenvijftig

Parijs

Anne Bowles liep snel de Avenue Montaigne af, op zoek naar een taxi. Al was ze zich er niet van bewust omdat ze door zaken in beslag werd genomen, ze had veel bekijks. Iedereen die ze voorbijliep keek haar bewonderend na. Ze was eenvoudig gekleed, in een strakke zwarte spijkerbroek, een witte katoenen blouse, sandaaltjes met hoge hakken en ze droeg grote paarlen oorknoppen. Aan haar schouder bungelde een grote zwarte linnen tas en in haar hand droeg ze een witleren, Chanel-tas met stiksels.

Al droeg ze simpele kleren, ze had niettemin een heel eigen stijl en een ontegenzeggelijke Franse allure, nog afgezien van haar opvallende uiterlijk. Haar donkere haar was lang en kwam bijna tot haar middel, en ze had koolzwarte ogen in een interessant gezicht met fijne trekken. Vrouwen vonden haar elegant en wilden haar naar de kroon steken en haar stijl kopiëren; mannen vonden haar sexy en verleidelijk en wilden haar in hun bed zien te krijgen.

Toen er met gierende banden een taxi naast haar stopte, sprong ze erin en gaf de chauffeur in vloeiend Frans het adres van haar bestemming op.

Wat ze verder ook mocht zijn, Anne Bowles was een echte francofiel. Als kind had ze vaak met tussenpozen in Parijs gewoond. Omdat haar ouders haar als baby, samen met haar oudste zus, daar al naartoe namen, groeide ze tweetalig op; Frans was absoluut haar favoriete taal en Parijs haar favoriete woonplaats.

Toen haar vader, een Britse diplomaat, weer werd overgeplaatst naar Engeland, was het gezin naar Londen teruggekeerd, een stad waar ze zich al meteen niet erg op haar plaats had gevoeld, ongemakkelijk zelfs. Binnen enkele jaren was ze terug in de Lichtstad, waar ze aan de Sorbonne geschiedenis studeerde. Later, nadat ze was afgestudeerd, had ze op de linker Seine-oever een antiekwinkel geopend, en nog geen twee jaar daarna nog een in Londen. Nu pendelde ze tussen die twee steden heen en weer, omdat ze kon rekenen op haar twee assistentes – een in Londen, en de andere in Parijs. Het afgelopen jaar had ze haar bezigheden uitgebreid en was ze een veelgevraagd binnenhuisarchitect geworden.

Vandaag was ze op weg naar het zevende arrondissement, de allerleukste buurt van de stad, vond ze. Zo leuk, dat ze hoopte er ooit een appartement te vinden. Voorlopig woonde ze in een betrekkelijk modern gebouw op de Avenue Montaigne; een keus die ze had gemaakt omdat Harry graag in het Hotel Plaza Athénée verbleef. Aangezien dat in dezelfde straat stond, kon hij gemakkelijk van het hotel naar haar flat gaan en vice versa, wat hem goed beviel.

Haar gedachten richtten zich op haar nieuwste cliënte, een charmante Amerikaanse die Jill Handelsman heette en kortgeleden een riante flat in de Rue de Babylone had gekocht. Jill had haar ingehuurd om die flat in te richten en te stofferen, en daar was ze op het moment druk mee bezig. Omdat haar cliënte een goede smaak had en een ware liefhebber was van Frans antiek, had het meteen tussen hen geklikt en beviel de samenwerking hen allebei uitstekend. Jills man zat in de modewereld van New York en omdat hij tegenwoordig vaak in Frankrijk moest zijn, had het paar besloten een huis in Parijs te kopen.

Die middag zou ze met Jill de stalen van de stoffen uitzoeken en met haar de plattegronden doornemen. Omdat de opstelling van het meubilair voor Anne heel belangrijk was, wilde ze dat de stukken die Jill van haar had gekocht goed tot hun recht kwamen, zo voordelig mogelijk.

De taxi baande zich een weg door het drukke Parijse verkeer en kwam regelmatig tot stilstand, en terwijl ze met een slakkengangetje de stad doorkruisten, richtten Annes gedachten zich uiteindelijk, en onvermijdelijk, op Harry Turner. Morgen zou hij aankomen om samen met haar zijn verjaardag te vieren. Ze nam zich voor een hartig woordje met hem te spreken, voor hij maandag naar Londen terug zou gaan.

Ze moest met hem praten over hun relatie, die in het slop was geraakt. Dat was natuurlijk geleidelijk gebeurd; in zekere zin was dat onvermijdelijk, omdat het allemaal gewoon absoluut nergens toe leidde. Er zat geen enkele toekomst in.

Harry was een getrouwde man – hij leefde weliswaar gescheiden, maar kon zich absoluut niet losmaken. Zij was zijn vriendin omdat ze het vertikte bij hem in te trekken, zijn maîtresse te worden. Anne was altijd wat huiverig die stap te zetten, omdat ze wist dat haar familie, en vooral haar nogal ouderwetse vader, een diplomaat, niet blij zouden zijn met een dergelijke serieuze stap. Ze was bijna zesentwintig, en haar geduld begon op te raken. Ze wilde een goed leven met een man van wie ze hield en met wie ze kinderen zou kunnen krijgen.

De vorige avond, toen zij en haar broer Greg met z'n tweeën in zijn appartement zaten te eten, had hij haar aan de tand gevoeld over Harry. Vrijwel onmiddellijk had hij heel duidelijk gemaakt dat ze óf verder moest gaan, óf moest kappen. Greg had haar streng de les gelezen over haar relatie met Harry, een man die bijna zestien jaar ouder was dan zij. En hij had er, voor de honderdste keer, op gehamerd dat hij met handen en voeten aan zijn vrouw vastzat, die hij omschreef als een godsdienstwaanzinnige. Wat ze natuurlijk niet was, wist Anne. Catherine was gewoon een vrouw die vroom katholiek was, iemand die nooit zou scheiden omdat ze haar geloof niet wilde verspelen.

Anne zuchtte inwendig. Nu Greg in Parijs woonde, wist ze dat ze nog heel wat strenge preken van hem kon verwachten, dat was onvermijdelijk.

Eindelijk stopte de taxi voor een negentiende-eeuws gebouw met een enorme toegangspoort. Nadat ze met de chauffeur had afgerekend, stapte ze via de kleine zijdeur de met keitjes bestrate binnenplaats op. Ze stak haar hoofd door de kleine loge van de conciërge en groette hem met een brede glimlach, waarna ze haastig de gang in liep naar de flat van Jill Handelsman, waar ze de sleutel in de deur stak en naarbinnen ging.

Ze was er als eerste, en liep met grote stappen via de vestibule de zitkamer in, die uitkeek op een fraaie tuin. Hij was niet bijzonder groot, er stond een heg in, verschillende bomen, er was een gazon en in een hoek stond een fontein. Er was zelfs een klein terras, waar je via de dubbele deuren zó op stapte en waar Anne van plan was een tafeltje met stoelen neer te zetten, zodat men daar bij warm weer iets kon drinken of een eenvoudige maaltijd kon gebruiken.

Anne liep de eetkamer in en schudde haar linnen tas leeg, spreidde alle textielstalen uit en keek vervolgens over haar schouder toen ze een sleutel in de deur hoorde.

Even later liep Jill door de hal haar kant op, met een glimlach van oor tot oor toen ze Anne in de eetkamer ontdekte.

Anne liep haar tegemoet om haar gedag te zeggen en zei na een snelle omhelzing: 'Ik heb alle stalen voor je meegebracht, zodat we kunnen kijken hoe de kleuren in de zitkamer staan. Ik denk nog steeds dat mijn idee om met verschillende tinten crème en roze te spelen de perfecte combinatie zou zijn.'

'Dat denk ik ook,' zei Jill, terwijl ze achter Anne aan naar de eetkamer liep, waar de stoffen al voor haar lagen uitgestald.

'Er komen een paar verschillenden houtsoorten in de kamer,' legde Anne uit, 'en een deel van de parketvloer blijft zichtbaar. Ik dacht dat veel verschillende crèmekleurige stoffen, en een vleugje groen bij het roze, een lichte en luchtige sfeer zouden scheppen, geknipt voor een kamer die uitziet op de tuin.'

'Ik denk dat je gelijk hebt.' Jill ging naast Anne bij de tafel zitten, waarna de twee vrouwen de stoffen bekeken. Nadat de keuzes waren gemaakt, liet Anne haar de plattegronden zien, waarna ze uitlegde waar alles zou worden neergezet.

'Ik zou graag willen dat we de kamers stuk voor stuk gingen bekijken,' zei Anne, terwijl ze ging staan. 'Dan kan ik je laten zien waar ik elk meubel had gedacht en kunnen we erover praten. Jij en Marty moeten je hier helemaal thuis voelen. Het is mijn werk je alle alternatieven, alle mogelijkheden aan te geven.'

'Ik ben blij met je, Anne,' zei Jill, terwijl ze naar de Engelse opkeek. Ze had haar meteen sympathiek gevonden toen ze elkaar in de antiekwinkel voor het eerst zagen, en toen ze te weten was gekomen dat Anne ook binnenhuisarchitecte was, had ze haar direct ingehuurd. Deze getalenteerde jonge vrouw had iets heel speciaals, bedacht Jill. Deze vrouw had een stijl, allure en flair, en ze had een uitstekende kijk op meubilair, schilderijen, vloerbedekking en kunstvoorwerpen. Jill vond haar een ongelooflijke aanwinst en dacht er zelfs over hun huis in New York opnieuw door haar te laten inrichten. Omdat ze vrij gevoelig was, had ze ook gemerkt dat Anne een zekere treurigheid uitstraalde, eenzaamheid zelfs. Ze was nieuwsgierig naar haar persoonlijke leven, al had ze er nooit naar geïnformeerd. Daar was ze veel te beleefd voor; ze zou nooit inbreuk maken op iemands privacy.

Ze liepen het appartement door en stonden toen in de slaapkamer. 'Ik denk,' zei Anne, 'dat het bed tegen deze muur moet komen, Jill, vind je niet?'

Ogenblikkelijk wakker geschud uit haar overpeinzingen, knikte Jill. 'Het is eigenlijk de enig bruikbare wand, en het is zalig een haard in de slaapkamer te hebben. Dat zal 's winters heel knus zijn. Denk je niet?'

Anne knikte en liep op de verste muur af. 'Die vruchtenhouten kleerkast die je in de winkel zo mooi vond, zou hier perfect zijn en, tussen haakjes, ik heb twee nachtkastjes en twee kristallen lampen gevonden. We zijn bijna klaar, hoor,' besloot ze met een luchtig lachje.

'Ik hoop niet dat dat betekent dat ik je nooit meer zal zien,' zei Jill, en dat meende ze. Ze was de afgelopen paar maanden zeer op Anne Bowles gesteld geraakt.

'Ik ben altijd een deel van de week in Parijs, Jill. Maar dat weet je. Dan kunnen we samen lunchen of 's avond iets afspreken, wanneer je maar wilt. En ik zou je graag voorstellen aan Greg, mijn jongere broer. Hij woont hier tegenwoordig, omdat hij voor het Franse filiaal van een Britse bank werkt.'

'Dat zou fantastisch zijn,' riep Jill uit. 'En wat fijn voor je om je broer nu in de buurt te hebben.'

'Ja. Helaas leest hij me nogal eens de les over mijn leven...' Anne brak haar zin af en haalde haar schouders op, omdat ze niet méér wilde zeggen, uit angst dat ze anders haar problemen aan deze reuze aardige Amerikaanse zou toevertrouwen, die haar zo sympathiek was.

Niemand zou begrijpen hoe gecompliceerd het was om van Harry Turner te houden.

Negenenvijftig

Anne stond voor het raam in haar zitkamer met uitzicht over de Avenue Montaigne, in de hoop een glimp op te vangen van Harry, wanneer hij vanaf het hotel de straat overstak. Hij zou haar om zeven uur komen ophalen, maar hij was nergens te bekennen.

Toen ze op haar horloge zag dat het vijf voor zeven was, glimlachte ze in zichzelf nu ze bedacht hoe ouderwets hij in zekere zin was, en hoe galant.

Aan de telefoon had hij die morgen, lang voor hij uit Londen vertrok, gezegd dat hij haar zou komen halen, om dan samen met haar terug te gaan naar het Plaza Athénée. Ze zouden 's avonds gaan eten in de tuin van het hotel waar hij verbleef. Ze kon gemakkelijk even de straat oversteken om hem in het restaurant te ontmoeten, maar daar wilde hij niet van horen.

Nog geen seconde later hoorde ze zijn sleutel in het slot, waarop ze zich omdraaide en naar de hal ging.

Hij kwam binnen, deed de deur achter zich dicht en stond toen glimlachend voor haar, waarna hij op haar toe liep.

Zoals altijd wanneer ze hem na een tijdje zag, bonkte haar hart en voelde ze een zalige opwinding in zich oplaaien – iets wat ze bij een andere man nooit had meegemaakt. Wat zag hij er geweldig uit in zijn onberispelijk gesneden donkerblauwe maatpak, een typerend staaltje van Savile Rowprecisie. Het smetteloos witte overhemd accentueerde zijn licht gebronsde huid en de blauwe zijden das had precies de kleur van zijn ogen. Hij was tot aan zijn glimmende zwarte loafers perfect gekleed.

Midden in de kamer kwamen ze bij elkaar en toen hij haar aankeek, verscheen er ineens een ernstige uitdrukking op zijn gezicht, waarna hij zonder een woord te zeggen zijn armen om haar heen sloeg en haar tegen zich aan drukte.

Anne klampte zich aan hem vast, en op dat moment wist ze dat ze hem nooit zou kunnen verlaten, zeker niet uit vrije wil. Terwijl hij een kus op haar kruin drukte en haar nog dichter tegen zich aan drukte, verdwenen alle zorgen die wekenlang als een steen op haar borst hadden gelegen, als sneeuw voor de zon. Ze had het gevoel dat er een zware last van haar was afgenomen en dat ze, zo tegen hem aan, volkomen ontspande.

Haar nog steeds stevig in zijn armen houdend, mompelde hij rustig maar nadrukkelijk: 'God, wat heb ik je gemist, Anne, echt heel erg. Zonder jou is mijn leven niets waard. Als je dat maar weet.'

'Ik heb jou ook gemist, Harry. Ik had ontzettende last van stress, maar nu jij er bent, gaat het wel weer.'

Hij tilde haar gezicht naar hem op, bekeek het even aandachtig en boog zich toen voorover om haar innig op de mond te kussen.

Het was een lange kus, die ze gretig beantwoordde, met een passie die, zoals altijd, niet onderdeed voor de zijne. Toen liet hij haar los en zijn ogen lachten ineens toen hij zei: 'Als we nu niet meteen weggaan, vrees ik dat we helemaal niet zullen vertrekken.'

Ze lachte met hem mee, knikte en ging naar de kast in een hoek van de kamer, waarna ze terugkwam met haar zwartzijden avondtasje, van hetzelfde materiaal als haar hooggehakte zwarte schoenen en in fel contrast met haar witte zijden jurk, maar het zwart kwam weer terug in de brede lakleren ceintuur om haar middel.

'Ik ben klaar,' zei ze, en ze stak haar arm door de zijne.

Ze liepen op de deur af, maar voor ze de flat uit gingen, hield ze hem nog even tegen en fluisterde: 'Hartelijk gefeliciteerd, lieveling.'

Alle ogen waren op hen gericht toen ze door de lobby van het hotel liepen, op weg naar het restaurant in de binnentuin, dat werd begrensd door de vier muren van het hotel. Ze vormden een schitterend paar, allebei zo elegant gekleed, zo'n mooie verschijning – en zo duidelijk verliefd.

Toen ze bij de entree bleven staan, kwam de gerant haastig op hen af om hen welkom te heten. 'Goedenavond, Monsieur Turner, ik heb uw gebruikelijke tafel, daar in de hoek.'

Harry knikte, glimlachte, en liep achter hem aan, terwijl hij Anne meesleepte naar zijn favoriete tafel bij een met klimop begroeide muur. '*Merci beaucoup*,' zei hij, en keek verrast op toen hij zag dat de fles Dom Pérignon al in de zilveren ijsemmer klaarstond. 'Ik denk dat we daar nu wel een drupje van zouden lusten,' zei hij tegen de gerant.

'*Oui Monsieur*,' zei hij en wenkte de sommelier.

Toen de bruisende wijn was ingeschonken, klonken ze met elkaar, waarna Anne zei: 'Ik heb een cadeautje voor je, lieveling. Het zit in mijn tas, maar als je wilt, zal ik het je straks wel geven.'

Hij schudde grijnzend zijn hoofd. 'Ik zou het nu wel willen, als je het niet erg vindt. Je weet dat ik net een kind ben, wat cadeautjes betreft.'

Ze opende haar tasje en haalde er een rood doosje van Cartier uit, en terwijl ze het aan hem gaf, zei ze: 'Ik dacht niet dat je iets in het openbaar zou willen uitpakken. Dus alsjeblieft, zonder mooi papier of strik.'

Toen Harry, nog steeds gelukzalig glimlachend, het doosje openmaakte, keek hij naar een paar gouden manchetknopen op zwart fluweel, waarbij hij grote ogen opzette. Op de ene stond een door diamantjes omgeven geëmailleerde witte roos en op de andere een rode roos, eveneens met diamantjes eromheen. 'Anne, ze zijn prachtig! Uniek. Dank je wel, schat.' Hij pakte haar hand die op de tafel rustte en drukte er een kus op; nog altijd glimlachend, vervolgde hij: 'En ik heb iets voor jou... een cadeautje. Maar dat wil ik je liever straks geven.'

'Wat is het dan?' vroeg ze, en haar donkere ogen flonkerden nu haar nieuwsgierigheid was gewekt.

'Als ik het vertel, is het straks toch geen verrassing meer?'

'Nee, je hebt gelijk. En ik ben blij dat je de manchetknopen mooi vindt. Ik dacht dat ze veel betekenis voor je zouden hebben. De witte roos van York en de rode van Lancaster... Deravenel en Turner, eindelijk verenigd in één dynastie, dankzij je moeder en je vader.'

'Ik vind ze schitterend,' zei hij, en hij nam nog een slok van zijn champagne. 'Ik heb een heleboel met je te bespreken, Anne,' vervolgde hij. 'Maar laten we voorlopig rustig aan doen en van ons samenzijn genieten, en we kunnen een blik op het menu werpen en bestellen.'

'Je klinkt zo ernstig,' merkte Anne op, en ze keek hem fronsend aan. 'Is alles goed... bij Deravenel?'

'Kan niet beter. Zaterdagavond heeft Charles me zelfs het mooiste verjaarscadeau ter wereld gegeven...' Hij wachtte even, grijnsde en vervolgde: 'Op jouw cadeau na dan, natuurlijk, kleine schat van me.' Weer pakte hij haar hand en verklaarde zich nader. 'Hij heeft twee bedrijven gevonden die we waarschijnlijk kunnen overnemen.

Ze passen allebei zeer goed bij Deravenel, en vanaf volgende week ga ik me ermee bezighouden.'

'Met allebei, of met één?'

'Ik vind dat ik me in allebei moet verdiepen, omdat we het ons kunnen veroorloven ze alle twee te kopen. We hebben liquide middelen in overvloed, zoals altijd. De ene is een voedselketen, wat naadloos zou aansluiten bij onze wijn-, drank- en levensmiddelenbranches, en de andere is iets wat ik allang graag had willen hebben...'

'Olie!' vulde ze aan. 'Charles heeft een oliemaatschappij voor je gevonden.'

'Je slaat de spijker op zijn kop. Ja. Hij heeft een goede neus voor speurwerk. De enige moeilijkheid is dat ik met twee concurrenten te maken heb, en die zijn allebei eerste klas. Net zulke piratenmagnaten als ik.'

'Jimmy Hanson en Gordie White,' zei Anne, waarna ze achteroverleunde en hem aankeek. 'Heb ik gelijk of niet?'

'Bijna, maar niet helemaal. Die goeie ouwe James Hanson, ja, en met hem bedoel ik ook zijn partner, mijn oude makker Gordon White. Maar die twee beschouw als één geheel, omdat ze samen eigenaar zijn van hun bedrijf. De andere financier die achter deze twee firma's aan zit, is Jimmy Goldsmith.'

'Dat is een genie. Niet te verslaan, zeggen ze.'

'Dat zijn ze alle drie, maar ik ga toch een poging wagen, Anne. Zoals je weet, heb ik besloten Deravenel naar een ander niveau te tillen. Mijn vader hield alles altijd in balans, zorgde dat het bedrijf op koers bleef, maar hij stak nooit eens zijn nek uit. Hij was veel te voorzichtig en wilde nooit risico's nemen. En hij was heel krenterig. Daar had ik het laatst nog met John Dudley over, en die was het met me eens. Zijn vader Edmund heeft jarenlang voor mijn vader gewerkt; er zijn altijd Dudleys bij Deravenel geweest. Enfin, onze vaders waren allebei van nature krenterig. Ze wilden nooit risico's nemen.'

'Maar jij wel, dat weet ik, Harry, en dat moet ook. Greg zegt altijd dat je met geld meer geld moet maken; dat je het moet laten rollen en geen stof moet laten vergaren.'

Harry barstte in lachen uit. 'Dat is een mooie formulering. Hoe is het met je broer?'

'Prima. Hij laat je de groeten doen. Hij vindt het fijn om in Parijs te wonen en hij doet het goed bij de bank.'

'Goed om te weten. Kom, zullen we het menu inkijken?'

'Laten we dat doen, Ik denk dat ik begin met kaviaar, omdat je jarig bent.'

'Je hebt echt zulke goede ideeën, Anne.'

Aan het eind van het diner, nadat de kelner koffie had geserveerd, voelde Harry in zijn zak en zei: 'Kijk eens, Anne, dit is voor jou. Geef me je hand, lieveling.'

Ze staarde hem niet-begrijpend aan, waarna ze haar rechterhand naar hem uitstak.

'Nee, nee, niet die. Je linkerhand, alsjeblieft.'

Terwijl ze hem nog altijd stomverbaasd aankeek, haar zwarte ogen groot van nieuwsgierigheid, deed ze wat hij vroeg, waarna ze van verbazing haar adem inhield toen hij de schitterende twintig karaats diamanten ring aan haar vinger schoof.

'Harry, mijn god! Wat fantastisch.' Anne staarde naar de werkelijk prachtige peervormige diamant, waarna ze haar ogen opsloeg en hem aankeek. 'Betekent dit dat je me ten huwelijk vraagt?' vroeg ze. Ze klonk ietwat buiten adem, maar wel enthousiast.

'Je weet dat ik dat zou doen, als dat mogelijk was, maar ik vrees dat ik dat niet kan.'

'Dan is er dus niets veranderd,' fluisterde ze, terwijl haar stem ineens iets treurigs kreeg. Er trok een wolk over haar gezicht. 'Als je nog steeds niet met me kunt trouwen, kan ik deze ring toch onmogelijk dragen? Aan mijn linker ringvinger, bedoel ik.'

Hij boog zich over de tafel heen, en zijn knappe gezicht stond heel ernstig en geconcentreerd. 'Moet je horen. Ik kan het niet langer opbrengen, niet op deze manier. Ik wil echt dat je heel openlijk met me gaat samenwonen. Dan zal Catherine me misschien uit schaamte een scheiding toekennen. Alleen betwijfel ik dat, daarover moet ik eerlijk tegen je zijn. Maar in elk geval vind ik wel dat we onze verhouding in iets vasters moeten omzetten. We kunnen zo gelukkig worden met ons tweetjes.'

'Mijn familie zal het besterven, vooral mijn vader. Hij zou een beroerte krijgen.' Annes donkere ogen stonden nu zorgelijk, en ze schudde haar hoofd. 'Ik ben een beetje bang om een dergelijke stap te zetten.'

'Dat weet ik, maar ik heb toch een paar ideeën die ik je wil vertellen. In de allereerste plaats verwacht ik niet dat je bij me intrekt aan Berkeley Square, omdat ik weet dat je dat nooit zou doen, dat je gruwt van het idee. Ik zal echter een grotere flat kopen, een huis desnoods. Ik heb al hier en daar geïnformeerd, en het schijnt dat er bij mij in de buurt, in Mayfair, een paar heel mooie panden te koop staan. Als je eenmaal je eigen woning hebt, ga ik daar met je samenwonen... meestentijds. We komen nog wel tot een behoorlijke regeling, we hoeven het niet iedereen aan z'n neus te hangen. Ook wil ik je toekomst zeker stellen, voor het geval mij iets overkomt. Ik zal een trustfonds voor je in het leven roepen en je alles geven wat je verder nog nodig denkt te hebben om je toekomst veilig te stellen.'

'I-i-ik weet het gewoon niet, Harry,' zei ze pessimistisch. Ook al was het 1970 en ging het er na de 'swinging sixties' een stuk losser aan toe, ze wist dat er nog altijd bepaalde gedragscodes golden. En bepaalde regels en voorschriften. Hoe goed zij en Harry zich daar ook aan zouden houden, haar vader zou teleurgesteld in haar zijn, woedend. Haar eigen zelfrespect was ook niet uit te vlakken. Hoe zou ze het kunnen opbrengen om samen te wonen met een man die al met iemand anders was getrouwd? Als hij een echtgenote had, zou hij nooit echt van haar zijn.

'Wil je dan niet de rest van je leven met me delen, Anne?'

'Jawel, lieveling. Toen ik je vanavond zag, toen je na de twee weken die we van elkaar gescheiden waren geweest mijn flat binnen kwam, besefte ik opeens dat ik je nooit zou kunnen verlaten. Maar ik wil een fatsoenlijk leven, Harry, kinderen. En jij wilt, nee, je móét, een stamhouder hebben. En ik weet niet of ik het wel zo fijn zou vinden om een buitenechtelijk kind te hebben. Bovendien zou een onwettig kind geen wettige erfgenaam van je kunnen zijn...'

'Ik kan hem wettigen, hem mijn naam geven en bij testament tot mijn erfgenaam benoemen. Ik weet gewoon dat jij me een zoon zult schenken, Anne, en ik wil nú een zoon, nu ik nog jong ben, zodat ik hem kan zien opgroeien en van hem kan genieten. O, Anne, laten we het doen.'

'Maar mijn familie...'

'Ik wil eigenlijk niets horen over je familie,' viel hij haar in de rede. 'Het is jóúw leven, niet het hunne, en ook míjn leven. En er staat heel wat op het spel.'

'Eigenlijk heb je gelijk; ik zou aan mezelf moeten denken, en aan jou. Maar ik denk dat het eenvoudiger zou zijn als we in Parijs woonden. Dan zou ik... nou ja, ze er niet zo met hun neus op drukken...' Ze zweeg even omdat ze plotseling inzag dat ze water in de wijn aan het doen was.

'Parijs! Dat vind ik fantastisch klinken!' riep hij, zijn kans aangrijpend. 'Ik durf te wedden dat je een prachtige woning in het zevende arrondissement voor ons kan vinden, in je favoriete buurt.'

Hij keek haar glunderend aan en voegde eraan toe: 'En dan hebben we ook een huis in Londen. Zeg ja, Anne, alsjeblieft, zeg ja.'

'Ja,' zei ze aarzelend, en haar stem trilde.

Ogenblikkelijk had hij door dat ze nog twijfels had, en hij kneep in haar hand. 'Geloof me, alles komt goed. Dan hebben we samen twee riante huizen, en ik zal je op alle manieren beschermen. Juridisch en financieel, zodat je, wat er ook gebeurt, veilig bent. Kom op, dan gaan we terug naar je flat. Ik wil alleen met je zijn, je in mijn armen houden. Dat is een behoorlijk urgente behoefte, zelfs.'

Ze waren amper haar flat binnen, of Harry begon haar hartstochtelijk te kussen, en hij hield er niet mee op toen ze, verstrengeld in elkaars armen, door het appartement wervelden. Toen ze de slaapkamer binnen gingen, bleef hij eindelijk staan en hield haar op armlengte van zich af, waarna hij haar met een ernstig gezicht aankeek.

'Ik wil jóú, Anne, en wel voor mijn hele verdere leven. Jij bent mijn leven, om je de waarheid te zeggen.'

'O Harry,' zei ze, terwijl ze dichter bij hem kwam staan, zijn arm vastpakte en haar hoofd tegen zijn borst begroef. 'O, lieveling.'

'Ik hou van je,' zei hij, met zijn mond in haar haar.

'Ik hou van jóú,' antwoordde ze met gesmoorde stem.

Hij deed een stap achteruit, begon haar ceintuur los te maken en liet die op de grond vallen. Even later volgde haar witte zijden jurk, die om haar enkels aan haar voeten gleed. Ze stapte eruit en trok zijn das los.

Snel trok hij zijn jasje uit, en binnen enkele seconden lagen ze allebei uitgekleed op haar bed. Hij hield haar stevig in zijn armen, trok haar dicht tegen zich aan, terwijl hij zachtjes haar naam mompelde en vervolgens een handvol donkere haren naar zijn lippen bracht en kuste. Hij boog zich over haar heen en kuste haar voorhoofd, haar oogleden, haar hals, haar borsten, en fluisterde tussen de kussen door wat hij met haar ging doen en zij met hem. Terwijl hij haar streelde, liet hij zijn handen over haar hele lichaam glijden, ook naar haar intiemste plekje, tot ze begon te trillen, wild van begeerte, en haar adem van opwinding diep uit haar keel kwam.

Zoals altijd voelde Anne zich overweldigd door Harry, louter vanwege zijn lichamelijke schoonheid. Meer nog dan alle andere mannen die ze had gekend beschikte hij over een enorme seksuele aantrekkingskracht, en hij was een potente, ervaren minnaar. Ze trilde onder zijn aanraking; hij maakte haar week van begeerte.

Het was wederzijds, dit bijna pijnlijke verlangen om samen te zijn, om lichamelijk in elkaar op gaan. Ze wisten allebei dat ze samen één wilden worden om in zekere zin in de ander over te gaan.

Nu kuste Harry haar met zo'n heftigheid dat zijn tanden over de hare schuurden. Hij wurmde zijn handen onder haar lichaam en tilde haar naar zich toe, drukte haar bijna fijn tegen zijn borst, grommend in haar haar, omdat hij niet genoeg van haar kon krijgen. Maar hij wilde nog van haar proeven, van haar genieten, haar genot schenken en haar opnieuw in extase brengen. Hij liet haar in de kussens zakken en zei: 'Ik wil een kind van ons. Echt, o, echt, Anne.'

Ze strekte haar hand uit, streelde zijn wang en liet haar vingers teder naar zijn hals glijden, zonder dat haar ogen de zijne loslieten. 'Ik wil het ook.' Haar stem zakte tot een gefluister. Ze spoorde hem aan: 'Laten we het nu doen, laten we onze baby maken, Harry. Ik hou van je, ik hou zo veel van je.'

Hij kon niet langer weerstand bieden en gleed haar lichaam binnen, nam bedreven bezit van haar. Hij bewoog zich tegen haar aan, terwijl hij naar haar gezicht keek, en ze sloeg haar ogen op en keek hem aan. Hij zag haar liefde voor hem weerspiegeld in haar ogen en op haar gezicht, en hij merkte dat er een immens geluksgevoel in haar oplaaide.

Nu kwam Anne onder hem in beweging, terwijl ze met haar heupen omhoog stootte. Omdat hij prompt op haar reageerde, vonden ze hun eigen ritme. Op een gegeven moment greep hij haar stevig beet, waarna hij ruw naar voren stootte, dieper en dieper, en steeds woester bezit van haar nam. Hij beminde haar met nog meer vuur en opwinding dan hij ooit bij die andere vrouwen had gevoeld die hij vóór haar had gehad. Die konden geen van allen aan haar tippen, waren geen van allen zo opzwepend, veeleisend en sensueel geweest. Haar benen gingen omhoog en klemden zich om hem heen en haar kleine vuisten balden zich op zijn onderrug. En hij besefte dat hij nooit eerder zo veel en met heel zijn wezen van haar had gehouden.

Van heel ver hoorde Harry dat ze zijn naam riep. Toen haar spieren zich ongecontroleerd samentrokken, drukte hij zich steviger tegen haar aan. Hij kwam in haar klaar, waarbij een enorme huivering door hem heen trok, en hij schreeuwde het uit, riep keer op keer haar naam en zei tegen haar dat zij hem toebehoorde, en hij haar. En toen ze veel later ineengestrengeld en buiten adem op het bed lagen, fluisterde hij tot slot in haar hals: 'Lieveling, dat was een zoon, die we zojuist hebben gemaakt. Mijn stamhouder. Daar ben ik tot in mijn botten van overtuigd.'

Zestig

New York 1971

Charles Brandt zat in de directiekamer van TexMax Oil op Fifth Avenue, in bespreking met de drie belangrijkste bestuursleden van de Texaanse oliemaatschappij. Het was een middelgroot, maar welvarend bedrijf met zijn hoofdzetel in Midland, dat Deravco aan het overnemen was.

Charles was voornamelijk bezig vragen te beantwoorden over Deravco, in de jaren twintig opgericht door Edward Deravenel, en hun een beschrijving te geven van het huidige directieteam. Maar ineens was het gesprek op Harry Turner gekomen.

'Jij bent tot nu toe steeds aan de bal geweest, Charles,' zei Peter Proctor, de president-commissaris van de oliemaatschappij, 'en dat heb je verduiveld goed gedaan. We zijn tevreden over de manier waarop de onderhandelingen tot dusver zijn verlopen en we zijn ervan overtuigd dat het bedrijf steeds in kracht zal toenemen.' Hij keek Charles bewonderend aan en vervolgde: 'Maar wij zijn alle drie enorm benieuwd naar onze nieuwe eigenaar... Harry Turner.'

Charles keek van Peter Proctor, een man voor wie hij sympathie en bewondering had opgevat, naar Max Nolan, de commissaris van het bestuur van TexMax Oil, en Tony Nolan, de zoon van Max die samen met zijn vader een van de grootste aandeelhouders van het bedrijf was.

'Jullie zullen hem zo meteen ontmoeten,' zei Charles, terwijl hij zich met een minzame glimlach op zijn gezicht wat meer vooroverboog, zich veilig wanend achter zijn façade van enorme charme. 'Hij wordt alleen wat opgehouden omdat zijn vrouw zwanger is en hij een telefoongesprek met Londen heeft.'

'Ik hoop dat alles in orde is,' zei Max Nolan, en hij klonk oprecht bezorgd. 'Ik ben vader en grootvader en heb dus in hetzelfde schuitje gezeten – en hoe, kan ik je zeggen. Mijn dochter Kathy Sue heeft net weer een baby gekregen en deze keer was het kantje boord. Maar ze is er goed doorheen gekomen, kan ik tot mijn vreugde zeggen.' Er ging een witte wenkbrauw omhoog. 'Heeft Mrs. Turner het zwaar?'

'Nee, nee, helemaal niet. En in feite zijn er geen problemen,' voelde Charles zich nu geroepen te verklaren. 'Het is Annes eerste kind en ze is gisteren gevallen, maar gelukkig is er geen schade aangericht.'

'Goed nieuws,' zei Max, maar hij drong verder aan. 'Vertel eens iets over Harry Turner. Hij heeft de laatste tijd een behoorlijke reputatie op Wall Street. Dus hoe is hij echt?'

Lachend antwoordde Charles: 'Hij heeft de laatste tijd inderdaad een reputatie verworven, maar hij is absoluut niet de woesteling die bedrijven ontmantelt, wat sommige journalisten graag van hem maken. Je zult zelfs zien dat hij een rustige, zelfstandige, hoffelijke man is, en uitermate praktijkgericht. Ik ben er zeker van dat jullie hem zullen mogen.'

'Hij heeft dit afgelopen jaar zeer veel successen geboekt bij de overnames van een enorme voedselketen en supermarkten in Groot-Brittannië en die andere drankfabrieken in Nederland. En door ons uit te kopen, uiteraard. Wat drijft hem? Wat is het geheim van zijn succes?'

'Volgens mij is hij een financieel genie,' antwoordde Charles. 'Hij heeft Deravenel van zijn vader Henry Turner geërfd, die het bedrijf vele jaren op vaste koers heeft gehouden. Het bedrijf is altijd uitermate winstgevend geweest, maar er was geen sprake meer van innovatie bij Deravenel. Dat was in de tijd van zijn grootvader wel het geval. Nadat hij het bedrijf had overgenomen, deed Harry hetzelfde wat zijn vader had gedaan. Hij speelde op safe. Maar vervolgens begon hij met middelgrote aankopen. Hij nam een aantal relatief kleine bedrijven over die goed bij Deravenel pasten. Toen besloot hij vorig jaar, eind juni om precies te zijn, om naar een leidende positie te dingen en zijn krachten te meten met de grote jongens.'

'Zoals Goldsmith en Hanson?' informeerde Tony Nolan.

'Dat klopt.'

'Die twee Engelsen zijn echte piratenmagnaten,' merkte Tony op.

Charles grijnsde. 'Zeg dat wel! Overigens is Jimmy Goldsmith een halve Fransman, hoor.'

'Dat wist ik niet,' zei Tony. 'Enfin, vertel nog eens wat meer over Harry Turner, voor hij komt.'

'Volgens mij is het geheim van zijn succes, dat hij oog heeft voor een transactie, plus zijn ongelooflijke gave om jaarbalansen te lezen. Hij ziet dingen die anderen ontgaan,' legde Charles uit. 'Hij kan bijvoorbeeld een firma onder de loep nemen, zien dat het aandelenpakket is ondergewaardeerd, nauwkeurig de kwaliteiten bepalen – die meestal eveneens worden ondergewaardeerd – en dan trekt hij een plan. Hij brengt een bod op dat bedrijf uit, terwijl hij zo veel mogelijk de lopende aandelen opkoopt, en stapt op de directie af om een deal te sluiten. Is hij eenmaal eigenaar van het bedrijf, dan geeft hij het in handen van zeer professionele managers van Deravenel. Hij zorgt dat het werkt. Zoals ik al zei, hij is enorm praktijkgericht en er absoluut niet opuit een bedrijf te ontmantelen en het vervolgens de rug toe te keren. Integendeel zelfs.'

Op dat moment ging de deur open en stapte Harry Turner de directiekamer binnen.

Terwijl hij de deur achter zich sloot en op de lange mahoniehouten vergadertafel af liep, zei hij: 'Goedemorgen, heren. Mijn excuses dat ik zo laat ben. Mijn vrouw was gevallen. Ik maakte me zorgen om haar omdat ze zwanger is.'

'Charles heeft ons ervan op de hoogte gebracht,' zei Max Nolan, terwijl hij, net als de andere twee mannen, ging staan om Harry de hand te schudden.

Harry nam naast Charles plaats, die zo bezorgd keek dat hij tegen hem zei: 'Alles is in orde, geen problemen. Anne en de baby hebben geen van beiden iets aan de val overgehouden.'

Charles knikte, en kon zich nu eindelijk ontspannen na een behoorlijk hectische ochtend, terwijl Harry aan de telefoon was met Londen en dus zonder hem hier naartoe moest.

Harry keek de drie mannen van TexMax aan en zei op de hem eigen kalme, tamelijk ingehouden manier: 'Ik bied u ook mijn excuses aan omdat ik er tijdens de talrijke onderhandelingen van de afgelopen maanden niet bij ben geweest. Ik weet dat Charles uitstekend werk heeft verricht en de onderhandelingen op bewonderenswaardige wijze namens mij heeft voortgezet. Dat was niet te vermijden, voornamelijk omdat ik mijn handen vol had aan enkele tamelijk riskante en lastige aankopen in Europa, met name in Holland.'

'Daar hebben we alle begrip voor,' zei Max Nolan, waarna hij tegen Peter Proctor zei: 'Volgens mij hebben we een paar vragen, is het niet, Peter? Laten we alles op tafel gooien en duidelijkheid scheppen voordat we gaan lunchen.'

'Ja, daar ben ik het mee eens,' zei Harry. 'Laten we dat nu doen en alle losse eindjes aan elkaar knopen. Dat heb ik ook liever.'

Peter Proctor knikte, trok een bruine map naar zich toe en sloeg die open. 'Er zijn een paar punten die om opheldering vragen,' zei hij, waarna hij de leiding nam over de bespreking.

Later die avond zaten Harry en Charles aan een hoektafel in de Bemelmansbar van het Carlyle Hotel, waar ze altijd logeerden wanneer ze in New York verbleven.

Charles nipte van zijn cognac, waarna hij het glas neerzette en zei: 'Je zult wel een voldaan gevoel hebben, hè, Harry, nu je de eigenaar bent van TexMax Oil. Het is een grote klapper en het was een meesterzet van je om erachteraan te gaan.'

Harry keek zijn zwager aan. 'Ik heb er inderdaad een goed gevoel over. Het is een grote aanwinst voor Deravco. Daarmee is onze oliemaatschappij een stuk veiliger.' Hij nam een grote slok van zijn mineraalwater en zuchtte. 'Ik ben je een excuus schuldig, Charles. Het spijt me dat ik vanmorgen zo kortaf en humeurig was, terwijl jij nota bene alle moeite deed je voor te bereiden op de bespreking bij TexMax. Maar Anne... Enfin, ik erger me rot aan haar.'

'Ik ken je al vanaf dat je zeven was, Harry, en als ík je niet door en door ken, zou ik niet weten wie wél. Ik neem je niets kwalijk, dat kan ik je verzekeren. Ik vind het alleen vervelend dat je op dat moment met Annes hysterische gedrag te maken kreeg, net toen we op het punt stonden te vertrekken.'

'Het was even kantje boord.' Harry schudde zijn hoofd, en toen hij Charles weer aankeek, kwam er een verwarde uitdrukking in zijn ogen. 'Ik weet niet waarom ze steeds maar van hot naar her rent en in dit stadium van haar zwangerschap met zo veel dingen bezig is. Het is begin augustus, en ze is begin september uitgerekend. Ik hou de hele tijd mijn hart vast over de risico's die ze neemt. En dan zomaar op straat ten val komen... mijn god, ze had de baby kunnen kwijtraken.'

'En zelf gewond kunnen raken,' benadrukte Charles. 'Maar dat is nou typisch Anne: altijd risico's nemen. Overigens...' Charles hield abrupt op en nipte van zijn cognac.

'Overigens wát?' vroeg Harry fronsend. 'Wat wilde je zeggen?'

Charles schudde zijn hoofd en stootte een kort lachje uit. 'Ik wilde je vragen hoe je de kwestie van Catherines sieraden hebt opgelost. Dat heb je me nooit verteld.'

Harry lachte bulderend. 'Nadat ik bepaalde stukken aan mijn

zuster, jouw vrouw dus, had gegeven en een paar andere erfstukken aan mijn dochter Mary, heb ik de rest opgeborgen in de kluis van het huis op Berkeley Square.'

'Heb je Anne niets gegeven? Na alle heisa die ze maakte toen je de juwelen van Catherine in handen had gekregen?' Charles klonk stomverbaasd, en hij keek Harry onderzoekend aan.

'Ik heb haar een diamanten collier met armband gegeven en heb het daarbij gelaten. Ik had er een beetje een raar gevoel over. Per slot van rekening had ik die juwelen net in februari weer in mijn bezit gekregen, nadat Catherine plotseling die hartaanval had gehad en overleed. Niemand was zo verbaasd als ik.' En schuldbewust, bedacht hij.

'Ja, haar dood kwam inderdaad plotseling. Ik ben blij dat je het goed vond dat Mary bij ons bleef. Het heeft haar goed gedaan, dat weet ik.'

'Dat is inderdaad zo, en jullie hebben mij er enorm mee geholpen. Mary wilde niet naar het huis aan Berkeley Square, dus dat was voor iedereen de beste oplossing.' Harry staarde in de verte, terwijl hij terugdacht aan Catherines hartaanval – zij, die altijd zo gezond was geweest.

In maart was hij snel met Anne getrouwd, in Caxton Hall, en het was een pak van haar hart geweest dat de baby die ze droeg niet buitenechtelijk zou zijn. Ook hij was er gelukkig mee, al had hij er eigenlijk nooit erg mee gezeten. Hij wist dat hij een kind van hem gemakkelijk zou kunnen wettigen door het te adopteren en de jongen bij testament tot zijn erfgenaam te benoemen.

De twee vrienden en collega's spraken nog een halfuur verder over zaken, waarna ze hun glas leegden en naar boven gingen, waar ze twee suites hadden die via een tussendeur met elkaar in verbinding stonden.

'Gaan we nog steeds eind van de week terug naar Londen, nu het met TexMax allemaal is geregeld?' vroeg Charles, toen hij voor zijn slaapkamerdeur stond.

'Ik vind dat we maar beter op schema kunnen blijven,' antwoordde Harry. 'En nogmaals: bedankt voor alles, Charles, vooral omdat je het voorwerk voor TexMax hebt willen doen.'

Harry had moeite om de slaap te vatten. Hoewel zijn slaapkamer airco had, vond hij het er deze warme nacht in augustus niet om uit te houden. Hij had in New York altijd last van de zomerse warmte. Dat kwam door de vochtigheid.

Na een tijdje stond hij op, schonk een glas water voor zichzelf in en ging in de zitkamer van zijn suite zitten, waar hij de tv aanzette. Er werd een oude film vertoond, uit de jaren dertig, een gangsterfilm met James Cagney. Hij keek er een poos naar, maar zette de tv weer uit en dacht na over Anne.

Hij hield van haar. Ze was nu zijn vrouw en droeg zijn kind. Zijn zoon en stamhouder. Maar ze bleek een uitermate moeilijke vrouw te zijn. Ze was ongelooflijk zelfstandig en buitengewoon koppig, en hij vond het roekeloos van haar, zoals ze met alle geweld van hot naar her wilde blijven rennen en naar de winkel ging om klanten te spreken. Dat de baby op het punt stond naar buiten te floepen, leek haar niets te kunnen schelen. Hij vond werkelijk dat ze niet genoeg op zichzelf paste.

Ze was tenminste opgehouden om telkens naar Parijs over te wippen. Hij had gezegd dat ze daar de winkel moest verkopen, maar dat had ze aan haar laars gelapt. Hij zuchtte en stond op. Als de baby eenmaal was geboren, zou hij er ernstig op aandringen dat ze haar zaak van de hand deed. Het was haar plicht om een goede moeder voor hun kind te zijn. Zijn zoon en stamhouder. Hij was van plan hem Edward te noemen, naar de grote Edward Deravenel. Hij glimlachte toen hij naar bed terugging, denkend aan de zoon naar wie hij zo had gesmacht, zo'n lange tijd. Hij kon niet wachten tot hij hem in zijn armen hield.

Eenenzestig

Londen

Harry Turner verliet op 7 september meteen na de lunch in grote haast zijn kantoor bij Deravenel op de Strand. Zijn vrouw lag te bevallen en hij was op weg naar het Westminster Hospital. De chauffeur reed er in recordtijd naartoe en toen hij eindelijk op de kraamafdeling was, was hij enigszins opgelucht.

Anne was nog altijd aan het bevallen, maar mocht ze hem nodig hebben, dan was hij nu nog maar een paar seconden van haar verwijderd. Hij ijsbeerde rusteloos en vol ongeduld de gang voor haar privékamer op en neer. Dat hield hij enkele uren vol, doodongerust en tot in elke zenuw gespannen.

Charles had met hem mee willen komen, en dat aanbod had hij afgeslagen, maar ineens wenste hij dat hij dat niet had gedaan. De enige aan wie hij behoefte had, was Charles Brandt, die hem altijd zo wist te kalmeren, wat voor problemen er ook waren.

Hij stond net op het punt om zijn zwager bij Deravenel te bellen, toen de dokter van Anne met een enorme glimlach op zijn gezicht uit haar kamer kwam.

Harry vloog op hem af, blij dat de dokter tevreden keek, dat hij glimlachte. 'Hoe is het met haar? Hoe is het met Anne, dokter Hargrove?' vroeg hij, al in het besef dat het goed met haar ging.

'Uw vrouw heeft zich er zeer goed doorheen geslagen, Mr. Turner. Bijzonder goed, en het zal u plezier doen te horen dat u een prachtige dochter hebt. Ze is volmaakt.'

'Goddank!' riep Harry uit – wat hij meende – en hij keek de dokter glimlachend aan, omdat hij de man niet het idee wilde geven dat hij teleurgesteld was. Maar dat was hij wel degelijk. Uiteindelijk had Anne hem geen zoon geschonken; hij zat nog steeds zonder stamhouder. Een dochter, dacht hij met een lichte steek van verslagenheid. Weer een meisje. Maar omdat hij de ogen van de dokter op zich gericht voelde, vroeg hij snel: 'Wanneer mag ik ze zien?'

'Al heel gauw, Mr. Turner. De zuster zal u komen halen. U zult niet lang hoeven wachten. En heel hartelijk gelukgewenst!'

'Dank u. En dank u, dokter Hargrove, omdat u zo goed voor Anne hebt gezorgd.'

De dokter knikte, glimlachte nogmaals en was vervolgens verdwenen.

Harry ging op een stoel zitten en sloot zijn ogen. Hij had naar een zoon verlangd – en al zo lang, dat zijn teleurstelling ontzettend groot was. Maar hij moest er het beste van maken. Er was echter nog iets: hij mocht Anne onder geen voorwaarde het idee geven dat hij teleurgesteld was. Dat zou haar gruwelijk kwetsen.

Hij deed zijn ogen weer open, haalde diep adem en prentte zichzelf in dat hij bofte. Hij had een baby, een gezonde baby; en het kind zou de band tussen hen nog sterker maken dan die al was. Anne was jong en sterk, en ze zou nog meer kinderen krijgen, en de volgende keer werd het een jongen. De volgende keer móést het een jongen zijn. Driemaal is scheepsrecht, zei hij tegen zichzelf.

Zodra hij zijn kleine dochter zag, werd Harry Turner verliefd. Ze was in alle opzichten beeldschoon; ze had zelfs een pluk rossig dons op haar hoofdje.

Toen hij de kamer binnen stormde, zag hij dat Anne hem over het hoofdje van de baby heen bezorgd aankeek. Hij ging onmiddellijk op haar af, kuste haar, keek vervolgens naar het bundeltje kanten sjaals in haar armen en zag voor het eerst dat aanminnige gezichtje.

'Ze krijgt jouw rode haar, Harry,' zei Anne, terwijl ze hem glimlachend aankeek, al bleef die bezorgde uitdrukking in haar ogen.

'Dat was het eerste wat ik zag,' zei hij glunderend, en hij streelde haar piepkleine handje en bekeek de minuscule nagels. Hij zuchtte en zei: 'Ze is volmaakt, net zoals dokter Hargrove al zei. Een klein wonder.'

'Ik weet hoe graag je een jongen wilde, Harry. Het spijt me vreselijk dat het een meisje is,' zei Anne zachtjes en drukte de baby wat dichter tegen zich aan, beschermend bijna.

Hij schudde zijn hoofd, terwijl hij Anne strak aankeek. 'Nee, nee, dat mag je niet zeggen, schat. We hebben ons bloedeigen kind. Ze is een deel van ons. Wij hebben haar gemaakt en ik hou van haar.

De volgende keer krijgen we een jongen, dat weet ik gewoon. En je moet niet denken dat ik niet van haar zal houden. Ik heb het al tegen je gezegd: ik hou nu al van haar.'

'We waren van plan onze zoon Edward te noemen,' begon Anne, en ze aarzelde even, waarna ze vervolgde: 'Ik vroeg me af...'

Hij onderbrak haar en zei enthousiast: 'We zullen haar Elizabeth noemen! Naar mijn moeder. Dan wordt ze later als ze groot is net zo wijs en mooi als de vermaarde Bess Deravenel Turner, dat zul je zien.'

Anne lachte, immens opgelucht. Ze zag dat hij blij was met hun kind, en eindelijk ontspande ze zich. Er was een last van haar afgevallen en ze kon weer vrijuit ademen.

'En wanneer kun je dit bundeltje geluk en volmaaktheid mee naar huis nemen?' vroeg Harry, terwijl hij een stoel bij het bed schoof.

'Over een paar dagen, zei de dokter. Het was nogal een gemakkelijke bevalling, Harry, en ik ben sterk en het gaat goed met me.'

Nadat ze nog even hadden gepraat, stond hij op, boog zich over haar heen om haar te kussen en legde toen een vinger op het voorhoofd van de baby. 'Ik kom vanavond weer bij jullie kijken, lieveling. Nu ga ik terug naar Deravenel om op sigaren te trakteren en iedereen te vertellen dat ik de trotse vader ben van een schitterende dochter.'

Alleen Charles Brandt wist hoe groot de teleurstelling was die schuilging achter de opgewekte façade die Harry tegenover de wereld ophield. Hij ging de directiekamers rond en deelde sigaren uit, terwijl hij opschepte over zijn dochter met het kastanjebruine haar en ieders gelukwensen in ontvangst nam. Hij deed zich die middag erg opgewekt voor.

Het was een stervertolking waar Charles Harry om bewonderde. Waarom zou je iedereen laten weten hoe je je werkelijk voelde? Dat riep Harry altijd en eeuwig, het was bijna zijn motto, en Charles was het helemaal met hem eens. Laat ze nooit weten dat je lijdt, hield Charles zichzelf voor terwijl hij samen met Harry de ronde door Deravenel deed, om hem aan te moedigen, hem te helpen om zich van zijn beste kant te laten zien.

Als vader van twee meisjes wist Charles hoe heerlijk dochters konden zijn, waar hij Harry keer op keer op wees – niet alleen op 7 september, maar nog heel lang daarna. En terwijl de weken en maanden voorbijgleden, ging Harry werkelijk steeds meer van het kleine meisje met het rode haar en de zwarte schitterogen houden.

Hij aanbad haar en haar moeder, en wilde niets liever dan nog zo'n mooi kind als Elizabeth... een jongen, uiteraard.

'Ik schijn geen kind te kunnen uitdragen,' zei Anne op treurige toon, waaruit zowel pessimisme als openhartigheid sprak.

Het lieve gezicht van Mary Turner Brandt kreeg een bezorgde uitdrukking en haar rossig blonde wenkbrauwen trokken samen tot een diepe frons. 'Ik vind het vreselijk voor je, Anne, echt vreselijk.' Ze zuchtte en perste haar lippen op elkaar. 'Je had me eerder in vertrouwen moeten nemen. Het is een zware last om alleen te dragen.'

Het was juli 1973, en in september zou Elizabeth twee jaar worden, maar Anne had Harry tot haar grote verdriet nog steeds niet de zoon en stamhouder kunnen schenken waar hij zo naar verlangde.

Mary en Anne zaten in de eetkamer van het huis van de Brandts in Chelsea, waar ze samen een lichte lunch gebruikten van asperges met vinaigrette, gevolgd door gerookte Schotse zalm op dunne sneetjes brood met boter.

Mary dacht aan Harry's doorlopend slechte humeur, zijn weerzin tegen gezelschappen en de manier waarop hij helemaal opging in Deravenel, en begreep meteen wat de oorzaak was van het gedrag dat haar broer de laatste tijd aan de dag legde. Hoewel hij normaliter open, innemend en gezellig was, was hij nu lastig, een echte zuurpruim. Tot op dat moment had ze gemeend dat Harry's kribbigheid voortkwam uit de toestand in Groot-Brittannië. Eerder dat jaar had hij gezinspeeld op de ergste recessie sinds de Tweede Wereldoorlog en hij wist dat het land een crisis te wachten stond. Hij was evenmin kapot van de regering onder Ted Heath en had een flink deel van het bezit verkocht. Nu zag ze in dat er in Harry's wereld andere factoren speelden.

Mary verbrak haar zwijgen en boog zich naar haar schoonzus toe, waarna ze vaststelde: 'Je hebt natuurlijk met je gynaecoloog gepraat. Wat vindt hij ervan?'

'Hij heeft eigenlijk geen antwoorden voor me, Mary, omdat ik kerngezond ben. Toch krijg ik telkens een miskraam.'

'Hoeveel al?'

'Drie in de afgelopen twee jaar, en dat is wat Harry betreft natuurlijk drie te veel. Hij is diep teleurgesteld in me.'

Mary hield haar mond, omdat ze op de hoogte was van de vreselijke obsessie van haar broer: dat Anne voor hun erfgenaam moest zorgen. Uiteindelijk zei ze: 'Luister, ik wil niet dat je denkt dat ik je de les lees, want dat is niet mijn bedoeling. Maar ik vind echt dat je zowat de hele tijd veel te druk bezig bent, Anne. Je werkt in de antiekwinkel in Kensington, ontwerpt voor cliënten en richt hun huizen in, je vliegt heen en weer tussen Londen en Parijs...' Mary nam een korte pauze, schudde haar hoofd, en vervolgde: 'Denk je niet dat het verstandig zou zijn om wat kalmer aan te doen? Om je op een baby te concentreren?'

'Ik zorg best goed voor mezelf, Mary, echt waar. In zekere zin word ik rondgedragen, en in grote luxe. Ik heb auto's met chauffeurs, genoeg assistenten en heel goede hulpen in huis.'

'Kun je echt niet buiten die zaak in Parijs, Anne? En die enorme flat aan de Faubourg Saint-Germain? Is dat op zichzelf al niet een enorme belasting?'

'Welnee, helemaal niet. Tegenwoordig heb ik voor mijn binnenhuisarchitectuursbedrijf drie assistenten en in de winkel op de linkeroever werken vier mensen. En wat de flat betreft, ik heb overal personeel voor. Een butler, een huishoudster en twee mensen die schoonmaken. Ik heb niet te klagen over hulp.'

'Maar daar is wel heel wat geregel van jouw kant voor nodig, lieverd, hoeveel hulp je ook hebt. Een zaak runnen – nee, twéé zaken, nu ik erover nadenk – en dan ook nog een groot appartement en het huis aan Berkeley Square.' Mary schudde haar hoofd. 'En Harry schijnt de laatste tijd niet zo vaak meer naar Parijs te gaan, hè?'

'Nee, daar heb je gelijk in, Mary. Maar ik kan Parijs niet opgeven. Ik ben er veel te dol op, op de stad zelf. Je weet dat ik er ben opgegroeid, en dat ik in menig opzicht meer Française dan Engelse ben. En ik heb echt geen zin om de winkel of mijn bedrijf in Parijs op te doeken. Ik vind het leuk om daar en in Londen te werken. Bovendien, wat zou ik dán moeten doen? Ik zou me doodvervelen.'

'Dat begrijp ik,' zei Mary, en ze pakte een schijfje citroen dat ze over de gerookte zalm uitkneep. 'Maar ook al zou je je zaken in Parijs opgeven, dan zou je nog altijd de winkel en de ontwerpstudio in Londen hebben. Is dat niet genoeg voor je?'

Anne schudde haar hoofd en antwoordde tamelijk heftig: 'Ik wil Parijs niet opgeven, en zeker niet de flat aan de Faubourg Saint-Germain. Ik zou nergens anders willen wonen.'

'Dat weet ik,' mompelde Mary, waarna ze zonder iets te zeggen een sneetje bruin brood met boter pakte.

Toen ze klaar waren met eten, stond Mary op om de tafel af te ruimen en vroeg: 'Heb je zin in koffie, Anne?'

'Nee, dank je, Mary. Maar als het mag, neem ik nog een glas van die witte wijn.'

'Natuurlijk, dan doe ik met je mee.' Mary pakte de fles Pouilly Fuissé en schonk hun lege glazen vol.

Even later zei Mary zachtjes: 'Ik hoop dat je me niet kwalijk neemt dat ik het je vraag, en denk niet dat ik mijn neus in je zaken steek, maar hoe is je relatie met Harry?'

'Kon beter. Om eerlijk te zijn: we gaan nog steeds met elkaar naar bed. Hij is namelijk een erg vurige minnaar.' Ze glimlachte steels en voegde er sarcastisch aan toe: 'Omdat hij een mannelijke erfgenaam moet hebben, moet hij namelijk presteren.'

Mary trok een grimas, hield haar mond, maar nam een slokje wijn. En dacht aan Harry's nieuwe *personal assistant*, Jane Selmere. Ze was eigenlijk een heel professionele privésecretaresse, maar tegenwoordig noemden ze zich allemaal personal assistant. Volgens Charles deed ze slimme pogingen om Harry in haar netten te verstrikken, al had haar man geen bewijs dat er iets tussen die twee aan de gang was. Nog niet. Charles had gewoon wat zitten mompelen over de blikken die er tussen hen werden uitgewisseld en er bij gezegd dat hij die nogal suggestief vond. Hij róók dat er problemen zouden komen.

'Je bent opeens zo stil, Mary. Is er iets? Ben je boos op me?'

'Natuurlijk ben ik niet boos!' riep Mary uit, en dat was de waarheid. Ze had de laatste tijd met Anne te doen. Nadat ze een ogenblik had nagedacht, zette ze haar glas neer, sprong overeind en zei: 'Ga eens even mee, Anne! Ik heb een fantastisch idee, en ik hoop dat jij dat ook vindt.'

Anne stond op van tafel en liep achter haar schoonzus aan de hal in. 'Wat is dit allemaal, Mary?'

Mary bleef staan en zei: 'Kijk eens om je heen, Anne. Kijk eens naar deze hal en kom mee naar de bibliotheek. Dat is de favoriete kamer van Charles, en mij bevalt-ie ook. Kom mee, kom eens kijken.'

Nog steeds enigszins verbaasd, liep Anne haastig naar de bibliotheek, waar ze met een plotseling gevoel van teleurstelling om zich heen keek. Het zag er armzalig uit. 'Het is een mooie kamer,' zei ze aarzelend, omdat ze geen kritiek wilde leveren.

'Absoluut. Dat is het altijd geweest. Bovendien is het huis al zeventig jaar in de familie, en ik denk niet dat er al die tijd iets aan is gedaan, behalve dat het af en toe is opgeknapt. Het is zo nu en dan geschilderd.'

'Waar wil je precies heen?'

'Ik wil jou inhuren om dit huis opnieuw te stofferen en op te knappen. Ons thuishonk, waar Charles en ik heel erg aan gehecht zijn. God weet dat het eraan toe is, en ik denk dat je dat met plezier op je zou nemen, is het niet, Anne? Het zou een fantastisch project voor je zijn.'

'Dat zeker...' Annes lippen trilden, waarna ze in lachen uitbarstte. 'Je probeert me in Londen vast te houden, is het niet? Volgens mij wil je voorkomen dat ik ophou met de wereld over te razen, is het niet zo?'

'Ja, helemaal goed,' gaf Mary toe, eerlijk als altijd. Ze lachte met Anne mee en voegde eraan toe: 'Maar ik vind echt dat het huis moet worden opgeknapt, dat ben je toch met me eens?'

'Jawel.' Anne liep de kamer rond, waarbij niets aan haar scherpe blik ontging. Toen ging ze op de bank naast de grote haard zitten. 'Kom eens bij me zitten, Mary, en vertel me iets over de geschiedenis van dit huis. Ik zou er nog wat meer over willen weten. Ik wil het door en door leren kennen.'

Mary nam tegenover haar plaats in de grote fauteuil en vertelde: 'Het huis was ooit eigendom van Neville Watkins. Die naam heb je vast wel gehoord – hij maakt deel uit van de familiehistorie.'

'Ja, en als ik me goed herinner, was Neville Watkins een neef van de overgrootmoeder van Harry, Cecily Watkins Deravenel.' Ze keek Mary vragend aan.

'Dat klopt. Zijn vader was Cecily's broer. Neville heeft dit huis gekocht, en schonk het toen rechtstreeks aan zijn vrouw, Nan Watkins. Ze hebben hier vele jaren gewoond en hun twee dochters hier grootgebracht.'

'En die dochters trouwden allebei met een broer van Edward Deravenel, George en Richard, is dat niet zo?'

'Mijn hemel, je heb je echt in onze familiegeschiedenis verdiept.'

'Harry is altijd geobsedeerd geweest door zijn grootvader Edward. Ik denk dat zijn moeder zijn hoofd heeft volgepropt met fantastische verhalen over haar vader, en hij geniet ervan.'

Mary lachte. 'Dat weet ik, dat doen we allebei. Uiteindelijk was Edward ook mijn grootvader, en zijn dochter ook mijn moeder. Enfin, om verder te gaan: nadat Nevilles dochter Anne met Richard Deravenel trouwde, heeft Edward dit huis van Nan gekocht en vervolgens aan zijn broer Richard geschonken. Hij en Anne hebben er hun hele verdere leven gewoond. Richard is natuurlijk na Anne overleden – hij werd namelijk op het strand bij Ravenscar vermoord.

Hoe dan ook, Richard heeft het huis nagelaten aan Bess, zijn lieve-
lingsnicht. Onze moeder heeft Grace Rose en haar andere zusjes hier
laten wonen, tot ze allemaal getrouwd waren. En daarna is Grace
Rose hier samen met Charlie Morgan gebleven. Tot het een beetje
groot voor hen werd, toen ze wat ouder werden. Toen hebben wij
het overgenomen.'

'Wat mooi dat het in de familie is gebleven. En ik vind dat de
herinrichting ook in de familie moet blijven. Ik neem het aan... Ik
neem het met beide handen aan, Mary.'

Tweeënzestig

Parijs

Harry Turner zat rechtop in bed een eitje te eten, terwijl hij de financiële pagina's van de *New York Herald Tribune* doornam. Toen hij voetstappen op het parket hoorde tikken en opkeek, zag hij Anne hun slaapkamer inkomen.

Hij was stomverbaasd. Ze zag er mooier uit dan hij in lange tijd had gezien. Ze was gekleed in een zachtgrijs broekpak met krijtstreep en een witte zijden blouse en ze had die morgen een heel bijzondere, ongelooflijk schitterende, uitstraling. Ze was het toonbeeld van een blakende gezondheid... Een valse noot sloop zijn gedachten binnen toen hij zich afvroeg waarom zo'n gezonde vrouw niet in staat was hem levensvatbare baby's te baren. Hij was doodziek van die miskramen en doodgeboren kinderen.

'Goedemorgen, Harry, lieveling,' zei ze luchtig en opgewekt, waarmee ze zijn gemijmer onderbrak. 'Ik wilde je alleen maar vertellen dat ik nu vertrek.'

'Waar ga je op dit onchristelijke uur naartoe? Het is nog niet eens zeven uur,' zei hij kribbig, terwijl hij onder het praten op de wekker keek.

'Naar de Loire.'

'Waarom?' Hij klonk geprikkeld en hij keek haar vragend aan, argwanend. Hij stelde zich de laatste tijd steeds argwanend tegenover haar op.

'Harry, ik heb het je niet één keer verteld; ik heb het je de afgelopen week wel tien keer verteld. Er is een fantastische veiling op een van de grote chateaus in de Loire-vallei, en daar rij ik vanmorgen naartoe. Het meubilair, de gobelins, schilderijen en kunstvoorwerpen zijn gewoon fantastisch.'

'Hoe weet je dat?' wilde hij weten, met een stem die een en al zuurheid was.

'Mark en Philippe zijn er al voor een voorbezichtiging geweest. En toen ze terugkwamen hadden ze er de mond van vol. Het is belangrijk voor mijn zaak, dat weet je, Harry. Ik wil ook de passende gobelins en accessoires uitzoeken voor de finishing touch voor Mary's huis. Het is bijna af, maar er zijn nog een paar kleine dingen nodig.'

'Waarom zou mijn zuster in godsnaam Franse gobelins in haar huis willen, dat nota bene uit de Engelse Regency-periode stamt?'

Anne glimlachte, zijn negatieve commentaar negerend, en antwoordde: 'Omdat Mary en Charles een uitstekende smaak hebben en het allebei met me eens zijn dat de entreehal in het huis in Chelsea een warmere uitstraling moet krijgen.'

'Ik hoop dat je niet de Loire in rijdt. Je bent hopeloos achter het stuur,' benadrukte hij. 'Vooral in Frankrijk. Je rijdt altijd aan de verkeerde kant van de weg.'

'O, arme Harry!' zei ze, en ze lachte opnieuw. 'Trouwens, Mark en Philippe gaan met me mee, en Greg. Hij is geïnteresseerd in de veiling. Dus een van hen zal rijden.'

'Greg? Je broer Greg?'

'Wie anders? Waarom klink je zo verbaasd?'

'Omdat ik dat bén. Ik wist niet dat hij geïnteresseerd was in antiek.'

'In schilderijen. Trouwens, hij wil er een paar dagen tussenuit. Hij heeft zijn handen vol gehad om die deal met de bank voor je rond te krijgen.'

'Dat is waar. Wanneer ben je eigenlijk van plan terug naar Parijs te komen, Anne?'

'De veiling begint morgenochtend, dinsdag, en duurt vijf dagen. Zondag rijden we terug.'

Harry keek haar dreigend aan, ademde diep in en blies een stoot lucht uit. 'Dus dan ben je er donderdagavond zeker niet?'

Anne keek hem niet-begrijpend aan en schudde haar hoofd. 'Nee, dan ben ik er nog niet. Maar waarom zeg je dat op zo'n toon? Heb ik iets vergeten? Een diner?' Terwijl ze het zei, schoot haar plotseling te binnen dat Harry een diner in Le Grand Véfour gaf. 'O mijn God, Harry, je diner...' Haar stem stierf weg; ze kon zien dat hij enigszins gepikeerd was, verongelijkt zoals hij alleen kon zijn. Zijn lange tenen behoorden tot zijn slechtste eigenschappen.

'Ja, mijn diner, zoals je dat noemt. Ter gelegenheid van het feit

dat ik de Franse bank overneem. Ook Greg is het blijkbaar vergeten.'

'Kunnen we dat niet op zondagavond doen, lieverd? Dan zorg ik
dat de jongens eerder vertrekken en dan ben ik op tijd terug voor
het diner.'

'O, zit er maar niet over in, ik verzet het wel naar volgende week.
Charles en Mary zullen het niet erg vinden, want die zijn tóch al in
Parijs. Charles en ik moeten nog wat werken in verband met deze
nogal belangrijke overname.'

Ze vloog op het bed af, sloeg haar armen om hem heen, drukte
een vluchtige kus op zijn wang, en weg was ze.

Hij keek haar na, plotseling in een slecht humeur. Dat effect had
ze de laatste tijd op hem. Ze werd steeds onmogelijker. 'Ga maar!
Ik wil je nooit meer zien.'

Harry liep over de Champs-Elysées, nog steeds geïrriteerd en uit zijn
doen vanwege Annes plotseling vertrek naar de Loire. Het had hem
teleurgesteld en overrompeld omdat ze van tevoren geen woord over
het tripje had gezegd, wat ze zo-even ook had beweerd. Hij had een
uitstekend geheugen en omdat zijn feestje zo belangrijk was voor
Charles en hemzelf, zou hij onmiddellijk de datum hebben verzet
om die aan dat reisje van haar aan te passen. Ze had vanmorgen
tegen hem gelogen.

Hij kon niet meer van haar op aan en vertrouwde haar niet. Hij
had geen bewijs van enig wangedrag van haar kant, maar ze was
de laatste tijd grillig en nogal ongrijpbaar. Ze was vaker in Parijs
dan in Londen en was wat indiscreet geworden in haar vrienden-
keuze. Ze trok veel met Greg op, wat hij in zekere zin wel plezierig vond, maar ook Greg hield er eigenaardige vriendjes op na; hij
was soms wat roekeloos. Hij had zijn bedenkingen gekregen over
zijn invloed op Anne.

Harry glimlachte grimmig in zichzelf, terwijl hij zich afvroeg of
hij, door de laatste tijd zo vaak voor zaken in Parijs te zijn, Annes
vleugels misschien had ingekort en haar vrijheid beperkte.

Tien jaar, bedacht hij ineens; we zijn bijna tien jaar bij elkaar. Ik
was vierendertig toen ik haar voor het eerst zag, en zij negentien of
zo. In juli word ik vierenveertig, en dan is zij bijna negenentwintig.
Tien jaar. Goeie god, tien jaar samen.

Wat vliegt de tijd... En dan te bedenken wat een last ze hem had
bezorgd... Hij had bij Catherine moeten vechten om een scheiding
en daarmee waarschijnlijk haar hart gebroken. Hij had die arme

vrouw immers ziek gemaakt? Vervolgens had hij, op aandringen van Anne, Thomas Wolsen ontslagen – nota bene omdat hij tekortschoot als zijn advocaat. Wat was hij stom geweest om naar haar te luisteren. Wolsen was kort daarop overleden. Aan een gebroken hart? Ze waren zo hecht geweest, wel twintig jaar lang.

Het viel niet te ontkennen dat Wolsen de briljantste man was die hij ooit had gekend, en hij had veel aan hem gehad; hij was de beste raadgever die hij ooit had gehad. En die arme Tommy dan? Hij had het op Tommy Morle voorzien en vreselijke ruzies met hem gehad, zonder enige reden. Allemaal vanwege Anne Bowles. Hun ruzies waren soms zo hoog opgelopen dat Tommy's hart, ziel en lichaam er kennelijk ziek van waren geworden, en een paar maanden na hun laatste en gruwelijkste confrontatie was hij overleden.

En dan de vrouw met wie hij een jaar of twintig getrouwd was geweest? Catherine. De moeder van Mary. Zij was plotseling overleden, waardoor ze hem de vrijheid had geschonken... zodat hij met Anne verder kon, als echtgenoot. Op Anne had hij jarenlang zijn zinnen gezet... Maar het was finaal misgelopen.

Hoe had het kunnen mislopen? Was het zijn schuld? Of haar schuld? Of was het aan allebei te wijten? Hij moest het antwoord schuldig blijven... Wel had hij hartzeer, zomaar opeens.

Wat moest hij in godsnaam beginnen? Anne en hij waren uit elkaar gegroeid, om eerlijk te zijn. Tussen hen heerste een soort... gewapende vrede. Zo wilde hij niet langer leven. Het huwelijk werd verondersteld een man gelukkig te maken... Dat is wat hij wilde: gelukkig zijn, en wel met de juiste vrouw. Een vrouw die hem zijn zoon en stamhouder zou kunnen schenken. Kennelijk was Anne Bowles daar niet toe in staat.

Hij had geen zoon. Hij móést een zoon hebben.

Hij had twee dochters, ja, en hij hield van die twee. Harry's gezicht klaarde op, nu hij aan Elizabeth dacht, die in september drie werd. En dan was er Mary, Catherines kind, een jonge, volwassen vrouw. Ze was twintig, studeerde kunstgeschiedenis in Florence en ze hadden dankzij zijn zuster eindelijk vriendschap gesloten.

Harry had een sterk ontwikkeld vaderinstinct en hield zielsveel van zijn dochters. Op dat moment dacht hij aan hen: het was nu mei, en van de zomer zou hij met hen op vakantie gaan. Hij nam een ferm besluit. Hij zou voor juli of augustus een jacht huren en dan gingen ze met z'n drieën langs de kust van Frankrijk varen, en vervolgens naar Italië. De meisjes zouden het fantastisch vinden, en zijn zuster en Charles ook. Als hij op kantoor kwam, moest hij een gastenlijst opstellen.

Zijn gezicht klaarde aanzienlijk op en er kwam weer een huppeltje in zijn tred. Hij keek omhoog. De hemel had diverse tinten licht- en diepblauw en er dreven allemaal reusachtige, mollige witte wolken in. De zon scheen die dag stralend, zonder dat het te heet werd. Het was een van die volmaakte meidagen. Zijn humeur verbeterde op slag. Hij liep met grote stappen verder over de mooie avenue, in de richting van de Arc de Triomphe, waar de driekleur wapperde in de wind. Harry rechtte zijn schouders en zette de pas erin. Binnen enkele minuten zou hij het gebouw van Deravenel bereikt hebben, op de hoek van een zijstraat tegenover Avenue George V, in het verlengde van de Champs-Elysées.

Nu kon hij niet wachten tot hij er was. Hij kreeg net nog een geniaal idee. Hij zou Jane Selmere meevragen op het jacht. Ze was niet alleen zijn beeldschone *personal assistant,* en uitermate efficiënt en attent, maar ook een leuke jongedame. Bovendien was ze de laatste tijd echt onmisbaar voor hem... Heel belangrijk zelfs, nu hij erover nadacht.

Donderdagavond liet Harry zijn bescheiden feestdiner toch doorgaan, ook al waren Anne en Greg op antiekjacht langs de Loire.

Hij nam zijn gasten mee naar Le Grand Véfour, het oude restaurant dat al tijdens de Franse Revolutie bestond. Het monument, gesitueerd onder de arcade van het Palais Royal, was een van zijn favoriete restaurants.

Ze waren slechts met z'n vieren, maar daar was Harry nu blij om. Hij keek glimlachend de tafel rond, naar zijn zuster Mary en haar man en zijn beste vriend Charles, zijn meest naaste familieleden. Ten slotte bleven zijn ogen rusten op Jane Selmere. Ze had zijn uitnodiging verheugd aangenomen, en nu hij haar aandachtig bekeek, realiseerde hij zich dat ze er vanavond op een zachte, bescheiden manier verrukkelijk uitzag. Ze droeg een eenvoudig korenblauw zijden jurkje met een parelsnoer dat hij haar vorig jaar met Kerstmis had gegeven. Hij zag nu pas hoe prachtig de parels waren. Ze stonden haar schitterend en accentueerden haar delicate teint die hem aan een Engelse roos deed denken. Ja, dat was ze: een Engelse roos.

Alle vier genoten ze van de ambiance. Die was warm en intiem, en er ging iets onmiskenbaar magisch uit van dit betekenisvolle decor dat uit de achttiende en negentiende eeuw stamde.

Toen de roze Krug-champagne was ingeschonken, pakte Harry zijn glas en zei: 'Op onze nieuwe aanwinst, de Banque Larouche, en dat het er goed mee mag gaan. En dat het ons allemaal goed mag gaan.'

Charles keek Harry grijnzend aan en voegde eraan toe: 'En op jóúw briljante gaven. Je hebt een geweldige deal gesloten, Harry.'

'Maar zonder jou was het me niet gelukt,' kaatste Harry terug.

Ze klonken allemaal met elkaar en namen een teug van de sprankelende roze wijn.

Mary keek Jane met een warme glimlach aan en zei: 'Dit is voor ons een familierestaurant, Jane. Harry en ik werden hier voor het eerst mee naartoe genomen door onze moeder, Bess Deravenel Turner, en zij was hier mee naartoe genomen door haar vader.'

'De grote Edward Deravenel,' zei Jane. Ze keek van Mary naar Harry en voegde er toen aan toe: 'En zo zul jij voortaan ook bekendstaan, Harry. Ze zullen jou de grote Harry Turner noemen.' Ze keek hem over de rand van haar kristallen glas glimlachend aan, met ogen vol beloften. Met haar hele flirterige houding moedigde ze hem aan.

Terwijl Harry haar eveneens glimlachend aankeek, voelde hij opwinding in zich oplaaien. Hij was verrukt dat ze was meegekomen en was er absoluut van overtuigd dat hij die avond hoogst welkom zou zijn in haar bed. Hij was in elk geval van plan een poging te wagen. Jane was begin dertig en kennelijk ontvankelijk voor een man als hij, dat stond voor hem als een paal boven water. Ze moest immers ook wat ervaring opdoen? Ze was nooit getrouwd geweest, wat hij op een vreemde manier wel prettig vond. Toen ze even ging verzitten om het woord tot Charles te richten, zag hij de ronding van haar roomblanke borsten doordat de v-hals van haar jurk een ietsje verschoof. Hij kreeg ontzettend de neiging om zijn hand uit te steken om ze aan te raken, maar dat ging natuurlijk niet. Zijn hart raasde en hij was heerlijk opgewonden door deze bescheiden, serene jonge vrouw, op een manier die hij al enige tijd niet meer had ervaren. Stille wateren hebben diepe gronden, dacht hij, terwijl hij zich afvroeg hoe ze in bed zou zijn. Sensueel en willig, luidde zijn conclusie.

Er waren heel wat spiegels aan het plafond en langs de wanden en toen Harry, op zoek naar een kelner, rondkeek, zag hij een aantal reflecties van Jane, die uit diverse hoeken naar hem glimlachte. Terwijl hij zich over de tafel naar haar toe boog, zei hij zacht: 'Waar ik ook kijk, ik zie jou... door al die spiegels. Je hebt geen idee hoeveel plezier dat me doet, Jane.'

'Ik wil je graag een plezier doen,' fluisterde ze, waarbij ze hem met iets geopende mond recht aankeek. Toen ze een teug van haar champagne nam en even haar tong op de rand van het glas liet rusten, wist hij dat het goed zat. Hij was thuis. Ze zou hem die avond toebehoren. En als het tussen hen zou gaan zoals hij dacht dat het zou zijn, zou het misschien voor altijd zijn. Een zoon, dacht hij. Jane gaat me vast een zoon schenken.

Toen de kelner kwam, vroeg Harry om de menu's, waarna hij Jane over de geschiedenis van het restaurant vertelde; dat Napoleon er met Josephine had gegeten, evenals vele andere beroemdheden door de eeuwen heen, en ze luisterde aandachtig. Op een gegeven moment liet ze haar voet uit haar schoen glijden en schoof die naar de rand van zijn stoel, waarna hij tussen zijn benen tot stilstand kwam.

Een ogenblik was hij overdonderd, toen liet hij zijn hoofd wat zakken, waarop ze hem glimlachend aankeek en met haar voet over zijn kruis wreef. Wat een stouterd, dacht hij. Wat heerlijk.

'Het eten is hier heerlijk, Jane. De kok is heel beroemd – Raymond Oliver,' was Mary net aan het vertellen. 'Ik ga de tong nemen, die is werkelijk goddelijk, maar een ander favoriet gerecht van Harry en mij is de met ganzenlever gevulde duif. Dat is een van hun specialiteiten en uniek in de wereld.'

'Die ga ik nemen,' kondigde Harry aan, met zijn blauwe schitterogen aan Jane vastgeklonken. 'Ik ben dol op gevulde duif.'

'Dan zal ik het proberen,' mompelde Jane, waarna ze eindelijk haar voet terugtrok en weer in haar schoen schoof, omdat ze inzag dat haar verleidingskunsten hem bijna te veel werden. Straks ga ik hem heel erg gelukkig maken, zei ze bij zichzelf, al opgewonden bij het idee.

Charles bestelde de eend, waarna ze alle vier op hun gemak zatten te eten en met elkaar babbelden, genietend van hun samenzijn. Charles, die op een gegeven moment zijn hand even op Mary's knie legde, gaf haar een seintje dat hij aldoor gelijk had gehad, wat Jane betrof. Ze was op Harry uit, en hij was ervan overtuigd dat het haar zou lukken.

Drieënzestig

'Hier heb je alle definitieve contracten,' zei Charles, terwijl hij zijn zwager de papieren toe schoof. 'Zodra je ze hebt ondertekend, is de bank van jou.' Het was maandag, 20 mei 1974.

'Ik ben hier erg mee in mijn schik, Charles.' Harry grinnikte toen hij zijn pen oppakte en zijn handtekening zette. Hij keek Jean-Pierre Larouche aan en zei: 'Het is voor het eerst dat Deravenel eigenaar is van een bank. Ik vind het fantastisch dat we hem hebben gekocht.'

'En ik vind het fantastisch dat ik hem aan jou heb verkocht,' antwoordde de Franse bankier. 'Ik wil al jaren met pensioen. Mijn vrouw Claude vindt het ook fantastisch. En ze dankt je uit de grond van haar hart.'

Elk van het groepje mannen in de directiekamer bij Deravenel glunderde, waarna Charles aankondigde: 'Heren, we hebben een kleine chambre séparée bij Fouquet's gereserveerd voor een feestelijke lunch. Zodra deze laatste formaliteiten zijn vervuld, kunnen we oversteken...' Hij wachtte even toen Jane haar hoofd om de deur stak en hem wenkte.

Terwijl hij opstond om haar te woord te staan, zag hij dat ze zo wit was als een doek. Ze fluisterde iets tegen hem, waarop hij zijn adem inhield en zich vervolgens beheerste. Hij draaide zich om en zei: 'Harry, kan ik je even in je kantoor spreken? Er schijnt een probleem te zijn. Een privéprobleem.'

Harry schrok op en trok een frons, geïrriteerd door deze eigenaardige onderbreking. Maar toen hij zag hoe ernstig Charles en Jane keken, stond hij op, terwijl hij op de contracten tikte. 'Het is helemaal in orde, heren. Excuseert u me een paar minuten, alstublieft. Er is kennelijk een privékwestie die mijn aandacht verdient voor we de Champs-Elysées oversteken om te gaan lunchen.'

Jean-Pierre Larouche antwoordde, mede namens zijn groepje *associés*: 'Neemt u gerust uw tijd, Mr. Turner.'

'Wat is er? Is er iets mis?' vroeg Harry zodra ze op de gang waren.

'Laten we naar je kantoor gaan, Harry,' zei Charles, en hij pakte hem bij zijn arm en duwde hem voor zich uit, op een manier waaruit bleek dat het dringend was.

Jane hield zich afzijdig, niet wetend wat ze moest doen, tot Harry omkeek en wenkte dat ze hen moest volgen. Dat deed ze, geschokt door het bericht dat ze net had vernomen.

Zodra ze in zijn kantoor waren, draaide Harry zich om en keek van Charles naar Jane, waarna hij uitriep: 'Wat is er in godsnaam? Jullie kijken allebei alsof je slecht nieuws moet brengen.'

'Ik vrees dat we dat ook moeten doen,' antwoordde Charles met trillende stem, en terwijl hij Harry opnieuw bij zijn arm pakte, voegde hij eraan toe: 'Je kunt beter even op die bank gaan zitten.'

Dat deed Harry, met een frons op zijn gezicht. Weer keek hij naar Jane, die eruitzag als een geest en met stomheid was geslagen, en vervolgens naar Charles. 'Vertel op, in godsnaam!'

Charles ging op een stoel tegenover Harry zitten en wenkte dat Jane naast hem op de bank moest plaatsnemen.

'Er is een tragisch ongeval gebeurd,' stak Charles van wal. 'Anne en haar broer, en de andere twee mannen die bij hen waren, hebben vanmorgen in alle vroegte een auto-ongeluk gehad. Op weg terug van het Loire-dal.'

'O mijn God, nee! Ik heb haar nog zo gezegd dat ze niet moest rijden,' brulde Harry, terwijl hij rood aanliep. 'Zij zat waarschijnlijk aan het stuur.'

'Dat geloof ik niet,' onderbrak Charles hem hees.

'Liggen ze in het ziekenhuis?' vroeg Harry. 'Welk ziekenhuis? Waar is het ongeluk gebeurd?'

'Dat weet ik niet, maar we worden er snel over ingelicht.' Charles slikte en vervolgde met diezelfde schorre stem: 'Kennelijk was het een afgrijselijke klap. Harry... Anne is dood. Ik vind het verschrikkelijk voor je... heel, heel verschrikkelijk, maar ze zijn allemaal dood... alle vier.'

'O mijn God! Nee! Wat is er gebeurd? Vertel me wat er is gebeurd, in godsnaam!' riep Harry op gebiedende toon. Alle kleur was uit zijn gezicht weggetrokken; hij zag asgrauw en hij zat te trillen. Hij had het gevoel alsof al zijn bloed uit hem wegstroomde. Hij kon zich niet verroeren, praten evenmin, zo ontzet was hij door het bericht. Het kwam allemaal zo onverwacht, zo plotseling. Anne was dood. Greg was dood. En Mark en Philippe. Het leek niet mogelijk... het was moeilijk te bevatten. Alle vier dood... zomaar... in een flits.

Jane pakte zijn hand, omdat ze hem wilde troosten, maar ze was zelf ook buiten zichzelf. Hij zat daar maar en staarde Charles met open mond aan, terwijl hij in opperste verwarring zijn hoofd schudde. 'Het kan gewoon niet,' mompelde hij opeens en sloeg een hand voor zijn gezicht. 'Vertel me wat je weet, je moet me alles vertellen, Charles. Alsjeblieft,' smeekte hij op het laatst.

'Ik weet niet veel, Harry. Maar de politie zit te wachten om met je te praten. Jane heeft ze in mijn kantoor gelaten.' Hij keek haar aan en ging met gedempte stem verder: 'Wat hebben ze gezegd, Jane?'

Jane slikte moeizaam en vertelde met onvaste stem: 'De auto werd frontaal geraakt door een vrachtwagen uit tegengestelde richting. Op de snelweg. Het schijnt... tja, het schijnt...' Jane hield abrupt op. Haar stem klonk gesmoord toen ze zich uiteindelijk weer onder controle had en vervolgde: 'Het schijnt dat de klap heel... hevig was. Iedereen was op slag dood, volgens de twee politiemannen. Ze willen je zo gauw mogelijk spreken, Harry.'

In een poging om kalm te blijven, ademde Harry diep in en knikte: 'Laat ze maar binnen.'

Jane sprong overeind en ging de kamer uit.

Charles stond op en kwam naast Harry op de bank zitten, waarna hij zijn arm om zijn schouder sloeg. 'Ik ben bij je. Je hoeft maar te kikken, ik ben er om je te helpen.'

'Het is een verschrikkelijke schok. Wat een gruwelijk nieuws...' Harry's stem trilde zo, dat hij ophield met praten, totaal van de kaart. Enkele ogenblikken later fluisterde hij: 'Hoe moet ik het Elizabeth vertellen?'

'Dat lukt je vast wel. Ergens zul je er de kracht voor vandaan halen, en wij zijn er om je te steunen, Mary en ik.'

'Dat weet ik.' Hij keek zijn allerbeste vriend aan en zei: 'Ik was kwaad op haar, en teleurgesteld, maar ik heb haar nooit iets ergs toegewenst, Charles, dat weet je toch, hè?'

'Natuurlijk.'

De twee politiemannen werden door Jane binnengeleid, waarna ze gingen zitten en rustig en op neutrale toon met Harry spraken. Ze legden uit dat de botsing in de buurt van Brisssac had plaatsgevonden, in de Loire-streek, en dat de vier inzittenden van de auto, evenals de vrachtwagenchauffeur, op slag dood waren geweest.

Harry luisterde, waarbij hij af en toe knikte, terwijl hij zijn best deed het allemaal tot zich te laten doordringen, maar hij was verdoofd. Uiteindelijk mengde Charles zich erin en nam de agenten mee naar zijn eigen kantoor, waar hij hun alle relevante gegevens verstrekte. De lijken bevonden zich in het mortuarium van het plaatselijke ziekenhuis bij Brissac en konden binnen vierentwintig uur naar Parijs worden overgebracht.

Charles gaf zijn secretaresse opdracht om de nodige regelingen met de twee agenten te treffen en belde toen zijn vrouw Mary op.

'Fijn dat je met me mee gaat, Jane,' zei Harry toen ze de volgende middag door de Tuilerieën liepen. 'Ik moest werkelijk even die flat uit, ik kreeg er zo'n last van claustrofobie en ik voelde me helemaal verkrampt.'

'Je bent nog in shock,' zei Jane, terwijl ze zijn hand pakte om hem te troosten en op zijn gemak te stellen. 'In elk geval zullen de frisse lucht en de wandeling je goed doen.'

'Anne hield ontzettend veel van Parijs. De stad, de mensen, alles. Ik dacht vaak dat ze meer Frans dan Engels was.'

'Dat heb je me al eens verteld.'

Ze liepen zwijgend verder. Ze voelden zich op hun gemak met elkaar en ervoeren de stilte tussen hen als iets vriendschappelijks; eigenlijk hadden ze geen woorden nodig.

Plotseling stond Harry stil, draaide zich om en keek Jane aan. 'Ik wil, ik móét je zelfs iets zeggen. Ik haatte haar niet. We hadden zo onze problemen, maar dat wist je van ons, is het niet?'

'O ja, maar al te goed,' antwoordde Jane prompt.

'Wist je dat al lang?'

'Ja, Harry.'

'Ik wenste haar niets slechts toe.'

'Dat weet ik.' Jane kneep in zijn arm.

'Als ze toch dood moest, ben ik blij dat ze... op slag dood was. Ze heeft, voor zover we weten, niet geleden... Denk jij dat ze heeft geleden?'

'Nee. Trouwens, dat heeft de politie je verteld, omdat de klap zo geweldig hard aankwam. Ze zeiden dat ze waarschijnlijk op slag dood was. Bovendien zal de lijkschouwer de tijd wel weten waarop de dood is ingetreden. Ik ben ervan overtuigd dat de Franse politie je gisteren de waarheid heeft verteld.'

'Maar haar hals, Jane. Die agenten zeiden dat haar hals... nou ja, gedeeltelijk was doorgesneden.' Hij huiverde bij het idee alleen al.

'Denk er nou niet aan. Onthou nou maar dat Anne niet heeft geleden. Je moet niet stilstaan bij de negatieve dingen.'

'Ik weet het. Maar Elizabeth... ze wordt in september pas drie. Hoe vertel je een kind dat haar moeder is omgekomen?'

'Voorzichtig, Harry,' zei Jane, en er was sprake van een aarzeling voor ze zachtjes zei: 'Met mijn hulp.'

'Wil je me echt helpen, Jane?' vroeg hij gretig, terwijl hij haar in de ogen keek, omdat hij plotseling besefte hoezeer hij behoefte had aan haar steun.

'Ik wil alles voor je doen, Harry, echt alles. Ik ben altijd dol geweest op Elizabeth. Het is een schattig kind en ze lijkt zo op jou.'

'Vind je?'

'Nou en of.'

Hij zweeg, terwijl hij haar onderzoekend aankeek.

Ze weerstond zijn doordringende blik. Ze gaf om deze man, en ze koesterde sterke, liefdevolle gevoelens voor hem. Het enige wat ze nu wilde was hem helpen.

'Ik heb over de zomer nagedacht; ik wilde dan een jacht huren. Ik heb het er vorige week met je over gehad.'

'Ja, en ik vond het een goed idee.'

'Als ik hem huur, ga je dan met ons mee? Dan zijn we met Mary en Elizabeth, mijn zus Mary met Charles en hun dochters Frances en Eleanor. Zou het niet te saai voor je zijn, denk je?'

'Het zou heerlijk zijn. Ongelooflijk, vind ik. Ik heb altijd bij een grote familie willen horen en ik moet bekennen dat ik zelfs al een tijdje naar een groot gezin van mezelf verlang. Maar ik geloof niet dat ik ooit een heerlijk groot nest om me heen zal hebben. Dat zit er niet in.'

'Zoiets moet je niet zeggen. Niemand weet wat het lot zal brengen, wat er in het leven gaat gebeuren.'

Zonder daarop te reageren keek ze hem aan, met haar open en eerlijke gezicht en haar heldere, oprechte ogen. Ze had geen enkele bijbedoeling, en dat vond Harry fijn. Ze was te vertrouwen, daar was hij heel zeker van, en toen ze samen verder liepen, zakte zijn verdriet opeens een beetje. Ze beschikte over een innerlijke rust, waardoor haar gezelschap troost schonk.

'Het helpt werkelijk om aan positieve dingen te denken – een jacht huren, bijvoorbeeld. Vind je niet?' vroeg Harry, terwijl ze nu de kant van het Louvre op liepen.

'Met jou en je familie op een jacht rondvaren is inderdaad reuze positief. En iets om naar uit te kijken. Fijn dat je me mee vraagt... Het idee alleen al heeft iets betoverends. Ik kan niet wachten.'

Hij was opgebeurd en voor het eerst in dagen speelde er een klein glimlachje om zijn mondhoeken. 'Ik heb geen idee hoe jij het hebt klaargespeeld om mijn leven binnen te tuimelen, maar ik ben dolblij dat je het hebt gedaan.'

'Ik ook.' Jane pakte hem opnieuw bij zijn arm, meer doelgericht ditmaal. Niets was beter voor het herstel van de gewonde ziel van een man dan een oprecht liefhebbende vrouw. En liefhebben zou ze hem... als Harry haar daartoe de kans zou geven. Ze zou er ook voor zorgen dat hij de tijd van zijn leven zou krijgen.

Nawoord

Harry Turner stond midden in de bibliotheek van Ravenscar, waar hij omhoogkeek naar het schilderij van zijn grootvader, de grote Edward Deravenel. Hij had een brede glimlach op zijn gezicht en in zijn armen zijn kleine zoon. Zijn zoon en stamhouder. Drie dagen geleden geboren, op 12 oktober 1975.

Jane had hem een gezonde, prachtige zoon geschonken die over een paar dagen in de familiekapel op Ravenscar gedoopt zou worden.

'Dit is 'm, grootvader!' riep Harry naar het meesterwerk. 'Mijn zoon. Mijn stamhouder... jouw erfgenaam. En hij is naar jou vernoemd. Hij is ook een Edward. En hij wordt net zo groot als jij, dat beloof ik je. Een nieuwe grote Edward in de familie.'

Met een grijns van oor tot oor hield Harry het kind omhoog naar het schilderij. 'Hij heeft Deravenel-bloed en Turner-bloed, en hij gaat over jouw imperium heersen om het op een dag naar nog grotere hoogten te brengen.'

Harry wiegde het jongetje in zijn armen en blies heel even over het rode kuifje van donshaar, waarna hij de helderblauwe ogen kuste. Mijn evenbeeld, bedacht Harry, in navolging van mijn grootvader. Dat heeft Jane voor me gedaan: me gegeven waar ik al die jaren sinds ik met Catherine trouwde zo naar heb verlangd.

Ik ben vijfenveertig, maar nog niet te oud om nog meer kinderen te krijgen, en dat zal ook gebeuren. Jane zal me nog meer zoons schenken, en ook dochters. Vorig jaar in Parijs zei ze dat ze altijd naar een groot nest had verlangd, en dat zullen we krijgen ook.

Toen hij voelde dat er iemand aan zijn broek trok, keek hij naar beneden.

Elizabeth stond met haar glanzend zwarte ogen naar hem op te kijken. 'Mag ik mijn broertje zien, vader?'

Harry bukte zich en liet haar de baby zien: een in kanten sjaals gewikkeld bundeltje. 'Hier is hij... Edward, je broer Edward. Mijn zoon, mijn stamhouder.'

Hij kwam overeind en toen hij nog eens naar het portret van zijn grootvader keek, was dat het moment waarop hij bezwoer dat hij net zo'n portret van zichzelf wilde hebben. Dat zou hij voor zijn pasgeboren zoon doen. Zodat Edward op een dag zíjn zoon zou kunnen optillen en tegen hem zeggen dat dat zijn grootvader was, de grote Harry Turner. Hij boog zich over zijn kind en drukte een kus op zijn voorhoofd, overlopend van liefde voor hem, het kind waarnaar hij zo lang had gesmacht.

'Mag ik mijn broertje vasthouden?'

'Natuurlijk niet, Elizabeth. Je bent pas vier, dus je zou hem gemakkelijk kunnen laten vallen. En wat zouden we dan moeten beginnen, hè?'

'Toe, vader.'

'Ik zei nee. Ga nu maar weg, als een zoete meid. Ik heb het razend druk met mijn zoon en erfgenaam.'

Elizabeth, gekwetst en vernederd, deed een stap achteruit, waarna ze zich omdraaide en naar Nanny rende, die in de deuropening stond.

Toen Avis Paisley, het kindermeisje, zag dat de tranen over de wangen van het meisje biggelden, pakte ze haar bij de hand en liep met haar weg, woedend over de manier waarop Harry Turner zijn dochtertje had gekwetst.

'Niet huilen, lieverd,' zei Nanny. 'Het is allemaal in orde.'

'Niet waar,' jammerde Elizabeth. 'Ik ben geen jongen. Was dat maar waar. Dat zou ik de zoon en erfgenaam zijn en dan zou vader van me houden.'

'Hij houdt echt van je,' suste Nanny. 'Iedereen houdt van je.'

'Echt waar?' vroeg Elizabeth, die nu opfleurde en in haar ogen wreef. 'Hoeveel mensen zijn dat... Iedereen?'

'Nou, heel Engeland, Elizabeth,' antwoordde Nanny al improviserend. 'Heel Engeland houdt van je.'

Het roodharige kind met de ebonietzwarte ogen veegde haar tranen weg. 'Dan hou ik ook van hen,' zei ze, en dat meende ze.

Woord van dank

Hoewel ik door de jaren heen heel wat geschiedkundige informatie had verzameld met betrekking tot de Plantagenets en de Tudors, ontdekte ik toen ik aan deze serie begon dat ik niet genoeg wist over de tijd van koning Edward VII. Dat was de periode waarin ik van plan was deze boekenreeks te situeren, vanaf het jaar 1904 tot heden. Met andere woorden: ik moest heel wat meer te weten zien te komen over het allereerste begin van de twintigste eeuw.

Omdat ik bezig was met onderzoek naar de gedragspatronen, de zeden, de politiek, de maatschappij, de zakenwereld en de mode van die vroege periode, maar ook naar allerlei aspecten van het dagelijkse leven en de Eerste Wereldoorlog, had ik hulp nodig. Ik ben Lonnie Ostrow en Damian Newman van Bradford Enterprises bijzonder dankbaar. Zij hebben mij het leven een stuk gemakkelijker gemaakt. Ik hoefde de telefoon maar op te pakken en 'Was het Savoy Hotel in Londen in 1904 al gebouwd?' of een vergelijkbare vraag te stellen, of ik kreeg, hoe ingewikkeld het onderwerp ook was, ogenblikkelijk antwoord, bijna nog voor het laatste woord aan mijn lippen was ontsnapt. Ze haalden alle mogelijke informatie boven water die ik nodig had – al was die soms nog zo eigenaardig en obscuur – en wisten me te voorzien van jaarkalenders van 1904 tot nu. Die twee whizzkids hebben me de afgelopen twee jaar dagelijks waarschijnlijk minstens twintig keer aan de lijn gehad. Mijn dankbaarheid voor hun werk kent geen grenzen.

Ik wil graag de fascinerende roman *The Sons of Adam* (Harper Collins, Londen) van Harry Bingham vermelden. Afgezien van het feit dat het boek meeslepende lectuur biedt, heb ik er meer uit geleerd over wilde speculatie en olieboringen in de jaren twintig dan uit mijn naslagwerken, en ook nog op een uiterst plezierige manier.

Mijn dank aan deze begaafde auteur, alleen al voor het schrijven van het boek. Het was van onschatbare waarde.

Ik wil hier ook per se een paar woorden wijden aan mijn twee zeer getalenteerde editors, die me door dik en dun steunen en altijd klaarstaan met een luisterend oor of advies. Mijn editor in Londen, Patricia Parkin van HarperCollins, heeft tweeëntwintig van mijn boeken geredigeerd, en dit wordt haar drieëntwintigste. Ik stel haar wijsheid, gedrevenheid en inzet voor mijn boeken uitermate op prijs. In al die tijd dat we al samenwerken, is er nog nooit een kwaad woord tussen ons gevallen en hebben we nooit een meningsverschil gehad, ongetwijfeld een record.

Mijn editor in New York, Jennifer Enderlin van St Martin's Press, is uit hetzelfde hout gesneden en is gedreven en toegewijd en ze borrelt van enthousiasme, en dat stel ik op prijs. Het hebben van twee van die uitstekende editors en zo'n geweldige steun aan beide kanten van de Atlantische Oceaan is een zeldzaam geschenk.

Het is belangrijk voor me mijn uitgevers een vlekkeloos manuscript te presenteren, en dat zou me niet lukken zonder de hulp van Liz Ferris van Liz Ferris Word Processing. Zij heeft al een aantal jaren een groot aantal van mijn boeken uitgetypt en ik ben haar enorm dankbaar omdat ze dat zo schitterend doet. De manuscripten die ze levert worden echt foutloos en in hoog tempo uitgevoerd, in recordtijd, en zonder een enkele klacht van haar kant wanneer ik er druk achter zet.

Ik wil ook iedereen bedanken bij HarperCollins in Londen en bij St Martin's Press in New York: al degenen die zijn betrokken bij het ontwerp en de productie van mijn boeken. De editors, kopijbewakers en ontwerpers achter de schermen zijn voor een auteur van onschatbare waarde, en ik ben dankbaar voor de zorg die ze aan mijn romans besteden, voor hun gezwoeg.

Ik heb een kring van bijzondere vriendinnen die altijd voor me klaarstaan, me aanmoedigen, informeren of ik iets nodig heb, me op alle mogelijke manieren willen helpen en zich verdringen om me tijdens het schrijven te vertroetelen en af te schermen. Mijn dank aan hen, met veel liefs... ze weten allemaal wie dat zijn.

Ten slotte, *last but not least*, moet ik zeggen dat ik mijn boeken niet zou kunnen schrijven zonder de immer liefdevolle zorg, liefde, toewijding en aanmoediging van mijn man, Robert Bradford. Zoals hij, mijn zeer geduldige Bob, worden ze niet meer gemaakt.